●●● 《新 HSK5000 词分级词典》编委会

顾　　问：胡瑞昌

中文审定：李　环

英文审定：Mark Strange

主　　编：李禄兴

本册编者：李禄兴　王　瑞

资　　料：李晓岑　张端成

外国人学汉语工具书
CHINESE REFERENCE SERIES FOR FOREIGNERS

新HSK 5000词分级词典（一～三级）

李禄兴　主编

A DICTIONARY OF 5000 GRADED WORDS FOR NEW HSK (LEVELS 1, 2 & 3)

北京语言大学出版社
BEIJING LANGUAGE AND CULTURE UNIVERSITY PRESS

图书在版编目(CIP)数据

新 HSK5000 词分级词典．一~三级／李禄兴主编．—北京：北京语言大学出版社，2013.5（2015.8 重印）

ISBN 978-7-5619-3507-1

Ⅰ.①新…　Ⅱ.①李…　Ⅲ.①汉语－词汇－对外汉语教学－水平考试－自学参考资料　Ⅳ.① H195.4

中国版本图书馆 CIP 数据核字（2013）第 099017 号

书　　名：新 HSK 5000 词分级词典（一~三级）
　　　　　XIN HSK 5000 CI FENJI CIDIAN (YI ~ SAN JI)
责任印制：汪学发

出版发行：北京语言大学出版社
社　　址：北京市海淀区学院路 15 号　　**邮政编码**：100083
网　　址：www.blcup.com
电　　话：发行部　010-82303650 / 3591 / 3651
　　　　　编辑部　010-82303647 / 3592 / 3395
　　　　　读者服务部　010-82303653 / 3908
　　　　　网上订购电话　010-82303668
　　　　　客户服务信箱　service@blcup.com
印　　刷：北京中科印刷有限公司
经　　销：全国新华书店

版　　次：2013 年 9 月第 1 版　　2015 年 8 月第 2 次印刷
开　　本：787 毫米 ×1092 毫米　1/32　**印张**：13.5
字　　数：483 千字
书　　号：ISBN 978-7-5619-3507-1 / H· 13081
定　　价：69.00 元

目　录

Contents

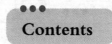

编写说明

《新 HSK5000 词分级词典》主要供准备参加新汉语水平考试（HSK）的读者使用，同时也是不同水平的汉语学习者不可或缺的一套工具书。这套词典收录了《新汉语水平考试大纲》(一～六级）规定的 5000 个词语。按照这 5000 个词语的相应级别，我们将词典分为三册，即《新 HSK5000 词分级词典》(一～三级)、《新 HSK 5000 词分级词典》(四～五级）和《新 HSK5000 词分级词典》(六级)，便于不同水平的考生和学习者使用。

根据汉语词汇的不同等级和学习者的实际情况，我们对三个分册的体例做了不同处理。其中，《新 HSK5000 词分级词典》(一～三级）词条注释采用了英文注释的方法，所有的例句都配有汉语拼音和英文翻译，便于初学者对照学习、体会、模仿、记忆。《新 HSK 5000 词分级词典》(四～五级）的词条注释采用了汉语和英语两种方式，四级例句配有汉语拼音，五级例句不再提供拼音，以实现拼音到汉字的过渡。四、五级例句不再提供英语翻译，以养成学习者汉语思维的能力。《新 HSK5000 词分级词典》(六级）的词条只用汉语注释，加拼音，例句完全使用汉字，不再提供汉语拼音，以形成学习者独立运用汉语的能力。

《新 HSK5000 词分级词典》各分册注释和例句所使用的词语基本都限制在考试大纲规定的词汇量之内，这样就给汉语学习者带来极大的方便，避免了词典中因出现生词而给学习者带来困难。例句照顾到了口语、交际、实用、典范的特点，同时照顾了常用搭配和常用语法格式。在《新 HSK5000 词分级词典》(一～三级）中，每个词条配有 3～8 个例句，通过丰富的例句，让被释词反复出现，便于学习者理解、学习、掌握。这些例句汇集起来，就是一本很好的初级口语大全。为进一步方便学习者练习听力和口语，本分册词条和例句都配有中文录音。初学者在学习汉语教材的同时，拥有这样一本词典，可立即获得更多的表达方式，起到复习、巩固、提高、丰富汉语词语的效果，引起学习者对汉语的更大兴趣，获得初学汉语的满足感和成就感。四～五级分册和六级分册，每个词条配有3～5个例句，根据不同词语的特点，兼顾口语和书面语两种形式，真正体现学习者的中高级汉语水平，为学习者通过相应级别的汉语水平考试提供帮助。

这套词典的编写，得益于编者在爱尔兰都柏林大学孔子学院任教时的很多想法和经验。同时，也曾与很多孔子学院的中外方院长和教师交流过，得到了他们的一些很好的建议。北京语言大学出版社对外汉语教育事业部原部主任苗强给予了词典极大的关心，同时提出了很多改进意见，编辑付彦白做了大量认真细致的工作，在此一并表示诚挚的感谢。

词典是为学习者而编写的，所以学习者的评价、意见和建议将是对编者的莫大支持和鼓励。您在使用时有任何问题或者想法，欢迎与编者联系，以便于我们为您提供更优质的服务。

编者的联系方式：lluxing@163.com

编　者

2012年12月

Foreword

A Dictionary of 5000 Graded Words for New HSK is mainly targeted at readers who are going to take New Chinese Proficiency Test (HSK). It is also a set of reference books indispensable for Chinese language learners of various levels. This set of dictionaries, with 5000 graded words prescribed in the *Outline of the New HSK* (Levels 1~6), is divided into three volumes and intended for test takers and students of different levels, namely *A Dictionary of 5000 Graded Words for New HSK* (Levels 1, 2 & 3), *A Dictionary of 5000 Graded Words for New HSK* (Levels 4 & 5), and *A Dictionary of 5000 Graded Words for New HSK* (Level 6).

The formats of the three volumes are differentiated based on the various levels of Chinese words and actual situations of students. Among them, *A Dictionary of 5000 Graded Words for New HSK* (Levels 1, 2 & 3) is annotated in English, i.e., all the sample sentences are provided with Chinese *pinyin* and English translations, so that beginners can compare, comprehend, imitate and memorize the words without much difficulty. The entries in *A Dictionary of 5000 Graded Words for New HSK* (Levels 4 & 5) are annotated in Chinese and English. Chinese *pinyin* is provided for the sample sentences at Level 4, but not for those at Level 5, to ensure the transition from *pinyin* to characters. The sample sentences in this volume are no longer annotated in English to develop students' Chinese thinking ability. In *A Dictionary of 5000 Graded Words for New HSK* (Level 6), the entries are only annotated in Chinese characters and *pinyin*, and all the sample sentences are written in Chinese characters without using *pinyin* any more, to develop students' ability of using Chinese independently.

All the words used in the annotations and sample sentences in this series are basically the words prescribed in the *Outline of the New HSK*, which has brought great convenience for Chinese language students—they don't have to consult new words in other dictionaries. The sample sentences are selected according to the concurrent criterion of being frequently used collocations and commonly used grammar patterns, and are colloquial, communicative, practical and typical. In *A Dictionary of 5000 Graded Words for New HSK* (Levels 1, 2 & 3), each entry is provided with three to eight sample sentences. The abundant sample sentences make the words being explained occur repeatedly so as to facilitate students' understanding, learning and mastery. If collected, these sample sentences can be a good guidebook for beginners of spoken Chinese. Chinese recordings for the entries and sample sentences are available in this volume for students to improve their listening and speaking skills. They can use it together with their Chinese textbooks to learn more expressions, to review, consolidate and improve their Chinese, to become more interested in Chinese, and to gain more sense of satisfaction and achievement. The second and third volumes of the series are compiled based on the characteristics of different words, with three to five sample sentences provided for each entry, taking both the spoken and written styles into consideration. They can meet the needs of intermediate and advanced Chinese learners and help users of the corresponding levels pass HSK.

This dictionary was based on the ideas and teaching experiences the author had when teaching at the Confucius Institute of University College Dublin, as well as many suggestions from the school principals and teachers of many Confucius Institutes both at home and abroad. Sincere thanks are given to Mr. Miao Qiang, former Director of Department of Chinese Language Education for Foreigners of Beijing Language and Culture University Press, for his support and suggestions, and the editor of the books Mr. Fu Yanbai for his meticulous work.

A dictionary is compiled for learners. Therefore, learners' evaluations and suggestions are the greatest support and encouragement for compilers. If you have any questions or ideas when using this dictionary, please feel free to contact us at lluxing@163.com and we'll do our best to provide you with help and service you need.

Compiler

December 2012

本册体例

一、词目

1. 本册词典根据2009年国家汉办公布的《新汉语水平考试大纲》(一～三级)收录词语。其中一级共150条词语，二级共150条词语，三级共300条词语。本册词典共计收词语600条。

2. 词目标注汉语拼音。对于单音节词，标注部首、笔画、笔顺等信息。

3. 词目按词汇大纲级别排列，同一级别内按首字汉语拼音顺序排列。若首字音同则按笔画数多少排列，笔画数相同的按起笔笔形“横（一)、竖（丨)、撇（丿)、点（丶)、折（㇕)”的顺序排列。首字相同的按第二个字汉语拼音顺序排列。

二、注音

1. 词目按汉语拼音字母注音。

2. 传统上有两种读法而且都比较通行的词目，以现在最常用的音标注。如“谁”shéi，另读 shuí，本词典标注 shéi。

3. 例句标注汉语拼音，对例句中的轻声和“一、不”变调等语流音变，按实际变调注音。

三、释义

1. 释义只用英文注释，不用汉语注释。一些具体的实物名词，如“桌子”“照相机”等配有图片，同时给出相应的用法例句。

2. 词条不止一个义项的，分项注释，按常用度排列，用“①②③……”表示。

3. 本词典的义项设定主要参照《新汉语水平考试大纲》，根据外国留学生的实际水平，选择义项中的常用义，注释最基本、最常用的语词义。不收古义、方言义，不列姓氏、地名义及单纯科学技术义。

4. 词条标注词类。词类有 13 类。本词典用英文缩写形式标注词类，在英文释义前用“< >”标注词类简称。即：<*n.*> (noun), <*v.*> (verb), <*aux.*> (auxiliary), <*adj.*> (adjective), <*m.*> (measure word), <*num.*> (numeral), <*pron.*> (pronoun), <*adv.*> (adverb), <*prep.*> (preposition), <*conj.*> (conjunction), <*int.*> (interjection), <*part.*> (particle), <*p.n.*>(proper noun)。前缀（词头）prefix 标“<*pref.*>”，后缀（词尾）suffix 标“<*suf.*>”。离合词标“<*v.*>”，但词条注音用“//”隔开。短语 phrase 标“<*phr.*>”，习惯用语 idiomatic expression 标“<*i.e.*>”。

5. 兼类词另起一行，按常用度排列先后顺序。如：

热情　<*adj.*>
　　　<*n.*>

●●● 四、例句

1. 本册词典在每一项释义后都配有词条最常用的、含不同用法的例句，以帮助学习者从例句中认知该词条的实际意义和正确用法。例句一般设 3 ~ 8 个。本词典不设短语。

2. 例句尽量做到覆盖《新汉语水平考试大纲》词汇和语法点，力求贴近留学生汉语水平和生活，通俗、活泼、健康。用词范围一般不超过考试大纲规定的词汇量。

3. 例句前用“❶❷❸……”表示例句序号，例句间用“|”隔开。

4. 例句编写原则：
  （1）照顾到生活化、口语化、通用性、词的语法功能（即可以做哪些句子成分）、常用性、自然性、级别的对应性，注意控制例句中词汇难度。
  （2）长度原则。例句不能过长，最长以两个分句为宜。
  （3）意思的自足性。即能体现该词的意思。
5. 例句都标注汉语拼音，并同时提供英文翻译。

五、术语表

adj.	adjective	形容词
adv.	adverb	副词
aux.	auxiliary	助动词
conj.	conjunction	连词
i.e.	idiomatic expression	习惯用语
int.	interjection	叹词
m.	measure word	量词
n.	noun	名词
num.	numeral	数词
part.	particle	助词
phr.	phrase	短语
pref.	prefix	前缀 / 词头
prep.	preposition	介词
pron.	pronoun	代词
p.n.	proper noun	专有名词
suf.	suffix	后缀 / 词尾
v.	verb	动词

Notes on the Use of This Volume

I. Entries

1. The entries in this dictionary are selected based on the *Outline of New HSK Vocabulary* (Levels 1, 2 &3) issued by Hanban in 2009. There are altogether 600 entries, including 150 entries from Level 1, 150 entries from Level 2 and 300 from Level 3.

2. Each entry is marked with Chinese *pinyin*. The monosyllabic words are noted with their components, strokes, stroke orders and other information.

3. The entries are listed according to the vocabulary outline, with those of the same level sequenced alphabetically. For entries with head characters having the same pronunciation, those with fewer strokes preceding the ones with more strokes. As to those with equal number of strokes, they are arranged according to the starting stroke in the order of horizontal stroke (—), vertical stroke (丨), left-falling stroke (丿), dot stroke (丶), and hook stroke (㇕). Entries under the same head characters are alphabetically listed according to the pronunciation of the second character.

II. Phonetic Transcription

1. Each entry is noted with *pinyin*, namely, Chinese phonetic transcription.

2. Words with two commonly used pronunciations are transcribed with the more popular ones in this dictionary. For example, "谁" is

pronounced both as shei and shui, it is transcribed as shei in this dictionary.

3. The sample sentences are transcribed with *pinyin*. The variation in pronunciation in the sample sentences, such as the neutral tone, "一" and "不", are marked in their variant tones.

••• III. Definitions

1. The entries are noted with their English definitions rather than Chinese ones. Some nouns indicating specific objects, such as "桌子" and "照相机", are provided with illustrations and corresponding sample sentences to explain their usages.

2. Words with more than one entry are sequenced and explained according to their frequency of use, with notes such as ①②③ indicating their usages.

3. Selection of the entries in this dictionary is mainly based on the *Outline of New HSK*. In line with the actual situations of international students, this dictionary selects and annotates the most basic and frequently used senses of a word, but not the archaic senses, expressions from Chinese dialects, surnames, place names, nor technological terms.

4. The entries are marked with their word types. This dictionary uses English abbreviations in "< >" to indicate the word types of the entries before their English definitions. The word types are listed as follows: <*n.*> (noun), <*v.*> (verb), <*aux.*> (auxiliary), <*adj.*> (adjective), <*m.*> (measure word), <*num.*> (numeral), <*pron.*> (pronoun), <*adv.*> (adverb), <*prep.*> (preposition), <*conj.*> (conjunction), <*int.*> (interjection), <*part.*> (particle), <*p.n.*>(proper noun). The prefixes are marked with "<*pref.*>" and the suffixes are marked with"<*suf.*>". Separable words are marked with "<*v.*>" and noted with a pair of left slashes, "//" in transcriptions.

The phrases are marked with "*<phr.>*", and the idiomatic expressions are marked with "*<i.e.>*".

5. Words that can be used as more than one word type are sequenced based on their frequency of use and are written in two paragraphs.

For example, 热情 *<adj.>*

<n.>

••• IV. Sample sentences and phrases

1. In this dictionary, each definition is followed by some sample sentences explaining the various usages of the entry most commonly used, to help international students understand the meanings and usages.

2. The sample sentences cover the words and grammar points prescribed in the *Outline of New HSK*. They are popular, lively, healthy, and close to international students' life and their levels of Chinese. The words used in the sample sentences are from the 5000 words prescribed in the *Outline of the New HSK*.

3. The sample sentences notes such as "❶❷❸……" indicate their serial numbers, and the example sentences are separated using " | ".

4. We stick to the following principles when compiling the sample sentences:

(1) The sample sentences are lively, colloquial, commonly used and natural. Attention was paid to show the grammatical function(s) of a word and to control the difficulty degree of the words in the sentences.

(2) The sample sentences are neither too long nor too short, with the longest ones using only two semicolons.

(3) The sample sentences are "self-sufficient" in meaning, i.e., they can fully express the meanings of this word.

5. All the sample sentences are marked with Chinese *pinyin* and English translations.

••• V. Terms table

adj.	adjective
adv.	adverb
aux.	auxiliary
conj.	conjunction
i.e.	idiomatic expression
int.	interjection
m.	measure word
n.	noun
num.	numeral
phr.	*phrase*
part.	particle
pref.	prefix
prep.	preposition
pron.	pronoun
p.n.	proper noun
suf.	suffix
v.	verb

词目分级音序检索表

Phonetic Index of the Entries

The number on the left of each word indicates its sequence in the index of Level 1, Level 2 or Level 3.

The number on the right of the *pinyin* of each indicates its page number in the dictionary.

一级（150词）

Level 1 (150 words)

二级（150词）

Level 2 (150 words)

三级（300词）

Level 3 (300 words)

A

1. 阿姨 āyí 187
2. 啊 a 187
3. 矮 ǎi 188
4. 爱好 àihào 189
5. 安静 ānjìng 190

B

6. 把 bǎ 190
7. 班 bān 191
8. 搬 bān 192
9. 办法 bànfǎ 193
10. 办公室 bàngōngshì 194
11. 半 bàn 194
12. 帮忙 bāng//máng 195
13. 包 bāo 195
14. 饱 bǎo 196
15. 北方 běifāng 197
16. 被 bèi 197
17. 鼻子 bízi 198
18. 比较 bǐjiào 198
19. 比赛 bǐsài 199
20. 必须 bìxū 200
21. 变化 biànhuà 201
22. 表示 biǎoshì 201
23. 表演 biǎoyǎn 202
24. 别人 biéren 203
25. 宾馆 bīnguǎn 203
26. 冰箱 bīngxiāng 204

C

27. 才 cái 204
28. 菜单 càidān 206
29. 参加 cānjiā 206
30. 草 cǎo 207
31. 层 céng 207
32. 差 chà 208
33. 超市 chāoshì 209
34. 衬衫 chènshān 209
35. 成绩 chéngjì 210
36. 城市 chéngshì 210
37. 迟到 chídào 211
38. 出现 chūxiàn 211
39. 除了 chúle 212
40. 厨房 chúfáng 212
41. 春 chūn 213
42. 词语 cíyǔ 213
43. 聪明 cōngming 214

D

44. 打扫 dǎsǎo 215

一级
Level 1

1. 爱（愛）ài radical: 爫 strokes: 10

stroke order: 丿 ⺈ ⺈ ⺤ 爫 爫 爫 爰 爱 爱

<*v.*> ① love

❶ 我爱妈妈和爸爸。Wǒ ài māma hé bàba. I love my mom and dad. | ❷ 我爱我的小狗。Wǒ ài wǒ de xiǎogǒu. I love my puppy. | ❸ 我爱你，我们结婚吧。Wǒ ài nǐ, wǒmen jiéhūn ba. I love you. Let's get married. | ❹ 我爱我的故乡。Wǒ ài wǒ de gùxiāng. I love my hometown. | ❺ 他很爱他妻子。Tā hěn ài tā qīzi. He loves his wife very much. | ❻ 父母给了我很多爱。Fùmǔ gěile wǒ hěn duō ài. My parents love me very much. | ❼ 他们爱得很深。Tāmen ài de hěn shēn. They love each other deeply.

② like

❶ 我爱吃苹果。Wǒ ài chī píngguǒ. I like apples. | ❷ 我女儿爱吃中国菜。Wǒ nǚ'ér ài chī Zhōngguócài. My daughter likes Chinese food.| ❸ 他很爱打篮球。Tā hěn ài dǎ lánqiú. He likes playing basketball very much.

2. 八 bā radical: 八 strokes: 2 stroke order: 丿 八

<*num.*> eight

❶ 他家有八口人。Tā jiā yǒu bā kǒu rén. There are eight people in his family. | ❷ 我们晚上八点见面吧。Wǒmen wǎnshang bā diǎn jiànmiàn ba. Let's meet at eight tonight. | ❸ 我的儿子今年八岁。Wǒ de érzi jīnnián bā suì. My son is eight years old. | ❹ 这次足球比赛我们得了第八名。Zhè cì zúqiú bǐsài wǒmen déle dì-bā míng. We ranked the eighth in this soccer game. | ❺ 我们认识已经八年了。Wǒmen rènshi yǐjīng bā nián le. We've known each other for eight years. | ❻ 他买了八个苹果。Tā mǎile bā ge píngguǒ. He bought eight apples.

3. 爸爸 bàba

<*n.*> dad, father

❶ 我爸爸是中学老师。Wǒ bàba shì zhōngxué lǎoshī. My dad is a middle school teacher. | ❷ 这是我爸爸，这是我妈妈。Zhè shì wǒ bàba, zhè shì wǒ māma. This is my dad, and this is my mom. | ❸ 爸爸，明天我们去公园玩儿吧。Bàba, míngtiān wǒmen qù gōngyuán wánr ba. Dad, let's go to the park tomorrow. | ❹ 我爸爸妈妈结婚已经二十年了。Wǒ bàba māma jiéhūn yǐjīng èrshí nián le. My parents have been married for 20 years. | ❺ 刚才爸爸给我打了个电话。Gāngcái bàba gěi wǒ dǎle ge diànhuà. My dad gave me a call just now. | ❻ 这是我爸爸的手表，他给我了。Zhè shì wǒ bàba de shǒubiǎo, tā gěi wǒ le. This is my dad's watch. He gave it to me. | ❼ 我学习汉语是受了爸爸的影响。Wǒ xuéxí Hànyǔ shì shòule bàba de yǐngxiǎng. I learned Chinese under my father's influence.

4. 杯子 bēizi

<*n.*> cup, glass, mug

❶ 这个杯子是我的。Zhège bēizi shì wǒ de. This is my cup. | ❷ 我想喝水，请给我一个杯子。Wǒ xiǎng hē shuǐ, qǐng gěi wǒ yí ge bēizi. I'd like to have some water. Please give me a glass. | ❸ 这个杯子是喝咖啡用的，那个杯子是喝茶用的。Zhège bēizi shì hē kāfēi yòng de, nàge bēizi shì hē chá yòng de. This is a coffee cup, and that is a teacup. | ❹ 你喝水的杯子放在哪儿了？Nǐ hē shuǐ de bēizi fàng zài nǎr le? Where is your water glass? | ❺ 这是我喝牛奶的杯子。Zhè shì wǒ hē niúnǎi de bēizi. This is my milk mug. | ❻ 他常常用这个杯子喝咖啡。Tā chángcháng yòng zhège bēizi hē kāfēi. He often uses this cup to drink coffee.

5. 北京 Běijīng

<*p.n.*> Beijing

❶ 北京是中国的首都。Běijīng shì Zhōngguó de shǒudū. Beijing is the capital of China. | ❷ 我下个月去北京旅游。Wǒ xià ge yuè qù Běijīng lǚyóu. I am going to visit Beijing next month. | ❸ 我想去北京学习汉语。Wǒ xiǎng qù Běijīng xuéxí Hànyǔ. I'd like to go to Beijing to study Chinese. | ❹ 他家是北京的，我家是上海的。Tā jiā shì Běijīng de, wǒ jiā shì Shànghǎi de. He is from Beijing, and I am from Shanghai. | ❺ 我 2008 年去过北京。Wǒ 2008 nián qùguo Běijīng. I went to Beijing in 2008. | ❻ 我吃过北京烤鸭，很好吃。Wǒ chīguo Běijīng kǎoyā, hěn hǎochī. I have had Beijing roast duck, which was very delicious. | ❼ 我是北京人，你呢？ Wǒ shì Běijīngrén, nǐ ne? I am from Beijing. What about you? | ❽ 北京有很多好玩儿的地方。Běijīng yǒu hěn duō hǎowánr de dìfang. There are a lot of fun places in Beijing.

一级

6. 本 běn radical: 木 strokes: 5 stroke order: 一 十 才 木 本

<*m.*> *used for books of various kinds*

❶ 这是一本很有意思的书。Zhè shì yì běn hěn yǒu yìsi de shū. This is a very interesting book. | ❷ 这本书是我的，那本是你的。Zhè běn shū shì wǒ de, nà běn shì nǐ de. This book is mine, and that one is yours. | ❸ 我去书店买了本书。Wǒ qù shūdiàn mǎile běn shū. I bought a book in the bookstore. | ❹ 这本词典太大了，我想买一本小的。Zhè běn cídiǎn tài dà le, wǒ xiǎng mǎi yì běn xiǎo de. This dictionary is too big. I'd like to buy a small one. | ❺ 我买了几本学习汉语的书。Wǒ mǎile jǐ běn xuéxí Hànyǔ de shū. I bought several books on learning Chinese. | ❻ 这本书是我的老师写的。Zhè běn shū shì wǒ de lǎoshī xiě de. This book was written by my teacher. | ❼ 他写了一本小说。Tā xiěle yì běn xiǎoshuō. He wrote a novel.

一级

7. 不客气（不客氣）bú kèqi

<*i.e.*> You're welcome.

❶ A：谢谢！ B：不客气。A: Xièxie! B: Bú kèqi. A: Thank you! B: You're welcome! | ❷ A：真是太感谢您了！ B：不客气。A: Zhēn shì tài gǎnxiè nín le! B: Bú kèqi. A: Thank you so much! B: You're welcome! | ❸ A：你多吃一点儿。 B：谢谢你，不客气。A: Nǐ duō chī yìdiǎnr. B: Xièxie nǐ, bú kèqi. A: Help yourself (to some food). B: Thank you. I'll do it. | ❹ 人家说"谢谢"，你应该说"不用谢"或"不客气"。Rénjia shuō "xièxie", nǐ yīnggāi shuō "búyòng xiè" huò "bú kèqi". If someone says "Thank you", you are supposed to say "You're welcome". | ❺ A：谢谢您请我们吃饭。B：不客气。A: Xièxie nín qǐng wǒmen chīfàn. B: Bú kèqi. A: Thank you for inviting us to the meal. B: You're welcome!

8. 不 bù radical: 一 strokes: 4 stroke order: 一 丆 不 不

<*adv.*> ① no, not

❶ 我不抽烟，也不喝酒。Wǒ bù chōu yān, yě bù hē jiǔ. I neither smoke nor drink. | ❷ 我会打网球，不会打篮球。Wǒ huì dǎ wǎngqiú, bú huì dǎ lánqiú. I can play tennis, but I can't play basketball. | ❸ 他不是中国人，是日本人。Tā bú shì Zhōngguórén, shì Rìběnrén. He is not Chinese, but Janpanese. | ❹ 他生病了，明天不能来上课了。Tā shēngbìng le, míngtiān bù néng lái shàngkè le. He is sick, so he can't attend the class tomorrow. | ❺ 这个菜不好吃。Zhège cài bù hǎochī. This dish is not delicious. | ❻ 你能不能吃辣的？ Nǐ néng bù néng chī là de? Can you eat spicy food? | ❼ 你喝不喝酒？ Nǐ hē bù hē jiǔ? Do you drink? | ❽ 你想不想去中国？ Nǐ xiǎng bù xiǎng qù Zhōngguó? Do you want to go to China?

② *used between a verb and its complement to indicate something is impossible*

❶ 我吃不了这么多。Wǒ chī bu liǎo zhème duō. I can't finish all this food. | ❷ 包

太多，我拿不了。Bāo tài duō, wǒ ná bu liǎo. I cannot carry so many bags. | ❸ 我喝不完这些果汁。Wǒ hē bu wán zhèxiē guǒzhī. I cannot finish all the juice.

9. 菜 cài radical: 艹 strokes: 11

stroke order: 一 十 廾 艹 艹 芏 苎 苎 苹 菜 菜

<*n.*> ① dish

❶ 这个菜很好吃，大家都爱吃。Zhège cài hěn hǎochī, dàjiā dōu ài chī. This dish is delicious, and everybody likes it. | ❷ 他总是先吃饭，后吃菜。Tā zǒngshì xiān chī fàn, hòu chī cài. He always eats rice before vegetables. | ❸ 妈妈做了很多好吃的菜。Māma zuòle hěn duō hǎochī de cài. Mom cooked a lot of tasty food. | ❹ 你点菜吧，我不知道吃什么。Nǐ diǎn cài ba, wǒ bù zhīdào chī shénme. Please order the food. I don't know what to eat. | ❺ 服务员，请上菜。Fúwùyuán, qǐng shàng cài. Excuse me, could you serve the food, please? | ❻ 我爱吃中国菜、日本菜，还有法国菜。Wǒ ài chī Zhōngguócài、Rìběncài, hái yǒu Fǎguócài. I like Chinese food, Japanese food and French food.

② vegetable

❶ 妈妈去买菜了，一会儿就回来。Māmā qù mǎi cài le, yíhuìr jiù huílai. Mom went out to buy vegetables, and she will be back soon. | ❷ 这儿什么菜都有。Zhèr shénme cài dōu yǒu. You will find whatever vegetables here. | ❸ 小时候，爸爸自己种菜。Xiǎoshíhou, bàba zìjǐ zhòng cài. Dad grew vegetables by himself when he was a kid. | ❹ 我经常去学校附近的超市买菜。Wǒ jīngcháng qù xuéxiào fùjìn de chāoshì mǎi cài. I often go to the supermarket near the school for grocery shopping. | ❺ 你买那么多菜，一个星期也吃不完。Nǐ mǎi nàme duō cài, yí ge xīngqī yě chī bu wán. You bought too many vegetables to eat in a week. | ❻ 这儿的菜都很便宜。Zhèr de cài dōu hěn piányi. All the vegetables here are cheap.

10. 茶 chá radical: 艹 strokes: 9

stroke order: 一 十 艹 艽 艾 苓 苓 茶 茶

<*n.*> ① beverage made from tea leaves

❶ 我要一杯茶，你要什么？ Wǒ yào yì bēi chá, nǐ yào shénme? I'd like to have a cup of tea. What about you? | ❷ 这杯茶太热了，等一会儿再喝吧。Zhè bēi chá tài rè le, děng yíhuìr zài hē ba. This cup of tea is too hot. Let's wait a while. | ❸ 你喝茶还是喝咖啡？ Nǐ hē chá háishi hē kāfēi? Would you like tea or coffee? | ❹ 大家一边喝茶，一边聊天儿。Dàjiā yìbiān hē chá, yìbiān liáotiānr. We chatted while having tea. | ❺ 你的茶要放糖吗？ Nǐ de chá yào fàng táng ma? Would you like to put sugar in your tea? | ❻ 你喝中国茶还是英国茶？ Nǐ hē Zhōngguóchá háishi Yīngguóchá? Would you like Chinese tea or English tea? | ❼ 我喜欢喝绿茶，我妈妈喜欢喝红茶。Wǒ xǐhuan hē lǜchá, wǒ māma xǐhuan hē hóngchá. I like green tea, and my mom likes black tea.

② tea

❶ 中国很多地方都种茶。Zhōngguó hěn duō dìfang dōu zhòng chá. There are a lot of places growing tea trees in China. | ❷ 这包茶是中国朋友送给我的。Zhè bāo chá shì Zhōngguó péngyou sònggěi wǒ de. This pack of tea was a gift from one of my Chinese friends. | ❸ 我买了一盒红茶。Wǒ mǎile yì hé hóngchá. I bought a box of black tea.

11. 吃 chī radical: 口 strokes: 6 stroke order: 丨 口 口 口丿 口𠂉 吃

<*v.*> eat

❶ 我早上吃面包、喝牛奶。Wǒ zǎoshang chī miànbāo, hē niúnǎi. I have bread and milk for breakfast. | ❷ 我下午一点吃饭。Wǒ xiàwǔ yī diǎn chīfàn. I had lunch at 1 p.m. | ❸ 他喜欢吃北京烤鸭。Tā xǐhuan chī Běijīng kǎoyā. He likes Beijing roast duck. | ❹ 晚饭你想吃什么？ Wǎnfàn nǐ xiǎng chī shénme?

What would you like to eat for supper? | ❺ 饺子很好吃。Jiǎozi hěn hǎochī. Dumplings are very delicious. | ❻ 我吃饱了。Wǒ chībǎo le. I am full. | ❼ 刚才我吃得太多了，现在要出去走走。Gāngcái wǒ chī de tài duō le, xiànzài yào chūqu zǒuzou. I ate too much just now, so I'll go out for a walk now. | ❽ 你多吃点儿，别客气。Nǐ duō chī diǎnr, bié kèqi. Help yourself to more food. Don't stand on ceremony. | ❾ 太好吃了，再来一个！Tài hǎochī le, zài lái yí ge! This is really delicious. Can I have one more, please?

12. 出租车（出租車）chūzūchē

<*n.*> taxi

❶ 北京的出租车很方便，我经常坐。Běijīng de chūzūchē hěn fāngbiàn, wǒ jīngcháng zuò. I often take a taxi in Beijing; it's very convenient. | ❷ 你下了飞机，就有出租车。Nǐ xiàle fēijī, jiù yǒu chūzūchē. You will find taxis after you get off the plane. | ❸ 我们学校门口有很多出租车。Wǒmen xuéxiào ménkǒu yǒu hěn duō chūzūchē. There are many taxis at the gate of our school. | ❹ 我们坐出租车吧，不太贵。Wǒmen zuò chūzūchē ba, bú tài guì. Let's take a taxi. It's not very expensive. | ❺ 北京的出租车司机很热情。Běijīng de chūzūchē sījī hěn rèqíng. Taxi drivers in Beijing are hospitable. | ❻ 你们三个人可以打一辆出租车。Nǐmen sān ge rén kěyǐ dǎ yí liàng chūzūchē. The three of you can take one taxi. | ❼ 他一直开出租车，哪儿都知道。Tā yìzhí kāi chūzūchē, nǎr dōu zhīdào. Being a taxi driver for years, he knows everywhere. | ❽ 这儿的出租车多少钱一公里？Zhèr de chūzūchē duōshao qián yì gōnglǐ? How much is the taxi rate here?

13. 打电话（打電話）dǎ diànhuà

<*phr.*> make a phone call

❶ 妈妈经常打电话来。Māma jīngcháng dǎ diànhuà lái. My mom often calls me. |

❷ 我有时候会给她打电话。Wǒ yǒushíhou huì gěi tā dǎ diànhuà. I call her sometimes. | ❸ 有事你就打电话。Yǒu shì nǐ jiù dǎ diànhuà. Call me if you have any problems. | ❹ 在北京打电话不贵。Zài Běijīng dǎ diànhuà bú guì. It is not expensive to make phone calls in Beijing. | ❺ 请问，哪儿可以打电话？Qǐngwèn, nǎr kěyǐ dǎ diànhuà? Excuse me, where can I make a phone call? | ❻ 你快打个电话，问问什么事情。Nǐ kuài dǎ ge diànhuà, wènwen shénme shìqing. Make a call to ask what happened. | ❼ 我给他打过两次电话了。Wǒ gěi tā dǎguo liǎng cì diànhuà le. I called him twice. | ❽ 你打这个电话，就能找到他。Nǐ dǎ zhège diànhuà, jiù néng zhǎodào tā. You can reach him by this number.

14. 大 dà radical: 大 strokes: 3 stroke order: 一 ナ 大

<*adj.*> big, large

❶ 北京很大，人也很多。Běijīng hěn dà, rén yě hěn duō. Beijing is very big and a populous metropolis. | ❷ 这个房间比较大，我喜欢。Zhège fángjiān bǐjiào dà, wǒ xǐhuan. I like this room because it's bigger. | ❸ 我想找个大一点儿的房子。Wǒ xiǎng zhǎo ge dà yìdiǎnr de fángzi. I want to have a bigger house. | ❹ 她的眼睛很大，很漂亮。Tā de yǎnjing hěn dà, hěn piàoliang. She has beautiful big eyes. | ❺ 我们买这个大西瓜吧。Wǒmen mǎi zhège dà xīguā ba. Let's buy this big watermelon. | ❻ 您能把字写大一点儿吗？Nín néng bǎ zì xiě dà yìdiǎnr ma? Can you write the characters a little bigger?

<*n.*> size, age

❶ 你多大了？Nǐ duō dà le? How old are you? | ❷ 这孩子今年多大了？Zhè háizi jīnnián duō dà le? How old is this child? | ❸ 这个房间有篮球场那么大。Zhège fángjiān yǒu lánqiúchǎng nàme dà. This room is as spacious as a basketball court.

15. 的 de radical: 白 strokes: 8

stroke order: ノ 亻 白 白 白 的 的 的

<part.> ① *used after an attribute*

❶ 这是我的手机，漂亮吧？ Zhè shì wǒ de shǒujī, piàoliang ba? This is my cellphone. Isn't it beautiful? | ❷ 你看昨天的报纸了吗？ Nǐ kàn zuótiān de bàozhǐ le ma? Did you read yesterday's newspaper? | ❸ 我家就在学校的旁边。Wǒ jiā jiù zài xuéxiào de pángbiān. My house is just beside the school. | ❹ 张老师有个十岁的儿子。Zhāng lǎoshī yǒu ge shí suì de érzi. Mr. Zhang has a ten-year-old son. | ❺ 那个漂亮姑娘是大卫的妹妹。Nàge piàoliang gūniang shì Dàwèi de mèimei. That pretty girl is David's younger sister. | ❻ 这是你的照片吗？ Zhè shì nǐ de zhàopiàn ma? Is this your photo? | ❼ 我可以用一下你的电脑吗？ Wǒ kěyǐ yòng yíxià nǐ de diànnǎo ma? Can I use your computer? | ❽ 你的作业做得很好。Nǐ de zuòyè zuò de hěn hǎo. Your homework is well done. | ❾ 这是谁的书？ Zhè shì shéi de shū? Whose book is this? | ❿ 她的脸上总是带着微笑。Tā de liǎn shang zǒngshì dàizhe wēixiào. She is always smiling.

② *used at the end of a nominal structure, equivalent to a noun phrase*

❶ 这本书是他的，不是我的。Zhè běn shū shì tā de, bú shì wǒ de. This is his book, not mine. | ❷ 你要这个大的，我要那个小的。Nǐ yào zhège dà de, wǒ yào nàge xiǎo de. Please take the big one; I'll take the small one. | ❸ 他有两个孩子，大的八岁，小的五岁。Tā yǒu liǎng ge háizi, dà de bā suì, xiǎo de wǔ suì. He has two children. The older one is 8 and the younger one is 5. | ❹ 天气很好，天是蓝的。Tiānqì hěn hǎo, tiān shì lán de. It's a fine day and the sky is blue. | ❺ 这座房子是木头的。Zhè zuò fángzi shì mùtou de. This house was made of wood. | ❻ 他用的是我的词典。Tā yòng de shì wǒ de cídiǎn. He is using my dictionary.

16. 点（點）diǎn radical: 灬 strokes: 9

stroke order: 丨 ⺊ ⺊ 占 占 占 点 点 点

<*n.*> ① o'clock

❶ 现在是上午九点。Xiànzài shì shàngwǔ jiǔ diǎn. It's 9 a.m. now. | ❷ 请问，现在几点了？ Qǐngwèn, xiànzài jǐ diǎn le? Excuse me, what's the time now? | ❸ 我早上七点吃早饭。Wǒ zǎoshang qī diǎn chī zǎofàn. I have breakfast at 7 a.m. | ❹ 你们几点上课？ Nǐmen jǐ diǎn shàngkè? When does your class begin? | ❺ 下午三点的会我不能去了。Xiàwǔ sān diǎn de huì wǒ bù néng qù le. I can't attend the meeting at 3 p.m. | ❻ 飞机到达的时间是九点二十分。Fēijī dàodá de shíjiān shì jiǔ diǎn èrshí fēn. The arrival time for the flight is 9:20. | ❼ 我们差十分九点走吧。Wǒmen chà shí fēn jiǔ diǎn zǒu ba. Let's go at 8:50.

<*v.*> order

❶ 服务员，我们点菜。Fúwùyuán, wǒmen diǎn cài. Waiter, could you take our order, please? | ❷ 每个人点一个菜吧。Měi ge rén diǎn yí ge cài ba. Each one of us orders one dish. | ❸ 别点得太多了，够吃就行。Bié diǎn de tài duō le, gòu chī jiù xíng. Don't order more than enough. | ❹ 你来点菜吧，这家饭馆我没来过。Nǐ lái diǎn cài ba, zhè jiā fànguǎn wǒ méi láiguo. Please order the food. I've never been to this restaurant. | ❺ 菜刚点完，他就来了。Cài gāng diǎnwán, tā jiù lái le. He arrived right after we ordered the food. | ❻ 我想为妈妈点一首歌。Wǒ xiǎng wèi māma diǎn yì shǒu gē. I'd like to request a song for my mother.

<*m.*> *indicating a small amount, usually with a retroflex ending*

❶ 我饿了，想吃点儿东西。Wǒ è le, xiǎng chī diǎnr dōngxi. I'm hungry and I'd like to have something to eat. | ❷ 北京的冬天有点儿冷。Běijīng de dōngtiān yǒudiǎnr lěng. Winter in Beijing is a little cold. | ❸ 我去超市买点儿水果。Wǒ qù chāoshì mǎi diǎnr shuǐguǒ. I'll buy some fruit in the supermarket.

<*n.*> ② dot, point

❶ "六"的上面是一点儿。"Liù" de shàngmiàn shì yì diǎnr. It is a dot stroke that is in the upper part of the character "六". | ❷ 这个字少了一点儿。Zhège zì shǎole yì diǎnr. A dot stroke is missing from this character. | ❸ "大"下面加个点儿就是"太"。"Dà" xiàmiàn jiā ge diǎnr jiù shì "tài". "太" is formed by adding a dot stroke underneath the character "大". | ❹ 墙上有个黑点儿。Qiáng shang yǒu ge hēi diǎnr. There's a black spot on the wall.

一级

17. 电脑（電腦）diànnǎo

<*n.*> computer, laptop

❶ 我的电脑坏了，不能用了。Wǒ de diànnǎo huài le, bù néng yòng le. My computer has broken down and can't be used any more. | ❷ 这间教室里有五十多台电脑。Zhè jiān jiàoshì li yǒu wǔshí duō tái diànnǎo. There are more than 50 computers in this classroom. | ❸ 爷爷不会用电脑，他很想学。Yéye bú huì yòng diànnǎo, tā hěn xiǎng xué. My grandpa doesn't know how to use a computer, and he really wants to learn it. | ❹ 我已经在电脑前坐了一天了。Wǒ yǐjīng zài diànnǎo qián zuòle yì tiān le. I have been sitting before the computer for a whole day. | ❺ 我喜欢用电脑学习汉语。Wǒ xǐhuan yòng diànnǎo xuéxí Hànyǔ. I like studying Chinese using a computer. | ❻ 关了电脑，休息一下吧。Guānle diànnǎo, xiūxi yíxià ba. Turn off the computer and take a break. | ❼ 她来的时候，我刚打开电脑。Tā lái de shíhou, wǒ gāng dǎkāi diànnǎo. I just turned on the computer when she came. | ❽ 我的作业在电脑里，还没打印出来。Wǒ de zuòyè zài diànnǎo li, hái méi dǎyìn chūlai. My homework is still in the computer and hasn't been printed yet.

18. 电视（電視）diànshì

<*n.*> ① television set (TV)

❶ 这台电视坏了，不能看了。Zhè tái diànshì huài le, bù néng kàn le. This TV has broken down and is not working any more. |

❷ 客厅里放着一台电视。Kètīng li fàngzhe yì tái diànshì. There is a TV set in the living room. | ❸ 他一回家就打开电视。Tā yì huí jiā jiù dǎkāi diànshì. He turned on the TV as soon as he went home. | ❹ 他给妈妈买了一台大电视。Tā gěi māma mǎile yì tái dà diànshì. He bought his mom a big TV set. | ❺ 这台电视的质量很好，没出过问题。Zhè tái diànshì de zhìliàng hěn hǎo, méi chūguo wèntí. Being of good quality, this TV has never given us any problem.

② TV program

❶ 他每天晚上都要看电视。Tā měitiān wǎnshang dōu yào kàn diànshì. He watches TV every night. | ❷ 这几天的电视没有好节目。Zhè jǐ tiān de diànshì méiyǒu hǎo jiémù. There's nothing interesting on TV these days. | ❸ 你喜欢看什么电视节目？ Nǐ xǐhuan kàn shénme diànshì jiémù? What are your favorite TV programs? | ❹ 他儿子上电视了，我看见了。Tā érzi shàng diànshì le, wǒ kànjiàn le. I saw his son on TV. | ❺ 我很少看电视，我喜欢上网。Wǒ hěn shǎo kàn diànshì, wǒ xǐhuan shàngwǎng. I seldom watch TV. I like surfing the Internet. | ❻ 现在上网也能看电视，有网络电视。Xiànzài shàngwǎng yě néng kàn diànshì, yǒu wǎngluò diànshì. You can watch TV online because of the IPTV.

19. 电影（電影）diànyǐng

<*n.*> movie

❶ 我喜欢看美国电影。Wǒ xǐhuan kàn Měiguó diànyǐng. I like watching American movies. | ❷ 这部电影很有意思，我看过三遍了。Zhè bù diànyǐng hěn yǒu yìsi, wǒ kànguo sān biàn le. This is an interesting movie and I have watched it three times. | ❸ 电影快开始了。Diànyǐng kuài kāishǐ le. The movie will start soon. | ❹ 她是一位著名的电影演员。Tā shì yí wèi zhùmíng de diànyǐng yǎnyuán. She is a famous movie actress. | ❺ 我们大学里有一个电影院。Wǒmen dàxué li yǒu yí ge diànyǐngyuàn. There's a movie theater on the university campus. | ❻ 我们上汉语课的时候，老师经常给我们放中国电影。Wǒmen shàng Hànyǔkè de shíhou, lǎoshī jīngcháng gěi wǒmen fàng Zhōngguó diànyǐng. Our Chinese language teacher often plays Chinese movies for us in class. | ❼ 我看过很多中国电影，最喜欢功夫片。Wǒ kànguo hěn duō Zhōngguó diànyǐng, zuì xǐhuan gōngfupiàn. I watched a lot of Chinese movies, and I like the kung fu movies best. | ❽ 他在电影里演一个医生。Tā zài diànyǐng li yǎn yí ge yīshēng. He plays the role of a doctor in the movie.

20. 东西（東西）dōngxi / dōngxī

<*n.*> ① thing, matter

❶ 我明天回国，东西都收拾好了。Wǒ míngtiān huí guó, dōngxi dōu shōushi hǎo le. I'll go back to my country tomorrow, and I've packed up everything. | ❷ 这些东西都不要了，你拿走吧。Zhèxiē dōngxi dōu bú yào le, nǐ názǒu ba. I don't need these things any more, so you can take them away. | ❸ 妈妈在超市买东西呢。Māma zài chāoshì mǎi dōngxi ne. My mother is shopping in the supermarket. | ❹ 我没看清楚他手上拿的是什么东西。Wǒ méi kàn qīngchu tā shǒu shang ná de shì shénme dōngxi. I didn't see clearly what was in his hand. | ❺ 我要去商店买点儿吃的东西。Wǒ yào qù shāngdiàn mǎi diǎnr chī de dōngxi. I am going to the store to get some food. | ❻ 他房间里的东西放得整整齐齐的。Tā fángjiān li de dōngxi fàng de zhěngzhěngqíqí de. Everything in his room is in good order. | ❼ 你回国，能帮我带点儿东西吗？ Nǐ huí guó, néng bāng wǒ dài diǎnr dōngxi ma? Since you will go back to your country, can you bring something for me?

② east and west

❶ 这条街道是东西方向的。Zhè tiáo jiēdào shì dōng-xī fāngxiàng de. This street runs in an east-west direction. | ❷ 在这里，我分不清东西。Zài zhèli, wǒ fēn bu qīng dōng-xī. I can't tell the directions here. | ❸ 房子的东西两面都有窗户。Fángzi de dōng-xī liǎng miàn dōu yǒu chuānghu. There are windows on the east and west sides of the house.

21. 都 dōu radical: 阝 strokes: 10

stroke order: 一 + 土 耂 耂 者 者 者 者阝 都

<*adv.*> ① all, both

❶ 他们都是美国人。Tāmen dōu shì Měiguórén. They are all Americans. | ❷ 我和弟弟都喜欢游泳。Wǒ hé dìdi dōu xǐhuan yóuyǒng. Both my younger brother and I like swimming. | ❸ 那些人我都不认识。Nàxiē rén wǒ dōu bú rènshi. I know none of them. | ❹ 生日晚会的时候，我的朋友都来了。Shēngrì wǎnhuì de shíhou, wǒ de péngyou dōu lái le. All my friends came to my birthday party. | ❺ 大家都笑了。Dàjiā dōu xiào le. Everybody laughed. | ❻ 能来中国学汉语，我们都很高兴。Néng lái Zhōngguó xué Hànyǔ, wǒmen dōu hěn gāoxìng. We are all very happy to have the opportunity to study Chinese in China. | ❼ 我们的老师都很好，上课很有意思。Wǒmen de lǎoshī dōu hěn hǎo, shàngkè hěn yǒu yìsi. All our teachers are good at giving interesting lectures. | ❽ 中国的东西我都喜欢。Zhōngguó de dōngxi wǒ dōu xǐhuan. I like all Chinese stuff.

② even

❶ 今天一点儿都不冷。Jīntiān yìdiǎnr dōu bù lěng. It's not cold at all today. | ❷ 为了看电影，他都没有吃晚饭。Wèile kàn diànyǐng, tā dōu méiyǒu chī wǎnfàn. He went to see the movie even without having his supper. | ❸ 我一句汉语都不会。Wǒ yí jù Hànyǔ dōu bú huì. I don't know a single Chinese sentence.

③ already

❶ 今天都二十二号了。Jīntiān dōu èrshí'èr hào le. Today's already 22nd. | ❷ 都八点了，该起床了。Dōu bā diǎn le, gāi qǐchuáng le. It's already 8 o'clock. It's time to get up. | ❸ 我来北京都一个月了。Wǒ lái Běijīng dōu yí ge yuè le. I have been in Beijing for a month.

22. 读（讀）dú radical: 讠 strokes: 10

stroke order: ` 讠 讠一 讠十 讠土 讠土 讠𡗗 讠𡗗 读 读

<v.> ① read aloud

❶ 大家一起读，声音大点儿。Dàjiā yìqǐ dú, shēngyīn dà diǎnr. Please read aloud together. | ❷ 请同学们跟老师读。Qǐng tóngxuémen gēn lǎoshī dú. Please read after the teacher. | ❸ 他每天早上都在树下读英语。Tā měi tiān zǎoshang dōu zài shù xià dú Yīngyǔ. He reads aloud English under the tree every morning. | ❹ 你读一读这篇文章。Nǐ dú yì dú zhè piān wénzhāng. Please read this article. | ❺ 这个字你读错了。Zhège zì nǐ dúcuò le. You read this character wrongly. | ❻ 老师，请问这个字怎么读？ Lǎoshī, qǐngwèn zhège zì zěnme dú? Would you please tell me how to read this character, sir? | ❼ 他读课文的声音很大，每个人都能听清楚。Tā dú kèwén de shēngyīn hěn dà, měi ge rén dōu néng tīng qīngchu. He is reading the text loudly so that everybody can hear him.

② read

❶ 他喜欢读书，家里有很多书。Tā xǐhuan dúshū, jiāli yǒu hěn duō shū. He likes reading and has a lot of books at home. | ❷ 我晚上经常读书，不看电视。Wǒ wǎnshang jīngcháng dúshū, bú kàn diànshì. I often read books rather than watching TV at night. | ❸ 这本小说我读过，很有意思。Zhè běn xiǎoshuō wǒ dúguo, hěn yǒu yìsi. I've read this novel. It is very interesting. | ❹ 他每天都看书、读报。Tā měi tiān dōu kàn shū、dú bào. He reads books and newspapers every day. | ❺ 他读得很快，一本书一会儿就读完了。Tā dú de hěn kuài, yì běn shū yíhuìr jiù dúwán le. He is a fast reader and can finish a book in no time.

③ go to school

❶ 我的孩子已经读大学了。Wǒ de háizi yǐjīng dú dàxué le. My kid has already been in college. | ❷ 我妹妹还在读小学。Wǒ mèimei hái zài dú xiǎoxué. My younger sister is still studying in an elementary school. | ❸ 她初中和高中都是在这个学校读的。Tā chūzhōng hé gāozhōng dōu shì zài zhège xuéxiào dú de. This was where she received her junior and senior secondary school education. | ❹ 我大学毕业后，准备读研究生。Wǒ dàxué bìyè hòu, zhǔnbèi dú yánjiūshēng. I want to pursue postgraduate studies after graduating from college.

23. 对不起（對不起）duìbuqǐ

<*i.e.*> excuse me, sorry

❶ A: 对不起。B: 没关系。A: Duìbuqǐ. B: Méi guānxi. A: I am sorry. B: It doesn't matter. | ❷ 我来晚了，对不起。Wǒ láiwǎn le, duìbuqǐ. Sorry, I'm late. | ❸ 对不起，我刚才很忙，没接你的电话。Duìbuqǐ, wǒ gāngcái hěn máng, méi jiē nǐ de diànhuà. Sorry, but I was so busy that I missed your call just now. | ❹ 对不起，麻烦您让一下。Duìbuqǐ, máfan nín ràng yíxià. Excuse me! | ❺ 对不起，您能帮我个忙吗？ Duìbuqǐ, nín néng bāng wǒ ge máng ma? Excuse me, can you do me a favor? | ❻ 对不起，打扰您了。Duìbuqǐ, dǎrǎo nín le. Sorry for disturbing you. | ❼ 对不起，我不是故意的。Duìbuqǐ, wǒ bú shì gùyì de. Sorry, but I didn't mean it. | ❽ 对不起，我没听清楚。Duìbuqǐ, wǒ méi tīng qīngchu. Sorry, but I didn't hear you clearly. | ❾ 对不起，我不会说英语。Duìbuqǐ, wǒ bú huì shuō Yīngyǔ. Sorry, but I can't speak English.

24. 多 duō radical: 夕 strokes: 6 stroke order: 丿 ク 夕 夕 多 多

<*adj.*> many, much, a lot of

❶ 我有很多中国朋友。Wǒ yǒu hěn duō Zhōngguó péngyou. I have a lot of Chinese friends. | ❷ 办公室里的东西很多。Bàngōngshì li de dōngxi hěn duō. There is a lot of stuff in the office. | ❸ 我每天的作业不太多。Wǒ měi tiān de zuòyè bú tài duō. I don't have much homework to do every day. | ❹ 我们认识多年了，是老朋友了。Wǒmen rènshi duō nián le, shì lǎo péngyou le. We've known each other for years, and are old friends. | ❺ 车上人太多了，没有座位

了。Chē shang rén tài duō le, méiyǒu zuòwèi le. There are too many people on the bus and there are no seats available. | ❻ 你在北京多住几天吧。Nǐ zài Běijīng duō zhù jǐ tiān ba. Please stay a few more days in Beijing.

<*adv.*> ① how

❶ 你今年多大？ Nǐ jīnnián duō dà? How old are you? | ❷ 从学校到你家要多长时间？ Cóng xuéxiào dào nǐ jiā yào duō cháng shíjiān? How long does it take you to get to your home from school? | ❸ 你们多长时间见一次面？ Nǐmen duō cháng shíjiān jiàn yí cì miàn? How often do you see each other? | ❹ 从这儿到机场有多远？ Cóng zhèr dào jīchǎng yǒu duō yuǎn? How far is the airport from here? | ❺ 这个行李箱有多重？ Zhège xínglixiāng yǒu duō zhòng? What's the weight of this suitcase? | ❻ 我不知道他有多高。Wǒ bù zhīdào tā yǒu duō gāo. I don't know how tall he is.

② *used in exclamations to indicate a certain extent*

❶ 多好的天气啊！ Duō hǎo de tiānqì a! What a nice day! | ❷ 这儿的风景多美啊！ Zhèr de fēngjǐng duō měi a! How beautiful the scenery is! | ❸ 我多想马上见到你们啊！ Wǒ duō xiǎng mǎshàng jiàndào nǐmen a! How I wish to see you now! | ❹ 多可爱的孩子啊！ Duō kě'ài de háizi a! What a lovely kid! | ❺ 他唱得多好听啊！ Tā chàng de duō hǎotīng a! He is singing so beautifully! | ❻ 你看，他跑得多快啊！ Nǐ kàn, tā pǎo de duō kuài a! Look! He is running so fast!

<*num.*> [*used after a number*] more than, over

❶ 我买了二十多本书。Wǒ mǎile èrshí duō běn shū. I bought more than 20 books. | ❷ 他今天花了两百多块钱。Tā jīntiān huāle liǎng bǎi duō kuài qián. He spent over 200 *kuai* today. | ❸ 爷爷已经九十多了。Yéye yǐjīng jiǔshí duō le. My grandpa is over 90. | ❹ 我来北京有一个多月了。Wǒ lái Běijīng yǒu yí ge duō yuè le. I have been in Beijing for more than a month. | ❺ 我还有一年多就大学毕业了。Wǒ hái yǒu yì nián duō jiù dàxué bìyè le. I will graduate from college in more than a year.

25. 多少 duōshao

<*pron.*> ① how many, how much

❶ 你们班有多少人？ Nǐmen bān yǒu duōshao rén? How many students are there in your class? | ❷ 这件衣服多少钱？ Zhè jiàn yīfu duōshao qián? How much is this garment? | ❸ 请问，你的电话号码是多少？ Qǐngwèn, nǐ de diànhuà hàomǎ shì duōshao? Excuse me, what is your phone number? | ❹ 从北京到上海有多少公里？ Cóng Běijīng dào Shànghǎi yǒu duōshao gōnglǐ? How many kilometers are there from Beijing to Shanghai? | ❺ 现在一美元换多少块人民币？ Xiànzài yì měiyuán huàn duōshao kuài rénmínbì? How much RMB can a USD be converted to? | ❻ 你打算在北京住多少天？ Nǐ dǎsuàn zài Běijīng zhù duōshao tiān? How many days are you going to stay in Beijing? | ❼ 这封信多少天才能到美国？ Zhè fēng xìn duōshao tiān cái néng dào Měiguó? How many days does it take for this letter to get to the United States of America?

② *expressing an unspecified amount or number*

❶ 我是学生，没多少钱。Wǒ shì xuésheng, méi duōshao qián. Being a student, I don't have much money. | ❷ 今天下雨，外面没多少人。Jīntiān xià yǔ, wàimiàn méi duōshao rén. Since it is raining today, there are not many people outside. | ❸ 我现在不饿，吃不了多少。Wǒ xiànzài bú è, chī bu liǎo duōshao. I am not hungry, so I can't eat much. | ❹ 他比我大不了多少，也就一两岁吧。Tā bǐ wǒ dà bu liǎo duōshao, yě jiù yì-liǎng suì ba. He is just about one or two years older than I am. | ❺ 没多少人知道这个地方。Méi duōshao rén zhīdào zhège dìfang. Few people know this place.

26. 儿子（兒子）érzi

<*n.*> son

❶ 他有两个儿子，一个女儿。Tā yǒu liǎng ge érzi, yí ge nǚ'ér. He has two sons and a daughter. | ❷ 我儿子三岁了，他很可爱。Wǒ érzi sān suì le, tā hěn kě'ài. My three-year-old son is very cute. | ❸ 他妻子昨天刚刚生了个儿子。Tā qīzi zuótiān gānggāng shēngle ge érzi. His wife just gave birth to a son yesterday. | ❹ 这是给儿子买的玩具。Zhè shì gěi érzi mǎi de wánjù. This is a toy I bought for my son. | ❺ 我不太会电脑，儿子帮了我很多忙。Wǒ bú tài huì diànnǎo, érzi bāngle wǒ hěn duō máng. I don't know much about computer, and my son helps me a lot. | ❻ 这是儿子的房间，这是我自己的房间。Zhè shì érzi de fángjiān, zhè shì wǒ zìjǐ de fángjiān. This is my son's room, and this is mine.

27. 二 èr radical: 一 strokes: 2 stroke order: 一 二

<*num.*> two

❶ 今天是五月二号。Jīntiān shì wǔ yuè èr hào. It is May 2nd today. | ❷ 我喊一二三，大家就开始。Wǒ hǎn yī-èr-sān, dàjiā jiù kāishǐ. On my count of three, everybody starts. | ❸ 我家的电话号码里有四个二。Wǒ jiā de diànhuà hàomǎ li yǒu sì ge èr. There are four twos in my home phone number. | ❹ 那天来了二百多人。Nà tiān láile èrbǎi duō rén. More than 200 people came that day. | ❺ 妹妹现在有一米二了。Mèimei xiànzài yǒu yì mǐ èr le. My younger sister is 120 cm tall now. | ❻ 这次考试我考了第二名。Zhè cì kǎoshì wǒ kǎole dì-èr míng. I ranked the second in this exam. | ❼ 他在一班，我在二班。Tā zài yī bān, wǒ zài èr bān. He is in Class One and I'm in Class Two.

28. 饭馆（飯館）fànguǎn

<*n.*> restaurant

❶ 那个饭馆很贵，我们换一家吧。Nàge fànguǎn hěn guì, wǒmen huàn yì jiā ba. Food in that restaurant is very expensive. Let's go to another one. | ❷ 今天我请大家去饭馆吃。Jīntiān wǒ qǐng dàjiā qù fànguǎn chī. I will treat you all in a restaurant today. | ❸ 她在一家饭馆当服务员。Tā zài yì jiā fànguǎn dāng fúwùyuán. She works as a waitress in a restaurant. | ❹ 我知道一家饭馆的菜不错，

我带你们去。Wǒ zhīdào yì jiā fànguǎn de cài búcuò, wǒ dài nǐmen qù. I know a good restaurant. Let me show you the way.

29. 飞机（飛機）fēijī

<*n.*> airplane, aircraft

❶ 飞机马上就要起飞了。Fēijī mǎshàng jiùyào qǐfēi le. The airplane will take off soon. | ❷ 我是坐飞机来的。Wǒ shì zuò fēijī lái de. I came here by air. | ❸ 下了飞机，你可以坐出租车。Xiàle fēijī, nǐ kěyǐ zuò chūzūchē. You can take a taxi after you alight from the plane. | ❹ 快上飞机了，你们回去吧。Kuài shàng fēijī le, nǐmen huíqu ba. It's almost the time for boarding, so please go back. | ❺ 我第一次坐飞机是十二岁。Wǒ dì-yī cì zuò fēijī shì shí'ér suì. I was 12 when I took an airplane for the first time. | ❻ 飞机晚点了，过两个小时才到。Fēijī wǎndiǎn le, guò liǎng ge xiǎoshí cái dào. The flight was delayed, and the plane won't arrive until 2 hours later. | ❼ 哪儿能买到便宜的飞机票？Nǎr néng mǎidào piányi de fēijīpiào? Where can I get an inexpensive air ticket?

30. 分钟（分鐘）fēnzhōng

<*n.*> minute

❶ 再过五分钟，火车就要开了。Zài guò wǔ fēnzhōng, huǒchē jiùyào kāi le. The train will leave in 5 minutes. | ❷ 还有几分钟下课？Hái yǒu jǐ fēnzhōng xiàkè? How many minutes are left before the class is over? | ❸ 现在是差五分钟九点。Xiànzài shì chà wǔ fēnzhōng jiǔ diǎn. It is five to nine now. | ❹ 从学校到我家，坐公共汽车要一小时二十分钟。Cóng xuéxiào dào wǒ jiā, zuò gōnggòng qìchē yào yì xiǎoshí èrshí fēnzhōng. It takes me an hour and twenty minutes to get to my home from school. | ❺ 从北京打电话到香港，每分钟多少钱？Cóng Běijīng dǎ diànhuà dào Xiānggǎng, měi fēnzhōng duōshao qián? How much does it cost per minute to call from Beijing to Hong Kong?

31. 高兴（高興）gāoxìng

<*adj.*> happy, glad, pleased

❶ 今天是她的生日，她特别高兴。Jīntiān shì tā de shēngrì, tā tèbié gāoxìng. Today is her birthday and she is very happy. | ❷ 他快要结婚了，高兴极了。Tā kuàiyào jiéhūn le, gāoxìng jí le. He is going to get married soon and he is extremely happy. | ❸ 我们来到了中国，太高兴了。Wǒmen láidàole Zhōngguó, tài gāoxìng le. We are so happy to come to China. | ❹ 你看起来不太高兴，怎么了？ Nǐ kàn qǐlai bú tài gāoxìng, zěnme le? You look unhappy. What's up? | ❺ 电话里听到妈妈的声音，他高兴地笑了起来。Diànhuà li tīngdào māma de shēngyīn, tā gāoxìng de xiàole qǐlai. He smiled happily when hearing his mom's voice on the phone. | ❻ 放学了，孩子们高高兴兴地回家。Fàngxué le, háizimen gāogāoxìngxìng de huí jiā. The children went home happily after school. | ❼ 他高兴的时候，喜欢喝点儿红酒。Tā gāoxìng de shíhou, xǐhuan hē diǎnr hóngjiǔ. He likes drinking a little bit red wine when he is happy.

32. 个（個）gè radical: 人 strokes: 3 stroke order: ノ 𠆢 个

<*m.*> *most commonly used measure word*

❶ 我们班有十五个人。Wǒmen bān yǒu shíwǔ ge rén. There are 15 students in our class. | ❷ 这个苹果很大。Zhège píngguǒ hěn dà. This apple is very big. | ❸ 我们上了两个小时汉语课。Wǒmen shàngle liǎng ge xiǎoshí Hànyǔkè. We took a two-hour Chinese class. | ❹ 北京是个很美丽的城市。Běijīng shì ge hěn měilì de chéngshì. Beijing is a very beautiful city. | ❺ 我买了几个鸡蛋。Wǒ mǎile jǐ ge jīdàn. I bought several eggs. | ❻ 这是一个好办法。Zhè shì yí ge hǎo bànfǎ. This is a good idea. | ❼ 今天我学会了十个汉字。Jīntiān wǒ xuéhuìle shí ge Hànzì. I've learned 10 Chinese characters today. | ❽ 这些

一级

小伙子，个个都很聪明。Zhèxiē xiǎohuǒzi, gègè dōu hěn cōngming. Everyone of these young men is very smart.

33. 工作 gōngzuò

<v.> work

❶ 我在一个公司工作。Wǒ zài yí ge gōngsī gōngzuò. I work in a company. | ❷ 他的儿子已经工作了。Tā de érzi yǐjīng gōngzuò le. His son has already had a job. | ❸ 我工作十五年了。Wǒ gōngzuò shíwǔ nián le. I have been working for 15 years. | ❹ 我爸爸在美国工作过。Wǒ bàba zài Měiguó gōngzuòguo. My father used to work in the United States of America. | ❺ 他已经七十多岁了，还在工作。Tā yǐjīng qīshí duō suì le, hái zài gōngzuò. Although he is already over 70, he is still working. | ❻ 爸爸一工作起来，就忘了吃饭。Bàba yì gōngzuò qǐlai, jiù wàngle chīfàn. Once my father gets down to work, he'll forget about having his meal. | ❼ 她在公司工作得很好。Tā zài gōngsī gōngzuò de hěn hǎo. She works very well in the company. | ❽ 老王刚吃完饭，就又开始工作了。Lǎo Wáng gāng chīwán fàn, jiù yòu kāishǐ gōngzuò le. Lao Wang went back to work right after the meal. | ❾ 工作累了，你们就休息一会儿。Gōngzuò lèi le, nǐmen jiù xiūxi yíhuìr. Take a break if you are tired from work.

<n.> job

❶ A: 你做什么工作？B: 我的工作是教师。A: Nǐ zuò shénme gōngzuò? B: Wǒ de gōngzuò shì jiàoshī. A: What do you do? B: I'm a teacher. | ❷ 他刚大学毕业，在找工作。Tā gāng dàxué bìyè, zài zhǎo gōngzuò. He just graduated from the university, and is now still looking for a job. | ❸ 他现在没有工作。Tā xiànzài méiyǒu gōngzuò. He is now unemployed. | ❹ 我的工作可以在家里做。Wǒ de gōngzuò kěyǐ zài jiāli zuò. I can work from home. | ❺ 我很喜欢我的工作。Wǒ hěn xǐhuan wǒ de gōngzuò. I like my job very much.

34. 狗 gǒu radical: 犭 strokes: 8

stroke order: ノ 丿 犭 犭 犭 犳 犳 狗 狗

<*n.*> dog

❶ 我家有一只小狗。Wǒ jiā yǒu yì zhī xiǎogǒu. We have a puppy. | ❷ 这条小狗真可爱。Zhè tiáo xiǎogǒu zhēn kě'ài. This puppy is so cute. | ❸ 这条狗不咬人。Zhè tiáo gǒu bù yǎo rén. This dog does not bite. | ❹ 北京有很多人养狗。Běijīng yǒu hěn duō rén yǎng gǒu. A lot of people in Beijing raise dogs. | ❺ 我家的狗丢了，我很伤心。Wǒ jiā de gǒu diū le, wǒ hěn shāngxīn. I got so upset about losing our dog. | ❻ 我第一次见到这么可爱的狗。Wǒ dì-yī cì jiàndào zhème kě'ài de gǒu. It's the first time for me to see such a cute dog.

35. 汉语（漢語）Hànyǔ

<*n.*> Chinese (language)

❶ 我想学习汉语。Wǒ xiǎng xuéxí Hànyǔ. I want to learn Chinese. | ❷ 他会说汉语。Tā huì shuō Hànyǔ. He can speak Chinese. | ❸ 你的汉语说得很好。Nǐ de Hànyǔ shuō de hěn hǎo. You speak Chinese pretty well. | ❹ 明年我要到中国学习汉语。Míngnián wǒ yào dào Zhōngguó xuéxí Hànyǔ. I am going to China to learn Chinese next year. | ❺ 汉语很难学。Hànyǔ hěn nán xué. Chinese is very difficult. | ❻ 我学习汉语一年了。Wǒ xuéxí Hànyǔ yì nián le. I have been studying Chinese for a year. | ❼ 他是我们的汉语老师。Tā shì wǒmen de Hànyǔ lǎoshī. He is my Chinese teacher. | ❽ 我们的汉语书很有意思。Wǒmen de Hànyǔshū hěn yǒu yìsi. Our Chinese textbook is fascinating. | ❾ 我还不能用汉语跟中国人对话。Wǒ hái bù néng yòng Hànyǔ gēn Zhōngguórén duìhuà. I still cannot talk in Chinese with a native speaker.

36. 好 hǎo radical: 女 strokes: 6 stroke order: ㄑ 女 女 女 奵 好 好

一级

<*adj.*> ① good, fine, nice

❶ 今天天气很好。Jīntiān tiānqì hěn hǎo. It is a fine day today. | ❷ 他是个好老师。Tā shì ge hǎo lǎoshī. He is a good teacher. | ❸ 北京非常好，我很喜欢。Běijīng fēicháng hǎo, wǒ hěn xǐhuan. Beijing is wonderful and I like it very much. | ❹ 他汉语说得很好。Tā Hànyǔ shuō de hěn hǎo. He speaks Chinese very well. | ❺ 我们班他打球打得最好。Wǒmen bān tā dǎ qiú dǎ de zuì hǎo. He is the best player in our class.

② be in good health, get well

❶ 你身体好吗？ Nǐ shēntǐ hǎo ma? How are you? | ❷ 我感冒已经好了，不用吃药了。Wǒ gǎnmào yǐjīng hǎo le, búyòng chī yào le. I've recovered from my cold and there is no need for me to take any medicine any more. | ❸ 这几天他的身体越来越好。Zhè jǐ tiān tā de shēntǐ yuè lái yuè hǎo. He's getting better and better these days. | ❹ 他的病已经完全好了。Tā de bìng yǐjīng wánquán hǎo le. He has fully recovered from his illness. | ❺ 这些天，他的身体好起来了。Zhèxiē tiān, tā de shēntǐ hǎo qǐlai le. He is getting better these days.

③ *used at the beginning of a sentence or a clause to express agreement, approval or ending, etc.*

❶ 好，你现在就来吧。Hǎo, nǐ xiànzài jiù lái ba. OK, you can come now. | ❷ 好，我知道了。Hǎo, wǒ zhīdào le. OK, I got it. | ❸ 好，我马上就去。Hǎo, wǒ mǎshàng jiù qù. OK, I am on my way. | ❹ A: 我们明天见面好吗？B: 好的，明天见。A: Wǒmen míngtiān jiànmiàn hǎo ma? B: Hǎo de, míngtiān jiàn. A: Shall we meet tomorrow? B: Sure, see you tomorrow.

④ friendly, nice

❶ 我们俩是好朋友。Wǒmen liǎ shì hǎo péngyou. We are good friends. | ❷ 同学们的关系都很好。Tóngxuémen de guānxì dōu hěn hǎo. All the classmates are getting along well. | ❸ 我哥哥对我很好。Wǒ gēge duì wǒ hěn hǎo. My elder brother is very nice to me. | ❹ 我的邻居很好，经常帮助我。Wǒ de línjū hěn hǎo, jīngcháng bāngzhù wǒ. My neighbor is a nice person who often helps me. | ❺ 他俩好了几个月就分手了。Tā liǎ hǎole jǐ ge yuè jiù fēnshǒu le. They broke up after dating for a few months.

⑤ *used after verbs to express satisfaction*

❶ 这个菜很好吃。Zhège cài hěn hǎochī. This dish is yummy. | ❷ 这个电脑游戏太好玩儿了！Zhège diànnǎo yóuxì tài hǎowánr le! This computer game is fascinating.

37. 喝 hē radical: 口 strokes: 12 stroke order: 丨 ㄇ 口 口' 口ㄇ 口ㄖ 口ㄖ 口ㄖ 喁 喁 喁 喝

<*v.*> drink

❶ 我喝咖啡，你喝什么？Wǒ hē kāfēi, nǐ hē shénme? I'd like to have coffee. What about you? | ❷ 老李喜欢喝茶。Lǎo Lǐ xǐhuan hē chá. Lao Li likes having tea. | ❸ 我每天早上要喝牛奶。Wǒ měi tiān zǎoshang yào hē niúnǎi. I have milk every morning. | ❹ 天太热了，喝点儿水吧。Tiān tài rè le, hē diǎnr shuǐ ba. It's so hot! Have some water, please. | ❺ 那瓶酒他很快就喝完了。Nà píng jiǔ tā hěn kuài jiù hēwán le. He drank up the bottle of wine very soon. | ❻ 天气太干，你多喝点儿水。Tiānqì tài gān, nǐ duō hē diǎnr shuǐ. It's too dry. Please drink more water.

38. 和 hé radical: 禾 strokes: 8

stroke order: ㇒ 二 千 禾 禾 禾 和 和

<*conj.*> and

❶ 他和我都是老师。Tā hé wǒ dōu shì lǎoshī. Both he and I are teachers. | ❷ 我去过北京和上海。Wǒ qùguo Běijīng hé Shànghǎi. I have been to Beijing and Shanghai. | ❸ 我家有三口人，爸爸、妈妈和我。Wǒ jiā yǒu sān kǒu rén, bàba、māma hé wǒ. There are three people in my family: my father, my mother and I. | ❹ 我每天早上吃面包和鸡蛋。Wǒ měi tiān zǎoshang chī miànbāo hé jīdàn. I have bread and eggs every morning. | ❺ 我想买苹果、香蕉和橘子。Wǒ xiǎng mǎi píngguǒ、xiāngjiāo hé júzi. I want to buy some apples, bananas and oranges. | ❻ 我很想妻子和孩子。Wǒ hěn xiǎng qīzi hé háizi. I miss my wife and kids very much.

一级

<prep.> used to indicate relationship or comparison, etc.

❶ 弟弟和我一样高。Dìdi hé wǒ yíyàng gāo. My younger brother is as tall as I. | ❷ 妹妹和姐姐一样漂亮。Mèimei hé jiějie yíyàng piàoliang. The younger sister is as beautiful as the elder sister. | ❸ 我和这件事没关系。Wǒ hé zhè jiàn shì méi guānxì. I have nothing to do with it. | ❹ 他喜欢和孩子们一起玩儿。Tā xǐhuan hé háizimen yìqǐ wánr. He enjoys playing with the kids. | ❺ 张老师经常和他的学生们一起吃饭。Zhāng lǎoshī jīngcháng hé tā de xuéshengmen yìqǐ chīfàn. Mr. Zhang often eats with his students.

39. 很 hěn radical: 彳 strokes: 9

stroke order: ノ 丿 彳 彳ㄱ 彳ㅋ 彳ㅋ 很 很 很

<*adv.*> very, quite

❶ 今天很热。Jīntiān hěn rè. Today is hot. | ❷ 我身体很好。Wǒ shēntǐ hěn hǎo. I am in good health. | ❸ 爸爸工作很忙。Bàba gōngzuò hěn máng. My dad is very busy with his work. | ❹ 你今天来得很早。Nǐ jīntiān lái de hěn zǎo. You came very early today. | ❺ 他的妹妹很漂亮。Tā de mèimei hěn piàoliang. His younger sister is very pretty. | ❻ 这儿的东西很贵。Zhèr de dōngxi hěn guì. Stuff sold here is very expensive. | ❼ 我很喜欢喝啤酒。Wǒ hěn xǐhuan hē píjiǔ. I like drinking beer very much. | ❽ 他很想家。Tā hěn xiǎng jiā. He is very homesick.

40. 后面（後面）hòumiàn

<*n.*> back, backward

❶ 我家后面是个小学。Wǒ jiā hòumiàn shì ge xiǎoxué. There is an elementary school at the back of my home. | ❷ 学校在商场的后面。Xuéxiào zài shāngchǎng de hòumiàn. The school is at the back of the shopping mall. | ❸ 上课时，大卫坐在我的后面。Shàngkè shí, Dàwèi zuò zài wǒ de hòumiàn. David sits behind me in class. | ❹ 我每次上课都坐在教室最后面。Wǒ měi cì shàngkè dōu zuò zài jiàoshì zuì hòumiàn. I always sit at the back of the classroom when taking classes. | ❺ 后面的人请往前走。Hòumiàn de rén qǐng wǎng qián zǒu. Those at the back please move forward. | ❻ 你后面还有没有人？ Nǐ hòumiàn hái yǒu méiyǒu rén? Is there anybody behind you?

41. 回 huí radical: 口 strokes: 6 stroke order: 丨 冂 冂 冋 冋 回

<*v.*> ① return, go back

❶ 我下午五点回家。Wǒ xiàwǔ wǔ diǎn huí jiā. I go home at 5 p.m. | ❷ 他明年回国。Tā míngnián huí guó. He will go back to his country next year. | ❸ 你几点回宿舍？ Nǐ jǐ diǎn huí sùshè? What time do you go back to your dormitory? | ❹ 他累了，回到家就睡了。Tā lèi le, huídào jiā jiù shuì le. He was so tired that he went to bed as soon as he went home. | ❺ 我一会儿不回办公室了。Wǒ yíhuìr bù huí bàngōngshì le. I am not going to the office later.

② reply (to a letter, telephone call, etc.)

❶ 我过会儿给你回电话。Wǒ guò huìr gěi nǐ huí diànhuà. I will call you back later. | ❷ 他很忙，有很多 email 要回。Tā hěn máng, yǒu hěn duō email yào huí. Having so many emails to reply, he is very busy. | ❸ 我给家里回了短信，告诉他们我很好。Wǒ gěi jiāli huíle duǎnxìn, gàosu tāmen wǒ hěn hǎo. I texted my family, letting them know I am fine. | ❹ 放下电话，我马上就给他回传真。Fàngxia diànhuà, wǒ mǎshàng jiù gěi tā huí chuánzhēn. I faxed him right after I hung up the phone.

<*m.*> (*indicating frequency of occurrence or*) time

❶ 我去过一回北京。Wǒ qùguo yì huí Běijīng. I have been to Beijing once. | ❷ 这个电影我看了好几回。Zhège diànyǐng wǒ kànle hǎojǐ huí. I have seen this movie several times. | ❸ 我住过两回医院。Wǒ zhùguo liǎng huí yīyuàn. I have been in hospital twice. | ❹ 我给他打过三回电话了，总是没人接。Wǒ gěi tā dǎguo sān huí diànhuà le, zǒngshì méi rén jiē. I called him three times, but nobody answered. | ❺ 这件事我问过一回老师。Zhè jiàn shì wǒ wènguo yì huí lǎoshī. I once asked the teacher about it.

42. 会（會）huì radical: 人 strokes: 6

stroke order: 丿 人 亼 今 会 会

<*v.*> be able to, can

❶ 他会英语、法语和汉语三种语言。Tā huì Yīngyǔ、Fǎyǔ hé Hànyǔ sān zhǒng yǔyán. He knows three languages: English, French and Chinese. | ❷ 游泳、打乒乓球他都会。Yóuyǒng、dǎ pīngpāngqiú tā dōu huì. He can swim and play table tennis. | ❸ 我什么也不会，你教教我吧。Wǒ shénme yě bú huì, nǐ jiāojiao wǒ ba. I don't know anything. Will you teach me? | ❹ 你别说了，我都会了。Nǐ bié shuō le, wǒ dōu huì le. Stop, please. I can do it now.

<*aux.*> ① having the ability to do something or a special skill

❶ 你会说汉语吗？ Nǐ huì shuō Hànyǔ ma? Can you speak Chinese? | ❷ 他会说汉语、日语和英语。Tā huì shuō Hànyǔ、Rìyǔ hé Yīngyǔ. He can speak Chinese, Japanese and English. | ❸ 我不太会跳舞，你教教我好吗？ Wǒ bú tài huì tiàowǔ, nǐ jiāojiao wǒ hǎo ma? I don't know how to dance. Would you please teach me? | ❹ 我会唱这首歌。Wǒ huì chàng zhè shǒu gē. I can sing this song. | ❺ 你会不会游泳？ Nǐ huì bú huì yóuyǒng? Can you swim?

② likely (to), sure (to)

❶ 明天可能会下雨。Míngtiān kěnéng huì xià yǔ. It will probably rain tomorrow. |

❷ 他晚上会不会来？ Tā wǎnshang huì bú huì lái? Will he come tonight? | ❸ 我不会忘记你的。Wǒ bú huì wàngjì nǐ de. I won't forget you. | ❹ 你不说，别人不会知道这件事。 Nǐ bù shuō, biéren bú huì zhīdào zhè jiàn shì. Nobody knows it if you don't tell.

<*n.*> meeting, conference

❶ 下午我有一个会。Xiàwǔ wǒ yǒu yí ge huì. I'll have a meeting this afternoon. | ❷ 明天的会你参加吗？ Míngtiān de huì nǐ cānjiā ma? Will you attend the meeting tomorrow? | ❸ 下午的会改时间了。Xiàwǔ de huì gǎi shíjiān le. The meeting this afternoon has been rescheduled. | ❹ 这个会要开三天。Zhège huì yào kāi sān tiān. The conference will last three days. | ❺ 你几点开会？ Nǐ jǐ diǎn kāi huì? What time is your meeting? | ❻ 会完了以后，我们一起吃饭吧。 Huì wán le yǐhòu, wǒmen yìqǐ chīfàn ba. Let's dine together after the meeting.

一级

43. 火车站（火車站）huǒchēzhàn

<*n.*> railway station

❶ 师傅，我去火车站。Shīfu, wǒ qù huǒchēzhàn. Take me to the railway station, please. | ❷ 你到火车站了吗？我怎么没看见你？ Nǐ dào huǒchēzhàn le ma? Wǒ zěnme méi kànjiàn nǐ? Are you already in the railway station? How come I can't see you? | ❸ 我们三点在火车站见面。Wǒmen sān diǎn zài huǒchēzhàn jiànmiàn. Let's meet at 3 p.m. at the railway station. | ❹ 从火车站到学校要多长时间？ Cóng huǒchēzhàn dào xuéxiào yào duō cháng shíjiān? How long does it take to get to the school from the railway station? | ❺ 从火车站往前走，就是公共汽车站。Cóng huǒchēzhàn wǎng qián zǒu, jiù shì gōnggòng qìchēzhàn. Walk straight forward from the railway station, then you will see the bus stop. | ❻ 北京火车站里人很多。 Běijīng huǒchēzhàn li rén hěn duō. There are a lot of people in the Beijing Railway Station.

44. 几（幾）jǐ radical: 几 strokes: 2 stroke order: 丿 几

<*num.*> ① (*used when asking any number under ten*) how many

❶ 你家有几口人？Nǐ jiā yǒu jǐ kǒu rén? How many people are there in your family? | ❷ 今天星期几？Jīntiān xīngqī jǐ? What day is it today? | ❸ 现在几点了？Xiànzài jǐ diǎn le? What time is it? | ❹ 你的孩子今年几岁了？Nǐ de háizi jīnnián jǐ suì le? How old is your kid? | ❺ 你今年四十几了？Nǐ jīnnián sìshí jǐ le? How old are you? | ❻ 你几号回国？Nǐ jǐ hào huí guó? When will you go back to your country? | ❼ 苹果几块钱一斤？Píngguǒ jǐ kuài qián yì jīn? How much are the apples?

② a few, several, some

❶ 他这几天感冒了。Tā zhè jǐ tiān gǎnmào le. He's caught a cold these days. | ❷ 我买了几个苹果，你们吃吧。Wǒ mǎile jǐ ge píngguǒ, nǐmen chī ba. I've bought several apples. Please eat them. | ❸ 我回国几天就回来。Wǒ huí guó jǐ tiān jiù huílai. I will go back to my country for a few days, and will be back soon. | ❹ 今天来了好几十人。Jīntiān láile hǎojǐ shí rén. Dozens of people came today. | ❺ 这条街上没几个商店。Zhè tiáo jiē shang méi jǐ ge shāngdiàn. There are few stores in the street. | ❻ 他没坐几分钟就走了。Tā méi zuò jǐ fēnzhōng jiù zǒu le. He left after staying for only a few minutes.

45. 家 jiā radical: 宀 strokes: 10

stroke order: 丶 丷 宀 宀 宁 宇 家 家 家 家

<*n.*> home, family

❶ 我家离学校很近。Wǒ jiā lí xuéxiào hěn jìn. My home is very close to the school. | ❷ 我昨天不在家。Wǒ zuótiān bú zài jiā. I was not at home yesterday. | ❸ 我晚上九点以前回家。Wǒ wǎnshang jiǔ diǎn yǐqián huí jiā. I will be back home before 9 p.m. | ❹ 欢迎你们来我家。Huānyíng nǐmen lái wǒ jiā. Welcome to my home. | ❺ 我家有四口人，爸爸、妈妈、哥哥和我。Wǒ jiā yǒu sì kǒu rén, bàba、māma、gēge hé wǒ. There are four people in my family: my dad, my mom, my elder brother and I. | ❻ 上个月我们全家去中国旅行了。Shàng ge yuè wǒmen quán jiā qù Zhōngguó lǚxíng le. My family traveled in China last month.

46. 叫 jiào radical: 口 strokes: 5 stroke order: ㇑ ㇕ 口 口㇐ 叫

<v.> ① call, name

❶ 请问，你叫什么名字？Qǐngwèn, nǐ jiào shénme míngzi? Excuse me, may I have your name? | ❷ 那个女同学叫安娜。Nàge nǚ tóngxué jiào Ānnà. That girl student is called Anna. | ❸ 我没见过这种水果，不知道叫什么。Wǒ méi jiànguo zhè zhǒng shuǐguǒ, bù zhīdào jiào shénme. I have never seen this kind of fruit, and I don't know what it is called. | ❹ 大家都叫他小王。Dàjiā dōu jiào tā Xiǎo Wáng. Everybody calls him Xiao Wang. | ❺ 我不知道应该叫他什么。Wǒ bù zhīdào yīnggāi jiào tā shénme. I don't know how to address him. | ❻ 好久不见了，我叫不出她的名字了。Hǎo jiǔ bú jiàn le, wǒ jiào bu chū tā de míngzi le. I haven't seen her for a long time, and I can't remember her name. | ❼ 别人怎么叫，你就怎么叫。Biéren zěnme jiào, nǐ jiù zěnme jiào. Please call him like anyone else does.

② call, ask for

❶ 大卫，老师在叫你。Dàwèi, lǎoshī zài jiào nǐ. David, the teacher is calling you. | ❷ 他生病了，我去叫医生。Tā shēngbìng le, wǒ qù jiào yīshēng. He is sick, and I will call a doctor. | ❸ 我去叫他来这儿。Wǒ qù jiào tā lái zhèr. I will ask him to come here. | ❹ 明天早上八点出发，请你叫我一下。Míngtiān zǎoshang bā diǎn chūfā, qǐng nǐ jiào wǒ yíxià. I'll start off at 8 tomorrow morning. Please wake me up. | ❺ 妈妈把孩子叫过来问有什么事。Māma bǎ háizi jiào guòlai wèn yǒu shénme shì. The mother asked her kid to come over and tell her what was going on.

③ call, shout, yell

❶ 他在楼下叫你呢。Tā zài lóu xià jiào nǐ ne. He is calling you downstairs. |

❷ 他疼得叫了起来。Tā téng de jiàole qǐlai. He yelped in pain. | ❸ 他在水里大叫"救命"。Tā zài shuǐ li dà jiào "jiùmìng". He is crying for help in the water. | ❹ 这只小鸟叫得很好听。Zhè zhī xiǎoniǎo jiào de hěn hǎotīng. This little bird sings beautifully. | ❺ 别叫了，屋里没人。Bié jiào le, wū li méi rén. Stop calling. There is nobody in the room.

47. 今天 jīntiān

<*n.*> today

❶ 今天是十九号，明天是二十号。Jīntiān shì shíjiǔ hào, míngtiān shì èrshí hào. Today is the 19th, and tomorrow will be the 20th. | ❷ 今天是我的生日。Jīntiān shì wǒ de shēngrì. Today is my birthday. | ❸ 今天天气很好，我们出去玩儿吧。Jīntiān tiānqì hěn hǎo, wǒmen chūqu wánr ba. It is a nice day today. Let's go out to play. | ❹ 今天晚上我要去老师家。Jīntiān wǎnshang wǒ yào qù lǎoshī jiā. I am going to visit my teacher this evening. | ❺ 你看了今天的报纸没有？Nǐ kànle jīntiān de bàozhǐ méiyǒu? Did you read today's newspaper? | ❻ 我从今天开始不喝酒了。Wǒ cóng jīntiān kāishǐ bù hē jiǔ le. I quit drinking starting today.

48. 九 jiǔ radical: 丿 strokes: 2 stroke order: 丿 九

<*num.*> nine

❶ 他家有九口人。Tā jiā yǒu jiǔ kǒu rén. There are nine people in his family. | ❷ 我妈妈九月来北京。Wǒ māma jiǔ yuè lái Běijīng. My mom will come to Beijing this September. | ❸ 我儿子今年九岁。Wǒ érzi jīnnián jiǔ suì. My son is nine years old. | ❹ 这本词典七十九块。Zhè běn cídiǎn qīshíjiǔ kuài. The dictionary costs 79 *kuai*. | ❺ 我们认识已经九年了。Wǒmen rènshi yǐjīng jiǔ nián le. We've been known each other for nine years.

49. 开（開）kāi radical: 一 strokes: 4 stroke order: 一 二 于 开

<v.> ① open

❶ 有人来了，去开门。Yǒu rén lái le, qù kāi mén. Somebody is at the door. Please open it. | ❷ 门开着，请进来吧。Mén kāizhe, qǐng jìnlai ba. The door is open. Please come in. | ❸ 你要经常开窗户，换换空气。Nǐ yào jīngcháng kāi chuānghu, huànhuan kōngqì. You should often open the windows to ventilate the room. | ❹ 风一吹，门开了。Fēng yì chuī, mén kāi le. The door was blown open by the wind. | ❺ 我忘了带钥匙，开不了门。Wǒ wàngle dài yàoshi, kāi bu liǎo mén. I forgot to bring the key, so I cannot unlock the door.

② turn on, switch on

❶ 这里不太亮，我们开灯吧。Zhèli bú tài liàng, wǒmen kāi dēng ba. It's dim here. Let's turn on the light. | ❷ 电视开着，可屋子里没人。Diànshì kāizhe, kě wūzi li méi rén. The TV is on, but there is nobody in the room. | ❸ 电脑已经开了一天了。Diànnǎo yǐjīng kāile yì tiān le. The computer has been running for a day. | ❹ 太热了，我们开一会儿空调吧。Tài rè le, wǒmen kāi yíhuìr kōngtiáo ba. It is too hot. Let's turn on the air conditioner. | ❺ 他到办公室后，第一件事是开电脑。Tā dào bàngōngshì hòu, dì-yī jiàn shì shì kāi diànnǎo. The first thing after he gets to the office is to turn on the computer. | ❻ 开开电视，看看有什么好节目。Kāikai diànshì, kànkan yǒu shénme hǎo jiémù. Turn on the TV to see if there are any good programs.

③ drive, operate

❶ 你会开车吗？ Nǐ huì kāi chē ma? Can you drive? | ❷ 我正在学开车。Wǒ zhèngzài xué kāi chē. I am learning to drive. | ❸ 我已经开了二十年出租车了。Wǒ yǐjīng kāile èrshí nián chūzūchē le. I have been a taxi driver for 20 years. | ❹ 这辆车你开了几年了？ Zhè liàng chē nǐ kāile jǐ nián le? How many years have you been driving this car? | ❺ 他开着一辆新车。Tā kāizhe yí liàng xīn chē. He is driving a new car. | ❻ 路上别开得太快，注意安全。Lùshang bié kāi de tài kuài, zhùyì ānquán. Don't drive too fast. Be careful.

④ unfold

❶ 公园里的花儿都开了。Gōngyuán li de huār dōu kāi le. All the flowers in the park are blossoming. | ❷ 树上开了很多小红花。Shù shang kāile hěn duō xiǎo hónghuā. There are many little red flowers blooming on the tree. | ❸ 我没看到过这棵树开花。Wǒ méi kàndàoguo zhè kē shù kāihuā. I have never seen this tree in bloom. | ❹ 花儿开了好几天了。Huār kāile hǎojǐ tiān le. The flowers have been in bloom for quite a few days.

⑤ *used after a verb or an adjective as a complement of result*

❶ 他打开了电视。Tā dǎkāile diànshì. He turned on the TV. | ❷ 你能打开这瓶啤酒吗？Nǐ néng dǎkāi zhè píng píjiǔ ma? Can you open the beer bottle? | ❸ 他推开门，走进了房间。Tā tuīkāi mén, zǒujìnle fángjiān. He pushed the door open and walked into the room. | ❹ 这个瓶子我打不开。Zhège píngzi wǒ dǎ bu kāi. I can't open the bottle.

⑥ hold (a meeting)

❶ 我们下午开会，你能来吗？Wǒmen xiàwǔ kāihuì, nǐ néng lái ma? We will have a meeting this afternoon. Can you come? | ❷ 老师们正在开会。Lǎoshīmen zhèngzài kāihuì. The teachers are having a meeting. | ❸ 我过生日的时候要开一个晚会。Wǒ guò shēngrì de shíhou yào kāi yí ge wǎnhuì. I will have a birthday party. | ❹ 这个会开了很长时间了。Zhège huì kāile hěn cháng shíjiān le. This is a long meeting. | ❺ 会开完了，我们去吃饭吧。Huì kāiwán le, wǒmen qù chīfàn ba. The meeting is over. Let's have our meal. | ❻ 你们学校什么时候开运动会？Nǐmen xuéxiào shénme shíhou kāi yùndònghuì? When will the sports meeting of your school be held?

50. 看 kàn radical: 目 strokes: 9

stroke order: 一 二 三 手 手 看 看 看 看

<*v.*> ① see, look, watch

❶ 今天晚上我们去看电影吧。Jīntiān wǎnshang wǒmen qù kàn diànyǐng ba.

Let's go to see a movie tonight. | ❷ 你看，前面就是银行。Nǐ kàn, qiánmiàn jiù shì yínháng. Look! The bank is just ahead of us. | ❸ 请大家看这儿。Qǐng dàjiā kàn zhèr. Please look at here, everybody. | ❹ 你在看什么？ Nǐ zài kàn shénme? What are you looking at? | ❺ 他一直看着我，不说话。Tā yìzhí kànzhe wǒ, bù shuōhuà. He kept looking at me without a word. | ❻ 妈妈在看书，你们别说话了。Māma zài kàn shū, nǐmen bié shuōhuà le. Hush! Mom is reading a book.

② consult (a doctor)

❶ 我下午去医院看病。Wǒ xiàwǔ qù yīyuàn kànbìng. I am going to the hospital to see a doctor this afternoon. | ❷ 你感冒了，要去看医生。Nǐ gǎnmào le, yào qù kàn yīshēng. You've caught a cold. Please see a doctor. | ❸ 这个月我已经看过两次病了。Zhège yuè wǒ yǐjīng kànguo liǎng cì bìng le. I have seen the doctor twice this month. | ❹ 你看好了病再来上课吧。Nǐ kànhǎole bìng zài lái shàngkè ba. Come back to class after you recover from your illness. | ❺ 你看什么病？ Nǐ kàn shénme bìng? What seems to be the problem? | ❻ 有了病就要马上去看。Yǒule bìng jiù yào mǎshàng qù kàn. Go to see a doctor immediately if you don't feel well.

③ pay a vist, call on

❶ 我去医院看一位病人。Wǒ qù yīyuàn kàn yí wèi bìngrén. I'm going to visit a patient in the hospital. | ❷ 我好久没有回家看爸爸妈妈了。Wǒ hǎo jiǔ méiyǒu huí jiā kàn bàba māma le. I haven't gone home to see my parents for a long time. | ❸ 下星期我想去看一下老朋友。Xià xīngqī wǒ xiǎng qù kàn yíxià lǎo péngyou. I will call on an old friend next week.

51. 看见（看見）kànjiàn

<*v.*> see

❶ 你看见前面那个楼没有？那就是我们学校。Nǐ kànjiàn qiánmiàn nàge lóu méiyǒu? Nà jiù shì wǒmen xuéxiào. Can you see the building ahead? That is our school. | ❷ 从这儿能看见我家。Cóng zhèr néng kànjiàn wǒ jiā. You can see my house from here. | ❸ 我看见他出去了。Wǒ kànjiàn tā chūqu le. I saw him going out. | ❹ 你看见过他女朋友吗？ Nǐ kànjiànguo tā nǚpéngyou ma? Have you seen his girlfriend? | ❺ 这个人我看见过好几次。Zhège rén wǒ kànjiànguo hǎojǐ cì. I have seen this guy several times. | ❻ 这儿太黑，什么也看不见。Zhèr tài hēi, shénme yě kàn bu jiàn. It's too dark here. I can see nothing. | ❼ 为什么这儿看不见一个人？ Wèi shénme zhèr kàn bu jiàn yí ge ren? Why can't I see anybody here?

52. 块（塊）kuài radical: 土 strokes: 7

stroke order: 一 十 土 圢 圷 坱 块

<*m.*> dollar, Chinese *yuan*

❶ 苹果五块钱一斤。Píngguǒ wǔ kuài qián yì jīn. The apples are 5 *kuai* half a kilo. | ❷ A: 这件衣服多少钱？ B：六百块。A: Zhè jiàn yīfu duōshao qián? B: Liùbǎi kuài. A: How much is this garment? B: 600 *kuai.* | ❸ 地铁票两块钱一张。Dìtiěpiào liǎng kuài qián yì zhāng. A metro ticket costs 2 *kuai.* | ❹ 你给了我十块，我找你三块。Nǐ gěile wǒ shí kuài, wǒ zhǎo nǐ sān kuài. You gave me 10 *kuai*, and here is your change, 3 *kuai.* | ❺ 这个手机要一千块。Zhège shǒujī yào yìqiān kuài. This cellphone costs 1000 *kuai*.

53. 来（來）lái radical: 一 strokes: 7

stroke order: 一 丆 冖 立 平 来 来

<*v.*> ① (*as opposed to*"*go*") come

❶ 学生们都来了。Xuéshengmen dōu lái le. All the students are here. | ❷ 我以前来过这儿。Wǒ yǐqián láiguo zhèr. I have been here before. | ❸ 大卫今天有事，不能来了。Dàwèi jīntiān yǒu shì, bù néng lái le. David cannot come today because he has other things to attend to. | ❹ 我妹妹来北京了。Wǒ mèimei lái Běijīng le. My younger sister came to Beijing. | ❺ 老师一会儿就来。Lǎoshī yíhuìr jiù lái. The teacher will come soon. | ❻ 我家来客人了。Wǒ jiā lái kèrén le. We have a guest here. | ❼ 我来过一次北京，这是第二次来。Wǒ láiguo yí cì Běijīng, zhè shì dì-èr cì lái. I have been to Beijing once, and this is my second time to be here.

② happen, arrive

❶ 春天来了，花儿都开了。Chūntiān lái le, huār dōu kāi le. Spring is coming. Flowers are in full blossom. | ❷ 要来雨了，你别出去了。Yào lái yǔ le, nǐ bié chūqu le. Don't go out. It's going to rain. | ❸ 问题来了，我们该怎么办？Wèntí lái le, wǒmen gāi zěnme bàn? Here's the problem. What shall we do? | ❹ 麻烦来了，你得做好准备。Máfan lái le, nǐ děi zuòhǎo zhǔnbèi. Here comes the trouble. You'd better be prepared. | ❺ 病来了，就去医院看。Bìng lái le, jiù qù yīyuàn kàn. If you are sick, you'd better go to the hospital.

③ (*used in place of a more specific verb*) do

❶ 服务员，来瓶啤酒。Fúwùyuán, lái píng píjiǔ. Waiter, a bottle of beer, please. | ❷ 我们两个班来一场比赛怎么样？Wǒmen liǎng ge bān lái yì chǎng bǐsài zěnmeyàng? How about playing a game between our two classes? | ❸ 服务员，给我们来两碗面、一盘小菜。Fúwùyuán, gěi wǒmen lái liǎng wǎn miàn、yì pán xiǎocài. Waitress, two bowls of noodles and a side dish, please.

54. 老师（老師）lǎoshī

<*n.*> teacher

❶ 我们的汉语老师很有意思。Wǒmen de Hànyǔ lǎoshī hěn yǒu yìsi. Our Chinese teacher is very funny. | ❷ 他的妈妈是一位中学老师。Tā de māma shì yí wèi zhōngxué lǎoshī. His mom is a middle school teacher. | ❸ 老师，我有个问题。Lǎoshī, wǒ yǒu ge wèntí. I have a question, sir. | ❹ 我们都是李老师的学生。Wǒmen dōu shì Lǐ lǎoshī de xuésheng. We are all Mr. Li's students. | ❺ 我

一级

们经常和老师一起吃饭。Wǒmen jīngcháng hé lǎoshī yìqǐ chīfàn. We often have meals with our teacher. | ❻ 老师给我们留了很多作业。Lǎoshī gěi wǒmen liúle hěn duō zuòyè. The teacher gave us a lot of assignments. | ❼ 我的老师很年轻。Wǒ de lǎoshī hěn niánqīng. My teacher is very young.

55. 了 le radical: ⺄ strokes: 2 stroke order: ⺄ 了

<part.> ① *a verbal particle which is used after a verb or an adjective to indicate a change or completion of an action*

❶ 我买了一个电脑。Wǒ mǎile yí ge diànnǎo. I've bought a computer. | ❷ 星期天我们去了长城。Xīngqītiān wǒmen qùle Chángchéng. We went to the Great Wall on Sunday. | ❸ 我们都参加了HSK考试。Wǒmen dōu cānjiāle HSK kǎoshì. We all took the HSK. | ❹ 我买到了明天的飞机票。Wǒ mǎidàole míngtiān de fēijīpiào. I've bought a plane ticket for tomorrow. | ❺ 昨天晚上我只睡了三个小时。Zuótiān wǎnshang wǒ zhǐ shuìle sān ge xiǎoshí. I slept only three hours last night. | ❻ 这个电影我看了两遍。Zhège diànyǐng wǒ kànle liǎng biàn. I saw this movie twice. | ❼ 我们吃了饭再去吧。Wǒmen chīle fàn zài qù ba. Let's have a meal before we go.

② *a modal particle used at the end of a sentence or a clause indicating a change or the emergence of a new situation*

❶ 他已经买到机票了。Tā yǐjīng mǎidào jīpiào le. He has bought a plane ticket. | ❷ 我已经告诉他了。Wǒ yǐjīng gàosu tā le. I've told him. | ❸ 我饿了，我们去吃饭吧。Wǒ è le, wǒmen qù chīfàn ba. I am hungry. Let's have our meal. | ❹ 他走了，不知道去哪儿了。Tā zǒu le, bù zhīdào qù nǎr le. He has gone, and nobody knows where he is. | ❺ 我已经喝了两瓶酒了。Wǒ yǐjīng hēle liǎng píng jiǔ le. I have already had two bottles of beer. | ❻ 快下雨了，你赶快回家吧。Kuài xià yǔ le, nǐ gǎnkuài huí jiā ba. It'll start raining soon. You'd better go home immediately.

56. 冷 lěng radical: 冫 strokes: 7

stroke order: 丶 冫 冫 冫 冫 冷 冷

<adj.> *(as opposed to "hot")* cold, freezing

❶ 今天很冷。Jīntiān hěn lěng. Today is very cold. | ❷ 这些天真冷啊！Zhèxiē tiān zhēn lěng a! It's been so cold these days. | ❸ 这里最冷的时候是一月和二月。Zhèli zuì lěng de shíhou shì yī yuè hé èr yuè. January and February are the coldest here. | ❹ 天气冷起来了。Tiānqì lěng qǐlai le. It's getting cold. | ❺ 你穿这么少，冷不冷？Nǐ chuān zhème shǎo, lěng bù lěng? You wear so little. Do you feel cold? | ❻ 我觉得很冷，可能要感冒了。Wǒ juéde hěn lěng, kěnéng yào gǎnmào le. I feel very cold. I've probably got a cold.

57. 里（裏）lǐ radical: 里 strokes: 7

stroke order: 丨 冂 冃 曰 甲 甲 里

<n.> *(as opposed to "outside")* inside

❶ 请往里走。Qǐng wǎng lǐ zǒu. Please walk inwards. | ❷ 卫生间里有人，请等一会儿。Wèishēngjiān li yǒu rén, qǐng děng yíhuìr. The bathroom is occupied. Please wait a moment. | ❸ 屋子里很干净。Wūzi li hěn gānjìng. The room is very clean. | ❹ 教室里还有很多学生。Jiàoshì li hái yǒu hěn duō xuésheng. There are still a lot of students in the classroom. | ❺ 我的钱包里没钱了。Wǒ de qiánbāo li méi qián le. There's no money in my purse. | ❻ 星期天，商店里人太多。Xīngqītiān, shāngdiàn li rén tài duō. There are too many people in the store on Sunday. | ❼ 去年一年里，我出了三次国。Qùnián yì nián li, wǒ chūle sān cì guó. I went abroad three times last year.

<suf.> *used after* "这", "那" *or* "哪儿" *to indicate a place*

❶ 这里就是我们学校。Zhèli jiù shì wǒmen xuéxiào. This is our school. | ❷ 我很喜欢北京，那里有很多好吃的、好玩儿的。Wǒ hěn xǐhuan Běijīng, nàli yǒu hěn duō hǎochī de、hǎowánr de. I like Beijing very much because there are many delicious foods and fun places there. | ❸ 请问，卫生间在哪里? Qǐngwèn, wèishēngjiān zài nǎli? Excuse me, where is the bathroom?

<m.> *a measurement of distance*, 1 *li*=500 meters

❶ 从学校到我家有五里。Cóng xuéxiào dào wǒ jiā yǒu wǔ lǐ. The school is 5 *li* away from my home. | ❷ 一公里等于两里。Yì gōnglǐ děngyú liǎng lǐ. One kilometer equals to two *li*. | ❸ 公共汽车一站差不多是两里。Gōnggòng qìchē yí zhàn chàbuduō shì liǎng lǐ. The distance between two bus stops is about two *li*. | ❹ 那天，我走了十里路。Nà tiān, wǒ zǒule shí lǐ lù. I walked about 10 *li* that day.

58. 零 líng

radical: 雨 strokes: 13 stroke order: 一 𠂆 冖 帀 雨 雨 雨 雨 雫 雯 雯 零 零

<num.> ① (*used between two numbers or indicating a zero sign*) zero

❶ 今年是二零一三年。Jīnnián shì èr líng yī sān nián. It is 2013 this year. | ❷ 我住三零五房间。Wǒ zhù sān líng wǔ fángjiān. I lived in Room 305. | ❸ 我来这儿有一个月零三天了。Wǒ lái zhèr yǒu yí ge yuè líng sān tiān le. I have been here for a month and three days. | ❹ 这本书是一百二十块零八毛。Zhè běn shū shì yìbǎi èrshí kuài líng bā máo. This book is 120 *kuai* and eight *mao*. | ❺ 你给了我十块，我找你三块零五分。Nǐ gěile wǒ shí kuài, wǒ zhǎo nǐ sān kuài líng wǔ fēn. You gave me ten *kuai*, and here's your change, three *kuai* and five *fen*.

② starting point of a certain measurement

❶ 现在时间是零点十分。Xiànzài shíjiān shì líng diǎn shí fēn. It's 12:10 a.m. now. | ❷ 今天最高气温是零上五度，最低气温是零下三度。Jīntiān zuì gāo qìwēn shì líng shàng wǔ dù, zuì dī qìwēn shì líng xià sān dù. The temperature today is -3℃ ~ 5℃.

59. 六 liù radical: 亠 strokes: 4 stroke order: 丶 亠 六 六

<*num.*> six

❶ 我家有六口人。Wǒ jiā yǒu liù kǒu rén. There are six people in my family. | ❷ 妈妈六月来北京。Māma liù yuè lái Běijīng. My mom will come to Beijing this June. | ❸ 他儿子今年六岁了。Tā érzi jīnnián liù suì le. His son is six years old. | ❹ 这本词典是七十六块。Zhè běn cídiǎn shì qīshíliù kuài. This dictionary costs 76 *kuai*. | ❺ 我们认识已经六年了。Wǒmen rènshi yǐjīng liù nián le. We've known each other for 6 years. | ❻ 他喝了六瓶啤酒。Tā hēle liù píng píjiǔ. He drank six bottles of beer.

60. 妈妈（媽媽）māma

<*n.*> mother, mom

❶ 我爱我的妈妈。Wǒ ài wǒ de māma. I love my mom. | ❷ 我妈妈是大学老师。Wǒ māma shì dàxué lǎoshī. My mother is a college teacher. | ❸ 这是我妈妈，这是我爸爸。Zhè shì wǒ māma, zhè shì wǒ bàba. This is my mom, and this is my dad. | ❹ 妈妈，明天我们吃中餐吧。Māma, míngtiān wǒmen chī zhōngcān ba. Mom, shall we have Chinese food tomorrow? | ❺ 我妈妈和我爸爸结婚已经二十年了。Wǒ māma hé wǒ bàba jiéhūn yǐjīng èrshí nián le. My parents have been married for 20 years. | ❻ 妈妈经常给我打电话。Māma jīngcháng gěi wǒ dǎ diànhuà. My mom often calls me. | ❼ 孩子在妈妈怀里睡着了。Háizi zài māma huáili shuìzháo le. The kid fell asleep in his mother's arms.

61. 吗（嗎）ma radical: 口 strokes: 6

stroke order: 丨 冂 口 口 吗 吗

<*part.*> ① *an interrogative particle used at the end of a question*

❶ 你是学生吗？Nǐ shì xuésheng ma? Are you a student? | ❷ 大家都好吗？

Dàjiā dōu hǎo ma? Is everybody OK? | ❸ 他来了吗？ Tā lái le ma? Did he come? | ❹ 明天有雨吗？ Míngtiān yǒu yǔ ma? Will it rain tomorrow?

② *used at the end of a sentence to make a rhetorical question*

❶ 这样不是很好吗？ Zhèyàng bú shì hěn hǎo ma? Isn't it nice? | ❷ 你难道不明白吗？ Nǐ nándào bù míngbai ma? Don't you understand? | ❸ 这么晚了，他还没回来吗？ Zhème wǎn le, tā hái méi huílai ma? It's so late. Hasn't he come back yet? | ❹ 从这里走，不是更远吗？ Cóng zhèli zǒu, bú shì gèng yuǎn ma? Isn't it even farther to go from here?

62. 买（買）mǎi radical: 乛 strokes: 6

stroke order: 乛 乛 乛 乛 买 买

<*v.*> (*as opposed to* "*sell*") buy

❶ 我买了一件毛衣。Wǒ mǎile yí jiàn máoyī. I bought a sweater. | ❷ 你想买点儿什么？ Nǐ xiǎng mǎi diǎnr shénme? Can I help you? | ❸ 我打算买台电脑。Wǒ dǎsuàn mǎi tái diànnǎo. I want to buy a computer. | ❹ 我买了两张电影票，一起去看吧。Wǒ mǎile liǎng zhāng diànyǐngpiào, yìqǐ qù kàn ba. I've bought two movie tickets. Let's go together. | ❺ 房子太贵了，我买不起。Fángzi tài guì le, wǒ mǎi bu qǐ. Buying a house is more than I can afford. | ❻ 这些鸡蛋是我刚买的。Zhèxiē jīdàn shì wǒ gāng mǎi de. I bought these eggs just now. | ❼ 妈妈退休了，她每天就是买买菜、做做饭。Māma tuìxiū le, tā měi tiān jiù shì mǎimai cài、zuòzuo fàn. My mom is retired and she does grocery shopping and cooks every day.

63. 猫 māo radical: 犭 strokes: 11 stroke order: 丿 犭 犭 犭 犭 犭 犭 猫 猫 猫 猫

<*n.*> cat

❶ 我家有一只小猫。Wǒ jiā yǒu yì zhī xiǎomāo. We have a kitten. | ❷ 这只小猫真可爱。Zhè zhī xiǎomāo zhēn kě'ài.

This kitten is so adorable. | ❸ 我家的小猫找不到了。Wǒ jiā de xiǎomāo zhǎo bu dào le. Our kitten is lost. | ❹ 我还没见过这么可爱的猫。Wǒ hái méi jiànguo zhème kě'ài de māo. I have never seen such an adorable cat. | ❺ 孩子喂完猫就上学去了。Háizi wèiwán māo jiù shàngxué qù le. The kid went to school after feeding the cat.

64. 没 méi radical: 氵 strokes: 7

stroke order: ` 丶 氵 氵 沪 汐 没

<*adv.*> not, no

❶ 他还没走。Tā hái méi zǒu. He hasn't gone yet. | ❷ 今年我没回家。Jīnnián wǒ méi huí jiā. I didn't go home this year. | ❸ 我以前没来过中国。Wǒ yǐqián méi láiguo Zhōngguó. I have never been to China before. | ❹ 她没跟我说过这件事。Tā méi gēn wǒ shuōguo zhè jiàn shì. She didn't tell me about it. | ❺ 你的感冒还没好，早点儿休息吧。Nǐ de gǎnmào hái méi hǎo, zǎo diǎnr xiūxi ba. You haven't recovered from the cold. Please take a rest early. | ❻ 天还没亮我就起床了。Tiān hái méi liàng wǒ jiù qǐchuáng le. I got up before daybreak.

<*v.*> ① *negative form of "have" or "possess"*

❶ 已经下班了，办公室没人了。Yǐjīng xiàbān le, bàngōngshì méi rén le. It's been off work. There is nobody in the office. | ❷ 最近我很忙，没时间和你见面。Zuìjìn wǒ hěn máng, méi shíjiān hé nǐ jiànmiàn. I have been too busy to meet you recently. | ❸ 我的钱包没了。Wǒ de qiánbāo méi le. My wallet is missing. | ❹ 他从小就没了父母。Tā cóngxiǎo jiù méile fùmǔ. He lost his parents since childhood.

② (*used in a comparison*) be not so...

❶ 他的年龄没我大。Tā de niánlíng méi wǒ dà. He is not as old as I. | ❷ 我脚受伤了，没他走得快。Wǒ jiǎo shòushāng le, méi tā zǒu de kuài. My feet were hurt, so I cannot walk as fast as he does. | ❸ 这件事情没那么严重。Zhè jiàn shìqing méi nàme yánzhòng. It's not that serious. | ❹ 开车没你想象的那么简单。Kāi chē méi nǐ xiǎngxiàng de nàme jiǎndān. Driving is not as easy as you think.

65. 没关系（没關係）méi guānxi

<*i.e.*> no problem

❶ A: 对不起，我来晚了。B: 没关系。A: Duìbuqǐ, wǒ láiwǎn le. B: Méi guānxi. A: Sorry, I'm late. B: No problem. | ❷ A: 麻烦你了。B: 没关系。A: Máfan nǐ le. B: Méi guānxi. A: Sorry for troubling you. B: It's OK. | ❸ A: 大夫，我有点儿头疼。B: 没关系，吃点儿药就好了。A: Dàifu, wǒ yǒudiǎnr tóu téng. B: Méi guānxi, chī diǎnr yào jiù hǎo le. A: I have a headache. B: Never mind. You will be fine after taking this medicine.

66. 米饭（米飯）mǐfàn

<*n.*> cooked rice

❶ 服务员，我要一碗米饭。Fúwùyuán, wǒ yào yì wǎn mǐfàn. Waitress, a bowl of rice, please. | ❷ 我爱吃米饭。Wǒ ài chī mǐfàn. I like rice. | ❸ 米饭已经做好了，马上做菜吧。Mǐfàn yǐjīng zuòhǎo le, mǎshàng zuò cài ba. The rice is done. Let's prepare the dishes now. | ❹ 在中国，南方人都爱吃米饭。Zài Zhōngguó, nánfāngrén dōu ài chī mǐfàn. A lot of southern Chinese like rice. | ❺ 他吃了两大碗米饭。Tā chīle liǎng dà wǎn mǐfàn. He had two big bowls of rice.

67. 名字 míngzi

<*n.*> name

❶ 你叫什么名字？Nǐ jiào shénme míngzi? What's your name? | ❷ 我起了个中文名字。Wǒ qǐle ge Zhōngwén míngzi. I have a Chinese name. | ❸ 这个孩

子的名字很好听。Zhège háizi de míngzi hěn hǎotīng. The kid's name sounds pleasant. | ❹ 他的名字很长，我记不住。Tā de míngzi hěn cháng, wǒ jì bu zhù. His name is so long that I cannot remember it. | ❺ 我忘了那本书的名字。Wǒ wàngle nà běn shū de míngzi. I forgot the title of that book. | ❻ 我不会写我的中文名字。Wǒ bú huì xiě wǒ de Zhōngwén míngzi. I don't know how to write my Chinese name. | ❼ 请在这儿写上你的名字。Qǐng zài zhèr xiěshang nǐ de míngzi. Please write down your name here.

68. 明天 míngtiān

<*n.*> ① tomorrow

❶ 今天是十九号，明天是二十号。Jīntiān shì shíjiǔ hào, míngtiān shì èrshí hào. It's the 19th today, and it will be the 20th tomorrow. | ❷ 明天是我的生日。Míngtiān shì wǒ de shēngrì. Tomorrow is my birthday. | ❸ 明天的活动你参加吗？Míngtiān de huódòng nǐ cānjiā ma? Will you participate in the activity tomorrow? | ❹ 我从明天开始学习太极拳。Wǒ cóng míngtiān kāishǐ xuéxí tàijíquán. I will learn *taijiquan* starting tomorrow.

② future

❶ 我们的明天会更好。Wǒmen de míngtiān huì gèng hǎo. We will have a better future. | ❷ 我们会有一个幸福的明天。Wǒmen huì yǒu yí ge xìngfú de míngtiān. We will have a bright future. | ❸ 用自己的双手建设美好的明天。Yòng zìjǐ de shuāngshǒu jiànshè měihǎo de míngtiān. Build up a bright future using our own hands.

69. 哪（哪儿）（哪兒）nǎ (nǎr) radical: 口 strokes: 9

stroke order: 丨 ㄇ 口 叨 叼 吗 明 哪 哪

<*pron.*> ① which（哪）

❶ 你是哪国人？Nǐ shì nǎ guó rén? What is your nationality? | ❷ 这两个

饭馆，哪个比较便宜？ Zhè liǎng ge fànguǎn, nǎge bǐjiào piányi? Between the two restaurants, which one is more inexpensive? | ❸ 你喜欢春夏秋冬哪个季节？ Nǐ xǐhuan chūn-xià-qiū-dōng nǎge jìjié? Of the four seasons, which one do you like? | ❹ 你认为哪张照片最好？ Nǐ rènwéi nǎ zhāng zhàopiàn zuì hǎo? Which is your favorite photo? | ❺ 哪位同学想买汉语课本？ Nǎ wèi tóngxué xiǎng mǎi Hànyǔ kèběn? Which student wants to buy the Chinese textbook?

一级

② where（哪儿）

❶ 他去哪儿了？ Tā qù nǎr le? Where is he? | ❷ 学校附近哪儿有书店？ Xuéxiào fùjìn nǎr yǒu shūdiàn? Is there a bookstore around the school? | ❸ 你知道银行在哪儿吗？ Nǐ zhīdào yínháng zài nǎr ma? Do you know where the bank is? | ❹ 哪儿的东西比较便宜？ Nǎr de dōngxi bǐjiào piányi? Where can we buy inexpensive things? | ❺ 你想去哪儿旅游？ Nǐ xiǎng qù nǎr lǚyóu? Where do you want to travel?

70. 那（那儿）（那兒） nà (nàr) radical: 阝 strokes: 6

stroke order: ㇆ ㇇ 彐 刃 那 那

<*pron.*> ① that（那）

❶ 那是我哥哥。Nà shì wǒ gēge. That's my elder brother. | ❷ 你看，那是什么？ Nǐ kàn, nà shì shénme? Look! What's that? | ❸ 远处的那座楼是我们学校。Yuǎn chù de nà zuò lóu shì wǒmen xuéxiào. The building in the distance is our school. | ❹ 那已经是很早以前的事情了。Nà yǐjīng shì hěn zǎo yǐqián de shìqing le. It happened a long time ago. | ❺ 谁都不知道那件事。Shéi dōu bù zhīdào nà jiàn shì. Nobody knows it. | ❻ 我六岁那年得过一场大病。Wǒ liù suì nà nián déguo yì chǎng dà bìng. I was seriously ill when I was six.

② there（那儿）

❶ 我的车停在那儿了。Wǒ de chē tíng zài nàr le. I parked my car there. | ❷ 桌子就放在那儿吧。Zhuōzi jiù fàng zài nàr ba. Just put the table there. | ❸ 这

儿没什么意思，我们去那儿看看吧。Zhèr méi shénme yìsi, wǒmen qù nàr kànkan ba. It's boring here. Let's go over there. | ❹ 那儿的东西很便宜。Nàr de dōngxi hěn piányi. Stuff sold there is very cheap. | ❺ 那儿不卖电话卡。Nàr bú mài diànhuàkǎ. Calling cards are not sold there.

71. 呢 ne radical: 口 strokes: 8

stroke order: 丨 ㄇ 口 口' 叨 呎 呢 呢

<*part.*> ① *interrogative particle used at the end of a question*

❶ 我很喜欢北京，你呢？Wǒ hěn xǐhuan Běijīng, nǐ ne? I like Beijing very much. What about you? | ❷ 你在找什么呢？Nǐ zài zhǎo shénme ne? What are you looking for? | ❸ 他在家里干什么呢？Tā zài jiāli gàn shénme ne? What is he doing at home? | ❹ 这么好的电脑我怎么能不喜欢呢？Zhème hǎo de diànnǎo wǒ zěnme néng bù xǐhuan ne? How can I not like such a good computer? | ❺ 弟弟呢？弟弟上哪儿去了？Dìdi ne? Dìdi shàng nǎr qù le? Where is my younger brother? Where did he go?

② *used at the end of a statement to indicate a state is continuing*

❶ 姐姐在房间看书呢。Jiějie zài fángjiān kàn shū ne. My elder sister is reading a book in the room. | ❷ 他还睡着呢。Tā hái shuìzhe ne. He is still sleeping. | ❸ 他屋里的灯还亮着呢。Tā wū li de dēng hái liàngzhe ne. The light in his room is still on. | ❹ 电影八点才开始呢。Diànyǐng bā diǎn cái kāishǐ ne. The movie will not begin until 8 o'clock.

72. 能 néng radical: 厶 strokes: 10

stroke order: 𠂉 厶 㐫 㐫 育 育 能 能 能 能

<*aux.*> can, be able to

❶ 我一小时能走十公里。Wǒ yì xiǎoshí néng zǒu shí gōnglǐ. I can walk

10 kilometers an hour. | ❷ 他一次能喝五瓶啤酒。Tā yí cì néng hē wǔ píng píjiǔ. He can drink five bottles of beer at a time. | ❸ 他能学好汉语，我也能。Tā néng xuéhǎo Hànyǔ, wǒ yě néng. If he can learn Chinese well, I can too. | ❹ 他的腿好了，能走了。Tā de tuǐ hǎo le, néng zǒu le. His legs have got well and he can walk now. | ❺ 明天我能来。Míngtiān wǒ néng lái. I can come tomorrow. | ❻ 你能看清他是谁吗？ Nǐ néng kànqīng tā shì shéi ma? Can you see clearly who he is? | ❼ 教室里不能抽烟。Jiàoshì li bù néng chōu yān. Smoking is prohibited in the classroom. | ❽ 你能不能帮我个忙？ Nǐ néng bù néng bāng wǒ ge máng? Can you do me a favor?

73. 你 nǐ radical: 亻 strokes: 7

stroke order: 丿 亻 亻 仢 价 你 你

<*pron.*> you (*singular*)

❶ 你好！你叫什么名字？ Nǐ hǎo! Nǐ jiào shénme míngzi? Hello! What's your name? | ❷ 你是哪国人？ Nǐ shì nǎ guó rén? What's your nationality? | ❸ 你喜欢打篮球吗？ Nǐ xǐhuan dǎ lánqiú ma? Do you like playing basketball? | ❹ 同学们都很喜欢你。Tóngxuémen dōu hěn xǐhuan nǐ. All your classmates like you. | ❺ 你来中国多长时间了？ Nǐ lái Zhōngguó duō cháng shíjiān le? How long have you been in China? | ❻ 这是你要的咖啡。Zhè shì nǐ yào de kāfēi. It's the coffee you wanted.

74. 年 nián radical: 丿 strokes: 6

stroke order: 丿 𠂉 𠂉 𠂉 左 年

<*n.*> ① year

❶ 一年有 365 天。Yì nián yǒu 365 tiān. There are 365 days in a year. | ❷ 我是 1992 年出生的。Wǒ shì 1992 nián chūshēng de. I was born in 1992. | ❸ 我

每年都去旅游。Wǒ měi nián dōu qù lǚyóu. I travel every year. | ❹ 你是哪一年大学毕业的？ Nǐ shì nǎ yì nián dàxué bìyè de? In which year did you graduate from the university? | ❺ 今年的冬天比较冷，不知道明年怎么样。Jīnnián de dōngtiān bǐjiào lěng, bù zhīdào míngnián zěnmeyàng. This winter is rather cold. I don't know what it will be like next year.

② new year

❶ 后天就是新年了。Hòutiān jiù shì xīnnián le. The day after tomorrow is the Chinese New Year. | ❷ 在中国过年很有意思。Zài Zhōngguó guònián hěn yǒu yìsi. It is very interesting to celebrate the Chinese New Year in China. | ❸ 我给您拜年了，祝您新年快乐。Wǒ gěi nín bàinián le, zhù nín xīnnián kuàilè. I wish you a happy new year.

<m.> a measure word for years

❶ 我来北京已经六年了。Wǒ lái Běijīng yǐjīng liù nián le. I have been in Beijing for 6 years. | ❷ 我认识大卫两年多了。Wǒ rènshi Dàwèi liǎng nián duō le. I have known David for more than 2 years. | ❸ 三年前的今天，我第一次来中国。Sān nián qián de jīntiān, wǒ dì-yī cì lái Zhōngguó. Three years ago today, I went to China for the first time.

75. 女儿（女兒）nǚ'ér

<*n.*> daughter

❶ 他有一个女儿，一个儿子。Tā yǒu yí ge nǚ'ér, yí ge érzi. He has a daughter and a son. | ❷ 我女儿三岁了。Wǒ nǚ'ér sān suì le. My daughter is three years old. | ❸ 我妻子刚刚生了个女儿。Wǒ qīzi gānggāng shēngle ge nǚ'ér. My wife just gave birth to a baby girl. | ❹ 这是给女儿买的新衣服。Zhè shì gěi nǚ'ér mǎi de xīn yīfu. This is the new garment for my daughter. | ❺ 妈妈很想女儿，晚上经常睡不着觉。Māma hěn xiǎng nǚ'ér, wǎnshang jīngcháng shuì bu zháo jiào. The mother misses her daughter so much that she often can't sleep at night. | ❻ 这是我女儿的房间。Zhè shì wǒ nǚ'ér de fángjiān. This is my daughter's room.

一级

76. 朋友 péngyou

<*n.*> ① friend

❶ 我有很多中国朋友。Wǒ yǒu hěn duō Zhōngguó péngyou. I have a lot of Chinese friends. | ❷ 我们俩是好朋友。Wǒmen liǎ shì hǎo péngyou. We are good friends. | ❸ 他新认识了两个美国朋友。Tā xīn rènshile liǎng ge Měiguó péngyou. He made two new American friends recently. | ❹ 他来中国后，交了很多朋友。Tā lái Zhōngguó hòu, jiāole hěn duō péngyou. He made a lot of friends after he came to China. | ❺ 我们是老朋友了，不用客气。Wǒmen shì lǎo péngyou le, búyòng kèqi. We are old friends. Please don't stand on ceremony. | ❻ 他是我小时候的朋友。Tā shì wǒ xiǎoshíhou de péngyou. He was my friend when I was a kid.

② girlfriend or boyfriend

❶ 儿子刚找了个女朋友。Érzi gāng zhǎole ge nǚpéngyou. My son has a girlfriend recently. | ❷ 他是我男朋友，我们不久就要结婚了。Tā shì wǒ nánpéngyou, wǒmen bùjiǔ jiùyào jiéhūn le. He is my boyfriend, and we will get married soon. | ❸ 他俩是男女朋友关系。Tā liǎ shì nán-nǚ péngyou guānxì. They are sweethearts.

77. 漂亮 piàoliang

<*adj.*> ① pretty, good-looking

❶ 这些衣服太漂亮了。Zhèxiē yīfu tài piàoliang le. These clothes are incredibly beautiful. | ❷ 北京有很多漂亮的大楼。Běijīng yǒu hěn duō piàoliang de dàlóu. There are a lot of beautiful buildings in Beijing. | ❸ 这辆车漂亮极了，我想买。Zhè liàng chē piàoliang jí le, wǒ xiǎng mǎi. This car is so beautiful that I want to buy it. | ❹ 她妹妹非常漂亮。Tā mèimei fēicháng piàoliang. Her younger sister is gorgeous. | ❺ 她每天都把自己打扮得漂漂亮亮的。Tā měi tiān dōu bǎ zìjǐ dǎban de piàopiàoliàngliàng de. She dresses up beautifully every day.

② outstanding, splendid

❶ 这件事办得很漂亮。Zhè jiàn shì bàn de hěn piàoliang. This work is well done. | ❷ 他能写一手漂亮的字。Tā néng xiě yì shǒu piàoliang de zì. His handwriting is wonderful. | ❸ 这回我们要漂漂亮亮地大干一场。Zhè huí wǒmen yào piàopiàoliàngliàng de dà gàn yì chǎng. This time we will go all out for it. | ❹ 这场球打得不够漂亮。Zhè chǎng qiú dǎ de búgòu piàoliang. The ball game was not well played.

78. 苹果 píngguǒ

<*n.*> apple

❶ 我买了三斤苹果。Wǒ mǎile sān jīn píngguǒ. I bought 1.5 kilos of apples. | ❷ 这种苹果很好吃。Zhè zhǒng píngguǒ hěn hǎochī. This kind of apples is tasty.| ❸ 我爱吃中国的苹果。Wǒ ài chī Zhōngguó de píngguǒ. I like Chinese apples. | ❹ 苹果多少钱一斤？Píngguǒ duōshao qián yì jīn? How much is half a kilo of apples? | ❺ A：您喝点儿什么？ B：我喝苹果汁。A: Nín hē diǎnr shénme? B: Wǒ hē píngguǒzhī. A: What would you like to drink? B: Apple juice.

79. 七 qī radical: 一 strokes: 2 stroke order: 一 七

<*num.*> seven

❶ 我家有七口人。Wǒ jiā yǒu qī kǒu rén. There are seven people in my family. | ❷ 妈妈七月来北京。Māma qī yuè lái Běijīng. My mom will come to Beijing this July. | ❸ 儿子今年七岁了。Érzi jīnnián qī suì le. My son is seven years old. | ❹ 这本词典是七十七块。Zhè běn cídiǎn shì qīshíqī kuài. This dictionary costs 77 *kuai*. | ❺ 我们认识已经七年了。Wǒmen rènshi yǐjīng qī nián le. We have known each other for seven years. | ❻ 他喝了七瓶啤酒。Tā hēle qī píng píjiǔ. He drank seven bottles of beer.

一级

80. 前面 qiánmiàn

<*n.*> front

❶ 我家前面是个小学。Wǒ jiā qiánmiàn shì ge xiǎoxué. There's an elementary school in front of my house. | ❷ 商店在饭馆的前面。Shāngdiàn zài fànguǎn de qiánmiàn. The shopping mall is in front of the restaurant. | ❸ 上课时，我坐在他前面。Shàngkè shí, wǒ zuò zài tā qiánmiàn. I sit in front of him in class. | ❹ 他每次都坐在教室的最前面。Tā měi cì dōu zuò zài jiàoshì de zuì qiánmiàn. He always sits in the front of the classroom. | ❺ 我在你前面，是吧？ Wǒ zài nǐ qiánmiàn, shì ba? I was in front of you, right? | ❻ 你前面的人是谁？ Nǐ qiánmiàn de rén shì shéi? Who's the guy in front of you?

81. 钱（錢）qián radical: 钅 strokes: 10 stroke order: 丿 𠂉 𠂉 𠂉 钅 钅 钅 钱 钱 钱

<*n.*> ① money

❶ 苹果六块钱一斤。Píngguǒ liù kuài qián yì jīn. The apple is 6 *kuai* half a kilo. | ❷ 这本书七十八块钱。Zhè běn shū qīshíbā kuài qián. The book costs 78 *kuai*. | ❸ 我忘了带钱。Wǒ wàngle dài qián. I forgot to bring money. | ❹ 他做生意挣了很多钱。Tā zuò shēngyi zhèngle hěn duō qián. He earned much money by doing business. | ❺ 我一分钱也没有了。Wǒ yì fēn qián yě méiyǒu le. I don't have a penny with me. | ❻ 这是我吃饭的钱，不能买别的。Zhè shì wǒ chīfàn de qián, bù néng mǎi bié de. This is the money for my food, not for anything else.

② fortune, wealth

❶ 他们家很有钱。Tāmen jiā hěn yǒu qián. Their family is very rich. | ❷ 他是个有钱人。Tā shì ge yǒu qián rén. He is a rich man. | ❸ 现在，有钱人越来越多了。Xiànzài, yǒu qián rén yuè lái yuè duō le. More and more people are getting rich now.

82. 请（請）qǐng radical: 讠 strokes: 10 stroke order: 丶 讠 讠 讠 讠 讠 讠 请 请 请 请

<v.> ① (*politely ask someone to do or not to do something*) please

❶ 请问您贵姓？ Qǐngwèn nín guìxìng? Excuse me, may I have your family name, please? | ❷ 您请坐。想喝点儿什么？ Nín qǐng zuò. Xiǎng hē diǎnr shénme? Please have a seat. What would you like to drink? | ❸ 您来了，快请进！ Nín lái le, kuài qǐng jìn! Welcome! Come in, please. | ❹ 请老人和小孩儿先上车。 Qǐng lǎorén hé xiǎoháir xiān shàng chē. The seniors and the kids go aboard first, please. | ❺ 请你来一下，可以吗？ Qǐng nǐ lái yíxià, kěyǐ ma? Can you come here, please? | ❻ 请不要说话。 Qǐng búyào shuōhuà. No talking, please.

② invite, engage

❶ 我们请个律师吧。 Wǒmen qǐng ge lǜshī ba. Let's hire a lawyer. | ❷ 我给你请了个医生。 Wǒ gěi nǐ qǐngle ge yīshēng. I've got a doctor for you.| ❸ 我想请人教我汉语。 Wǒ xiǎng qǐng rén jiāo wǒ Hànyǔ. I want to ask someone to teach me Chinese. | ❹ 他们是我请来的客人。 Tāmen shì wǒ qǐnglái de kèrén. They are my guests. | ❺ 我请了十个同学来我家。 Wǒ qǐngle shí ge tóngxué lái wǒ jiā. I've invited ten of my classmates to my home.

③ treat

❶ 我们去饭馆吃吧，我请大家。 Wǒmen qù fànguǎn chī ba, wǒ qǐng dàjiā. Let's go out for dinner. It'll be on me. | ❷ 中午我请你们吃饭。 Zhōngwǔ wǒ qǐng nǐmen chīfàn. I'll treat you to lunch. | ❸ 明天我们请老师吃饭。 Míngtiān wǒmen qǐng lǎoshī chīfàn. We will ask the teacher for a meal tomorrow. | ❹ 这顿饭是学校请的。 Zhè dùn fàn shì xuéxiào qǐng de. The meal was provided by the school.

83. 去 qù radical: 土 strokes: 5 stroke order: 一 十 土 去 去

<*v.*> ① (*as opposed to "come"*) go

❶ 我去过北京。Wǒ qùguo Běijīng. I have been to Beijing. | ❷ 我今天有事，不能去了。Wǒ jīntiān yǒu shì, bù néng qù le. I have something to take care of today and can't go there.| ❸ 妹妹昨天去上海了。Mèimei zuótiān qù Shànghǎi le. My younger sister went to Shanghai yesterday.| ❹ 下午我想去超市买东西，你去吗？ Xiàwǔ wǒ xiǎng qù chāoshì mǎi dōngxi, nǐ qù ma? I'll go shopping at the supermarket this afternoon. Will you go with me? | ❺ 很多地方我都没去过。Hěn duō dìfang wǒ dōu méi qùguo. There are a lot of places that I have never been to. | ❻ 你去晚了，就没座位了。Nǐ qùwǎn le, jiù méi zuòwèi le. If you are late, you will not have a seat.

② *used before a verbal phrase to indicate going away from the original place to do something*

❶ 他去买东西了。Tā qù mǎi dōngxi le. He went shopping. | ❷ 这件事我去告诉他。Zhè jiàn shì wǒ qù gàosu tā. I will tell him about it. | ❸ 我们下个月去旅游。Wǒmen xià ge yuè qù lǚyóu. We will travel next month.| ❹ 需要什么东西我去买。Xūyào shénme dōngxi wǒ qù mǎi. I will buy whatever you need.

③ *used after a verbal phrase to introduce the purpose of going away*

❶ 走，打球去！ Zǒu, dǎ qiú qù! Let's go to play basketball. | ❷ 他看电影去了。Tā kàn diànyǐng qù le. He went to the movie. | ❸ 学生们都上课去了。Xuéshengmen dōu shàngkè qù le. All the students went to class. | ❹ 他们一块儿玩儿去了。Tāmen yíkuàir wánr qù le. They went out to play together.

84. 热 rè radical: 灬 strokes: 10

stroke order: 一 扌 扌 扎 执 执 执 热 热 热

<*adj.*> (*as opposed to "cold"*) hot

❶ 今天35度，太热了。Jīntiān 35 dù, tài rè le. The temperature is 35℃ today. It's too hot. | ❷ 北京的夏天很热。Běijīng de xiàtiān hěn rè. Beijing is very hot in summer. | ❸ 天气太热，打开空调吧。Tiānqì tài rè, dǎkāi kōngtiáo ba. It's very hot. Please turn on the air conditioner. | ❹ 晚上，常常热得我睡不着觉。Wǎnshang, chángcháng rè de wǒ shuì bu zháo jiào. It's so hot that I can't fall asleep at night. | ❺ 这么热的天气，你就别出去了。Zhème rè de tiānqì, nǐ jiù bié chūqu le. You'd better keep indoors on such a hot day. | ❻ 你觉得热，就脱了外衣。Nǐ juéde rè, jiù tuōle wàiyī. Please take off the coat if you feel hot. | ❼ 我要一杯热茶。Wǒ yào yì bēi rè chá. I'd like to have a cup of hot tea. | ❽ 我怕热，不怕冷。Wǒ pà rè, bú pà lěng. I can't stand hot weather, but I don't mind cold weather.

85. 人 rén radical: 人 strokes: 2 stroke order: 丿 人

<*n.*> person, people

❶ 我家有五口人。Wǒ jiā yǒu wǔ kǒu rén. There are five people in my family. | ❷ 她是美国人，我是中国人。Tā shì Měiguórén, wǒ shì Zhōngguórén. She is American and I am Chinese. | ❸ 我不认识那个人。Wǒ bú rènshi nàge rén. I don't know that person. | ❹ 火车站人很多。Huǒchēzhàn rén hěn duō. There are a lot of people at the railway station. | ❺ 那些人在干什么？Nàxiē rén zài gàn shénme? What are those people doing? | ❻ 北京人很热情。Běijīngrén hěn rèqíng. People in Beijing are hospitable.

86. 认识（認識）rènshi

<*v.*> know

❶ 我认识两个中国朋友。Wǒ rènshi liǎng ge Zhōngguó péngyou. I have two Chinese friends. | ❷ 我们认识一下，我叫玛丽，你呢？Wǒmen rènshi yíxià, wǒ jiào Mǎlì, nǐ ne? Let's get to know each other. My name is Mary, and yours? | ❸ 我不认识他们。Wǒ bú rènshi tāmen. I don't know them. | ❹ 我们认识五年了。Wǒmen rènshi wǔ nián le. We've known each other for five years. | ❺ 这个汉字我不认识。Zhège Hànzì wǒ bú rènshi. I don't know this Chinese character. | ❻ 认识你很高兴。Rènshi nǐ hěn gāoxìng. Nice to see you. | ❼ 我想认识这个人。Wǒ xiǎng rènshi zhège rén. I want to know this person.

87. 日 rì radical: 日 strokes: 4 stroke order: 丨 冂 月 日

<*n.*> day

❶ 今天是九月五日。Jīntiān shì jiǔ yuè wǔ rì. Today is 5th September. | ❷ 他每日都读书看报。Tā měi rì dōu dú shū kàn bào. He reads books and newspapers every day. | ❸ 不早了，你先回家吧，我们改日再谈。Bù zǎo le, nǐ xiān huí jiā ba, wǒmen gǎirì zài tán. It's late. Please go home first. Let's talk about it some other day. | ❹ 再过几日，就是新年了。Zài guò jǐ rì, jiù shì xīnnián le. New Year is just a few days away. | ❺ 他明日将去英国。Tā míngrì jiāng qù Yīngguó. He will go to the U.K. tomorrow. | ❻ 今日的工作要今日完成。Jīnrì de gōngzuò yào jīnrì wánchéng. We will finish the work as scheduled today.

88. 三 sān radical: 一 strokes: 3 stroke order: 一 二 三

<*num.*> three

❶ 我家有三口人，妈妈、爸爸和我。Wǒ jiā yǒu sān kǒu rén, māma、bàba hé wǒ. There are three people in my family: my mom, my dad and I. | ❷ 我在

北京住了三天。Wǒ zài Běijīng zhùle sān tiān. I've stayed in Beijing for three days. | ❸ 妈妈三月来北京。Māma sān yuè lái Běijīng. My mother will come to Beijing in March. | ❹ 儿子今年三岁了。Érzi jīnnián sān suì le. My son is three years old. | ❺ 这本书三十三块钱。Zhè běn shū sānshísān kuài qián. This book costs 33 *kuai*. | ❻ 我们认识已经三年了。Wǒmen rènshi yǐjīng sān nián le. We've known each other for three years. | ❼ 他喝了三瓶啤酒。Tā hēle sān píng píjiǔ. He drank three bottles of beer.

89. 商店 shāngdiàn

<*n.*> store, shop

❶ 下午我去商店买东西。Xiàwǔ wǒ qù shāngdiàn mǎi dōngxi. I'll go shopping this afternoon. | ❷ 商店一般几点开门？Shāngdiàn yìbān jǐ diǎn kāi mén? When does the store usually open? | ❸ 这个商店东西很多。Zhège shāngdiàn dōngxi hěn duō. There are a lot of stuff in this store. | ❹ 我们学校里有个小商店。Wǒmen xuéxiào li yǒu ge xiǎo shāngdiàn. There is a small shop in our school. | ❺ 这个商店二十四小时都营业。Zhège shāngdiàn èrshísì xiǎoshí dōu yíngyè. The store opens 24 hours a day. | ❻ 手机、电脑、电视等在商店的三层。Shǒujī、diànnǎo、diànshì děng zài shāngdiàn de sān céng. Cellphones, computers, televisions and other commodities are sold on the third floor of the store.

90. 上 shàng / shang radical: 一 strokes: 3 stroke order: 丨 ⺊ 上

<*n.*> (*as opposed to "below"*) upper

❶ 桌子上放着一些书。Zhuōzi shang fàngzhe yìxiē shū. There are some books on the table. | ❷ 我买了一些床上用的东西。Wǒ mǎile yìxiē chuáng shang yòng de dōngxi. I bought some bedclothes. | ❸ 你往上看，我家住十八层。Nǐ wǎng shàng kàn, wǒ jiā zhù shíbā céng. Look up, my family live on the 18th floor. | ❹ 我住楼上，父母住楼下。Wǒ zhù lóu shàng, fùmǔ zhù lóu xià. I live upstairs and my parents live downstairs. | ❺ 左边再向上一点儿。Zuǒbian zài xiàng shàng yìdiǎnr. Move the left part of it upwards a little bit.

<*v.*> ① come or go up, ascend (*from a lower position to a higher position*)

❶ 客人来了，请上楼。Kèrén lái le, qǐng shàng lóu. The guests have come. Please go upstairs. | ❷ 他们上山了，两个小时以后下来。Tāmen shàng shān le, liǎng ge xiǎoshí yǐhòu xiàlai. They have gone to the mountaintop and will come down in two hours. | ❸ 我已经上飞机了。Wǒ yǐjīng shàng fēijī le. I was already aboard the plane. | ❹ 大家请上车吧。Dàjiā qǐng shàng chē ba. Please get on the car. | ❺ 小时候，他喜欢上树。Xiǎoshíhou, tā xǐhuan shàng shù. He likes climbing trees when he was a kid. | ❻ 这座山太高了，我上不去。Zhè zuò shān tài gāo le, wǒ shàng bu qù. This mountain is so high that I can't climb up to the top.

② go to, leave for

❶ 孩子们都上学校了。Háizimen dōu shàng xuéxiào le. All the kids have gone to school. | ❷ 我下午上超市，你买什么东西吗？我一起带回来。Wǒ xiàwǔ shàng chāoshì, nǐ mǎi shénme dōngxi ma? Wǒ yìqǐ dài huílai. I will go shopping at the supermarket this afternoon. What do you want? I'll get them for you. | ❸ 我男朋友上北京了。Wǒ nánpéngyou shàng Běijīng le. My boyfriend has gone to Beijing. | ❹ 大卫上医院去了，一会儿回来。Dàwèi shàng yīyuàn qù le, yíhuìr huílai. David has gone to the hospital and he will be back soon. | ❺ 昨天我没上公司去。Zuótiān wǒ méi shàng gōngsī qù. I didn't go to the company yesterday. | ❻ 我刚才上了一趟商店。Wǒ gāngcái shàngle yí tàng shāngdiàn. I went to the store just now.

③ start to work or study at a fixed time

❶ 我们每天早上八点上课。Wǒmen měi tiān zǎoshang bā diǎn shàngkè. We have classes at 8 a.m. every morning. | ❷ 他去公司上班了。Tā qù gōngsī shàng bān le. He went to his company to work. | ❸ 我们上午要上两个小时汉语课。Wǒmen shàngwǔ yào shàng liǎng ge xiǎoshí Hànyǔkè. We'll take a two-hour

Chinese class in the morning. | ❹ 他生病了，不能去上学了。Tā shēngbìng le, bù néng qù shàngxué le. He is sick and can't go to school.

④ *used as a directional complement after a verb, indicating direction or result*

❶ 他爬上了山顶。Tā páshangle shāndǐng. He climbed up to the top of the mountain. | ❷ 请你把门关上。Qǐng nǐ bǎ mén guānshang. Please close the door. | ❸ 我要带上电脑。Wǒ yào dàishang diànnǎo. I will bring the computer with me. | ❹ 请大家合上书，看黑板。Qǐng dàjiā héshang shū, kàn hēibǎn. Please close your book and look at the blackboard. | ❺ 飞机飞上天了。Fēijī fēishang tiān le. The plane has taken off.

91. 上午 shàngwǔ

<*n.*> morning

❶ 明天上午我有课。Míngtiān shàngwǔ wǒ yǒu kè. I will have classes tomorrow morning. | ❷ 我上午给你打过电话，没人接。Wǒ shàngwǔ gěi nǐ dǎguo diànhuà, méi rén jiē. I called you in the morning, but nobody answered. | ❸ 我等你等了一个上午。Wǒ děng nǐ děngle yí ge shàngwǔ. I spent the whole morning waiting for you. | ❹ 今天我忙了一上午。Jīntiān wǒ mángle yí shàngwǔ. I was busy the whole morning today. | ❺ 你明天上午十点来吧。Nǐ míngtiān shàngwǔ shí diǎn lái ba. Please come at 10 a.m. tomorrow morning.

92. 少 shǎo radical: 小 strokes: 4 stroke order: 丨 ㇚ 小 少

<*adj.*> (*as opposed to "many, much"*) few, little

❶ 我们班人很少。Wǒmen bān rén hěn shǎo. There are few students in my class. | ❷ 他买的苹果太少了，很快就吃完了。Tā mǎi de píngguǒ tài shǎo le, hěn kuài jiù chīwán le. The apples he bought were so few that they were eaten up in no time. | ❸ 我最近事情比较少，不太忙。Wǒ zuìjìn shìqing bǐjiào shǎo, bú tài máng. I am not busy recently because I don't have many things to take care of. | ❹ 你晚上可以少吃一点儿。Nǐ wǎnshang kěyǐ shǎo chī yìdiǎnr. You are suggested to eat less at night. | ❺ 天气很冷，我穿少了。Tiānqì hěn lěng, wǒ chuānshǎo le. It is really cold, and I didn't wear enough clothes. | ❻ 今天的作业真不少。Jīntiān de zuòyè zhēn bù shǎo. I have much homework to do today.

<v.> lack, (be) missing

❶ 教室少一张桌子。Jiàoshì shǎo yì zhāng zhuōzi. A table was missing from the classroom. | ❷ 别人都来了，就少大卫。Biéren dōu lái le, jiù shǎo Dàwèi. Everyone is here except David. | ❸ 这本书少了一页。Zhè běn shū shǎole yí yè. A page is missing from the book. | ❹ 今天的口语课一个学生也不少。Jīntiān de kǒuyǔkè yí ge xuésheng yě bù shǎo. All the students took the oral course today. | ❺ 我们的比赛少不了他。Wǒmen de bǐsài shǎo bu liǎo tā. We can't play the game without him.

93. 谁（誰）shéi radical: 讠 strokes: 10 stroke order: ` 讠 讠 讠 讠 讠 讠 讠 谁 谁

<pron.> ① who

❶ 请问，您找谁？Qǐngwèn, nín zhǎo shéi? Excuse me, who would you like to talk to? | ❷ 请问，谁叫大卫？Qǐngwèn, shéi jiào Dàwèi? Excuse me, who's David? | ❸ 你们的汉语老师是谁？Nǐmen de Hànyǔ lǎoshī shì shéi? Who is your Chinese teacher? | ❹ 今天上午谁来过？Jīntiān shàngwǔ shéi láiguo? Who came here this morning? | ❺ 这是谁的手机？Zhè shì shéi de shǒujī? Whose cellphone is this? | ❻ 谁让你进来的？Shéi ràng nǐ jìnlai de? Who let you in? | ❼ 谁说的这句话？Shéi shuō de zhè jù huà? Who said it?

② everyone

❶ 谁都不回答这个问题。Shéi dōu bù huídá zhège wèntí. No one answered

the question. | ❷ 我叫谁，谁就回答。Wǒ jiào shéi, shéi jiù huídá. Please answer to your name when I call you.

94. 什么（什麼）shénme

<*pron.*> ① what

❶ 这是什么？ Zhè shì shénme? What's this? | ❷ 你喝什么？ Nǐ hē shénme? What would you like to drink? | ❸ 你们什么时候回家？ Nǐmen shénme shíhou huí jiā? When do you go home? | ❹ 你最喜欢什么运动？ Nǐ zuì xǐhuan shénme yùndòng? What is your favorite sport? | ❺ 你爱看什么书？ Nǐ ài kàn shénme shū? What kind of books do you like to read? | ❻ 我们下午有什么课？ Wǒmen xiàwǔ yǒu shénme kè? What classes do we have in the afternoon? | ❼ 这个词是什么意思？ Zhège cí shì shénme yìsi? What's the meaning of this word?

② whatever, all

❶ 他什么都爱吃。Tā shénme dōu ài chī. He likes eating all kinds of food. | ❷ 他看什么都觉得有意思。Tā kàn shénme dōu juéde yǒu yìsi. He is interested in everything in sight. | ❸ 这个商店什么都卖。Zhège shāngdiàn shénme dōu mài. This store sells everything you need. | ❹ 他看见什么买什么，花了很多钱。Tā kànjiàn shénme mǎi shénme, huāle hěn duō qián. He spent a lot of money buying whatever he saw. | ❺ 你想说什么就说什么。Nǐ xiǎng shuō shénme jiù shuō shénme. Say whatever you want.

95. 十 shí radical: 十 strokes: 2 stroke order: 一 十

<*num.*> ten

❶ 我妈妈十月来北京。Wǒ māma shí yuè lái Běijīng. My mother will come to Beijing in October. | ❷ 我儿子今年十岁。Wǒ érzi jīnnián shí suì. My son is ten years old. | ❸ 这本词典八十块钱。Zhè běn cídiǎn bāshí kuài qián. This dictionary costs 80 *kuai*. | ❹ 我们认识十年了，是老朋友了。Wǒmen rènshi shí nián le, shì lǎo péngyou le. We are old friends and have known each other for ten years. | ❺ 他在书店买了十本书。Tā zài shūdiàn mǎile shí běn shū. He bought ten books in the bookstore. | ❻ 我们有十多年没见了。Wǒmen yǒu shí duō nián méi jiàn le. We haven't seen each other for more than ten years.

96. 时候（時候）shíhou

<*n.*> a period of time, a spot in time

❶ 你每天什么时候起床？Nǐ měi tiān shénme shíhou qǐchuáng? What time do you get up every day? | ❷ 你什么时候去中国？Nǐ shénme shíhou qù Zhōngguó? When are you going to China? | ❸ 这是我小时候的照片。Zhè shì wǒ xiǎoshíhou de zhàopiàn. This photo was taken when I was a kid. | ❹ 时候不早了，我该回家了。Shíhou bù zǎo le, wǒ gāi huí jiā le. It's getting late. I should go home. | ❺ 在北京的时候，我吃过这个菜。Zài Běijīng de shíhou, wǒ chīguo zhège cài. I tried this dish when I was in Beijing. | ❻ 上课的时候，不能打电话。Shàngkè de shíhou, bù néng dǎ diànhuà. Don't make phone calls in class. | ❼ 现在回国还不是时候。Xiànzài huí guó hái bú shì shíhou. It's still not the right time to go back to your country.

97. 是 shì radical: 日 strokes: 9

stroke order: 丨 冂 日 日 旦 早 早 旱 是

<*v.*> ① be

❶ 请问，你是哪国人？Qǐngwèn, nǐ shì nǎ guó rén? Excuse me, what is your nationality? | ❷ 我是学生，不是老师。Wǒ shì xuésheng, bú shì lǎoshī. I am a student, not a teacher. | ❸ 王老师是北京人。Wáng lǎoshī shì Běijīngrén. Mr. Wang is a native of Beijing. | ❹ 他是我们的汉语老师。Tā shì wǒmen de Hànyǔ lǎoshī. He is our Chinese teacher. | ❺ 八月十二号是我的生日。Bā yuè shi'ér hào shì wǒ de shēngrì. My birthday is on August 12th. | ❻ 这是苹果，那是香蕉，这些是橘子。Zhè shì píngguǒ, nà shì xiāngjiāo, zhèxiē shì júzi. This is an apple, that is a banana, and these are oranges.

② yes

❶ A: 请问，你是大卫吗？ B: 是，我是。A: Qǐngwèn, nǐ shì Dàwèi ma? B: Shì, wǒ shì. A: Excuse me, are you David? B: Yes, I am. | ❷ A: 看电影时不能大声说话。B: 是，我知道。A: Kàn diànyǐng shí bù néng dà shēng shuōhuà. B: Shì, wǒ zhīdào. A: Don't talk loudly in a movie theater. B: Yes, I know. | ❸ A: 你去过中国吧？ B: 是，我去过。A: Nǐ qùguo Zhōngguó ba? B: Shì, wǒ qùguo. A: Have you been to China? B: Yes, I have. | ❹ A: 你是日本人吗？ B: 是，我是日本人。A: Nǐ shì Rìběnrén ma? B: Shì, wǒ shì Rìběnrén. A: Are you Japanese? B: Yes, I am.

③ *used with "的" to indicate category or characteristics, etc.*

❶ 这本书是谁的？Zhè běn shū shì shéi de? Whose book is this? | ❷ 这些同学都是新来的。Zhèxiē tóngxué dōu shì xīn lái de. All these students are new. | ❸ 我是昨天上午来的。Wǒ shì zuótiān shàngwǔ lái de. I came here yesterday morning. | ❹ 我是坐火车来的。Wǒ shì zuò huǒchē lái de. I came here by train. | ❺ 这是真的，我看见了。Zhè shì zhēn de, wǒ kànjiàn le. This is real. I saw it. | ❻ 我的电脑是红色的。Wǒ de diànnǎo shì hóngsè de. My computer is red.

④ *used in alternative, yes / no, or rhetorical questions*

❶ 你不是已经有女朋友了吗？Nǐ bú shì yǐjīng yǒu nǚpéngyou le ma? Don't you already have a girlfriend? | ❷ 你不是去美国了吗？Nǐ bú shì qù Měiguó le ma? Didn't you go to the United States of America? | ❸ 你是去还是不去？Nǐ shì qù háishi bú qù? Will you go or not? | ❹ 我们是买还是不买？Wǒmen shì mǎi háishi bù mǎi? Shall we buy it or not? | ❺ 你说的是他还是我？Nǐ shuō de shì tā háishi wǒ? Are you talking about him or me? | ❻ 这件事是好是坏，我也不知道。Zhè jiàn shì shì hǎo shì huài, wǒ yě bù zhīdào. I don't know whether this is something good or bad.

一级

98. 书（書）shū radical: ㇕ strokes: 4 stroke order: ㇕ ㇕ 书 书

<*n.*> book

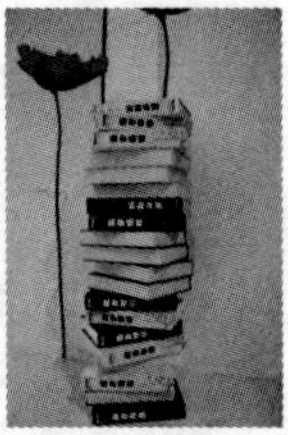

❶ 这本书七十块钱。Zhè běn shū qīshí kuài qián. This book costs 70 *kuai*. | ❷ 我上午买了很多书。Wǒ shàngwǔ mǎile hěn duō shū. I bought a lot of books this morning. | ❸ 这是谁的书？Zhè shì shéi de shū? Whose book is this? | ❹ 他很喜欢看书，家里的书很多。Tā hěn xǐhuan kàn shū, jiāli de shū hěn duō. He likes reading very much, and has a lot of books at home. | ❺ 请同学们打开书。Qǐng tóngxuémen dǎkāi shū. Please open the books. | ❻ 这是本好书，你可以看看。Zhè shì běn hǎo shū, nǐ kěyǐ kànkan. This is a good book. Please read it. | ❼ 这里有没有卖旧书的？Zhèli yǒu méiyǒu mài jiù shū de? Are second-hand books sold here?

99. 水 shuǐ radical: 水 strokes: 4 stroke order: 亅 ㇇ 水 水

<*n.*> water

❶ 你喝水还是喝咖啡？Nǐ hē shuǐ háishi hē kāfēi? Would you like to drink water or coffee? | ❷ 我买了几瓶水，大家喝吧。Wǒ mǎile jǐ píng shuǐ, dàjiā hē ba. I've bought several bottles of water. Please drink it. | ❸ 天太热了，喝杯水吧。Tiān tài rè le, hē bēi shuǐ ba. It is so hot. Have some water, please. | ❹ 河水很深，不要下去。Héshuǐ hěn shēn, búyào xiàqu. The river is too deep. Don't get down into it. | ❺ 路上多带点儿水。Lùshang duō dài diǎnr shuǐ. Bring more water on the way with you. | ❻ 今天晚上停水。Jīntiān wǎnshang tíng shuǐ. The water supply will be cut off tonight. | ❼ 我们应该节约用水。Wǒmen yīnggāi jiéyuē yòng shuǐ. We should save water.

100. 水果 shuǐguǒ

<*n.*> fruit

❶ 北京的水果很多，也很便宜。Běijīng de shuǐguǒ hěn duō, yě hěn piányi. There are plenty of inexpensive fruits in Beijing. | ❷ 这种水果很好吃，你可以买点儿尝尝。Zhè zhǒng shuǐguǒ hěn hǎochī, nǐ kěyǐ mǎi diǎnr chángchang. This kind of fruit tastes delicious. Please try it. | ❸ 我买了几斤水果。Wǒ mǎile jǐ jīn shuǐguǒ. I bought several kilos of fruit. | ❹ 我没见过这种水果。Wǒ méi jiànguo zhè zhǒng shuǐguǒ. I have never seen this kind of fruit. | ❺ 你每天要多吃点儿水果。Nǐ měi tiān yào duō chī diǎnr shuǐguǒ. Please eat more fruit every day. | ❻ 这种水果容易坏，不要多买。Zhè zhǒng shuǐguǒ róngyì huài, búyào duō mǎi. This kind of fruit goes bad easily, so don't buy more than enough. | ❼ 我喜欢吃的水果这里都有。Wǒ xǐhuan chī de shuǐguǒ zhèli dōu yǒu. All the fruits I like can be found here.

101. 睡觉（睡覺）shuì//jiào

<*v.*> sleep, go to bed

❶ 你每天晚上几点睡觉？Nǐ měi tiān wǎnshang jǐ diǎn shuìjiào? What time do you go to bed every night? | ❷ 他今天累了，很早就睡觉了。Tā jīntiān lèi le, hěn zǎo jiù shuìjiào le. He was so tired today that he went to bed very early. | ❸ 星期天的时候，我就在家睡觉。Xīngqītiān de shíhou, wǒ jiù zài jiā shuìjiào. I sleep at home on Sundays. | ❹ 他就喜欢睡觉，不喜欢学习。Tā jiù xǐhuan shuìjiào, bù xǐhuan xuéxí. He hates studying, and only likes sleeping. | ❺ 你困了，就去睡觉吧。Nǐ kùn le, jiù qù shuìjiào ba. You are sleepy, so go to bed. | ❻ 他中午还要睡一觉。Tā zhōngwǔ hái yào shuì yí jiào. He takes a nap at noon. | ❼ 昨晚我睡了个好觉。Zuówǎn wǒ shuìle ge hǎo jiào. I had a good sleep last night.

一级

102. 说话（説話）shuō//huà

<*v.*> speak, talk

❶ 老师正在跟大卫说话。Lǎoshī zhèngzài gēn Dàwèi shuōhuà. The teacher is talking with David. | ❷ 你在跟谁说话？ Nǐ zài gēn shéi shuōhuà? Who are you talking with? | ❸ 请大家不要说话了。Qǐng dàjiā búyào shuōhuà le. Stop talking, please. | ❹ 他说话很有意思。Tā shuōhuà hěn yǒu yìsi. He talks funny. | ❺ 我没跟他说过话。Wǒ méi gēn tā shuōguo huà. I have never talked with him. | ❻ 你说句话吧，去还是不去？ Nǐ shuō jù huà ba, qù háishi bú qù? Just tell me if you are going or not. | ❼ 那天他很高兴，说了很多话。Nà tiān tā hěn gāoxìng, shuōle hěn duō huà. On that day, he was very happy and talked a lot.

103. 四 sì radical: 口 strokes: 5 stroke order: 丨 冂 冂 四 四

<*num.*> four

❶ 我家有四口人。Wǒ jiā yǒu sì kǒu rén. There are four people in my family. | ❷ 我妈妈四月来北京。Wǒ māma sì yuè lái Běijīng. My mother will come to Beijing this April. | ❸ 他儿子今年四岁了。Tā érzi jīnnián sì suì le. His son is four years old this year. | ❹ 这本词典是四十四块。Zhè běn cídiǎn shì sìshísì kuài. This dictionary is 44 *kuai*. | ❺ 北京的四月是很好的季节。Běijīng de sì yuè shì hěn hǎo de jìjié. April is a wonderful season in Beijing. | ❻ 我们认识已经四年了。Wǒmen rènshi yǐjīng sì nián le. We've known each other for four years. | ❼ 他喝了四瓶啤酒。Tā hēle sì píng píjiǔ. He had four bottles of beer.

104. 岁（歲）suì radical: 山 strokes: 6

stroke order: 丨 ⺌ 山 屮 岁 岁

<*m.*> year of age

❶ 这孩子今年几岁？ Zhè háizi jīnnián jǐ suì? How old is this child? | ❷ 王

老师今年四十六岁了。Wáng lǎoshī jīnnián sìshíliù suì le. Mr. Wang is 46 years old. | ❸ 他的孩子今年八岁。Tā de háizi jīnnián bā suì. His child is eight years old. | ❹ 他爷爷去世的时候八十五岁。Tā yéye qùshì de shíhou bāshíwǔ suì. His grandfather passed away at the age of 85. | ❺ 她有一个十二岁的儿子。Tā yǒu yí ge shí'èr suì de érzi. She has a 12-year-old son. | ❻ 我比你大三岁。Wǒ bǐ nǐ dà sān suì. I am three years older than you.

105. 他 tā radical: 亻 strokes: 5 stroke order: ノ 亻 仁 仲 他

<*pron.*> he, him

❶ 他有女朋友了。Tā yǒu nǚpéngyou le. He has a girlfriend. | ❷ 他是美国人。Tā shì Měiguórén. He is American. | ❸ 他是我们的口语老师。Tā shì wǒmen de kǒuyǔ lǎoshī. He teaches us oral course. | ❹ 他很有意思。Tā hěn yǒu yìsi. He is very interesting. | ❺ 我不认识他。Wǒ bú rènshi tā. I don't know him. | ❻ 他的英语很好。Tā de Yīngyǔ hěn hǎo. His English is pretty good. | ❼ 他的手机很贵。Tā de shǒujī hěn guì. His cellphone is expensive.

106. 她 tā radical: 女 strokes: 6 stroke order: ㄑ 女 女 如 如 她

<*pron.*> she, her

❶ 她是我妈妈。Tā shì wǒ māma. She is my mother. | ❷ 她有男朋友了。Tā yǒu nánpéngyou le. She has a boyfriend. | ❸ 她生了一个儿子。Tā shēngle yí ge érzi. She gave birth to a baby boy. | ❹ 我认识她的丈夫。Wǒ rènshi tā de zhàngfu. I know her husband. | ❺ 我在学校见过她。Wǒ zài xuéxiào jiànguo tā. I have seen her on campus. | ❻ 她的汉语很好。Tā de Hànyǔ hěn hǎo. Her Chinese is very good. | ❼ 她的衣服很漂亮。Tā de yīfu hěn piàoliang. Her clothes is very beautiful.

107. 太 tài radical: 大 strokes: 4 stroke order: 一 ナ 大 太

<*adv.*> ① too, too much

❶ 今天太热了。Jīntiān tài rè le. It is really hot today. | ❷ 太贵了，能便宜点儿吗? Tài guì le, néng piányi diǎnr ma? It's too expensive. Can it be a little cheaper? | ❸ 车开得太快了，很危险。Chē kāi de tài kuài le, hěn wēixiǎn. You are driving too fast. It's dangerous. | ❹ 他走得太慢了。Tā zǒu de tài màn le. He walks too slowly.

② (*used positively*) really, very much

❶ 这里太美了。Zhèli tài měi le. It's so beautiful here. | ❷ 这个菜太好吃了。Zhège cài tài hǎochī le. This dish is yummy. | ❸ 我太喜欢北京了。Wǒ tài xǐhuan Běijīng le. I like Beijing so much. | ❹ 他的汉语说得太好了。Tā de Hànyǔ shuō de tài hǎo le. He speaks such good Chinese. | ❺ 我太想你们了。Wǒ tài xiǎng nǐmen le. I miss you so much. | ❻ 你说得太对了。Nǐ shuō de tài duì le. You are absolutely right. | ❼ 这个故事太有意思了。Zhège gùshi tài yǒu yìsi le. This story is so interesting.

③ (*used to soften the tone of negation*) very, "不太" means "not very"

❶ 那个山不太高。Nàge shān bú tài gāo. The mountain is not very high. | ❷ 我不太认识她。Wǒ bú tài rènshi tā. I don't know her very well. | ❸ 今天不太冷。Jīntiān bú tài lěng. It is not very cold today. | ❹ 这件衣服不太大，还可以。Zhè jiàn yīfu bú tài dà, hái kěyǐ. This coat is not too big. It's OK. | ❺ 他不太喜欢吃这个。Tā bú tài xǐhuan chī zhège. He doesn't like eating it very much. | ❻ 他今天不太高兴。Tā jīntiān bú tài gāoxìng. He is not very happy today.

108. 天气（天氣）tiānqì

<*n.*> weather

❶ 今天天气很好。Jīntiān tiānqì hěn hǎo. It is a nice day today. | ❷ 天气太

热了，我们休息一下吧。Tiānqì tài rè le, wǒmen xiūxi yíxià ba. It's so hot. Let's take a break. | ❸ 这么好的天气，我们出去玩儿吧。Zhème hǎo de tiānqì, wǒmen chūqu wánr ba. It is such a nice day. Let's go out to play. | ❹ 我喜欢这里的天气，不冷不热。Wǒ xǐhuan zhèli de tiānqì, bù lěng bú rè. I like the mild weather here, neither cold nor hot. | ❺ 明天天气有变化，可能下雨。Míngtiān tiānqì yǒu biànhuà, kěnéng xià yǔ. The weather will change tomorrow; it will probably rain. | ❻ 天气预报说，明天晴天。Tiānqì yùbào shuō, míngtiān qíngtiān. The weather forecast says it will be a sunny day tomorrow.

一级

109. 听（聽）tīng radical: 口 strokes: 7

stroke order: 丨 ㄇ 口 口ˊ 叮 听 听

<*v.*> ① listen

❶ 我喜欢听音乐。Wǒ xǐhuan tīng yīnyuè. I like listening to music. | ❷ 对不起，我没听清楚。Duìbuqǐ, wǒ méi tīng qīngchu. Sorry, I didn't hear you clearly. | ❸ 你能听懂汉语吗？Nǐ néng tīngdǒng Hànyǔ ma? Can you understand Chinese? | ❹ 你听，这是什么声音？Nǐ tīng, zhè shì shénme shēngyīn? Listen! What's the sound? | ❺ 我听不到你说话。Wǒ tīng bu dào nǐ shuōhuà. I can't hear you. | ❻ 他说的话我听不懂。Tā shuō de huà wǒ tīng bu dǒng. I didn't understand what he said. | ❼ 我每天听一个小时英语。Wǒ měi tiān tīng yí ge xiǎoshí Yīngyǔ. I listen to English an hour every day. | ❽ 我听了两遍才明白。Wǒ tīngle liǎng biàn cái míngbai. I didn't understand it until I listened to it twice.

② accept (somebody's advice)

❶ 听妈妈的话，别哭了。Tīng māma de huà, bié kū le. Take your mother's advice. Don't cry. | ❷ 我听老师的，老师让我怎么做我就怎么做。Wǒ tīng lǎoshī de, lǎoshī ràng wǒ zěnme zuò wǒ jiù zěnme zuò. I will do whatever my teacher ask me to do. | ❸ 我怎么说他也不听。Wǒ zěnme shuō tā yě bù tīng. He wouldn't listen to me whatever I said. | ❹ 我说了半天，他一句话也没听进

去。Wǒ shuōle bàntiān, tā yí jù huà yě méi tīng jìnqu. I talked for a long time, but he turned a deaf ear to me.

110. 同学（同學）tóngxué

<*n.*> ① classmate, schoolmate

❶ 他是我的同学。Tā shì wǒ de tóngxué. He is my classmate. | ❷ 我们班有二十个同学。Wǒmen bān yǒu èrshí ge tóngxué. There are 20 students in our class. | ❸ 同学们学习都很努力。Tóngxuémen xuéxí dōu hěn nǔlì. All my classmates are assiduous in their studies. | ❹ 这是我同学的词典。Zhè shì wǒ tóngxué de cídiǎn. This is my classmate's dictionary. | ❺ 今天我遇上了一个老同学。Jīntiān wǒ yùshangle yí ge lǎo tóngxué. I came across a former classmate today. | ❻ 我们都是同学，不用客气。Wǒmen dōu shì tóngxué, búyòng kèqi. We are all classmates. Don't stand on ceremony. | ❼ 今天，我们班的同学一起吃饭。Jīntiān, wǒmen bān de tóngxué yìqǐ chīfàn. Our classmates will dine together today.

② call, name

❶ 同学，请问教学楼怎么走？Tóngxué, qǐngwèn jiàoxuélóu zěnme zǒu? Excuse me, how do I get to the Classroom Building? | ❷ 同学们，现在开始上课。Tóngxuémen, xiànzài kāishǐ shàngkè. Class begins, everyone. | ❸ 小同学，你叫什么名字？Xiǎotóngxué, nǐ jiào shénme míngzi? Hi, little boy, what's your name? | ❹ 一班的同学请过来。Yī bān de tóngxué qǐng guòlai. Class One, come here, please.

111. 喂 wèi radical: 口 strokes: 12 stroke order: 丨 ㄇ 口 口丨 口冂 口门 口四 口罒 口甲 口畀 口畏 喂

<*int.*> hello

❶ 喂，是李先生吗？Wèi, shì Lǐ xiānsheng ma? Hello, is this Mr. Li? | ❷ 喂，你好！Wèi, nǐ hǎo! Hello! | ❸ 喂，请问您找谁？Wèi, qǐngwèn nín zhǎo shéi? Hello, who would you like to talk to? | ❹ 喂，你是哪里？ Wèi, nǐ shì nǎli? Who is calling, please? | ❺ 喂，是北京大学吗？ Wèi, shì Běijīng Dàxué ma? Hello, is this Peking University? | ❻ 喂，能听到吗？ Wèi, néng tīngdào ma? Hello, can you hear me? | ❼ 喂，喂，我听不清楚。 Wèi, wèi, wǒ tīng bu qīngchu. Hello? Sorry, I can't hear you.

<*v.*> feed

❶ 妈妈正在喂孩子。 Māma zhèngzài wèi háizi. The mother is feeding her baby. | ❷ 我要去喂小狗了。 Wǒ yào qù wèi xiǎogǒu le. I'm going to feed the puppy. | ❸ 我在喂小猫呢。 Wǒ zài wèi xiǎomāo ne. I'm feeding the kitten. | ❹ 别喂孩子太多的东西。 Bié wèi háizi tài duō de dōngxi. Don't feed the baby too much.

112. 我 wǒ radical: 丿 strokes: 7

stroke order: ノ 二 于 手 我 我 我

<*pron.*> I, me

❶ 我叫玛丽，你叫什么名字？ Wǒ jiào Mǎlì, nǐ jiào shénme míngzi? I am Mary. May I have your name? | ❷ 我今年19岁，是加拿大人。 Wǒ jīnnián 19 suì, shì Jiā'nádàrén. I am a 19-year-old Canadian. | ❸ 我有两个哥哥。 Wǒ yǒu liǎng ge gēge. I have two elder brothers. | ❹ 我很喜欢学习汉语。 Wǒ hěn xǐhuan xuéxí Hànyǔ. I like studying Chinese very much. | ❺ 这是我的电脑。 Zhè shì wǒ de diànnǎo. This is my computer. | ❻ 他是我的朋友。 Tā shì wǒ de péngyou. He is my friend. | ❼ 你还记得我吗？ Nǐ hái jìde wǒ ma? Do you still remember me?

113. 我们（我們）wǒmen

<*pron.*> we, us

❶ 我们都是美国人。 Wǒmen dōu shì Měiguórén. We are all Americans. | ❷ 我们都喜欢学习汉语。 Wǒmen dōu xǐhuan xuéxí Hànyǔ. We all like studying Chinese. |

❸ 我们现在都是学生。Wǒmen xiànzài dōu shì xuésheng. All of us are students now. | ❹ 我们的汉语老师很漂亮。Wǒmen de Hànyǔ lǎoshī hěn piàoliang. Our Chinese teacher is beautiful. | ❺ 你能给我们介绍一下吗？ Nǐ néng gěi wǒmen jièshào yíxià ma? Would you please make an introduction for us? | ❻ 你能帮助我们吗？ Nǐ néng bāngzhù wǒmen ma? Can you help us?

114. 五 wǔ radical: 一 strokes: 4 stroke order: 一 丆 丏 五

<*num.*> five

❶ 他家有五口人。Tā jiā yǒu wǔ kǒu rén. There are five people in his family. | ❷ 我们五月份考试。Wǒmen wǔ yuèfèn kǎoshì. We will have an examination in May. | ❸ 他儿子今年五岁了。Tā érzi jīnnián wǔ suì le. His son is five years old. | ❹ 这本词典是五十五块。Zhè běn cídiǎn shì wǔshíwǔ kuài. This dictionary costs 55 *kuai*. | ❺ 到了五月，天气就热起来了。Dàole wǔ yuè, tiānqì jiù rè qǐlai le. It's getting warm in May. | ❻ 我们认识已经五年了。Wǒmen rènshi yǐjīng wǔ nián le. We have known each other for five years. | ❼ 他已经喝了五瓶啤酒。Tā yǐjīng hēle wǔ píng píjiǔ. He already has drunk five bottles of beer.

115. 喜欢（喜歡）xǐhuan

<*v.*> like, enjoy

❶ 我喜欢中国。Wǒ xǐhuan Zhōngguó. I like China. | ❷ 我很喜欢学习汉语。Wǒ hěn xǐhuan xuéxí Hànyǔ. I like studying Chinese very much. | ❸ 爷爷特别喜欢唱京剧。Yéye tèbié xǐhuan chàng jīngjù. My grandfather likes singing Beijing opera very much. | ❹ 这个小姑娘大家都喜欢。Zhège xiǎogūniang dàjiā dōu xǐhuan. Everyone likes this little girl. | ❺ 那只小狗他喜欢极了。Nà zhī xiǎogǒu tā xǐhuan jí le. He likes that puppy so much. | ❻ 我最喜欢的运动是打乒乓球。Wǒ zuì xǐhuan de yùndòng shì dǎ pīngpāngqiú. My favorite sport is table tennis.

116. 下 xià / xia radical: 一 strokes: 3 stroke order: 一 丅 下

<*n.*> (*as opposed to* "上 (shàng) *higher*") a lower position

❶ 他家住在山下。Tā jiā zhù zài shān xià. His home is at the foot of the mountain. | ❷ 他的鞋都放在床下了。Tā de xié dōu fàng zài chuáng xià le. All his shoes are put under the bed. | ❸ 你站在太阳下太热了，回屋吧。Nǐ zhàn zài tàiyáng xià tài rè le, huí wū ba. It is too hot standing in the sun. Please go back to the house. | ❹ 在楼上往下看，能看到院子里的花园。Zài lóu shàng wǎng xià kàn, néng kàndào yuànzi li de huāyuán. Look down from upstairs, you can see the garden in the yard.

<*v.*> ① descend (from a higher position to a lower one)

❶ 下楼的时候小心点儿。Xià lóu de shíhou xiǎoxīn diǎnr. Be careful when you go downstairs. | ❷ 他们下山了，一会儿就到家。Tāmen xià shān le, yíhuìr jiù dào jiā. They went down the hill and will be back home soon. | ❸ 我已经下飞机了。Wǒ yǐjīng xià fēijī le. I have got off the plane. | ❹ 大家请下车吧。Dàjiā qǐng xià chē ba. Please get off the car. | ❺ 他生病了，不能下床。Tā shēngbìng le, bù néng xià chuáng. He is sick and has to stay in bed. | ❻ 下了火车，就能看见汽车站。Xiàle huǒchē, jiù néng kànjiàn qìchēzhàn. You will see the bus stop right after you get off the train.

② (of rain, snow) fall

❶ 外面下雨了。Wàimiàn xià yǔ le. It is raining outside. | ❷ 他下着大雪就出去了。Tā xiàzhe dàxuě jiù chūqu le. He went out despite the heavy snow. | ❸ 大雨一直下了两天两夜。Dàyǔ yìzhí xiàle liǎng tiān liǎng yè. The heavy rain has been pouring down for two days and two nights. | ❹ 下雾了，什么也看不清。Xià wù le, shénme yě kàn bu qīng. It is so foggy that we can't see anything clearly. | ❺ 下起雪来了。Xiàqǐ xuě lái le. It begins to snow.

③ finish

❶ 我们上午十点就下课了。Wǒmen shàngwǔ shí diǎn jiù xiàkè le. Our class is over at 10 a.m. | ❷ 他每天下午五点下班。Tā měi tiān xiàwǔ wǔ diǎn xiàbān. He gets off work at 5 p.m. every day. | ❸ 下了课，你等我一会儿。Xiàle kè, nǐ děng wǒ yíhuìr. Please wait for me a moment after class.

④ *used after a verb to indicate direction or completion*

❶ 他放下电话，哭了起来。Tā fàngxia diànhuà, kūle qǐlai. He put down the phone and cried. | ❷ 请坐下说。Qǐng zuòxia shuō. Please take a seat, and then tell me everything. | ❸ 他流下了眼泪。Tā liúxiale yǎnlèi. He shed tears. | ❹ 你能留下你的电话号码吗？Nǐ néng liúxia nǐ de diànhuà hàomǎ ma? Can you give me your phone number? | ❺ 他买下了这个房子。Tā mǎixiale zhège fángzi. He bought this house.

<m.> used to indicate the times of an action, normally pronounced as "一下"

❶ 介绍一下，这是我弟弟。Jièshào yíxià, zhè shì wǒ dìdi. Let me introduce. This is my younger brother. | ❷ 他看了我一下。Tā kànle wǒ yíxià. He took a look at me. | ❸ 让我想一下。Ràng wǒ xiǎng yíxià. Let me think about it. | ❹ 他拉了我一下。Tā lāle wǒ yíxià. He pulled me. | ❺ 你尝一下这种酒。Nǐ cháng yíxià zhè zhǒng jiǔ. Try this wine, please.

117. 下午 xiàwǔ

<*n.*> afternoon

❶ 明天下午我没课。Míngtiān xiàwǔ wǒ méi kè. I won't have classes tomorrow afternoon. | ❷ 我下午给你打过两次电话。Wǒ xiàwǔ gěi nǐ dǎguo liǎng cì diànhuà. I called you twice this afternoon. | ❸ 我忙了一个下午。Wǒ mángle yí ge xiàwǔ. I have been busy for the whole afternoon. | ❹ 你明天下午三点来吧。Nǐ míngtiān xiàwǔ sān diǎn lái ba. Please come at 3 p.m. tomorrow. | ❺ 这次考试的时间是二十四号下午。Zhè cì kǎoshì de shíjiān shì èrshísì hào xiàwǔ. The exam is scheduled in the afternoon of the 24th.

118. 下雨 xià yǔ

<*phr.*> rain

❶ 外面下雨了。Wàimiàn xià yǔ le. It is raining outside. | ❷ 上海夏天经常下雨。Shànghǎi xiàtiān jīngcháng xià yǔ. It often rains in summer in Shanghai. | ❸ 下雨了，你出去带上伞。Xià yǔ le, nǐ chūqu dàishang sǎn. It's raining, so please bring an umbrella with you when you go out. | ❹ 又下雨了，这几天总是下雨。Yòu xià yǔ le, zhè jǐ tiān zǒngshì xià yǔ. It is raining again. It has always been raining these days. | ❺ 下雨的时候，不要站在树下。Xià yǔ de shíhou, búyào zhàn zài shù xià. Don't stay under a tree when it is raining. | ❻ 刚才还是晴天，现在下起雨来了。Gāngcái háishi qíngtiān, xiànzài xiàqǐ yǔ lái le. It was sunny just now, but it is raining now. | ❼ 昨晚下了一场雨。Zuówǎn xiàle yì cháng yǔ. It rained last night. | ❽ 我不喜欢下雨，喜欢晴天。Wǒ bù xǐhuan xià yǔ, xǐhuan qíngtiān. I don't like rainy days; I like sunny days.

119. 先生 xiānsheng

<*n.*> ① sir, Mr.

❶ 先生，您要买什么？Xiānsheng, nín yào mǎi shénme? Can I help you, sir? | ❷ 我来介绍一下，这是张先生，这是王小姐。Wǒ lái jièshào yíxià, zhè shì Zhāng xiānsheng, zhè shì Wáng xiǎojiě. Let me introduce. This is Mr. Zhang, and this is Miss Wang. | ❸ 李先生，您跟我来。Lǐ xiānsheng, nín gēn wǒ lái. Come with me, please, Mr. Li. | ❹ 这位先生要一杯咖啡。Zhè wèi xiānsheng yào yì bēi kāfēi. This gentleman would like to have a cup of coffee. | ❺ 女士们、先生们，大家晚上好！Nǚshìmen、xiānshengmen, dàjiā wǎnshang hǎo! Ladies and gentlemen, good evening!

② husband

❶ 她先生是医生。Tā xiānsheng shì yīshēng. Her husband is a doctor. | ❷ 妻子

很爱她的先生。Qīzi hěn ài tā de xiānsheng. The wife loves her husband dearly.| ❸ 这位是王女士的先生。Zhè wèi shì Wáng nǚshì de xiānsheng. This is Ms. Wang's husband. | ❹ 她和她先生是在网上认识的。Tā hé tā xiānsheng shì zài wǎngshang rènshi de. She got acquainted with her husband through the Internet. | ❺ 对不起，刚才是我先生的电话。Duìbuqǐ, gāngcái shì wǒ xiānsheng de diànhuà. Sorry, it was my husband's phone call.

120. 现在（現在）xiànzài

<n.> ① now, present

❶ 请问，现在几点了？ Qǐngwèn, xiànzài jǐ diǎn le? Excuse me, what's the time now? | ❷ 你现在在哪儿呢？ Nǐ xiànzài zài nǎr ne? Where are you now? | ❸ 我们现在去商店吧。Wǒmen xiànzài qù shāngdiàn ba. Let's go to the store now. | ❹ 大家好，现在开始上课。Dàjiā hǎo, xiànzài kāishǐ shàngkè. Hello, everyone! Class begins now. | ❺ 现在是八点一刻。Xiànzài shì bā diǎn yí kè. It's 8:15 now. | ❻ 我现在很忙，你过一会儿再打电话，好吗？ Wǒ xiànzài hěn máng, nǐ guò yíhuìr zài dǎ diànhuà, hǎo ma? I am pretty busy now. Can you call me later?

② a period of time before or after somebody speaks

❶ 现在我在中国学汉语，明年回国。Xiànzài wǒ zài Zhōngguó xué Hànyǔ, míngnián huí guó. I am studying Chinese in China, and I will go back to my country next year. | ❷ 好久不见了，你现在怎么样？ Hǎo jiǔ bújiàn le, nǐ xiànzài zěnmeyàng? Long time no see. How are you? | ❸ 你们现在学习忙不忙？ Nǐmen xiànzài xuéxí máng bù máng? Are you busy with your study? | ❹ 现在北京变化大吗？ Xiànzài Běijīng biànhuà dà ma? Has Beijing changed remarkably? | ❺ 他找到了工作，现在生活得很好。Tā zhǎodàole gōngzuò, xiànzài shēnghuó de hěn hǎo. He found a job and lives a good life now.

121. 想 xiǎng radical: 心 strokes: 13 stroke order: 一 十 才 木 札 朷 机 相 相 相 想 想 想

<v.> ① think, recall, remember

❶ 你在想什么呢？ Nǐ zài xiǎng shénme ne? What are you thinking about? | ❷ 他在想办法。Tā zài xiǎng bànfǎ. He is trying to find a solution. | ❸ 这个问题我没想明白。Zhège wèntí wǒ méi xiǎng míngbai. I haven't figured out the problem. | ❹ 我想了半天，也不明白。Wǒ xiǎngle bàntiān, yě bù míngbai. I thought for a long time, but I still don't understand. | ❺ 你让我再想想。Nǐ ràng wǒ zài xiǎngxiang. Let me think it over. | ❻ 我想不出来他为什么不高兴。Wǒ xiǎng bu chūlái tā wèi shénme bù gāoxìng. I don't know why he is unhappy. | ❼ 我想起来了，你叫大卫。Wǒ xiǎng qǐlai le, nǐ jiào Dàwèi. Now I remember. You are David! | ❽ 我想不出在哪儿见过他。Wǒ xiǎng bu chū zài nǎr jiànguo tā. I don't remember where I met him.

② miss

❶ 我很想家。Wǒ hěn xiǎng jiā. I am very homesick. | ❷ 她很想孩子。Tā hěn xiǎng háizi. She misses her kid very much. | ❸ 你出国一个月了，妈妈特别想你。Nǐ chū guó yí ge yuè le, māma tèbié xiǎng nǐ. Your mother missed you so much when you were abroad that month. | ❹ 我想我女朋友了。Wǒ xiǎng wǒ nǚpéngyou le. I miss my girlfriend.

③ suppose, consider

❶ 我想他会来的。Wǒ xiǎng tā huì lái de. I think he will come. | ❷ 我想你可能忘了。Wǒ xiǎng nǐ kěnéng wàng le. I think you might have forgotten. | ❸ 我想他应该在家。Wǒ xiǎng tā yīnggāi zài jiā. I think he must have been at home. | ❹ 我想汉语一定很难学。Wǒ xiǎng Hànyǔ yídìng hěn nán xué. I think it must be very difficult to learn Chinese. | ❺ 你想想，他能去哪儿呢？ Nǐ xiǎngxiang, tā néng qù nǎr ne? Where do you think he has gone?

④ want

❶ 我想喝啤酒。Wǒ xiǎng hē píjiǔ. I'd like to have some beer. | ❷ 他想去北京学汉语。Tā xiǎng qù Běijīng xué Hànyǔ. He wants to study Chinese in Beijing.| ❸ 大卫想找一个女朋友。Dàwèi xiǎng zhǎo yí ge nǚpéngyou. David wants to have a girlfriend. | ❹ 我想坐飞机去。Wǒ xiǎng zuò fēijī qù. I'm thinking of going there by plane.

122. 小 xiǎo radical: 小 strokes: 3 stroke order: 亅 小 小

<*adj.*> small, little

❶ 这个城市很小，人也不多。Zhège chéngshì hěn xiǎo, rén yě bù duō. This city is not big, nor is it populous. | ❷ 我们的教室有点儿小。Wǒmen de jiàoshì yǒudiǎnr xiǎo. Our classroom is a little small. | ❸ 我想找个小一点儿的房子。Wǒ xiǎng zhǎo ge xiǎo yìdiǎnr de fángzi. I am looking for a smaller house. | ❹ 她高个子，小眼睛。Tā gāo gèzi, xiǎo yǎnjing. She is a tall girl with small eyes. | ❺ 你的字写得太小了，我看不清。Nǐ de zì xiě de tài xiǎo le, wǒ kàn bu qīng. The characters you wrote are so small for me to read them clearly.

123. 小姐 xiǎojiě

<*n.*> Miss, waitress

❶ 小姐，我买两杯啤酒。Xiǎojiě, wǒ mǎi liǎng bēi píjiǔ. Two glasses of beer, please. | ❷ 我来介绍一下，这是张先生，这是王小姐。Wǒ lái jièshào yíxià, zhè shì Zhāng xiānsheng, zhè shì Wáng xiǎojiě. Let me introduce. This is Mr. Zhang, and this is Miss Wang. | ❸ 李小姐，您跟我来。Lǐ xiǎojiě, nín gēn wǒ lái. Miss Li, please follow me. | ❹ 这位小姐想要一杯咖啡。Zhè wèi xiǎojiě xiǎng yào yì bēi kāfēi. This lady would like to have a cup of coffee. | ❺ 王小姐，您很漂亮。Wáng xiǎojiě, nín hěn piàoliang. You are very beautiful, Miss Wang. | ❻ 小姐，别忘了您的包。Xiǎojiě, bié wàngle nín de bāo. Miss, don't forget your purse.

124. 些 xiē radical: 止 strokes: 8

stroke order: 丨 ⺊ ⺊ 止 止 此 此 些

<*m.*> some

❶ 我买了些吃的。Wǒ mǎile xiē chī de. I bought some food. | ❷ 他吃了些药，现在好多了。Tā chīle xiē yào, xiànzài hǎo duō le. He took some medicine, and is feeling better now. | ❸ 刚才她说了些什么？Gāngcái tā shuōle xiē shénme? What did she say just now? | ❹ 我们去商店买些明天带的东西吧。Wǒmen qù shāngdiàn mǎi xiē míngtiān dài de dōngxi ba. Let's buy something from the store to bring with us tomorrow. | ❺ 我买了五斤苹果，给你些吧。Wǒ mǎile wǔ jīn píngguǒ, gěi nǐ xiē ba. I've bought 2.5 kilos of apples. Let me give you some.

125. 写（寫）xiě radical: 冖 strokes: 5

stroke order: ' 冖 冖 写 写

<*v.*> write

❶ 他喜欢写汉字。Tā xǐhuan xiě Hànzì. He likes writing Chinese characters. | ❷ 这个字我不会写。Zhège zì wǒ bú huì xiě. I don't know how to write this character. | ❸ 你多写几遍就记住了。Nǐ duō xiě jǐ biàn jiù jìzhù le. Write a couple of times, and then you will remember it. | ❹ 请在这儿写你的名字。Qǐng zài zhèr xiě nǐ de míngzi. Please write your name here. | ❺ 我写得对不对？Wǒ xiě de duì bú duì? Did I write it correctly? | ❻ 这个字你写错了。Zhège zì nǐ xiěcuò le. You wrote this character wrongly. | ❼ 今天的作业我写完了。Jīntiān de zuòyè wǒ xiěwán le. I have finished today's homework.

126. 谢谢（謝謝）xièxie

<*i.e.*> thank

❶ A: 谢谢你。B: 不客气。A: Xièxie nǐ. B: Bú kèqi. A: Thank you. B: You

一级

are welcome. | ❷ 他说了声“谢谢”就走了。Tā shuōle shēng “xièxie” jiù zǒu le. He said “Thank you”, and walked away. | ❸ 谢谢您的服务。Xièxie nín de fúwù. Thank you for your service. | ❹ 谢谢你的礼物。Xièxie nǐ de lǐwù. Thanks for your gift. | ❺ 谢谢你请我们吃饭。Xièxie nǐ qǐng wǒmen chīfàn. Thank you for inviting us to dinner. | ❻ 谢谢你们来看我。Xièxie nǐmen lái kàn wǒ. Thank you for visiting me.

127. 星期 xīngqī

<*n.*> ① week

❶ 这个星期我们有考试。Zhège xīngqī wǒmen yǒu kǎoshì. We will have an exam this week. | ❷ 下个星期我休息。Xià ge xīngqī wǒ xiūxi. I will have a week off next week. | ❸ 又过了一个星期，真快啊！Yòu guòle yí ge xīngqī, zhēn kuài a! Another week flies by! | ❹ 你一个星期工作几天？Nǐ yí ge xīngqī gōngzuò jǐ tiān? How many days do you work a week? | ❺ 夏天的时候，我们有七八个星期的假。Xiàtiān de shíhou, wǒmen yǒu qī-bā ge xīngqī de jià. We have a summer vacation for seven to eight weeks.

② *used before* 日，一，二，三，四，五，六 *or* 几 *to indicate a day of the week*

❶ A: 今天星期几？ B: 星期四。A: Jīntiān xīngqī jǐ? B: Xīngqī sì. A: What day is it today? B: Thursday. | ❷ 星期五我没课。Xīngqī wǔ wǒ méi kè. I don't have classes on Friday. | ❸ 星期天我常去商店买东西。Xīngqītiān wǒ cháng qù shāngdiàn mǎi dōngxi. I often go shopping on Sunday. | ❹ 星期三你去学校吗？ Xīngqī sān nǐ qù xuéxiào ma? Do you go to school on Wednesday?

128. 学生（學生）xuésheng

<*n.*> student

❶ 王老师有很多学生。Wáng lǎoshī yǒu hěn duō xuésheng. Mr. Wang has a

lot of students. | ❷ 学生们都去上课了。Xuéshengmen dōu qù shàngkè le. All the students have gone to class. | ❸ 我是学生，不是老师。Wǒ shì xuésheng, bú shì lǎoshī. I am a student, not a teacher. | ❹ 我们都是李老师的学生。Wǒmen dōu shì Lǐ lǎoshī de xuésheng. We are all Mr. Li's students. | ❺ 这些学生经常和老师一起吃饭。Zhèxiē xuésheng jīngcháng hé lǎoshī yìqǐ chīfàn. These students often dine with their teacher. | ❻ 大卫是我的美国学生。Dàwèi shì wǒ de Měiguó xuésheng. David is my American student.

129. 学习（學習）xuéxí

<*v.*> learn, study

❶ 我正在学习汉语。Wǒ zhèngzài xuéxí Hànyǔ. I am studying Chinese. | ❷ 你学习汉语多长时间了？ Nǐ xuéxí Hànyǔ duō cháng shíjiān le? How long have you been studying Chinese? | ❸ 他学习非常努力。Tā xuéxí fēicháng nǔlì. He is very studious. | ❹ 我很喜欢学习外语。Wǒ hěn xǐhuan xuéxí wàiyǔ. I like studying foreign languages very much. | ❺ 他八岁开始学习英语。Tā bā suì kāishǐ xuéxí Yīngyǔ. He has been studying English since he was eight. | ❻ 他每天晚上学习到十一点。Tā měi tiān wǎnshang xuéxí dào shíyī diǎn. He studies until 11 p.m. every night. | ❼ 我妹妹学习很好。Wǒ mèimei xuéxí hěn hǎo. My younger sister studies well. | ❽ 他很关心儿子的学习成绩。Tā hěn guānxīn érzi de xuéxí chéngjì. He is concerned about his son's school record.

130. 学校（學校）xuéxiào

<*n.*> school, campus

❶ 这个学校很有名。Zhège xuéxiào hěn yǒumíng. This is a famous school. | ❷ 我们学校很漂亮。Wǒmen xuéxiào hěn piàoliang. Our campus is very beautiful. | ❸ 这个学校有一万多学生。Zhège xuéxiào yǒu yí wàn duō xuésheng. There are more than 10000 students in the school. | ❹ 学校离我家很远，坐公共汽

车要一个多小时。Xuéxiào lí wǒ jiā hěn yuǎn, zuò gōnggòng qìchē yào yí ge duō xiǎoshí. The school is far away from my home, and it takes me more than an hour to get there by bus. | ❺ 这些学生都住在学校里。Zhèxiē xuésheng dōu zhù zài xuéxiào li. All the students live on campus. | ❻ 我早上七点就到学校了。Wǒ zǎoshang qī diǎn jiù dào xuéxiào le. I get to the school at 7 a.m.

一级

131. 一 yī radical: 一 strokes: 1 stroke order: 一

<*num.*> one, a

❶ 我有一个哥哥。Wǒ yǒu yí ge gēge. I have an elder brother. | ❷ 我在姐姐家住了一天。Wǒ zài jiějie jiā zhùle yì tiān. I spent a day at my elder sister's home. | ❸ 我妈妈一月来北京。Wǒ māma yī yuè lái Běijīng. My mom will come to Beijing in January. | ❹ 他儿子刚一岁半。Tā érzi gāng yí suì bàn. His son just turned to one and half. | ❺ 这本书是八十一块钱。Zhè běn shū shì bāshíyī kuài qián. This book costs 81 *kuai*. | ❻ 我们认识已经一年多了。Wǒmen rènshi yǐjīng yì nián duō le. We've known each other for more than a year. | ❼ 我要一杯啤酒。Wǒ yào yì bēi píjiǔ. I'd like to have a glass of beer.

132. 衣服 yīfu

<*n.*> clothes, garment, clothing

❶ 这件衣服多少钱？Zhè jiàn yīfu duōshao qián? How much is this garment? | ❷ 你这件衣服真漂亮。Nǐ zhè jiàn yīfu zhēn piàoliang. Your garment looks gorgeous. | ❸ 我喜欢红色的衣服。Wǒ xǐhuan hóngsè de yīfu. I like red clothes. | ❹ 她昨天买了件新衣服。Tā zuótiān mǎile jiàn xīn yīfu. She bought a new dress yesterday. | ❺ 这么多衣服，我不知道穿哪一件。Zhème duō yīfu, wǒ bù zhīdào chuān nǎ yí jiàn. I have so many clothes that I don't know which one to wear. | ❻ 你的衣服脏了，该洗了。Nǐ de yīfu zāng le, gāi xǐ le. Your clothes are dirty and need to be washed.

133. 医生（醫生）yīshēng

<*n.*> doctor

❶ 我妈妈是医生。Wǒ māma shì yīshēng. My mom is a doctor. | ❷ 你发烧了，去看医生吧。Nǐ fāshāo le, qù kàn yīshēng ba. You have a fever. Please go to see a doctor. | ❸ 他毕业后想当一名医生。Tā bìyè hòu xiǎng dāng yì míng yīshēng. He wants to be a doctor after graduation. | ❹ 他是一位非常有名的医生。Tā shì yí wèi fēicháng yǒumíng de yīshēng. He is a very famous doctor. | ❺ 医生说，我的病很快就能好。Yīshēng shuō, wǒ de bìng hěn kuài jiù néng hǎo. The doctor said I will be recovered soon. | ❻ 我相信医生的话。Wǒ xiāngxìn yīshēng de huà. I believe what the doctor said.

134. 医院（醫院）yīyuàn

<*n.*> hospital

❶ 这个医院有200多名医生。Zhège yīyuàn yǒu 200 duō míng yīshēng. There are more than 200 doctors in this hospital. | ❷ 他到学校的医院看病去了。Tā dào xuéxiào de yīyuàn kànbìng qù le. He went to see a doctor at the school clinic.| ❸ 这家医院的条件非常好。Zhè jiā yīyuàn de tiáojiàn fēicháng hǎo. The medical conditions are very good in this hospital. | ❹ 她是我们医院的护士。Tā shì wǒmen yīyuàn de hùshi. She is a nurse in our hospital. | ❺ 北京最好的眼科医院是哪个？ Běijīng zuì hǎo de yǎnkē yīyuàn shì nǎge? Which hospital is the best in ophthalmology in Beijing?

135. 椅子 yǐzi

<*n.*> chair

❶ 我买了四把椅子。Wǒ mǎile sì bǎ yǐzi. I bought four chairs. | ❷ 你们坐沙发，我坐这张椅子。Nǐmen zuò shāfā, wǒ zuò zhè zhāng yǐzi. Please sit on the sofa. I'll sit on the chair. | ❸ 你去搬一把椅子过来吧。Nǐ qù bān yì bǎ yǐzi guòlai ba. Please bring a chair and come here. | ❹ 这些椅子都坏了，该换新的了。Zhèxiē yǐzi dōu huài le, gāi huàn xīn de le. All these chairs are broken and need to be replaced. | ❺ 妈妈是医生，每天要在椅子上坐很长时间。Māma shì yīshēng, měi tiān yào zài yǐzi shang zuò hěn cháng shíjiān. Being a doctor, my mother sits on a chair for a long time every day.

136. 有 yǒu radical: 月 strokes: 6 stroke order: 一 ナ 𠂇 冇 有 有

<v.> ① have

❶ 我有一个哥哥，两个妹妹。Wǒ yǒu yí ge gēge, liǎng ge mèimei. I have an elder brother and two younger sisters. | ❷ 他一个人有两台电脑。Tā yí ge rén yǒu liǎng tái diànnǎo. He has two computers. | ❸ 明天你有时间吗？ Míngtiān nǐ yǒu shíjiān ma? Will you be free tomorrow? | ❹ 他家里很有钱。Tā jiāli hěn yǒu qián. His family is very rich. | ❺ 这本书我已经有了。Zhè běn shū wǒ yǐjīng yǒu le. I have this book already. | ❻ 你有没有汉语词典？ Nǐ yǒu méiyǒu Hànyǔ cídiǎn? Do you have a Chinese dictionary?

② there be (is, are, etc.) ; exist

❶ 屋子里有很多人。Wūzi li yǒu hěn duō rén. There are a lot of people in the room. | ❷ 楼前面有一个花园。Lóu qiánmiàn yǒu yí ge huāyuán. There is a garden in front of the building. | ❸ 下个月我们有考试。Xià ge yuè wǒmen yǒu kǎoshì. We'll have an examination next month. | ❹ 下午我有一场比赛。Xiàwǔ wǒ yǒu yì chǎng bǐsài. I'll have a match this afternoon. | ❺ 天气预报说明天有雨。Tiānqì yùbào shuō míngtiān yǒu yǔ. The weather forecast said it will rain tomorrow. | ❻ 我还有很多工作要做。Wǒ hái yǒu hěn duō gōngzuò yào zuò. I still have much work to do.

③ *used before "person, time or place" to indicate a part*

❶ 这个菜有人爱吃，有人不爱吃。Zhège cài yǒu rén ài chī, yǒu rén bú ài chī. Someone likes this dish, someone doesn't. | ❷ 星期天我有时候去学校，

有时候在家。Xīngqītiān wǒ yǒushíhou qù xuéxiào, yǒushíhou zài jiā. I sometimes go to school and sometimes stay at home on Sundays. | ❸ 北京很大，下雨时有的地方雨大，有的地方雨小。Běijīng hěn dà, xià yǔ shí yǒu de dìfang yǔ dà, yǒu de dìfang yǔ xiǎo. Beijing is a big city. When it pours down in some places, it drizzles in other places. | ❹ 这个计划有人同意，也有人反对。Zhège jìhuà yǒu rén tóngyì, yě yǒu rén fǎnduì. Someone agrees on the plan, someone doesn't. | ❺ 他有一次说爱我。Tā yǒu yí cì shuō ài wǒ. He once said he loved me.

一级

137. 月 yuè radical: 月 strokes: 4 stroke order: 丿 冂 月 月

<*n.*> month

❶ 今天是十一月五号。Jīntiān shì shíyī yuè wǔ hào. Today is November 5th. | ❷ 我学过三个月的汉语，会说一点儿。Wǒ xuéguo sān ge yuè de Hànyǔ, huì shuō yìdiǎnr. I have learned Chinese for 3 months, so I can speak a little bit. | ❸ 这个月的二十号我们有考试。Zhège yuè de èrshí hào wǒmen yǒu kǎoshì. We will have an exam on the 20th of this month. | ❹ 到下个月，我就十八岁了。Dào xià ge yuè, wǒ jiù shíbā suì le. I'll will turn 18 years old next month. | ❺ 上个月，我去法国了。Shàng ge yuè, wǒ qù Fǎguó le. I went to France last month.

138. 再见（再見）zàijiàn

<*i.e.*> bye, see you

❶ A：王老师，再见。B：再见。A: Wáng lǎoshī, zàijiàn. B: Zàijiàn. A: Goodbye, Mr. Wang. B: Goodbye. | ❷ 再见了，朋友们。Zàijiàn le, péngyoumen. Bye, my friends. | ❸ 就要说再见了，我心里很难过。Jiùyào shuō zàijiàn le, wǒ xīnli hěn nánguò. I'm very sorry as I'll have to say goodbye. | ❹ 再见，我的2012！Zàijiàn, wǒ de 2012! Bye, my 2012!

139. 在 zài radical: 土 strokes: 6 stroke order: 一 ナ 十 才 存 在

<*prep.*> ① *introducing the time or location of an event*

❶ 我在1980年去过中国。Wǒ zài 1980 nián qùguo Zhōngguó. I went to China in 1980. | ❷ 会议的时间定在下午三点。Huìyì de shíjiān dìng zài xiàwǔ sān diǎn. The meeting is scheduled at 3 p.m. | ❸ 父母让他在北京学习汉语。Fùmǔ ràng tā zài Běijīng xuéxí Hànyǔ. His parents asked him to study Chinese in Beijing. | ❹ 我在学校的商店遇到了王老师。Wǒ zài xuéxiào de shāngdiàn yùdàole Wáng lǎoshī. I met Mr. Wang at the campus store.

② *introducing the condition or scope*

❶ 在中国同学的帮助下，我的汉语口语进步很快。Zài Zhōngguó tóngxué de bāngzhù xià, wǒ de Hànyǔ kǒuyǔ jìnbù hěn kuài. I've made rapid progress in my spoken Chinese with the help of some Chinese students. | ❷ 在老师的带领下，我们一起去了长城。Zài lǎoshī de dàilǐng xià, wǒmen yìqǐ qùle Chángchéng. We went to the Great Wall led by the teacher. | ❸ 今天的最高气温在三十度左右。Jīntiān de zuì gāo qìwēn zài sānshí dù zuǒyòu. The highest temperature today is around 30℃. | ❹ 考试的范围在第一课到第八课之间。Kǎoshì de fànwéi zài dì-yī kè dào dì-bā kè zhījiān. The exam will cover from Lesson One to Lesson Eight.

<*v.*> ① be

❶ 今天我在家，你下午来吧。Jīntiān wǒ zài jiā, nǐ xiàwǔ lái ba. I am at home today. Please come this afternoon. | ❷ 我家在银行的旁边。Wǒ jiā zài yínháng de pángbiān. My home is beside the bank. | ❸ 那个村子在山下面。Nàge cūnzi zài shān xiàmiàn. The village is at the foot of the mountain. | ❹ 他不在学校，可能回家了。Tā bú zài xuéxiào, kěnéng huí jiā le. He is not in the school and probably has gone home.

② exist, (of a person) be alive

❶ 他的钱包丢了，但银行卡还在。Tā de qiánbāo diū le, dàn yínhángkǎ hái zài. He lost his wallet, but not his bank card. | ❷ 那些照片都在，我没有扔。

Nàxiē zhàopiàn dōu zài, wǒ méiyǒu rēng. Those photos are still there; I didn't throw them away. | ❸ 只要我在，就一定会好好儿保护她。Zhǐyào wǒ zài, jiù yídìng huì hǎohāor bǎohù tā. I will protect her as long as I am around. | ❹ 我十二岁的时候，爷爷就不在了。Wǒ shí'èr suì de shíhou, yéye jiù bú zài le. My grandpa passed away when I was 12.

<adv.> indicating a continuous state

❶ 他在打电话，你等一会儿吧。Tā zài dǎ diànhuà, nǐ děng yíhuìr ba. Wait a moment, please. He is on the phone. | ❷ 他在看书，我们不要打扰他。Tā zài kàn shū, wǒmen búyào dǎrǎo tā. He is reading. Let's not disturb him. | ❸ 大家在讨论明年的工作，你也参加吧。Dàjiā zài tǎolùn míngnián de gōngzuò, nǐ yě cānjiā ba. We are discussing next year's work; please come and join us.

140. 怎么（怎麼）zěnme

<pron.> ① (*used to inquire about a cause, method or state*) why, how

❶ 你怎么了？看起来有点儿不高兴。Nǐ zěnme le? Kàn qǐlai yǒudiǎnr bù gāoxìng. What's up? You look unhappy. | ❷ 他怎么一句话也不说呀？Tā zěnme yí jù huà yě bù shuō ya? Why didn't he say anything? | ❸ 你说我该怎么办呢？Nǐ shuō wǒ gāi zěnme bàn ne? Can you tell me what I should do? | ❹ 你们是多年的同学，你怎么能不了解他呢？Nǐmen shì duō nián de tóngxué, nǐ zěnme néng bù liǎojiě tā ne? You've been classmates for years. How come you don't understand him?

② *used to indicate a general or specific method, cause or state*

❶ 你想怎么干就怎么干。Nǐ xiǎng zěnme gàn jiù zěnme gàn. Do whatever you want. | ❷ 不管大家怎么劝他，他都不听。Bùguǎn dàjiā zěnme quàn tā, tā dōu bù tīng. He won't listen whatever others say. | ❸ 我忘记是怎么认识小李的了。Wǒ wàngjì shì zěnme rènshi Xiǎo Lǐ de le. I forgot how I got to know Xiao Li.

③ *used to indicate a certain degree (often in the negative)*

❶ 你今天好像不怎么高兴。Nǐ jīntiān hǎoxiàng bù zěnme gāoxìng. You look unhappy today. | ❷ 他不怎么懂电脑知识。Tā bù zěnme dǒng diànnǎo zhīshi. He doesn't know much about computer. | ❸ 这个手机不怎么好用。Zhège shǒujī bù zěnme hǎoyòng. It is not easy to use this cellphone. | ❹ 我不怎么喜欢你这种说话的语气。Wǒ bù zěnme xǐhuan nǐ zhè zhǒng shuōhuà de yǔqì. I don't like the manner you speak.

一级

141. 怎么样（怎麼樣）zěnmeyàng

<*pron.*> ① how

❶ 你最近身体怎么样啊？ Nǐ zuìjìn shēntǐ zěnmeyàng a? How are you? | ❷ 你说说，她是一个怎么样的人。Nǐ shuōshuo, tā shì yí ge zěnmeyàng de rén. Please tell me what kind of person she is. | ❸ 你工作完成得怎么样了？ Nǐ gōngzuò wánchéng de zěnmeyàng le? How is your work going? | ❹ 你现在感觉怎么样？好些了吗？ Nǐ xiànzài gǎnjué zěnmeyàng? Hǎo xiē le ma? How are you feeling now? Are you feeling better?

② *used to indicate a general reference, not to be used in an interrogative sentence*

❶ 不管怎么样，你说句话吧。Bùguǎn zěnmeyàng, nǐ shuō jù huà ba. Say something, whatever it is. | ❷ 你怎么样想的就怎么样说。Nǐ zěnmeyàng xiǎng de jiù zěnmeyàng shuō. Speak your mind. | ❸ 他非要玩儿游戏，别人怎么样劝也没用。Tā fēi yào wánr yóuxì, biéren zěnmeyàng quàn yě méi yòng. He insisted on playing the game, no matter what others say.

③ *generally referring to an action or a state, used in the negative*

❶ 他讲课不怎么样。Tā jiǎngkè bù zěnmeyàng. He is not good at giving a lecture. | ❷ 他这个人不怎么样。Tā zhège rén bù zěnmeyàng. He is not a nice guy. | ❸ 你放心去吧，他们不能把你怎么样。Nǐ fàngxīn qù ba, tāmen bù néng bǎ nǐ zěnmeyàng. Go ahead; they can't do anything to you.

142. 这（这儿） 這（這兒） zhè（zhèr）

radical: 辶 strokes: 7 stroke order: 丶 亠 亣 文 文 这 这

<*pron.*> ① this

❶ 这是什么？Zhè shì shénme? What's this? | ❷ 这是我哥哥。Zhè shì wǒ gēge. This is my elder brother. | ❸ 我们的教室在这座楼里。Wǒmen de jiàoshì zài zhè zuò lóu li. Our classroom is in this building. | ❹ 谁都不知道这件事。Shéi dōu bù zhīdào zhè jiàn shì. Nobody knows it. | ❺ 这个春节我去南方。Zhège Chūnjié wǒ qù nánfāng. I'll go to the south during this Spring Festival. | ❻ 这个人以前来过。Zhège rén yǐqián láiguo. This person has been here before.

② here, normally "这儿" in oral Chinese

❶ 你看，这儿就是我住的地方。Nǐ kàn, zhèr jiù shì wǒ zhù de dìfang. Look, this is where I live. | ❷ 我们公司就在这儿。Wǒmen gōngsī jiù zài zhèr. This is our company. | ❸ 我们这儿女生特别多。Wǒmen zhèr nǚshēng tèbié duō. There are a remarkably large number of girl students here. | ❹ 这儿的人都很热情。Zhèr de rén dōu hěn rèqíng. All the people here are very hospitable. | ❺ 这儿的气候特别好。Zhèr de qìhòu tèbié hǎo. The weather here is great.

一级

143. 中国（中國）Zhōngguó

<*p.n.*> the abbreviation of the People's Republic of China

❶ 王教授是中国人。Wáng jiàoshòu shì Zhōngguórén. Professor Wang is Chinese. | ❷ 日本是中国的邻居。Rìběn shì Zhōngguó de línjū. Japan is one of the neighboring countries of China. | ❸ 我想去中国学习汉语。Wǒ xiǎng qù Zhōngguó xuéxí Hànyǔ. I want to study Chinese in China. | ❹ 我对中国文化非常感兴趣。Wǒ duì Zhōngguó wénhuà fēicháng gǎn xìngqù. I am very interested in Chinese culture. | ❺ 我们想去中国旅游。Wǒmen xiǎng qù Zhōngguó lǚyóu. We want to travel in China. | ❻ 中国很大，很多地方我都没去过。Zhōngguó hěn dà, hěn duō dìfang wǒ dōu méi qùguo. China is a large country, and there are still a lot of places that I have never been to. | ❼ 北京是中国的首都。Běijīng shì Zhōngguó de shǒudū. Beijing is the capital of China.

144. 中午 zhōngwǔ

<n.> noon

❶ 中午我在食堂吃饭。Zhōngwǔ wǒ zài shítáng chīfàn. I have my lunch at the canteen. | ❷ 昨天中午你们去哪儿了？ Zuótiān zhōngwǔ nǐmen qù nǎr le? Where did you go at noon yesterday? | ❸ 到中午的时候，我再给你打电话吧。Dào zhōngwǔ de shíhou, wǒ zài gěi nǐ dǎ diànhuà ba. I'll call you again around noon. | ❹ 还没到中午，他就饿了。Hái méi dào zhōngwǔ, tā jiù è le. He became hungry before noon. | ❺ 我们中午去商店买东西吧。Wǒmen zhōngwǔ qù shāngdiàn mǎi dōngxi ba. Let's go shopping in the store at noon.

一级

145. 住 zhù radical: 亻 strokes: 7

stroke order: ノ 亻 亻 亻 亻 仁 住

<v.> live, reside

❶ 我住四楼407房间。Wǒ zhù sì lóu 407 fángjiān. I live in Room 407, Floor 4. | ❷ 她的父母在北京住。Tā de fùmǔ zài Běijīng zhù. Her parents live in Beijing. | ❸ 她小时候住在农村。Tā xiǎoshíhou zhù zài nóngcūn. She lived in the countryside in her childhood. | ❹ 三楼住着一对年轻夫妻。Sān lóu zhùzhe yí duì niánqīng fūqī. A young couple lives on the third floor.

146. 桌子 zhuōzi

<n.> table, desk

❶ 这个教室有二十张桌子。Zhège jiàoshì yǒu èrshí zhāng zhuōzi. There are 20 tables in the classroom. | ❷ 他的

桌子上放着很多书。Tā de zhuōzi shang fàngzhe hěn duō shū. There are a lot of books on his table. | ❸ 你们去搬张桌子来吧。Nǐmen qù bān zhāng zhuōzi lái ba. Please get a table here. | ❹ 这是我写字的桌子。Zhè shì wǒ xiě zì de zhuōzi. This is my writing desk. | ❺ 他的办公室里有两张大桌子。Tā de bàngōngshì li yǒu liǎng zhāng dà zhuōzi. There are two big desks in his office.

147. 字 zì radical: 宀 strokes: 6 stroke order: 丶 丶 宀 宁 宁 字

<*n.*> ① word, character

❶ 这个字很难写，我还没学会。Zhège zì hěn nán xiě, wǒ hái méi xuéhuì. This character is so difficult that I haven't learned how to write it. | ❷ 学了几个月的汉语，他已经认识很多字了。Xuéle jǐ ge yuè de Hànyǔ, tā yǐjīng rènshi hěn duō zì le. He has learned a lot of characters after studying Chinese for a few months. | ❸ 他学会在电脑上打字了。Tā xuéhuì zài diànnǎo shang dǎ zì le. He has learned how to type using a computer. | ❹ 遇到不认识的字，你就多查查字典。Yùdào bú rènshi de zì, nǐ jiù duō chácha zìdiǎn. Consult a dictionary if you encounter a new character. | ❺ 这个字的意思我还不太明白。Zhège zì de yìsi wǒ hái bú tài míngbai. I still don't know the meaning of this character.

② font, handwriting

❶ 他写的字很好看。Tā xiě de zì hěn hǎokàn. He has pretty nice handwriting. | ❷ 我喜欢写毛笔字。Wǒ xǐhuan xiě máobǐzì. I like practicing calligraphy with a writing brush. | ❸ 他在学习书法家的字。Tā zài xuéxí shūfǎjiā de zì. He is practicing calligraphy after a calligrapher.

148. 昨天 zuótiān

<*n.*> yesterday

❶ 昨天是十九号，今天是二十号。Zuótiān shì shíjiǔ hào, jīntiān shì èrshí hào.

Yesterday was 19th, and today is 20th. | ❷ 昨天是我的生日。Zuótiān shì wǒ de shēngrì. Yesterday was my birthday. | ❸ 昨天晚上下雪了。Zuótiān wǎnshang xià xuě le. It snowed last night. | ❹ 这是昨天的报纸，我已经看过了。Zhè shì zuótiān de bàozhǐ, wǒ yǐjīng kànguo le. This was yesterday's newspaper. I have read it. | ❺ 你昨天下午去哪儿了？ Nǐ zuótiān xiàwǔ qù nǎr le? Where did you go yesterday afternoon? | ❻ 我昨天到的北京。Wǒ zuótiān dào de Běijīng. I arrived in Beijing yesterday.

149. 坐 zuò radical: 土 strokes: 7

stroke order: 丿 人 从 从 丛 坐 坐

<v.> ① sit

❶ 您请坐，我给您倒杯水。Nín qǐng zuò, wǒ gěi nín dào bēi shuǐ. Please take a seat. I will get you a glass of water. | ❷ 您坐沙发吧，我坐椅子。Nín zuò shāfā ba, wǒ zuò yǐzi. Please take the sofa; and I will sit on the chair. | ❸ 他喜欢坐在草地上看书。Tā xǐhuan zuò zài cǎodì shang kàn shū. He likes reading books on the grassland. | ❹ 教室里坐满了人。Jiàoshì li zuòmǎnle rén. There are full of people in the classroom. | ❺ 人太多，屋子里坐不下。Rén tài duō, wūzi li zuò bu xià. There are too many people to sit in the room.

② take

❶ 你想坐火车还是坐飞机去？ Nǐ xiǎng zuò huǒchē háishi zuò fēijī qù? Will you go there by train or by plane? | ❷ 我们去火车站得坐四站地铁。Wǒmen qù huǒchēzhàn děi zuò sì zhàn dìtiě. We'll take four Metro stations to go to the railway station. | ❸ 他每天坐公共汽车上下班。Tā měi tiān zuò gōnggòng qìchē shàng-xià bān. He goes to work by bus every day. | ❹ 他想去动物园，但是坐错了车。Tā xiǎng qù dòngwùyuán, dànshì zuòcuòle chē. He had wanted to go to the zoo, but he took the wrong bus.

150. 做 zuò radical: 亻 strokes: 11 stroke order: ノ 亻 亻 仁 什 估 估 估 估 做 做

<*v.*> ① make

❶ 妈妈会做衣服。Māma huì zuò yīfu. Mom can make clothes. | ❷ 这张桌子是他自己做的。Zhè zhāng zhuōzi shì tā zìjǐ zuò de. He made this table by himself. | ❸ 妻子正在做饭时，丈夫回来了。Qīzi zhèngzài zuò fàn shí, zhàngfu huílai le. The husband came back when the wife was cooking. | ❹ 这条裤子做得很合适，穿着很舒服。Zhè tiáo kùzi zuò de hěn héshì, chuānzhe hěn shūfu. This pair of pants is well-tailored and comfortable to wear. | ❺ 她做的玩具很漂亮，孩子们都喜欢。Tā zuò de wánjù hěn piàoliang, háizimen dōu xǐhuan. The toys she made were so beautiful that all the kids like them.

② do, work on

❶ 我做教师工作，有很多学生。Wǒ zuò jiàoshī gōngzuò, yǒu hěn duō xuésheng. I am a teacher and I have a lot of students. | ❷ 她在做数学练习题。Tā zài zuò shùxué liànxítí. She is working on her math exercises. | ❸ 他一直做服装生意，对各地市场都很了解。Tā yìzhí zuò fúzhuāng shēngyi, duì gè dì shìchǎng dōu hěn liǎojiě. He has always been doing clothing business, so he knows all the local markets very well. | ❹ 手术做得很成功，病人好得很快。Shǒushù zuò de hěn chénggōng, bìngrén hǎo de hěn kuài. The patient is recovering very fast from a successful surgery.

③ be, act, take on

❶ 她已经做母亲了。Tā yǐjīng zuò mǔqīn le. She is already a mother. | ❷ 我们这些做演员的，越到节日就越忙。Wǒmen zhèxiē zuò yǎnyuán de, yuè dào jiérì jiù yuè máng. As actors, we get busier and busier with the proximity of festivals. | ❸ 这次会谈，公司派我做翻译。Zhè cì huìtán, gōngsī pài wǒ zuò fānyì. I was assigned by the company as an interpreter for the negotiation. | ❹ 她工作很有成绩，就要做校长了。Tā gōngzuò hěn yǒu chéngjì, jiùyào zuò xiàozhǎng le. She will be promoted to be the school president due to her excellent performance in work.

二级
Level 2

1. 吧 ba radical: 口 strokes: 7

stroke order: 丨 ㄇ 口 叮 叩 吧 吧

<*part.*> ① *used at the end of a sentence to indicate a positive guess*

❶ 你是美国人吧？ Nǐ shì Měiguórén ba? Are you American? | ❷ 他是你弟弟吧？ Tā shì nǐ dìdi ba? Is he your younger brother? | ❸ 这是你男朋友吧？ Zhè shì nǐ nánpéngyou ba? Is this your boyfriend? | ❹ 外面阴得厉害，快下雨了吧？ Wàimiàn yīn de lìhai, kuài xià yǔ le ba? It's so cloudy outside. Is it going to rain?

② *used at the end of a sentence to introduce a suggestion*

❶ 我们走吧。Wǒmen zǒu ba. Let's go. | ❷ 你跟我们一起去吧。Nǐ gēn wǒmen yìqǐ qù ba. Please go with us. | ❸ 我们去喝咖啡吧。Wǒmen qù hē kāfēi ba. Let's go for coffee. | ❹ 我们坐公共汽车去吧。Wǒmen zuò gōnggòng qìchē qù ba. Let's go by bus. | ❺ 晚上我们去看电影吧。Wǎnshang wǒmen qù kàn diànyǐng ba. Let's go to the movie tonight. | ❻ 我教你学汉语吧。Wǒ jiāo nǐ xué Hànyǔ ba. Let me teach you Chinese.

③ *used at the end of a sentence, indicating consent or approval*

❶ 好吧，我同意了。Hǎo ba, wǒ tóngyì le. OK, I agree. | ❷ 好吧，我也去。Hǎo ba, wǒ yě qù. OK, I will also go. | ❸ 可以吧，就这么做。Kěyǐ ba, jiù zhème zuò. OK, let's do it this way. | ❹ 行吧，让他快点儿。Xíng ba, ràng tā kuài diǎnr. OK, tell him to hurry up.

2. 白 bái radical: 丿 strokes: 5 stroke order: ノ 亻 白 白 白

<*adj.*> white

❶ 她穿了一件白衬衫。Tā chuānle yí jiàn bái chènshān. She wears a white blouse. | ❷ 下雪了，外面一片白。Xià xuě le, wàimiàn yí piàn bái. It's snowing and everything outside is white. | ❸ 老人的头发全白了。Lǎorén de tóufa quán bái le. The old man's hair has turned completely grey. | ❹ 那辆白颜色的汽车是我的。Nà liàng bái yánsè de qìchē shì wǒ de. That white car is mine. | ❺ 我喜欢白的，不喜欢黑的。Wǒ xǐhuan bái de, bù xǐhuan hēi de. I like white ones, not black ones.

<*adv.*> in vain, for nothing

❶ 我白说了半天，她一句也没听懂。Wǒ bái shuōle bàntiān, tā yí jù yě méi tīngdǒng. I wasted my breath. She didn't understand a single sentence I said. | ❷ 办公室没人，我白去了一趟。Bàngōngshì méi rén, wǒ bái qùle yí tàng. I made a fruitless trip. There was nobody in the office. | ❸ 我白花了这么多钱，什么也没看到。Wǒ bái huāle zhème duō qián, shénme yě méi kàndào. I spent so much money, but I saw nothing. | ❹ 你没白来，这是给你的礼物。Nǐ méi bái lái, zhè shì gěi nǐ de lǐwù. You didn't come here for nothing. This is a gift for you. | ❺ 他突然说不来了，我白忙了一天。Tā tūrán shuō bù lái le, wǒ bái mángle yì tiān. He suddenly said he wouldn't come, which ruined my efforts of the day.

二级

3. 百 bǎi radical: 一 strokes: 6 stroke order: 一 丆 了 丙 百 百

<*num.*> hundred

❶ 这本书一百块钱。Zhè běn shū yìbǎi kuài qián. The book costs 100 *kuai*. | ❷ 这个电影院有八百多个座位。Zhège diànyǐngyuàn yǒu bābǎi duō ge zuòwèi. The cinema has more than 800 seats. | ❸ 这个大楼有几百年了。Zhège dàlóu yǒu jǐ bǎi nián le. The building was built hundreds of years ago. | ❹ 排队的人有几百个。Páiduì de rén yǒu jǐ bǎi ge. There are hundreds of people lining up there. | ❺ 一年有三百六十五天。Yì nián yǒu sānbǎi liùshíwǔ tiān. There are 365 days in a year.

4. 帮助（幫助）bāngzhù

<*v.*> help, assist

❶ 我的邻居经常帮助我。Wǒ de línjū jīngcháng bāngzhù wǒ. My neighbor often helps me. | ❷ 非常感谢那些帮助过我的人。Fēicháng gǎnxiè nàxiē bāngzhùguo wǒ de rén. Everyone who has helped me would be highly appreciated. | ❸ 我们是好朋友，应该互相帮助。Wǒmen shì hǎo péngyou, yīnggāi hùxiāng bāngzhù. Being good friends, we should help each other. | ❹ 大卫的中国朋友帮助他学习汉语。Dàwèi de Zhōngguó péngyou bāngzhù tā xuéxí Hànyǔ. David's Chinese friends help him study Chinese. | ❺ 他们能帮助你找到工作。Tāmen néng bāngzhù nǐ zhǎodào gōngzuò. They can help you find a job. | ❻ 他给过我很多帮助。Tā gěiguo wǒ hěn duō bāngzhù. He gave me much help. | ❼ 谢谢你的帮助。Xièxie nǐ de bāngzhù. Thanks for your help. | ❽ 在老师的帮助下，他的汉语越来越好了。Zài lǎoshī de bāngzhù xià, tā de Hànyǔ yuè lái yuè hǎo le. He has improved his Chinese language proficiency with his teacher's help.

5. 报纸（報紙）bàozhǐ

<*n.*> newspaper

❶ 这是今天的报纸。Zhè shì jīntiān de bàozhǐ. This is today's newspaper. | ❷ 你看今天的报纸了吗？Nǐ kàn jīntiān de bàozhǐ le ma? Did you read today's newspaper? | ❸ 报纸上说，汽车降价了。Bàozhǐ shang shuō, qìchē jiàngjià le. The newspaper said the prices of cars have dropped. | ❹ 等车的时候，我买了两份报纸。Děng chē de shíhou, wǒ mǎile liǎng fèn bàozhǐ. I bought two newspapers while waiting for the bus. | ❺ 他手里拿着一张报纸。Tā shǒuli názhe yì zhāng bàozhǐ. He was holding a newspaper in his hand. | ❻ 你相信报纸上的广告吗？Nǐ xiāngxìn bàozhǐ shang de guǎnggào ma? Do you trust newspaper advertisements?

6. 比 bǐ radical: 比 strokes: 4 stroke order: 一 ト 上 比

<*prep.*> *used to make a comparison*

❶ 我比弟弟大两岁。Wǒ bǐ dìdi dà liǎng suì. I am two years older than my younger brother. | ❷ 这辆车比那辆便宜不少。Zhè liàng chē bǐ nà liàng piányi bù shǎo. This car is much cheaper than that one. | ❸ 大卫现在不怎么运动，比以前胖了。Dàwèi xiànzài bù zěnme yùndòng, bǐ yǐqián pàng le. David has gained weight because he seldom does physical exercise. | ❹ 他比我更喜欢看电影。Tā bǐ wǒ gèng xǐhuan kàn diànyǐng. He likes seeing movies more than I do. | ❺ 第八课比第七课难很多。Dì-bā kè bǐ dì-qī kè nán hěn duō. Lesson 8 is much more difficult than Lesson 7. | ❻ 你不比他高多少，我看你俩差不多。Nǐ bù bǐ tā gāo duōshao, wǒ kàn nǐ liǎ chàbuduō. You are not so much taller than he is. I feel both of you are almost of the same height.

<*v.*> compare

❶ 他们在比个儿。Tāmen zài bǐ gèr. They are trying to figure out who is taller. | ❷ 我要和他比一比，看谁跑得快。Wǒ yào hé tā bǐ yì bǐ, kàn shéi pǎo de kuài. I will have a race with him to see who runs faster. | ❸ 他很能喝酒，谁也比不过。Tā hěn néng hē jiǔ, shéi yě bǐ bu guò. He is such a hard drinker that no one can be his equal. | ❹ 她的歌唱得那么好，我比不了。Tā de gē chàng de nàme hǎo, wǒ bǐ bu liǎo. She is a great singer. I'm no match for her. | ❺ 和老医生比起来，他经验很少。Hé lǎo yīshēng bǐ qǐlai, tā jīngyàn hěn shǎo. He is not so experienced as the senior doctors.

7. 别 bié radical: 刂 strokes: 7

stroke order: 丨 ㄇ 口 号 另 别 别

<*adv.*> (*used in giving commands or advice*) don't, had better not

❶ 你明天别来了。Nǐ míngtiān bié lái le. You'd better not come tomorrow. | ❷ 你别说了，我都知道了。Nǐ bié shuō le, wǒ dōu zhīdào le. Stop, please. I have

二级

already known it. | ❸ 这儿的东西太贵，别在这儿买了。Zhèr de dōngxi tài guì, bié zài zhèr mǎi le. Stuff sold here is too expensive; you'd better not buy it. | ❹ 你别想那么多了。Nǐ bié xiǎng nàme duō le. Stop thinking too much. | ❺ 你别离开火车站，我马上就到。Nǐ bié líkāi huǒchēzhàn, wǒ mǎshàng jiù dào. Don't leave the railway station; I will be there right away. | ❻ 别着急，会有办法的。Bié zháojí, huì yǒu bànfǎ de. Don't worry; there will be a way out.

8. 长（長）cháng radical: 长 strokes: 4

stroke order: ㇒ 𠂉 𠂒 长

<*adj.*> long

❶ 我们很长时间没见面了。Wǒmen hěn cháng shíjiān méi jiànmiàn le. We haven't seen each other for a long time. | ❷ 第五课课文很长。Dì-wǔ kè kèwén hěn cháng. The texts of Lesson 5 are pretty long. | ❸ 这件衣服比那件长很多。Zhè jiàn yīfu bǐ nà jiàn cháng hěn duō. This dress is much longer than that one. | ❹ 冬天的时候，这里夜很长。Dōngtiān de shíhou, zhèli yè hěn cháng. The winter nights are very long here. | ❺ 她很漂亮，有着长长的头发。Tā hěn piàoliang, yǒuzhe chángcháng de tóufa. She is a beautiful girl with long hair. | ❻ 我们等了这么长时间，他也没打电话来。Wǒmen děngle zhème cháng shíjiān, tā yě méi dǎ diànhuà lái. We have been waiting a long time for him to call us, but he didn't.

[Note] It is also pronounced as "zhǎng". See Level 3 on page 372.

9. 唱歌 chàng gē

<*phr.*> sing

❶ 他唱歌很好听。Tā chàng gē hěn hǎotīng. He sings beautifully. | ❷ 他喜欢唱歌，也喜欢跳舞。Tā xǐhuan chàng gē, yě xǐhuan tiàowǔ. He likes singing and dancing. | ❸ 我们一起去唱歌，好吗？Wǒmen yìqǐ qù chàng gē, hǎo ma? Let's go to sing together, shall we? | ❹ 他每天早上在公园里唱歌。Tā měi tiān zǎoshang zài gōngyuán li chàng gē. He sings in the park every morning. | ❺ 我不会唱歌，你们唱吧。Wǒ bú huì chàng gē, nǐmen chàng ba. I don't know how to sing. Please go ahead and sing. | ❻ 你给我们唱首歌吧。Nǐ gěi wǒmen chàng shǒu gē ba. Please sing us a song. | ❼ 他会唱很多中国歌。Tā huì chàng hěn duō Zhōngguógē. He can sing many Chinese songs.

10. 出 chū radical: 屮 strokes: 5 stroke order: ㇄ 凵 中 出 出

<v.> ① (*as opposed to "come in"*) go out

❶ 他出国了。Tā chūguó le. He went abroad. | ❷ 我刚要出门，电话就响了。Wǒ gāng yào chūmén, diànhuà jiù xiǎng le. The phone rang just as I was leaving the room. | ❸ 我出过两次国了。Wǒ chūguo liǎng cì guó le. I have been abroad twice. | ❹ 出了大门，就是商店。Chūle dàmén, jiù shì shāngdiàn. Walk out of the gate, you'll see the store. | ❺ 你们这个楼从哪儿进出啊？ Nǐmen zhège lóu cóng nǎr jìn-chū a? Where is the entrance and exit of this building?

② *used after certain verbs to indicate a direction or result*

❶ 请拿出你们的书。Qǐng náchū nǐmen de shū. Please take out your books. | ❷ 电影结束后，大家都走出电影院。Diànyǐng jiéshù hòu, dàjiā dōu zǒuchū diànyǐngyuàn. Everyone walked out of the theater after the movie. | ❸ 我从银行取出了这些钱。Wǒ cóng yínháng qǔchūle zhèxiē qián. I withdrew the money from the bank. | ❹ 我想不出一个好办法。Wǒ xiǎng bu chū yí ge hǎo bànfǎ. I can't think of a good idea. | ❺ 你看出他喜欢你了吗？ Nǐ kànchū tā xǐhuan nǐ le ma? Do you notice that he likes you? | ❻ 我们要为公司做出成绩。Wǒmen yào wèi gōngsī zuòchū chéngjì. We'll make remarkable achievement for the company.

③ happen, occur

❶ 出什么事了？ Chū shénme shì le? What's up? | ❷ 小王出事了，他在路上遇到了车祸。Xiǎo Wáng chū shì le, tā zài lùshang yùdàole chēhuò. Xiao Wang had a car accident on his way. | ❸ 这座大桥有十几年历史了，从来

二级

没有出过问题。Zhè zuò dàqiáo yǒu shíjǐ nián lìshǐ le, cónglái méiyǒu chūguo wèntí. With more than ten years' history, this bridge hasn't had any problem.

11. 穿 chuān radical: 穴 strokes: 9

stroke order: 丶 丷 宀 宂 穴 ⺳ 穵 穿 穿

<*v.*> wear, put on

❶ 她穿着一件红毛衣。Tā chuānzhe yí jiàn hóng máoyī. She wears a red sweater. | ❷ 你穿这件衣服真好看。Nǐ chuān zhè jiàn yīfu zhēn hǎokàn. You look great in this dress. | ❸ 等我一下，我穿上鞋。Děng wǒ yíxià, wǒ chuānshang xié. Wait! I'm putting on my shoes. | ❹ 快穿好衣服，我们该走了。Kuài chuānhǎo yīfu, wǒmen gāi zǒu le. Get dressed quickly. We should go. | ❺ 你穿穿这件衣服，看合适不合适。Nǐ chuānchuan zhè jiàn yīfu, kàn héshì bù héshì. Try on this garment and see if it fits you. | ❻ 这双鞋太小了，我穿不进去。Zhè shuāng xié tài xiǎo le, wǒ chuān bu jìnqù. This pair of shoes is too small for me. | ❼ 这件大衣我就穿过一回。Zhè jiàn dàyī wǒ jiù chuānguo yì huí. I wore this coat only once.

12. 船 chuán radical: 舟 strokes: 11 stroke order: 丿 ⺆ 月 月 舟 舟 舟 舡 舡 船 船

<*n.*> ship, boat

❶ 这条船很大，能坐二百多人。Zhè tiáo chuán hěn dà, néng zuò èrbǎi duō rén. This is a big ship that can sit more than 200 people. | ❷ 我是坐船来的。Wǒ shì zuò chuán lái de. I came here by ship. | ❸ 他已经上船了。Tā yǐjīng shàng chuán le. He has already got on the ship. | ❹ 我刚下船，一个小时以后到家。Wǒ gāng xià chuán, yí ge xiǎoshí yǐhòu dào jiā. I just got off the ship, and I will arrive home in an hour. | ❺ 现在到上海的船票多少钱一张？Xiànzài dào Shànghǎi de chuánpiào duōshao qián yì zhāng? What's the price for a steamer ticket to Shanghai? | ❻ 马上就要开船了，请大家坐好。Mǎshàng jiùyào kāi chuán le, qǐng dàjiā zuòhǎo. The ship is ready to go. Please be seated safely. | ❼ 我在船上吃过饭了。Wǒ zài chuán shang chīguo fàn le. I have had my meal on the ship.

13. 次 cì radical: 冫 strokes: 6 stroke order: 丶 冫 冫 冫 汝 次

<m.> *used for times of an action*

❶ 这是我第一次到北京。Zhè shì wǒ dì-yī cì dào Běijīng. This is the first time that I have been to Beijing. | ❷ 我去过两次美国。Wǒ qùguo liǎng cì Měiguó. I have been to the United States of America twice. | ❸ 我给他打了好几次电话，都没找到他。Wǒ gěi tā dǎle hǎojǐ cì diànhuà, dōu méi zhǎodào tā. I called him several times, but I couldn't reach him. | ❹ 我第一次看见这么大的西瓜。Wǒ dì-yī cì kànjiàn zhème dà de xīguā. This is my first time to see such a big watermelon. | ❺ 这三次会她都参加了。Zhè sān cì huì tā dōu cānjiā le. She attended all the three meetings. | ❻ 这次活动比上次有意思。Zhè cì huódòng bǐ shàng cì yǒu yìsi. The activity is more interesting than it was last time. | ❼ 我第一次恋爱是在上大学的时候。Wǒ dì-yī cì liàn'ài shì zài shàng dàxué de shíhou. I had my first boyfriend when I studied in university. | ❽ 这是一次好机会。Zhè shì yí cì hǎo jīhuì. This is a good opportunity.

14. 从（從）cóng radical: 人 strokes: 4 stroke order: 丿 人 从 从

<prep.> ① from (a time, a place, or a point of view)

❶ 我从美国来。Wǒ cóng Měiguó lái. I came from America. | ❷ 从我家到学校，坐车要一个小时。Cóng wǒ jiā dào xuéxiào, zuò chē yào yí ge xiǎoshí. It takes me an hour to get to the school from my home by bus. | ❸ 去图书馆从这儿往前走。Qù túshūguǎn cóng zhèr wǎng qián zǒu. The library is straight ahead. | ❹ 我们从早上八点开始上课。Wǒmen cóng zǎoshang bā diǎn kāishǐ shàngkè. Our

二级

class begins at 8 a.m. | ❺ 他从小就喜欢打篮球。Tā cóngxiǎo jiù xǐhuan dǎ lánqiú. He's been interested in playing basketball since childhood. | ❻ 你从什么时候开始学汉语的？ Nǐ cóng shénme shíhou kāishǐ xué Hànyǔ de? When did you begin to study Chinese? | ❼ 从明天开始，我再不喝酒了。Cóng míngtiān kāishǐ, wǒ zài bù hē jiǔ le. I will quit drinking starting tomorrow.

② (*indicating the route or location of an action, often used with words like* “经过”, “进来” *and* “下来”) via, through, passing

❶ 火车每天都从这儿经过。Huǒchē měi tiān dōu cóng zhèr jīngguò. The train passes this place every day. | ❷ 小鸟是从窗户飞进来的。Xiǎoniǎo shì cóng chuānghu fēi jìnlai de. The bird flew inside through the window. | ❸ 我们应该从西边上去。Wǒmen yīnggāi cóng xībian shàngqu. We should go up from the west side. | ❹ 老王直接从那边走了，我们不用等他了。Lǎo Wáng zhíjiē cóng nàbian zǒu le, wǒmen búyòng děng tā le. Lao Wang has gone directly from over there, so we won't need to wait for him. | ❺ 我们从哪条路过去？ Wǒmen cóng nǎ tiáo lù guòqu? Which way shall we take to get there?

15. 错（錯）cuò radical: 钅 strokes: 13 stroke order: 丿 𠂉 𠂉 𠂉 钅 钅 钍 钳 钳 钳 错 错 错

<*adj.*> wrong

❶ 你弄错了，我不是老师。Nǐ nòngcuò le, wǒ bú shì lǎoshī. You are wrong. I am not the teacher. | ❷ 这个字写错了。Zhège zì xiěcuò le. This character is written wrongly. | ❸ 学汉语要敢说，说错了也没关系。Xué Hànyǔ yào gǎn shuō, shuōcuòle yě méi guānxi. It doesn't matter if you make mistakes when you speak Chinese. Be brave to speak it. | ❹ 谁对谁错，还不知道呢。Shéi duì shéi cuò, hái bù zhīdào ne. We still don't know who is right and who is wrong. | ❺ 我觉得老师说的不会错。Wǒ juéde lǎoshī shuō de bú huì cuò. I don't think what the teacher said was wrong. | ❻ 你说的一点儿也不错，就是这样。Nǐ shuō de yìdiǎnr yě búcuò, jiù shì zhèyàng. You are absolutely right; it was exactly like that.

<*n.*> (*often pronounced as a retroflex*) mistake, error

❶ 她的作业一个错儿也没有。Tā de zuòyè yí ge cuòr yě méiyǒu. She didn't make a single error in her homework. | ❷ 老师，这儿有没有错儿？Lǎoshī, zhèr yǒu méiyǒu cuòr? Teacher, is there a mistake? | ❸ 你又出错儿了。Nǐ yòu chū cuòr le. You made a mistake again. | ❹ 这本书里错儿很多。Zhè běn shū li cuòr hěn duō. There are a lot of mistakes in this book.

16. 打篮球（打籃球）dǎ lánqiú

<*phr.*> play basketball

❶ 我们每天下午四点打篮球。Wǒmen měi tiān xiàwǔ sì diǎn dǎ lánqiú. We play basketball at 4 p.m. every day. | ❷ 他从小就喜欢打篮球。Tā cóngxiǎo jiù xǐhuan dǎ lánqiú. He likes playing basketball since childhood. | ❸ 你跟我们一起去打篮球吧。Nǐ gēn wǒmen yìqǐ qù dǎ lánqiú ba. Go to play basketball with us. | ❹ 我喜欢的运动是打篮球。Wǒ xǐhuan de yùndòng shì dǎ lánqiú. My favorite sport is playing basketball. | ❺ 昨天他打了两个小时篮球。Zuótiān tā dǎle liǎng ge xiǎoshí lánqiú. He played basketball for 2 hours yesterday. | ❻ 他打篮球打得很好。Tā dǎ lánqiú dǎ de hěn hǎo. He is a good basketball player.

二级

17. 大家 dàjiā

<*pron.*> all the people, everyone

❶ 大家晚上好！Dàjiā wǎnshang hǎo! Good evening, everyone! | ❷ 见到你，大家都很高兴。Jiàndào nǐ, dàjiā dōu hěn gāoxìng. We are all glad to see you. | ❸ 我们大家一起去喝酒吧。Wǒmen dàjiā yìqǐ qù hē jiǔ ba. Let's have a drink together. | ❹ 老师，大家都想到外面上课，可以吗？Lǎoshī, dàjiā dōu xiǎng dào wàimiàn shàngkè, kěyǐ ma? We all want to have the class outside. Can we do that, sir? | ❺ 明天的事情，大家别忘了。Míngtiān de shìqing, dàjiā bié wàng le. Don't forget about the arrangement for tomorrow. | ❻ 大家都想去游泳，就他不想去。Dàjiā dōu xiǎng qù yóuyǒng, jiù tā bù xiǎng qù. Everyone else wanted to go to swim except him. | ❼ 你把这个好消息告诉大家吧。Nǐ bǎ zhège hǎo xiāoxi gàosu dàjiā ba. Please tell everyone the good news.

18. 但是 dànshì

<*conj.*> (*used to connect phrases, clauses or sentences*) but

❶ 这件衣服很漂亮，但是太贵。Zhè jiàn yīfu hěn piàoliang, dànshì tài guì. This dress is pretty, but it is too expensive. | ❷ 虽然她很漂亮，但是我不喜欢她。Suīrán tā hěn piàoliang, dànshì wǒ bù xǐhuan tā. She is very pretty, but I don't like her. | ❸ 虽然我们是好朋友，但是爱好不一样。Suīrán wǒmen shì hǎo péngyou, dànshì àihào bù yíyàng. Although we are good friends, we have different hobbies. | ❹ 我在北京住了十年了，但是我的中文还不太好。Wǒ zài Běijīng zhùle shí nián le, dànshì wǒ de Zhōngwén hái bú tài hǎo. I have been living in Beijing for 10 years, but I still cannot speak Chinese very well. | ❺ 虽然雨下得很大，但是他还是要回去。Suīrán yǔ xià de hěn dà, dànshì tā háishi yào huíqu. It's raining hard, but he still wants to go back.

19. 到 dào radical: 刂 strokes: 8

stroke order: 一 𠄌 五 䒑 至 至 到 到

<*v.*> ① arrive, reach

❶ 飞机已经到北京了。Fēijī yǐjīng dào Běijīng le. The plane has arrived in Beijing. | ❷ 夏天到了，天气热起来了。Xiàtiān dào le, tiānqì rè qǐlai le. As summer arrives, it's getting hot. | ❸ 我已经到公司了。Wǒ yǐjīng dào gōngsī le. I have already arrived at the company. | ❹ 快到七点了，我们走吧。Kuài dào qī diǎn le, wǒmen zǒu ba. It is almost 7 o'clock; let's go. | ❺ 大家已经到了二十多分钟了。Dàjiā yǐjīng dàole èrshí duō fēnzhōng le. We have been here for more than 20 minutes. | ❻ 从星期一到星期五我都有课。Cóng xīngqī yī dào xīngqī wǔ wǒ dōu yǒu kè. I have classes from Monday to Friday.

② go to, go towards

❶ 他到学校去了。Tā dào xuéxiào qù le. He has gone to school. | ❷ 他到商店买东西去了。Tā dào shāngdiàn mǎi dōngxi qù le. He went shopping at the store. | ❸ 同学们晚上都到我家来。Tóngxuémen wǎnshang dōu dào wǒ jiā lái. All my classmates will come to my home tonight. | ❹ 我一会儿要到火车站接一个朋友。Wǒ yíhuìr yào dào huǒchēzhàn jiē yí ge péngyou. I'll pick up a friend at the railway station a little later. | ❺ 他到过中国很多地方。Tā dàoguo Zhōngguó hěn duō dìfang. He has been to a lot of places in China.

③ *used as a resultative complement after a verb*

❶ 我把他送到火车站了。Wǒ bǎ tā sòngdào huǒchēzhàn le. I saw him off at the railway station. | ❷ 我已经买到飞机票了。Wǒ yǐjīng mǎidào fēijīpiào le. I have bought the plane ticket. | ❸ 我收到了妈妈的信。Wǒ shōudàole māma de xìn. I received my mother's letter. | ❹ 他回到了自己的国家。Tā huídàole zìjǐ de guójiā. He went back to his country. | ❺ 在中国，我吃到了很多好吃的菜。Zài Zhōngguó, wǒ chīdàole hěn duō hǎochī de cài. I had much delicious food in China. | ❻ 他做作业做到晚上十一点多。Tā zuò zuòyè zuòdào wǎnshang shíyī diǎn duō. He did his homework until after 11 p.m.

二级

20. 得 de radical: 彳 strokes: 11 stroke order: ノ ㇀ 彳 彳 彳 彳 彳 彳 彳 得 得

<part.> ① *used after a verb or an adjective to introduce a complement of state*

❶ 她长得非常漂亮。Tā zhǎng de fēicháng piàoliang. She is a beauty. | ❷ 他走得很快。Tā zǒu de hěn kuài. He walks very fast. | ❸ 他今天吃得比谁都多。Tā jīntiān chī de bǐ shéi dōu duō. He ate more than anyone else today. | ❹ 他唱歌唱得很好，大家都爱听。Tā chàng gē chàng de hěn hǎo, dàjiā dōu ài tīng.

He is such a good singer that everyone likes listening to his songs. | ❺ 大卫字写得很漂亮。Dàwèi zì xiě de hěn piàoliang. David has beautiful handwriting. | ❻ 这次活动安排得大家都满意。Zhè cì huódòng ānpái de dàjiā dōu mǎnyì. Everyone is satisfied with the activity arrangement.

② *used between a verb and the complement to indicate an ability or possibility*

❶ 这么多东西，你吃得完吗？Zhème duō dōngxi, nǐ chī de wán ma? Can you eat so much food? | ❷ 这个行李箱我拿得动，你不用帮我。Zhège xínglixiāng wǒ ná de dòng, nǐ búyòng bāng wǒ. You don't need to help me. I can carry this suitcase myself. | ❸ 这座山我爬得上去。Zhè zuò shān wǒ pá de shàngqu. I can climb the mountain. | ❹ 他十年前的小事也能想得起来。Tā shí nián qián de xiǎoshì yě néng xiǎng de qǐlái. He can even recall some trifles that happened ten years ago. | ❺ 你听得懂他说的话吗？Nǐ tīng de dǒng tā shuō de huà ma? Can you understand what he said? | ❻ 我说的话你记得住记不住？Wǒ shuō de huà nǐ jì de zhù jì bu zhù? Can you remember what I said?

[Note] It is also pronounced as "děi". See Level 4.

21. 等 děng radical: ⺮ strokes:12 stroke order:

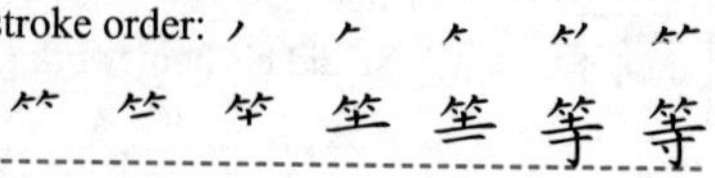

<*v.*> ① wait

❶ 别着急，我们等你。Dié zháojí, wǒmen děng nǐ. Don't worry; we are waiting for you. | ❷ 对不起，请等一下。Duìbuqǐ, qǐng děng yíxià. Sorry, please hold on. | ❸ 我在等公共汽车呢。Wǒ zài děng gōnggòng qìchē ne. I am waiting for the bus. | ❹ 快点儿，我等你半天了。Kuài diǎnr, wǒ děng nǐ bàntiān le. Hurry up. I have been waiting for you for a long time. | ❺ 买张报纸，等飞机的时候看。Mǎi zhāng bàozhǐ, děng fēijī de shíhou kàn. Buy a newspaper and read it while waiting for your flight. | ❻ 大家在等学校开学的通知。Dàjiā zài děng xuéxiào kāixué de tōngzhī. We are waiting for the notice about the start of the new semester. | ❼ 我们再等等她吧。Wǒmen zài děngdeng tā ba. Let's wait for her for a longer time. | ❽ 我们不能这么等下去了，打个电话吧。Wǒmen bù néng zhème děng xiàqu le, dǎ ge diànhuà ba. We can't wait any more; let's make a phone call.

② (*normally used with* "再") wait until

❶ 你等雨停了再走吧。Nǐ děng yǔ tíngle zài zǒu ba. Please don't go until the rain stops. | ❷ 等吃完饭再做作业吧。Děng chīwán fàn zài zuò zuòyè ba. You may do your homework after dinner. | ❸ 等我身体好了，我们一块儿去爬山。Děng wǒ shēntǐ hǎo le, wǒmen yíkuàir qù pá shān. Let's climb the mountain when I get better. | ❹ 这件事等明天我再告诉你。Zhè jiàn shì děng míngtiān wǒ zài gàosu nǐ. I won't tell you about it until tomorrow. | ❺ 我等毕业了再找女朋友。Wǒ děng bìyèle zài zhǎo nǚpéngyou. I will try to have a girlfriend after graduation.

22. 弟弟 dìdi

<*n.*> younger brother

❶ 她有一个弟弟、一个妹妹。Tā yǒu yí ge dìdi、yí ge mèimei. She has a younger brother and a younger sister. | ❷ 我弟弟现在是学生。Wǒ dìdi xiànzài shì xuésheng. My younger brother is a student. | ❸ 他弟弟今年十二岁。Tā dìdi jīnnián shí'èr suì. His younger brother is 12 years old. | ❹ 我没有弟弟。Wǒ méiyǒu dìdi. I don't have a younger brother. | ❺ 弟弟的个子比哥哥高。Dìdi de gèzi bǐ gēge gāo. The younger brother is taller than his elder brother. | ❻ 我弟弟比我小两岁。Wǒ dìdi bǐ wǒ xiǎo liǎng suì. My younger brother is two years younger than I.

23. 第一 dì-yī

<*num.*> the first, No.1

❶ 他每次游泳比赛都是第一。Tā měi cì yóuyǒng bǐsài dōu shì dì-yī.

He ranks the first in every swimming competition. | ❷ 今天我是第一个到学校的。Jīntiān wǒ shì dì-yī ge dào xuéxiào de. Today I was the first one to get to the school.| ❸ 现在我们学习第一课。Xiànzài wǒmen xuéxí dì-yī kè. Now let's study Lesson 1. | ❹ 我先回答第一个问题。Wǒ xiān huídá dì-yī ge wèntí. Let me answer the first question first. | ❺ 这次考试大卫第一，我第二。Zhè cì kǎoshì Dàwèi dì-yī, wǒ dì-èr. David ranked the first and I came the second in the exam. | ❻ 这次考试谁是第一名？ Zhè cì kǎoshì shéi shì dì-yī míng? Who ranked the first in the exam?

24. 懂 dǒng radical: 忄 strokes:15 stroke order: 丶 丷 忄 忄一 忄艹 忄艹 忄艹 忄艹 忄艹 忄苦 忄普 忄菁 忄菫 忄菫 懂

<*v.*> understand

❶ 你的意思我懂了。Nǐ de yìsi wǒ dǒng le. I understand what you mean. | ❷ 他懂汉语，你可以跟他说汉语。Tā dǒng Hànyǔ, nǐ kěyǐ gēn tā shuō Hànyǔ. He knows Chinese, so you can speak Chinese with him. | ❸ 这个词你懂不懂没关系。Zhège cí nǐ dǒng bù dǒng méi guānxi. It doesn't matter whether you know this word or not. | ❹ 我不太懂你说的话。Wǒ bú tài dǒng nǐ shuō de huà. I don't quite understand what you said. | ❺ 这本书太难了，我看不懂。Zhè běn shū tài nán le, wǒ kàn bu dǒng. The book is too difficult for me to understand. | ❻ 你放心，我听得懂。Nǐ fàngxīn, wǒ tīng de dǒng. Relax. I understand what you said.

25. 对（對）duì radical: 又 strokes: 5

stroke order: フ 又 又一 对 对

<*prep.*> ① to (someone), for (someone)

❶ 老师对我们很关心。Lǎoshī duì wǒmen hěn guānxīn. The teacher cares about us very much. | ❷ 出租车司机对我们非常热情。Chūzūchē sījī duì wǒmen fēicháng rèqíng. The taxi driver was very hospitable to us. | ❸ 他们对你怎么样？Tāmen duì nǐ zěnmeyàng? How did they treat you? | ❹ 这是大家对你的评价。Zhè shì dàjiā duì nǐ de píngjià. This is our comments on you. | ❺ 他对孩子们很好。Tā duì háizimen hěn hǎo. He is very nice to the kids. | ❻ 我们对他非常了解。Wǒmen duì tā fēicháng liǎojiě. We know him very well.

② on (something), about (something), for (someone)

❶ 对这个问题，你有什么看法？Duì zhège wèntí, nǐ yǒu shénme kànfǎ? What's your opinion on this issue? | ❷ 对我来说，汉语很难学。Duì wǒ lái shuō, Hànyǔ hěn nán xué. For me, Chinese is difficult to learn. | ❸ 我对这些情况还不太清楚。Wǒ duì zhèxiē qíngkuàng hái bú tài qīngchu. I am not very clear about these things. | ❹ 吸烟对身体没有好处。Xī yān duì shēntǐ méiyǒu hǎochù. Smoking does no good to your health. | ❺ 大家对食品价格问题十分关心。Dàjiā duì shípǐn jiàgé wèntí shífēn guānxīn. People are very concerned about food prices.

二级

26. 房间（房間）fángjiān

<*n.*> room

❶ 我住 205 房间。Wǒ zhù 205 fángjiān. I live in Room 205. | ❷ 我们两个人住一个房间。Wǒmen liǎng ge rén zhù yí ge fángjiān. We two share a room. | ❸ 房间里有空调和电视吗？Fángjiān li yǒu kōngtiáo hé diànshì ma? Is there an air conditioner and TV in the room? | ❹ 我的电脑放在房间里了，我现在去拿。Wǒ de diànnǎo fàng zài fángjiān li le, wǒ xiànzài qù ná. I left my computer in the room and I'll come and get it now. | ❺ 你能到我的房间来一下吗？Nǐ néng dào wǒ de fángjiān lái yíxià ma? Can you come to my room? | ❻ 这些房间打扫得很干净。Zhèxiē fángjiān dǎsǎo de hěn gānjìng. The rooms are very well cleaned.

27. 非常 fēicháng

<*adv.*> very, quite

❶ 他最近非常忙。Tā zuìjìn fēicháng máng. He has been very busy lately. | ❷ 他妹妹非常漂亮。Tā mèimei fēicháng piàoliang. His younger sister is very pretty. | ❸ 这个房间非常干净。Zhège fángjiān fēicháng gānjìng. This room is spotlessly clean. | ❹ 他的汉语说得非常好。Tā de Hànyǔ shuō de fēicháng hǎo. He speaks Chinese pretty well. | ❺ 我今天非常高兴。Wǒ jīntiān fēicháng gāoxìng. I am very happy today. | ❻ 同学们都非常喜欢张老师。Tóngxuémen dōu fēicháng xǐhuan Zhāng lǎoshī. All the students like Mr. Zhang very much. | ❼ 大卫非常能喝酒。Dàwèi fēicháng néng hē jiǔ. David is a good drinker.

28. 服务员（服務員）fúwùyuán

<*n.*> waiter, waitress

❶ 这个饭店的服务员很热情。Zhège fàndiàn de fúwùyuán hěn rèqíng. The waitresses in this restaurant are hospitable. | ❷ 服务员，请来一杯啤酒。Fúwùyuán, qǐng lái yì bēi píjiǔ. Waitress, a glass of beer, please. | ❸ 我是这里的服务员，有事请叫我。Wǒ shì zhèli de fúwùyuán, yǒu shì qǐng jiào wǒ. I am the waiter here; please let me know if you need anything. | ❹ 这个小饭馆只有两名服务员。Zhège xiǎo fànguǎn zhǐ yǒu liǎng míng fúwùyuán. There are only two waitresses in this small restaurant. | ❺ 这家饭店的女服务员很多。Zhè jiā fàndiàn de nǚ fúwùyuán hěn duō. There are a lot of waitresses in this restaurant. | ❻ 服务员，请过来一下。Fúwùyuán, qǐng guòlai yíxià. Waiter, come here, please.

29. 高 gāo radical: 高 strokes: 10

stroke order: 丶 亠 亠 亠 亠 亠 高 高 高 高

<adj.> (*as opposed to “short” and “low”*) high, tall

❶ 他个子很高。Tā gèzi hěn gāo. He is tall. | ❷ 这座大楼太高了。Zhè zuò dàlóu tài gāo le. This is a real skyscraper. | ❸ 我住得很高，在三十层。Wǒ zhù de hěn gāo, zài sānshí céng. I live on the 30th floor. | ❹ 他比我高很多。Tā bǐ wǒ gāo hěn duō. He is much taller than I. | ❺ 一年没见，这孩子高了。Yì nián méi jiàn, zhè háizi gāo le. The kid is getting taller than when I saw him a year ago.

<*n.*> height, altitude

❶ 他有两米高。Tā yǒu liǎng mǐ gāo. He is two meters tall. | ❷ 那座山高五千米。Nà zuò shān gāo wǔ qiān mǐ. The mountain is 5000 meters high. | ❸ 这个房间高四米。Zhège fángjiān gāo sì mǐ. The room is 4 meters high. | ❹ 这棵小树只有两米高。Zhè kē xiǎo shù zhǐ yǒu liǎng mǐ gāo. The small tree is only 2 meters tall.

30. 告诉（告訴）gàosu

<*v.*> tell, let know

❶ 我想告诉你一件事。Wǒ xiǎng gàosu nǐ yí jiàn shì. I'll tell you something. | ❷ 你为什么不高兴，能告诉我吗？Nǐ wèi shénme bù gāoxìng, néng gàosu wǒ ma? Could you tell me why you are unhappy? | ❸ 你生病的事，我告诉了老师。Nǐ shēngbìng de shì, wǒ gàosule lǎoshī. I've told the teacher that you are sick. | ❹ 我告诉你们一个好消息。Wǒ gàosu nǐmen yí ge hǎo xiāoxi. Let me tell you a piece of good news. | ❺ 这件事你知道就可以了，不要告诉别人。Zhè jiàn shì nǐ zhīdào jiù kěyǐ le, búyào gàosu biéren. Now you know it, but don't tell anyone else. | ❻ 我告诉你，小王下个月结婚。Wǒ gàosu nǐ, Xiǎo Wáng xià ge yuè jiéhūn. Let me tell you something. Xiao Wang will get married next month. | ❼ 你的情况他已经都告诉我了。Nǐ de qíngkuàng tā yǐjīng dōu gàosu wǒ le. He has told me everything about you.

31. 哥哥 gēge

<*n.*> elder brother

❶ 她有一个哥哥，一个姐姐。Tā yǒu yí ge gēge, yí ge jiějie. She has an elder brother and an elder sister. | ❷ 我哥哥已经上大学了。Wǒ gēge yǐjīng shàng dàxué le. My elder brother has already been in college. | ❸ 他哥哥今年二十四岁。Tā gēge jīnnián èrshísì suì. His elder brother is 24 years old. | ❹ 我没有哥哥，只有一个弟弟。Wǒ méiyǒu gēge, zhǐ yǒu yí ge dìdi. I don't have an elder brother, but only a younger brother. | ❺ 我哥哥比我大两岁。Wǒ gēge bǐ wǒ dà liǎng suì. My elder brother is two years older than I. | ❻ 这是我哥哥的汽车。Zhè shì wǒ gēge de qìchē. This is my elder brother's car.

32. 给（給）gěi radical: 纟 strokes: 9

stroke order: ㇜ 纟 纟 纟 纟 纟 纟 给 给

<*v.*> give

❶ 爸爸给了我一个照相机。Bàba gěile wǒ yí ge zhàoxiàngjī. Dad gave me a camera. | ❷ 父母每个月都给我钱。Fùmǔ měi ge yuè dōu gěi wǒ qián. My parents give me money every month. | ❸ 这本书你帮我还给大卫。Zhè běn shū nǐ bāng wǒ huángěi Dàwèi. Please help me return this book to David. | ❹ 给我一杯水吧。Gěi wǒ yì bēi shuǐ ba. Could you get me a glass of water? | ❺ 以前他给过我很多帮助。Yǐqián tā gěiguo wǒ hěn duō bāngzhù. He used to help me a lot. | ❻ 我给过她三次生日礼物了，这次不知道买什么好。Wǒ gěiguo tā sān cì shēngrì lǐwù le, zhè cì bù zhīdào mǎi shénme hǎo. I bought her birthday gifts three times before, and I don't know what I shall buy this time.

<*prep.*> for

❶ 给我看一下。Gěi wǒ kàn yíxià. Let me have a look. | ❷ 我想给她买一份好的生日礼物。Wǒ xiǎng gěi tā mǎi yí fèn hǎo de shēngrì lǐwù. I want to buy her a nice birthday gift. | ❸ 老师在给学生们上课呢。Lǎoshī zài gěi xuéshengmen shàngkè ne. The teacher is giving a lecture to her students.

33. 公共汽车（公共汽車）gōnggòng qìchē

<*n.*> bus

❶ 我们坐公共汽车去吧。Wǒmen zuò gōnggòng qìchē qù ba. Let's go there by bus. | ❷ 9路公共汽车经过我家门口。9 lù gōnggòng qìchē jīngguò wǒ jiā ménkǒu. Bus No. 9 goes by my house. | ❸ 我家离公共汽车站很近。Wǒ jiā lí gōnggòng qìchēzhàn hěn jìn. My home is very close to the bus stop. | ❹ 从我家到学校，坐公共汽车要二十分钟。Cóng wǒ jiā dào xuéxiào, zuò gōnggòng qìchē yào èrshí fēnzhōng. It takes me 20 minutes to take a bus to the school from my home. | ❺ 你下了公共汽车就一直往前走。Nǐ xiàle gōnggòng qìchē jiù yìzhí wǎng qián zǒu. After get off the bus, walk ahead. | ❻ 公共汽车上人太多，我上不去。Gōnggòng qìchē shang rén tài duō, wǒ shàng bu qù. There were so many people on the bus that I couldn't get on it.

二级

34. 公斤 gōngjīn

<*m.*> kilogram

❶ 我买了两公斤苹果，一公斤香蕉。Wǒ mǎile liǎng gōngjīn píngguǒ, yì gōngjīn xiāngjiāo. I bought two kilograms of apples and one kilogram of bananas. | ❷ 我现在八十公斤了，有点儿胖。Wǒ xiànzài bāshí gōngjīn le, yǒudiǎnr pàng. Weighing 80 kilograms, I'm a little overweight. | ❸ 这些大米有多少公斤？Zhèxiē dàmǐ yǒu duōshao gōngjīn? How many kilograms does the rice weigh? | ❹ 这辆自行车有十公斤重。Zhè liàng zìxíngchē yǒu shí gōngjīn zhòng. This bicycle weighs 10 kilograms. | ❺ 这个行李箱重十五公斤。Zhège xínglixiāng zhòng shíwǔ gōngjīn. This suitcase weighs 15 kilograms.

35. 公司 gōngsī

<*n.*> company

❶ 我在一家电脑公司工作。Wǒ zài yì jiā diànnǎo gōngsī gōngzuò. I work in a computer company. | ❷ 他早上七点就去公司了。Tā zǎoshang qī diǎn jiù qù gōngsī le. He went to the company at 7 a.m. | ❸ 我爸爸是公司经理。Wǒ bàba shì gōngsī jīnglǐ. My dad is a manager of the company. | ❹ 他在电脑公司工作八年了。Tā zài diànnǎo gōngsī gōngzuò bā nián le. He has been working in the computer company for 8 years. | ❺ 他毕业后，去了一家大公司工作。Tā bìyè hòu, qùle yì jiā dà gōngsī gōngzuò. He was employed by a big company after graduation. | ❻ 我们公司离市中心很远。Wǒmen gōngsī lí shì zhōngxīn hěn yuǎn. The company we work for is quite far away from the downtown.

二级

36. 贵（貴）guì radical: 贝 strokes: 9

stroke order: ` 口 口 中 虫 冉 冉 贵 贵

<*adj.*> expensive

❶ 这里的东西都很贵。Zhèli de dōngxi dōu hěn guì. All the stuff sold here is expensive. | ❷ 这个包太贵了，能便宜点儿吗？ Zhège bāo tài guì le, néng piányi diǎnr ma? The bag is too expensive. Can you sell it at a lower price? | ❸ 这条裤子一点儿也不贵。Zhè tiáo kùzi yìdiǎnr yě bú guì. This pair of pants is not expensive at all. | ❹ 这台电脑贵得很，我不想买。Zhè tái diànnǎo guì de hěn, wǒ bù xiǎng mǎi. This computer is sold at an outrageous price. I don't want to buy it. | ❺ 你觉得这双鞋贵不贵？ Nǐ juéde zhè shuāng xié guì bú guì? Do you think this pair of shoes expensive or not?

37. 过（過）guo radical: 辶 strokes: 6

stroke order: 一 十 寸 寸 讨 过

<*part.*> ① *used after a verb indicating a past experience*

❶ 我去过一次北京。Wǒ qùguo yí cì Běijīng. I have been to Beijing once. | ❷ 我吃过两次法国菜。Wǒ chīguo liǎng cì Fǎguócài. I have eaten French food twice. | ❸ 这个电影我看过，很好看。Zhège diànyǐng wǒ kànguo, hěn hǎokàn. I saw this movie. It was fascinating. | ❹ 这件事他从来没告诉过我。Zhè jiàn shì tā cónglái méi gàosuguo wǒ. He has never told me about it. | ❺ 他喜欢旅游，去过很多地方。Tā xǐhuan lǚyóu, qùguo hěn duō dìfang. He likes travelling and has been to a lot of places. | ❻ 我上过李老师的课，很有意思。Wǒ shàngguo Lǐ lǎoshī de kè, hěn yǒu yìsi. I've had Mr. Li's lecture. It was interesting.

② *used after a verb indicating completion*

❶ 我已经吃过饭了。Wǒ yǐjīng chīguo fàn le. I have had my meal. | ❷ 这件衣服刚刚洗过。Zhè jiàn yīfu gānggāng xǐguo. This garment has just been washed. | ❸ 小王来过没有？ Xiǎo Wáng láiguo méiyǒu? Did Xiao Wang come? | ❹ 这个问题我问过老师以后再告诉你。Zhège wèntí wǒ wènguo lǎoshī yǐhòu zài gàosu nǐ. I'll tell you the answer to the question after I ask the teacher. | ❺ 你想过这是为什么吗？ Nǐ xiǎngguo zhè shì wèi shénme ma? Have you ever wondered why?

[Note] It is also pronounced as "guò". See Level 4.

38. 还（還）hái radical: 辶 strokes: 7

stroke order: 一 丆 不 不 `不 还 还

<*adv.*> ① also, too, in addition

❶ 他会唱歌，还会跳舞。Tā huì chàng gē, hái huì tiàowǔ. He can not only

二级

sing, but also dance. | ❷ 我买了三瓶啤酒、一个面包，还买了两斤水果。Wǒ mǎile sān píng píjiǔ、yí ge miànbāo, hái mǎile liǎng jīn shuǐguǒ. I bought three bottles of beer, a piece of bread, and a kilo of fruits. | ❸ 他会说英语，还会说汉语和日语。Tā huì shuō Yīngyǔ, hái huì shuō Hànyǔ hé Rìyǔ. He can not only speak English, but also Chinese and Japanese. | ❹ 我明天去看一位朋友，还想去书店买些书。Wǒ míngtiān qù kàn yí wèi péngyou, hái xiǎng qù shūdiàn mǎi xiē shū. I will visit a friend and buy some books in the bookstore tomorrow. | ❺ 你还要别的吗？ Nǐ hái yào bié de ma? Do you need anything else?

② still, yet

❶ 已经是上午十点了，他还在睡觉。Yǐjīng shì shàngwǔ shí diǎn le, tā hái zài shuìjiào. It's already 10 a.m., and he is still sleeping. | ❷ 别人都休息了，王老师还在工作。Diéren dōu xiūxi le, Wáng lǎoshī hái zài gōngzuò. Mr. Wang is still working when others are resting. | ❸ 他生病一个星期了，现在还没好。Tā shēngbìng yí ge xīngqī le, xiànzài hái méi hǎo. He has been sick for a week, and he still hasn't recovered yet. | ❹ 他快四十岁了，还没结婚。Tā kuài sìshí suì le, hái méi jiéhūn. He is almost 40 years old, but he is still single. | ❺ 十年过去了，她还那么漂亮。Shí nián guòqu le, tā hái nàme piàoliang. 10 years have passed; she is still so beautiful.

③ (*used before an adjective indicating a higher degree*) even more, still more

❶ 今天比昨天还热。Jīntiān bǐ zuótiān hái rè. Today is even hotter than yesterday. | ❷ 弟弟比哥哥还高。Dìdi bǐ gēge hái gāo. The younger brother is even taller than his elder brother. | ❸ 这里的公共汽车比自行车还慢。Zhèli de gōnggòng qìchē bǐ zìxíngchē hái màn. Buses here are even slower than bicycles. | ❹ 女儿比妈妈还漂亮。Nǚ'ér bǐ māma hái piàoliang. The daughter is even more beautiful than her mother.

[Note] It is also pronounced as "huán". See Level 3 on page 258.

39. 孩子 háizi

<*n.*> child, kid

❶ 这孩子真聪明。Zhè háizi zhēn cōngming. This kid is so smart. | ❷ 王老师有两个孩子。Wáng lǎoshī yǒu liǎng ge háizi. Mr. Wang has two children. | ❸ 我很喜欢这些孩子。Wǒ hěn xǐhuan zhèxiē háizi. I like these kids very much. | ❹ 他天天跟孩子们在一起。Tā tiāntiān gēn háizimen zài yìqǐ. He stays with the kids every day. | ❺ 我要给孩子买个新年礼物。Wǒ yào gěi háizi mǎi ge xīnnián lǐwù. I want to buy the kid a new year gift. | ❻ 星期天我要带孩子去公园玩儿。Xīngqītiān wǒ yào dài háizi qù gōngyuán wánr. I'll take my child to the park on Sunday.

40. 好吃 hǎochī

<*adj.*> delicious

❶ 中国菜很好吃。Zhōngguócài hěn hǎochī. Chinese food is delicious. | ❷ 你做的菜太好吃了。Nǐ zuò de cài tài hǎochī le. You are a great cook! | ❸ 你要觉得好吃，就多吃一点儿。Nǐ yào juéde hǎochī, jiù duō chī yìdiǎnr. Eat more if you like it. | ❹ 这么多好吃的菜！Zhème duo hǎochī de cài! So much delicious food! | ❺ 这个面包不太好吃。Zhège miànbāo bú tài hǎochī. The bread doesn't taste good. | ❻ 这个西瓜好吃得很，你尝尝。Zhège xīguā hǎochī de hěn, nǐ chángchang. The watermelon is yummy. Please taste it.

二级

41. 号（號）hào radical: 口 strokes: 5

stroke order: 丨 ㄇ 口 口 号

<*n.*> ① *used to indicate a date of the month*

❶ 今天是三月二十七号。Jīntiān shì sān yuè èrshíqī hào. Today is March 27th. | ❷ 请问，明天几号？Qǐngwèn, míngtiān jǐ hào? Excuse me, what is the date tomorrow? | ❸ 我们二十号有考试。Wǒmen èrshí hào yǒu kǎoshì. We'll have an exam on the 20th. | ❹ 我五月十九号去意大利旅行。Wǒ wǔ yuè shíjiǔ hào qù Yìdàlì lǚxíng. I'll travel to Italy on May 19th. | ❺ 你几号回中国？ Nǐ jǐ hào huí Zhōngguó? When will you come back to China?

② *used after a numeral to mark the order*

❶ 我住十号楼。Wǒ zhù shí hào lóu. I live in Building 10. | ❷ 你住多少号房间？ Nǐ zhù duōshao hào fángjiān? What is your room number? | ❸ 我的房间号是204。Wǒ de fángjiānhào shì 204. I live in Room 204. | ❹ 去电影院看电影一般要对号入座。Qù diànyǐngyuàn kàn diànyǐng yìbān yào duìhào rùzuò. We usually take the seats according to the numbers on our movie tickets.

③ size

❶ 我穿三十七号鞋。Wǒ chuān sānshíqī hào xié. My shoe size is 37. | ❷ 你的鞋是多大号的？ Nǐ de xié shì duō dà hào de? What size of shoes do you wear? | ❸ 这件衣服是大号还是中号的？ Zhè jiàn yīfu shì dà hào háishi zhōng hào de? Is this garment a large size or medium size? | ❹ 四十号的鞋我穿不了，太大了。Sìshí hào de xié wǒ chuān bu liǎo, tài dà le. Shoes in size 40 are too big for me. | ❺ 对不起，我们没有小号的衬衫了。Duìbuqǐ, wǒmen méiyǒu xiǎo hào de chènshān le. Sorry, we don't have the small size shirts.

42. 黑 hēi radical: 黑 strokes: 12 stroke order: 丨 冂 冂 罒 四 甲 甲 里 里 黑 黑 黑

<*adj.*> ① black

❶ 他穿着一件黑衬衫。Tā chuānzhe yí jiàn hēi chènshān. He is wearing a black shirt. | ❷ 我爱喝这种黑啤酒。Wǒ ài hē zhè zhǒng hēi píjiǔ. I like drinking black beer. | ❸ 那辆黑颜色的汽车是我的。Nà liàng hēi yánsè de qìchē shì wǒ de. That black car is mine. | ❹ 我喜欢红色，不喜欢黑色。Wǒ xǐhuan hóngsè, bù xǐhuan hēisè. I like red, not black. | ❺ 他的脸黑黑的，人瘦瘦的。Tā de liǎn hēihēi de, rén shòushòu de. His face is dark and looks skinny. | ❻ 这件黑衣服你穿着很合适。Zhè jiàn hēi yīfu nǐ chuānzhe hěn héshì. This black jacket fits you well.

② dark

❶ 天快黑了，我们快点儿走吧。Tiān kuài hēi le, wǒmen kuài diǎnr zǒu ba. It's getting dark. Let's hurry. | ❷ 屋子里很黑，开开灯吧。Wūzi li hěn hēi, kāikai dēng ba. It's very dark in the room. Please turn on the light. | ❸ 天黑下来后，路灯亮了。Tiān hēi xiàlai hòu, lùdēng liàng le. After it's getting dark, all the street lamps are on.

43. 红（紅）hóng radical: 纟 strokes: 6

stroke order: ㄥ 纟 纟 纟 纟 红 红

<*adj.*> red

❶ 她穿着一件红衬衫。Tā chuānzhe yí jiàn hóng chènshān. She is wearing a read blouse. | ❷ 我爱吃这种红苹果。Wǒ ài chī zhè zhǒng hóng píngguǒ. I like eating this kind of red apples. | ❸ 那辆红颜色的汽车是我妹妹的。Nà liàng hóng yánsè de qìchē shì wǒ mèimei de. That red car is my younger sister's. | ❹ 我喜欢红色，不喜欢黑色。Wǒ xǐhuan hóngsè, bù xǐhuan hēisè. I like red, not black. | ❺ 他一喝酒脸就红。Tā yì hē jiǔ liǎn jiù hóng. His face turned red after drinking. | ❻ 这件红衣服你穿着很漂亮。Zhè jiàn hóng yīfu nǐ chuānzhe hěn piàoliang. You look great in this red dress. | ❼ 她的嘴红红的，眼睛大大的。Tā de zuǐ hónghóng de, yǎnjing dàdà de. She has red lips and big eyes. | ❽ 我喜欢看北京香山的红叶。Wǒ xǐhuan kàn Běijīng Xiāng Shān de hóngyè. I like watching the red leaves on the Fragrance Hill.

44. 欢迎（歡迎）huānyíng

<*v.*> welcome

❶ 欢迎你们来到北京。Huānyíng nǐmen láidào Běijīng. Welcome to Beijing. | ❷ 主人站在门口，欢迎我们。Zhǔrén zhàn zài ménkǒu, huānyíng wǒmen. The host greeted us at the gate. | ❸ 现在欢迎玛丽给大家唱歌。Xiànzài huānyíng Mǎlì gěi dàjiā chàng gē. Now let's welcome Mary to sing a song for us now. | ❹ 让我们欢迎这位新老师。Ràng wǒmen huānyíng zhè wèi xīn lǎoshī. Let's welcome this new teacher! | ❺ 对你们的到来，我表示热烈欢迎。Duì nǐmen de dàolái, wǒ biǎoshì rèliè huānyíng. I'd like to extend my warm welcome to you all!

45. 回答 huídá

二级

<*v.*> reply, answer

❶这个问题请你回答。Zhège wèntí qǐng nǐ huídá. Please answer this question. | ❷ 谁能回答这个问题？Shéi néng huídá zhège wèntí? Who can answer this question? | ❸ 我刚问完，他就回答出来了。Wǒ gāng wènwán, tā jiù huídá chūlai le. He answered the question right after I asked it. | ❹ 他回答得很快。Tā huídá de hěn kuài. He answered quickly. | ❺ 我已经回答过你的问题了。Wǒ yǐjīng huídáguo nǐ de wèntí le. I have already answered your question. | ❻他回答了记者的提问。Tā huídále jìzhě de tíwèn. He answered all the questions of the journalist. | ❼ 这个问题很难，我回答不出来。Zhège wèntí hěn nán, wǒ huídá bu chūlái. This question is too difficult for me to answer.

<*n.*> answer, reply

❶ 她的回答我很满意。Tā de huídá wǒ hěn mǎnyì. I am satisfied with her answer. | ❷ 我们在等你的回答。Wǒmen zài děng nǐ de huídá. We are waiting for your answer. | ❸ 你的回答太简单了。Nǐ de huídá tài jiǎndān le. Your answer is too simple. | ❹ 这样的回答是不负责任的。Zhèyàng de huídá shì bú fù zérèn de. This is an irresponsible reply. | ❺ 她的回答非常明确。Tā de huídá fēicháng míngquè. Her answer is very clear.

46. 机场（機場）jīchǎng

<*n.*> airport

❶（在出租车上）师傅，我去机场。(zài chūzūchē shang) Shīfu, wǒ qù jīchǎng. (*In a taxi*) To the airport, please. | ❷ 我下飞机后在机场等你吧。Wǒ xià fēijī hòu zài jīchǎng děng nǐ ba. I'll wait for you after I get off the plane at the airport. | ❸ 从机场到学校坐出租车要多长时间？Cóng jīchǎng dào xuéxiào zuò chūzūchē yào duō cháng shíjiān? How long does it take you to go to the school from the airport by taxi? | ❹ 出了机场往前走，就有出租车。Chūle jīchǎng wǎng qián zǒu, jiù yǒu chūzūchē. Go out of the airport and walk ahead, then you'll see some taxis. | ❺ 我们两点到达了北京首都国际机场。Wǒmen liǎng diǎn dàodále Běijīng Shǒudū Guójì Jīchǎng. We arrived at Beijing Capital International Airport at 2 o'clock.

二级

47. 鸡蛋（鷄蛋）jīdàn

<*n.*> egg

❶ 我每天早晨吃一个鸡蛋。Wǒ měi tiān zǎochen chī yí ge jīdàn. I eat an egg every morning. | ❷ 师傅，鸡蛋多少钱一斤？Shīfu, jīdàn duōshao qián yì jīn? How much is half a kilo of eggs? | ❸ 家里没鸡蛋了，你去买几斤吧。Jiāli méi jīdàn le, nǐ qù mǎi jǐ jīn ba. There are no eggs at home. Please go to buy some. | ❹ 他不爱吃鸡蛋。Tā bú ài chī jīdàn. He doesn't like eggs. | ❺ 我爱吃西红柿炒鸡蛋。Wǒ ài chī xīhóngshì chǎo jīdàn. I like stir fried tomatoes with scrambled eggs. | ❻ 早餐我常吃面包和牛奶，有时也吃包子、鸡蛋和粥。Zǎocān wǒ cháng chī miànbāo hé niúnǎi, yǒushí yě chī bāozi、jīdàn hé zhōu. I often eat bread and milk for breakfast, but sometimes I also have steamed stuffed buns, eggs and porridge.

48. 件 jiàn radical: 亻 strokes: 6

stroke order: ノ 亻 仁 仁 仁 件

<m.> a measure word for clothes, gifts, furniture or issues, etc.

❶ 这件衣服很漂亮。Zhè jiàn yīfu hěn piàoliang. This garment is beautiful. | ❷ 我买了两件衬衫。Wǒ mǎile liǎng jiàn chènshān. I bought two shirts. | ❸ 这件事很重要，你别忘了。Zhè jiàn shì hěn zhòngyào, nǐ bié wàng le. This is an important thing. Please don't forget it. | ❹ 她过生日时，我送了她一件礼物。Tā guò shēngrì shí, wǒ sòngle tā yí jiàn lǐwù. I gave her a gift on her birthday. | ❺ 我现在有好几件事要办。Wǒ xiànzài yǒu hǎojǐ jiàn shì yào bàn. I have several things to do now. | ❻ 下午我想去商店买两件家具。Xiàwǔ wǒ xiǎng qù shāngdiàn mǎi liǎng jiàn jiājù. I want to buy two pieces of furniture at the store this afternoon.

二级

49. 教室 jiàoshì

<*n.*> classroom

❶ 我们的教室在哪儿？ Wǒmen de jiàoshì zài nǎr? Where is our classroom? | ❷ 这个教室可以坐二十个人。Zhège jiàoshì kěyǐ zuò èrshí ge rén. This classroom can sit 20 people. | ❸ 我们在 306 教室上课。Wǒmen zài 306 jiàoshì shàngkè. We have our classes in Room 306. | ❹ 他每次上课都坐在教室的最前边。Tā měi cì shàngkè dōu zuò zài jiàoshì de zuì qiánbian. He sits in the front row of the classroom whenever he takes a lecture. | ❺ 听力教室在三楼。Tīnglì jiàoshì zài sān lóu. The listening lab is on the 3rd floor. | ❻ 这是一间大教室，可以坐二百人。Zhè shì yì jiān dà jiàoshì, kěyǐ zuò èrbǎi rén. This is a big classroom which can sit 200 people.

50. 姐姐 jiějie

<*n.*> elder sister

❶ 他有一个姐姐，一个妹妹。Tā yǒu yí ge jiějie, yí ge mèimei. He has an elder sister and a younger sister. | ❷ 我姐姐已经上大学了。Wǒ jiějie yǐjīng shàng dàxué le. My elder sister has gone to college. | ❸ 我姐姐今年二十四岁。Wǒ jiějie jīnnián èrshísì suì. My elder sister is 24 years old. | ❹ 我没有姐姐，只有一个弟弟。Wǒ méiyǒu jiějie, zhǐ yǒu yí ge dìdi. I don't have an elder sister, but I have a younger brother. | ❺ 我姐姐比我大两岁。Wǒ jiějie bǐ wǒ dà liǎng suì. My sister is two years older than I. | ❻ 这是我姐姐的自行车。Zhè shì wǒ jiějie de zìxíngchē. This is my elder sister's bicycle.

51. 介绍（介紹）jièshào

<*v.*> introduce

❶ 我来介绍一下，这是大卫。Wǒ lái jièshào yíxià, zhè shì Dàwèi. Let me introduce you. This is David. | ❷ 请你介绍一下自己。Qǐng nǐ jièshào yíxià zìjǐ. Please introduce yourself. | ❸ 我给你们介绍一下。Wǒ gěi nǐmen jièshào yíxià. Let me make an introduction. | ❹ 这本书介绍了中国的历史。Zhè běn shū jièshàole Zhōngguó de lìshǐ. This book introduces Chinese history. | ❺ 我向大家介绍一下这本书。Wǒ xiàng dàjiā jièshào yíxià zhè běn shū. Let me introduce this book to you. | ❻ 来，我给你们介绍介绍。Lái, wǒ gěi nǐmen jièshào jièshào. Come on, let me give you an introduction.

二级

52. 进（進）jìn radical: 辶 strokes: 7

stroke order: 一 二 キ 井 `井 讲 进

<*v.*> ① (*as opposed to "go out"*) enter

❶（听到敲门声）请进。(tīngdào qiāo mén shēng) Qǐng jìn. (*After hearing the knocking on the door*) Come in, please. | ❷ 他进自己的房间了。Tā jìn zìjǐ de fángjiān le. He went into his own room. | ❸ 他进了办公室就开始打电话。Tā jìnle bàngōngshì jiù kāishǐ dǎ diànhuà. He started to make phone calls as soon as he went into his office. | ❹ 我看见她进了一个饭馆。Wǒ kànjiàn tā jìnle yí ge fànguǎn. I saw her going into a restaurant. | ❺ 我的钥匙丢了，进不了屋了。Wǒ de yàoshi diū le, jìn bu liǎo wū le. I lost my key and can't get into the house. | ❻ 请大家进屋来坐吧。Qǐng dàjiā jìn wū lái zuò ba. Hello, everyone! Please come in and take a seat.

② *used after a verb as a directional complement*

❶ 他把手机放进了包里。Tā bǎ shǒujī fàngjìnle bāo li. He put his cellphone into the bag. | ❷ 他迟到了，偷偷地走进了教室。Tā chídào le, tōutōu de zǒujìnle jiàoshì. He was late, so he sneaked into the classroom. | ❸ 他把菜都放进冰箱里了。Tā bǎ cài dōu fàngjìn bīngxiāng li le. He put all the vegetables into the fridge. | ❹ 他一脚把球踢进了球门。Tā yì jiǎo bǎ qiú tījìnle qiúmén. He kicked the ball into the goal.

53. 近 jìn radical: 辶 strokes: 7 stroke order: 丿 厂 斤 斤 丶斤 䜣 近

<adj.> close

❶ 我家离学校很近。Wǒ jiā lí xuéxiào hěn jìn. My home is near the school. | ❷ 从这儿到商场很近，我们走着去吧。Cóng zhèr dào shāngchǎng hěn jìn, wǒmen zǒuzhe qù ba. It's very near from here to the shopping mall. Let's walk there. | ❸ 他们俩住得特别近，所以每天一起上班。Tāmen liǎ zhù de tèbié jìn, suǒyǐ měi tiān yìqǐ shàngbān. They live near each other, so they go to work together every day. | ❹ 请你走近一点儿。Qǐng nǐ zǒujìn yìdiǎnr. Please come closer. | ❺ 近几天他很忙。Jìn jǐ tiān tā hěn máng. He has been very busy these days. | ❻ 你知道离这儿最近的银行在哪儿吗？Nǐ zhīdào lí zhèr zuì jìn de yínháng zài nǎr ma? Do you know where the nearest bank is?

54. 就 jiù radical: 亠 strokes: 12 stroke order: 丶 亠 亠 亡 亡 亨 亨 京 京 京 就 就 就

<*adv.*> ① at once, right away

❶ 我马上就来。Wǒ mǎshàng jiù lái. I'll come right now. | ❷ 我们一会儿就上课。Wǒmen yíhuìr jiù shàngkè. We'll have a class in a second. | ❸ 明天就是新年了，时间过得真快。Míngtiān jiù shì xīnnián le, shíjiān guò de zhēn kuài. Tomorrow will be New Year's Day. How time flies! | ❹ 飞机马上就要起飞了。Fēijī mǎshàng jiùyào qǐfēi le. The plane will take off soon. | ❺ 我明天就要回国了。Wǒ míngtiān jiùyào huí guó le. I'll go back to my country tomorrow. | ❻ 我一会儿就回家。Wǒ yíhuìr jiù huí jiā. I will go home soon.

② as early as, already

❶ 我七点就来了。Wǒ qī diǎn jiù lái le. I got here at 7 o'clock. | ❷ 我昨天就告诉他了。Wǒ zuótiān jiù gàosu tā le. I told him yesterday. | ❸ 他三岁就开始学英语了。Tā sān suì jiù kāishǐ xué Yīngyǔ le. He started to study English at the age of three. | ❹ 他十三岁就有女朋友了。Tā shísān suì jiù yǒu nǚpéngyou le. He had a girlfriend when he was only 13. | ❺ 上小学的时候，我们就认识了。Shàng xiǎoxué de shíhou, wǒmen jiù rènshi le. We have known each other since we studied in an elementary school. | ❻ 电影一个小时前就开始了。Diànyǐng yí ge xiǎoshí qián jiù kāishǐ le. The movie started an hour ago.

③ as soon as, right after

❶ 他洗完澡就去睡觉了。Tā xǐwán zǎo jiù qù shuìjiào le. He went to sleep after taking a bath. | ❷ 他下了班就回家了。Tā xiàle bān jiù huí jiā le. He went home right after he got off work. | ❸ 我们吃完饭就走。Wǒmen chīwán fàn jiù zǒu. We will go as soon as we finish the meal. | ❹ 我一看见她就特别高兴。Wǒ yí kànjiàn tā jiù tèbié gāoxìng. I am extremely happy as long as I see her. | ❺ 我刚回家，就接到了她打来的电话。Wǒ gāng huí jiā, jiù jiēdàole tā dǎlái de diànhuà. I had a phone call from her the moment I got home.

55. 觉得（覺得）juéde

<*v.*> ① feel

❶ 我觉得很热。Wǒ juéde hěn rè. I feel so hot. | ❷ 我突然觉得身体不舒服。Wǒ tūrán juéde shēntǐ bù shūfu. Suddenly, I didn't feel well. | ❸ 虽然下雪了，可我不觉得冷。Suīrán xià xuě le, kě wǒ bù juéde lěng. It's snowing, but I don't feel cold. | ❹ 见到你，我觉得很高兴。Jiàndào nǐ, wǒ juéde hěn gāoxìng. I am very happy to see you. | ❺ 我觉得有点儿困，想睡觉。Wǒ juéde yǒudiǎnr kùn, xiǎng shuìjiào. I feel a little sleepy and want to sleep.

② (*in an unsured tone*) think, feel

❶ 我觉得汉语很难。Wǒ juéde Hànyǔ hěn nán. I feel Chinese is very difficult. | ❷ 我觉得这本书很有意思。Wǒ juéde zhè běn shū hěn yǒu yìsi. I think this book is very interesting. | ❸ 你觉得这个电影怎么样？ Nǐ juéde zhège diànyǐng zěnmeyàng? What do you think about the movie? | ❹ 你觉得这件衣服好看吗？ Nǐ juéde zhè jiàn yīfu hǎokàn ma? Do you think this dress beautiful? | ❺ 我觉得一个人旅游没有意思。Wǒ juéde yí ge rén lǚyóu méiyǒu yìsi. I think it is boring to travel alone.

56. 咖啡 kāfēi

<*n.*> coffee

❶ 你好，我要一杯咖啡。Nǐ hǎo, wǒ yào yì bēi kāfēi. Hello, a cup of coffee for me, please. | ❷ 你喝咖啡还是喝茶？ Nǐ hē kāfēi háishi hē chá? Would you like coffee or tea? | ❸ 他很喜欢喝不加糖的咖啡。Tā hěn xǐhuan hē bù jiā táng de kāfēi. He likes drinking coffee without sugar. | ❹ 我的咖啡里没有放糖。Wǒ de kāfēi li méiyǒu fàng táng. There's no sugar in my coffee. | ❺ 这是外国的咖啡，你尝尝。Zhè shì wàiguó de kāfēi, nǐ chángchang. The coffee was made in a foreign country. Please taste it. | ❻ 这种咖啡味道很好。Zhè zhǒng kāfēi wèidào hěn hǎo. This kind of coffee tastes great.

57. 开始（開始）kāishǐ

<*v.*> ① begin, start

❶ 考试九点开始。Kǎoshì jiǔ diǎn kāishǐ. The exam starts at 9 o'clock. | ❷ 新的一年开始了。Xīn de yì nián kāishǐ le. A new year begins. | ❸ 电影马上就要开始了。Diànyǐng mǎshàng jiùyào kāishǐ le. The movie will begin soon. | ❹ 夏天来了，天气开始热了。Xiàtiān lái le, tiānqì kāishǐ rè le. As summer is here, it's getting hot. | ❺ 比赛什么时候开始？Bǐsài shénme shíhou kāishǐ? When will the match begin? | ❻ 那年，他开始了自己的大学生活。Nà nián, tā kāishǐle zìjǐ de dàxué shēnghuó. He began his college life that year.

② set about doing something

❶ 我们现在开始上课。Wǒmen xiànzài kāishǐ shàngkè. Let's have our class now. | ❷ 我从明天开始锻炼身体。Wǒ cóng míngtiān kāishǐ duànliàn shēntǐ. I'll do physical exercise starting tomorrow. | ❸ 我从去年九月开始学习汉语。Wǒ cóng qùnián jiǔ yuè kāishǐ xuéxí Hànyǔ. I began to study Chinese starting last September. | ❹ 一切都准备好了，可以开始了。Yíqiè dōu zhǔnbèi hǎo le, kěyǐ kāishǐ le. Everything is ready. Let's get started.

58. 考试（考試）kǎoshì

<*v.*> examine, test

❶ 我们下个星期考试。Wǒmen xià ge xīngqī kǎoshì. We will have an exam next week. | ❷ 这个学期什么时候考试？Zhège xuéqī shénme shíhou kǎoshì? When shall we have the exam this semester? | ❸ 别大声说话，学生们正在考试呢。Bié dà shēng shuōhuà, xuéshengmen zhèngzài kǎoshì ne. Don't speak loudly. The students are taking an exam. | ❹ 考完试以后，我们一起吃饭吧。Kǎowán shì yǐhòu, wǒmen yìqǐ chīfàn ba. Let's have a meal together after the exam.

<*n.*> exam, test

❶ 这次考试不太难。Zhè cì kǎoshì bú tài nán. The exam is not very difficult. | ❷ 我明天要参加一个考试。Wǒ míngtiān yào cānjiā yí ge kǎoshì. I am going to take an exam tomorrow. | ❸ 这次的考试成绩不太好。Zhè cì de kǎoshì chéngjì bú tài hǎo. I didn't do very well in the exam. | ❹ 这次的口语考试难不难? Zhè cì de kǒuyǔ kǎoshì nán bù nán? Is the oral exam difficult? | ❺ 老师，您能告诉我们考试范围吗? Lǎoshī, nín néng gàosu wǒmen kǎoshì fànwéi ma? Could you please tell us the coverage of the test, sir? | ❻ 我们每周都有考试。Wǒmen měi zhōu dōu yǒu kǎoshì. We have an exam every week.

59. 可能 kěnéng

二级

<*aux.*> probably, maybe

❶ 他头疼、咳嗽，可能感冒了。Tā tóu téng、késou, kěnéng gǎnmào le. He has a headache and cough. He probably has caught a cold. | ❷ 晚上他可能来，也可能不来。Wǎnshang tā kěnéng lái, yě kěnéng bù lái. He might come, or might not come tonight. | ❸ 天阴了，可能要下雨。Tiān yīn le, kěnéng yào xià yǔ. It's cloudy. It will probably rain. | ❹ 他可能已经知道这件事了。Tā kěnéng yǐjīng zhīdào zhè jiàn shì le. He probably has already known about it. | ❺ 他的车不在，可能他已经走了。Tā de chē bú zài, kěnéng tā yǐjīng zǒu le. Since his car isn't here, he might have already gone. | ❻ 我的钱包找不到了，可能是丢了。Wǒ de qiánbāo zhǎo bu dào le, kěnéng shì diū le. I can't find my wallet; maybe I have lost it. | ❼ 银行现在可能已经关门了。Yínháng xiànzài kěnéng yǐjīng guānmén le. The bank might have already closed now.

60. 可以 kěyǐ

<*aux.*> ① be allowed (to do something), have one's permission (to do something)

❶ 我十八岁了，可以喝酒了。Wǒ shíbā suì le, kěyǐ hē jiǔ le. I'm 18 years old and I'm allowed to drink alcohol. | ❷ 今天的考试可以带词典。Jīntiān de kǎoshì kěyǐ dài cídiǎn. Dictionaries are allowed to be used in the exam today. | ❸ 有问题你可以来办公室找我。Yǒu wèntí nǐ kěyǐ lái bàngōngshì zhǎo wǒ. If you have any questions, please come to see me in my office. | ❹ 可以进来吗？Kěyǐ jìnlai ma? Can I come in? | ❺ 我可以问你个问题吗？Wǒ kěyǐ wèn nǐ ge wèntí ma? Can I ask you a question? | ❻ 对不起，这儿不可以吸烟。Duìbuqǐ, zhèr bù kěyǐ xī yān. Sorry, smoking is not allowed here.

② may, can, be able to

❶ 这个教室可以放二十张桌子。Zhège jiàoshì kěyǐ fàng èrshí zhāng zhuōzi. The classroom can hold 20 tables. | ❷ 我们一个小时可以到机场吗？Wǒmen yí ge xiǎoshí kěyǐ dào jīchǎng ma? Can we get to the airport in an hour? | ❸ 他一次可以喝六瓶啤酒。Tā yí cì kěyǐ hē liù píng píjiǔ. He can drink up 6 bottles of beer straight. | ❹ 你好！可以帮我个忙吗？Nǐ hǎo! Kěyǐ bāng wǒ ge máng ma? Hello! Can you do me a favor? | ❺ 你可以送我到火车站吗？Nǐ kěyǐ sòng wǒ dào huǒchēzhàn ma? Can you drive me to the railway station? | ❻ 我可以用一下你的手机吗？Wǒ kěyǐ yòng yíxià nǐ de shǒujī ma? Can I use your cellphone?

<*adj.*> not bad

❶ 他的汉语说得还可以。Tā de Hànyǔ shuō de hái kěyǐ. He speaks Chinese pretty well. | ❷ A: 这个菜味道怎么样？ B: 还可以。A: Zhège cài wèidào zěnmeyàng? B: Hái kěyǐ. A: How does this dish taste? B: Not bad. | ❸ 我打篮球不行，踢足球还可以。Wǒ dǎ lánqiú bù xíng, tī zúqiú hái kěyǐ. I'm good at playing football, but not basketball. | ❹ 我这次考试成绩还可以。Wǒ zhè cì kǎoshì chéngjì hái kěyǐ. I got a good result in the exam.

61. 课（課）kè radical: 讠 strokes: 10

stroke order: 丶 讠 讠 训 训 训 评 课 课 课

<*n.*> ① class

❶ 我下午有课，不能去打篮球了。Wǒ xiàwǔ yǒu kè, bù néng qù dǎ lánqiú le. I can't play basketball in the afternoon because I'll take classes then. | ❷ 我们每天上午上三个小时课。Wǒmen měi tiān shàngwǔ shàng sān ge xiǎoshí kè. We have three hours of classes every morning. | ❸ 我们中午十二点下课。Wǒmen zhōngwǔ shí'èr diǎn xiàkè. Our class ends at noon. | ❹ 我晚上没课。Wǒ wǎnshang méi kè. I don't have an evening class. | ❺ 昨天我没去上课。Zuótiān wǒ méi qù shàngkè. I didn't go to class yesterday.

② lesson

❶ 今天学习第五课。Jīntiān xuéxí dì-wǔ kè. Today, let's study Lesson 5. | ❷ 这本书有二十课。Zhè běn shū yǒu èrshí kè. There are 20 lessons in this book. | ❸ 我们明天开始学习新课。Wǒmen míngtiān kāishǐ xuéxí xīn kè. We'll study a new lesson starting tomorrow. | ❹ 你们学到第几课了？ Nǐmen xuédào dì-jǐ kè le? Which lesson are you studying?

③ course

❶ 我们有很多不同的选修课。Wǒmen yǒu hěn duō bù tóng de xuǎnxiūkè. We have diverse selective courses. | ❷ 这是我们口语课教材。Zhè shì wǒmen kǒuyǔkè jiàocái. This is our speaking textbook. | ❸ 昨天你上听力课了吗？ Zuótiān nǐ shàng tīnglìkè le ma? Did you take the listening course yesterday? | ❹ 我要多选两门课。Wǒ yào duō xuǎn liǎng mén kè. I'll take two more selective courses.

二级

62. 快 kuài radical: 忄 strokes: 7

stroke order: 丶 丷 忄 忄 忄 快 快

<adj.> fast

❶ 他说话太快了，我没听懂。Tā shuōhuà tài kuài le, wǒ méi tīngdǒng. He spoke so fast that I didn't understand him. | ❷ 他走得很快。Tā zǒu de hěn kuài. He walks fast. | ❸ 他吃饭特别快。Tā chīfàn tèbié kuài. He eats fast. | ❹ 这辆车开得太快了。Zhè liàng chē kāi de tài kuài le. The car runs too fast. | ❺ 我们走快点儿吧。Wǒmen zǒu kuài diǎnr ba. Let's hurry. | ❻ 我们坐飞机吧，这样更快。Wǒmen zuò fēijī ba, zhèyàng gèng kuài. Let's take a flight; it's faster.

<adv.> soon, be about to

❶ 你快来吧。Nǐ kuài lái ba. Come here quickly! | ❷ 客人来了，快去开门。Kèrén lái le, kuài qù kāi mén. The guest is here. Open the door, please. | ❸ 春节快到了。Chūnjié kuài dào le. Chinese New Year is coming. | ❹ 我这个月的钱快花完了。Wǒ zhège yuè de qián kuài huāwán le. I'll run out of my monthly allowance soon. | ❺ 他快毕业了，现在正找工作呢。Tā kuài bìyè le, xiànzài zhèng zhǎo gōngzuò ne. He will graduate soon, and he is now looking for a job. | ❻ 饭快做好了，大家准备吃饭吧。Fàn kuài zuòhǎo le, dàjiā zhǔnbèi chīfàn ba. Dinner will soon be done. Please get ready for it.

63. 快乐（快樂）kuàilè

<adj.> happy, joyful, cheerful

❶ 祝你生日快乐！Zhù nǐ shēngrì kuàilè! Happy birthday to you! | ❷ 圣诞节快乐！新年快乐！Shèngdàn Jié kuàilè! Xīnnián kuàilè! Merry Christmas and happy new year! | ❸ 我们每天在一起学习，非常快乐。Wǒmen měi tiān zài yìqǐ xuéxí, fēicháng kuàilè. We are very happy to study together every day. | ❹ 新年晚会上每个人都很快乐。Xīnnián wǎnhuì shang měi ge rén dōu hěn kuàilè. Everybody had a good time at the New Year Party. | ❺ 看着这些快乐的孩子，我也跟着高兴起来。Kànzhe zhèxiē kuàilè de háizi, wǒ yě gēnzhe gāoxìng qǐlai. The sight of the happy children cheers me up, too. | ❻ 他们在中国生活得很快乐。Tāmen zài Zhōngguó shēnghuó de hěn kuàilè. They lead a happy life in China. | ❼ 星期天，我要快快乐乐地玩儿一天。Xīngqītiān, wǒ yào kuàikuàilèlè de wánr yì tiān. I'll enjoy myself on Sunday.

64. 累（纍）lèi radical: 田 strokes: 11 stroke order: 丶 冂 ⺆ 田 田 甲 罒 罒 罜 累 累

<*adj.*> tired, weary

❶ 你累不累？Nǐ lèi bú lèi? Are you tired? | ❷ 我太累了，想休息一会儿。Wǒ tài lèi le, xiǎng xiūxi yíhuìr. I am so tired that I want to take a break. | ❸ 这几天工作太累了。Zhè jǐ tiān gōngzuò tài lèi le. I have been exhausted from work these days. | ❹ 我一点儿也不觉得累。Wǒ yìdiǎnr yě bù juéde lèi. I don't feel tired at all. | ❺ 他总是干最累的工作。Tā zǒngshì gàn zuì lèi de gōngzuò. He always does the most tiring job. | ❻ 他唱歌唱累了。Tā chàng gē chànglèi le. He is tired from singing. | ❼ 他们走了这么长时间，都累了。Tāmen zǒule zhème cháng shíjiān, dōu lèi le. After walking a long time, they are all tired.

二级

65. 离（離）lí radical: 亠 strokes:10 stroke order: 丶 亠 𠫓 文 㐫 㐫 𦉫 离 离 离

<*prep.*> (*used to indicate an interval of time or space*) away

❶ 我家离学校很近。Wǒ jiā lí xuéxiào hěn jìn. My home is close to the school. | ❷ 北京离上海有多少公里？Běijīng lí Shànghǎi yǒu duōshao gōnglǐ? How many kilometers are there between Beijing and Shanghai? | ❸ 学校离机场远不远？Xuéxiào lí jīchǎng yuǎn bù yuǎn? Is the school far away from the airport? |

❹ 离上课还有十分钟。Lí shàngkè hái yǒu shí fēnzhōng. Our class will begin in 10 minutes. | ❺ 现在离放暑假还有两个星期。Xiànzài lí fàng shǔjià hái yǒu liǎng ge xīngqī. Our summer vacation will start in two weeks. | ❻ 离下班时间还有半个小时。Lí xiàbān shíjiān hái yǒu bàn ge xiǎoshí. We will get off work in half an hour.

<*v.*> depart, leave, divorce

❶ 他离家已经两年多了。Tā lí jiā yǐjīng liǎng nián duō le. He has been away from home for more than two years. | ❷ 我们什么时候离校？ Wǒmen shénme shíhou lí xiào? When shall we leave the school? | ❸ 鱼离不开水。Yú lí bu kāi shuǐ. Fish can't live without water. | ❹ 她父母去年就离了。Tā fùmǔ qùnián jiù lí le. Her parents divorced last year.

66. 两（兩）liǎng radical: 一 strokes: 7

stroke order: 一 丆 冂 丙 丙 两 两

<*num.*> ① (*used before a measure word and* "半"、"千"、"万"、"亿") two

❶ 我买了两本书。Wǒ mǎile liǎng běn shū. I bought two books. | ❷ 妈妈给了我两千块钱。Māma gěile wǒ liǎng qiān kuài qián. My mother gave me 2000 *yuan*. | ❸ 你把这个西瓜分成两半。Nǐ bǎ zhège xīguā fēnchéng liǎng bàn. Please divide the watermelon in halves. | ❹ 他的孩子才两岁。Tā de háizi cái liǎng suì. His child is only two years old. | ❺ 他喝了两瓶啤酒。Tā hēle liǎng píng píjiǔ. He drank two bottles of beer. | ❻ 我来中国两个多月了。Wǒ lái Zhōngguó liǎng ge duō yuè le. I have been in China for two months.

② (*referring to an uncertain number, similar to* "儿") several

❶ 你在这儿住两天再走吧。Nǐ zài zhèr zhù liǎng tiān zài zǒu ba. Please stay here for a couple of days. | ❷ 让我玩儿两下。Ràng wǒ wánr liǎng xià. Let me try to play it. | ❸ 你说两句吧，大家想听听你的意见。Nǐ shuō liǎng jù ba, dàjiā xiǎng tīngting nǐ de yìjiàn. Please say a few words. We'd like to hear your opinion.

67. 路 lù radical: ⻊ strokes: 13 stroke order: 丨 𠃍 口 ⻊ ⻊ ⻊ 𧾷 𧿒 𧿒 跈 跈 路 路

<*n.*> ① way, road

❶ 这条路很宽。Zhè tiáo lù hěn kuān. This is a wide road. | ❷ 前面没有路了。Qiánmiàn méiyǒu lù le. There is no road ahead. | ❸ 前面怎么走啊？我们问问路吧。Qiánmiàn zěnme zǒu a? Wǒmen wènwen lù ba. Which way shall we take? Let's ask for directions. | ❹ 我们走大路还是走小路？ Wǒmen zǒu dà lù háishi zǒu xiǎo lù? Shall we take the road or the path? | ❺ 这条路不太好走。Zhè tiáo lù bú tài hǎo zǒu. This is not an easy way to go.

② route

❶ 到火车站可以坐320路公共汽车。Dào huǒchēzhàn kěyǐ zuò 320 lù gōnggòng qìchē. You can take Bus 320 to the railway station. | ❷ 请问，到北京大学坐几路车？ Qǐngwèn, dào Běijīng Dàxué zuò jǐ lù chē? Excuse me, which bus shall I take to Peking University? | ❸ 这是多少路车？ Zhè shì duōshao lù chē? Which bus line is it? | ❹ 有好几路车都可以到我们学校。Yǒu hǎo jǐ lù chē dōu kěyǐ dào wǒmen xuéxiào. There are several bus lines going to our school.

③ journey

❶ 一路辛苦了。Yí lù xīnkǔ le. How was your journey? | ❷ 路上要小心。Lùshang yào xiǎoxīn. I wish you a safe journey. | ❸ 从这儿到火车站路有点儿远。Cóng zhèr dào huǒchēzhàn lù yǒudiǎnr yuǎn. It is a little far away from here to the railway station. | ❹ 我们已经走了十公里路了。Wǒmen yǐjīng zǒule shí gōnglǐ lù le. We have been walking for 10 kilometers. | ❺ 前面还有一段路要走。Qiánmiàn hái yǒu yí duàn lù yào zǒu. There is still a long way to go.

68. 旅游 lǚyóu

<*v.*> travel

❶ 我喜欢旅游。Wǒ xǐhuan lǚyóu. I like travelling. | ❷ 放暑假的时候，我

想去美国旅游。Fàng shǔjià de shíhou, wǒ xiǎng qù Měiguó lǚyóu. I'll visit America in my summer vacation. | ❸ 他们去法国旅游了。Tāmen qù Fǎguó lǚyóu le. They have gone to visit France. | ❹ 我们俩一起去云南旅游吧。Wǒmen liǎ yìqǐ qù Yúnnán lǚyóu ba. Let's visit Yunnan together. | ❺ 我去北京旅游过好几次。Wǒ qù Běijīng lǚyóuguo hǎojǐ cì. I have been to Beijing several times. | ❻ 这次旅游我非常快乐。Zhè cì lǚyóu wǒ fēicháng kuàilè. This trip made me very happy. | ❼ 北京是旅游的好地方。Běijīng shì lǚyóu de hǎo dìfang. Beijing is a good place to travel.

69. 卖（賣）mài radical: 十 strokes: 8

stroke order: 一 十 土 𡈼 𡈼 𡈼 卖 卖

<*v.*> (*as opposed to* "买 (mǎi)") sell

❶ 附近有没有卖水果的？Fùjìn yǒu méiyǒu mài shuǐguǒ de? Is there a fruit seller around? | ❷ 你这苹果怎么卖？Nǐ zhè píngguǒ zěnme mài? How much are the apples? | ❸ 这辆自行车我想卖了。Zhè liàng zìxíngchē wǒ xiǎng mài le. I want to sell this bicycle. | ❹ 这个商店卖不卖手机？Zhège shāngdiàn mài bú mài shǒujī? Does this shop sell cellphones? | ❺ 那本词典已经卖完了。Nà běn cídiǎn yǐjīng màiwán le. That dictionary is sold out. | ❻ 这里的衣服卖得太贵。Zhèli de yīfu mài de tài guì. The clothes are too expensive here. | ❼ 我打算把房子卖了。Wǒ dǎsuan bǎ fángzi mài le. I plan to sell my house.

70. 慢 màn radical: 忄 strokes: 14

stroke order: 丶 八 忄 忄 忄 忄 忄 忄 㥄 㥄 㥄 㥄 慢 慢

<*adj.*> ① (*as opposed to* "*fast, quickly*") slow

❶ 他走得太慢了，我们等他一会儿吧。Tā zǒu de tài màn le, wǒmen děng tā yíhuìr ba. He walks too slowly; let's wait for him for a while. | ❷ 请你说慢一点

儿。Qǐng nǐ shuō màn yìdiǎnr. Please speak slower. | ❸ 我不想坐这么慢的车。Wǒ bù xiǎng zuò zhème màn de chē. I don't want to take such a slow bus. | ❹ 别着急，慢慢就学会了。Bié zháojí, mànmàn jiù xuéhuì le. Don't worry. You will learn it step by step. | ❺ 要进站了，火车慢下来了。Yào jìn zhàn le, huǒchē màn xiàlai le. The train slowed down before it went into the station. | ❻ 我刚开始学汉语的时候，说得很慢。Wǒ gāng kāishǐ xué Hànyǔ de shíhou, shuō de hěn màn. I spoke slowly when I started to study Chinese.

② *used in a polite expression, meaning not to hurry*

❶ 您慢走。Nín màn zǒu. Take care! | ❷ 您慢吃。Nín màn chī. Please enjoy your food. | ❸ 请慢用。Qǐng màn yòng. Please enjoy it.

71. 忙 máng radical: 忄 strokes: 6

stroke order: 丶 丷 忄 忄丶 忄亠 忙

二级

<*adj.*> busy

❶ 你工作忙吗？Nǐ gōngzuò máng ma? Are you busy with your work? | ❷ 最近我很忙。Zuìjìn wǒ hěn máng. I have been quite busy these days. | ❸ 他太忙了，别叫他来了。Tā tài máng le, bié jiào tā lái le. He is too busy. Don't ask him to come. | ❹ 他学习特别忙，没时间踢足球了。Tā xuéxí tèbié máng, méi shíjiān tī zúqiú le. He is so busy with his study that he doesn't have time to play football. | ❺ 他忙得没时间吃饭了。Tā máng de méi shíjiān chīfàn le. He is too busy to eat his meal. | ❻ 每次考试，都是他最忙的时候。Měi cì kǎoshì, dōu shì tā zuì máng de shíhou. He has the busiest time whenever an examination comes.

<*v.*> be busy doing something

❶ 你最近在忙什么呢？Nǐ zuìjìn zài máng shénme ne? What have you been busy with recently? | ❷ 他这些天忙结婚的事呢，其他什么都顾不上了。Tā zhèxiē tiān máng jiéhūn de shì ne, qítā shénme dōu gù bu shàng le. He has been busy preparing for his wedding these days and cannot take care of anything else. |

❸ 等忙完了孩子高考，我就轻松了。Děng mángwánle háizi gāokǎo, wǒ jiù qīngsōng le. I will be relaxed after my child takes the college entrance exam. | ❹ 我这两天有点儿忙不过来。Wǒ zhè liǎng tiān yǒudiǎnr máng bu guòlái. I have been up to my neck in work these days.

72. 每 měi radical: 母 strokes: 7

stroke order: ノ 𠂉 𠂉 勹 勾 每 每

<*pron.*> each, every

❶ 每个人都有自己的爱好。Měi ge rén dōu yǒu zìjǐ de àihào. Everyone has his own hobbies. | ❷ 他每两个月回一次父母家。Tā měi liǎng ge yuè huí yí cì fùmǔ jiā. He visits his parents every two months. | ❸ 这些礼物每人一份。Zhèxiē lǐwù měi rén yí fèn. Everyone reccives a gift. | ❹ 每次回国她都特别高兴。Měi cì huí guó tā dōu tèbié gāoxìng. She is very happy whenever she goes back to her country.

<*adv.*> each time

❶ 每答对一题，就能得到一份礼物。Měi dáduì yì tí, jiù néng dédào yí fèn lǐwù. You'll win a gift each time you answer a question correctly. | ❷ 每听到这首歌曲，我就会想起童年。Měi tīngdào zhè shǒu gēqǔ, wǒ jiù huì xiǎngqǐ tóngnián. The song always reminds me of my childhood whenever I listen to it. | ❸ 每到节日，这里都特别热闹。Měi dào jiérì, zhèli dōu tèbié rènao. This place becomes extremely jubilant whenever a festival comes. | ❹ 每逢暑假我都去海边度假。Měi féng shǔjià wǒ dōu qù hǎibiān dùjià. I spend every summer vacation by the seaside.

73. 妹妹 mèimei

<*n.*> younger sister

❶ 他有一个姐姐、一个妹妹。Tā yǒu yí ge jiějie、yí ge mèimei. He has an

二级

elder sister and a younger sister. | ❷ 我妹妹刚上小学。Wǒ mèimei gāng shàng xiǎoxué. My younger sister has just gone to an elementary school. | ❸ 他妹妹今年十一岁。Tā mèimei jīnnián shíyī suì. His younger sister is 11 years old. | ❹ 我没有姐姐，只有一个妹妹。Wǒ méiyǒu jiějie, zhǐ yǒu yí ge mèimei. I don't have an elder sister, but only a younger sister. | ❺ 我妹妹比我小两岁。Wǒ mèimei bǐ wǒ xiǎo liǎng suì. My sister is two years younger than I. | ❻ 这是我妹妹的照片。Zhè shì wǒ mèimei de zhàopiàn. This is my younger sister's photo.

74. 门（門）mén radical: 门 strokes: 3 stroke order: 丶 门 门

<*n.*> ① entrance, exit, gate

❶ 你从学校南门进来。Nǐ cóng xuéxiào nánmén jìnlai. Please get into the school from the south gate. | ❷ 这个公园有四个门。Zhège gōngyuán yǒu sì ge mén. The park has four entrances. | ❸ 你们从后门下车吧。Nǐmen cóng hòumén xià chē ba. Please get off the car from the back door.

② door

❶ 我房间的门打不开了。Wǒ fángjiān de mén dǎ bu kāi le. I can't open the door of my room. | ❷ 宿舍的大门已经关了。Sùshè de dàmén yǐjīng guān le. The front door of the dormitory has already been closed. | ❸ 门钥匙丢了，我进不去了。Mén yàoshi diū le, wǒ jìn bu qù le. I lost my key and can't get into the room. | ❹ 我的车门关不上了。Wǒ de chēmén guān bu shàng le. I cannot close my car door.

<*m.*> *a measure word for courses, majors, skills, languages, etc.*

❶ 我要学好这门技术。Wǒ yào xuéhǎo zhè mén jìshù. I will master this skill. | ❷ 我喜欢历史这门专业。Wǒ xǐhuan lìshǐ zhè mén zhuānyè. I like the history major. | ❸ 我想多学几门外语。Wǒ xiǎng duō xué jǐ mén wàiyǔ. I want to learn more foreign languages. | ❹ 大卫门门课程都很好。Dàwèi ménmén kèchéng dōu hěn hǎo. David gets straight A's.

75. 男人 nánrén

<*n.*> man

❶ 世界上男人多，女人少。Shìjièshang nánrén duō, nǚrén shǎo. There are more men than women in the world. | ❷ 女人和男人是平等的。Nǚrén hé nánrén shì píngděng de. Women and men are equal. | ❸ 这儿的男人都喜欢玛丽。Zhèr de nánrén dōu xǐhuan Mǎlì. Every man here likes Mary. | ❹ 这是男人的工作，你们女人就不要管了。Zhè shì nánrén de gōngzuò, nǐmen nǚrén jiù búyào guǎn le. This is a man's job. As women, you should leave it alone. | ❺ 男人就要有男人的样子。Nánrén jiù yào yǒu nánrén de yàngzi. A man should act like a man. | ❻ 你是个大男人，不能哭。Nǐ shì ge dànánrén, bù néng kū. Being a man, you cannot cry.

76. 您 nín radical: 心 strokes: 11 stroke order: 丿 亻 亻' 亻⺈ 你 你 你 你 您 您 您

<pron.> a polite version of "你"

❶ 您贵姓？Nín guìxìng? May I have your family name? | ❷ 您今年多大年纪？Nín jīnnián duō dà niánjì? Do you mind telling me your age? | ❸ 您这么关心我，就像我父母一样。Nín zhème guānxīn wǒ, jiù xiàng wǒ fùmǔ yíyàng. You care about me as much as my parents do. | ❹ 您请坐，我去给您倒杯茶。Nín qǐng zuò, wǒ qù gěi nín dào bēi chá. Please take a seat, and I will get you a cup of tea.| ❺ 非常感谢您的帮助。Fēicháng gǎnxiè nín de bāngzhù. Thank you so much for your help. | ❻ 麻烦您了。Máfan nín le. Thanks for helping me.

二级

77. 牛奶 niúnǎi

<*n.*> milk

❶ 我每天早餐吃面包、喝牛奶。Wǒ měi tiān zǎocān chī miànbāo、hē niúnǎi.

I have bread and milk for breakfast every morning. | ❷ 冰箱里的牛奶喝完了。Bīngxiāng li de niúnǎi hēwán le. There is no milk left in the refrigerator. | ❸ 你帮我买两瓶牛奶回来，好吗？ Nǐ bāng wǒ mǎi liǎng píng niúnǎi huílai, hǎo ma? Would you please buy two bottles of milk for me? | ❹这个商店卖牛奶吗？ Zhège shāngdiàn mài niúnǎi ma? Is milk sold in the store? | ❺ 牛奶又好喝又有营养。Niúnǎi yòu hǎohē yòu yǒu yíngyǎng. Milk is tasty and nutritious.

78. 女人 nǚrén

<*n.*> woman

❶ 我最怕女人哭。Wǒ zuì pà nǚrén kū. I can't stand a woman crying. | ❷ 这个女人没有孩子。Zhège nǚrén méiyǒu háizi. This woman doesn't have a child. | ❸ 女人一般比较细心，很会关心别人。Nǚrén yìbān bǐjiào xìxīn, hěn huì guānxīn biéren. Women are more considerate and attentive to others. | ❹ 男人能做的工作，女人也能做。Nánrén néng zuò de gōngzuò, nǚrén yě néng zuò. Women can do whatever men do. | ❺ 他打扮得像个女人。Tā dǎban de xiàng ge nǚrén. He dresses up like a woman. | ❻ 这是女人的事情，你们男人不要管了。Zhè shì nǚrén de shìqing, nǐmen nánrén búyào guǎn le. This is a feminine matter. Men should leave it alone.

79. 旁边（旁邊）pángbiān

<*n.*>side, beside

❶ 我旁边这位是李老师。Wǒ pángbiān zhè wèi shì Lǐ lǎoshī. The man next to me is Mr. Li. | ❷ 我把手表放在电脑旁边了。Wǒ bǎ shǒubiǎo fàng zài diànnǎo pángbiān le. I left my watch beside the computer. | ❸ 房子旁边有很多树。Fángzi pángbiān yǒu hěn duō shù. There are a lot of trees beside the house. | ❹ 他坐下来后，把帽子放在了座位旁边。Tā zuò xiàlai hòu, bǎ màozi fàng zài le zuòwèi pángbiān. After he sat down, he put his cap beside his seat. | ❺ 车站的旁边有

很多商店。Chēzhàn de pángbiān yǒu hěn duō shāngdiàn. There are many stores beside the bus stop. | ❻ 老王旁边的那些人是谁呀？ Lǎo Wáng pángbiān de nàxiē rén shì shéi ya? Who are those people next to Lao Wang?

80. 跑步 pǎo//bù

<*v.*> run, jog

❶ 我们出去跑步吧。Wǒmen chūqu pǎobù ba. Let's go out jogging. | ❷ 他每天都坚持跑步，所以身体很好。Tā měi tiān dōu jiānchí pǎobù, suǒyǐ shēntǐ hěn hǎo. He goes jogging every day, so he is very healthy. | ❸ 我喜欢跑步，每天跑一个小时。Wǒ xǐhuan pǎobù, měi tiān pǎo yí ge xiǎoshí. I jog an hour every day because I like this sport. | ❹ 他减肥的方法就是坚持跑步。Tā jiǎnféi de fāngfǎ jiù shì jiānchí pǎobù. He goes jogging to lose weight. | ❺ 今天早上我跑了半个小时的步。Jīntiān zǎoshang wǒ pǎole bàn ge xiǎoshí de bù. I jogged half an hour this morning.

81. 便宜 piányi

<*adj.*> cheap, inexpensive, affordable

❶ 太贵了，便宜点儿吧。Tài guì le, piányi diǎnr ba. It is too expensive. Can you sell it at a lower price? | ❷ 能不能便宜点儿？ Néng bù néng piányi diǎnr? Can you cut the price? | ❸ 他爱买便宜东西。Tā ài mǎi piányi dōngxi. He likes to buy cheap stuff. | ❹ 我买东西经常去那个小超市，那里的东西比较便宜。Wǒ mǎi dōngxi jīngcháng qù nàge xiǎo chāoshì, nàli de dōngxi bǐjiào piányi. I often go shopping at small supermarkets, where things are more affordable. | ❺ 这种笔很便宜，我一下子买了很多。Zhè zhǒng bǐ hěn piányi, wǒ yíxiàzi mǎile hěn duō. This kind of pens is inexpensive, so I bought a lot of them at one time. | ❻ 这种鞋不流行了，所以卖得便宜。Zhè zhǒng xié bù liúxíng le, suǒyǐ mài de piányi. This kind of shoes is not in vogue any more, so it is sold at a low price.

82. 票 piào radical: 覀 strokes: 11

stroke order: 一 丆 丙 襾 襾 覀 覀 覀 覀 覀 票

<*n.*> ticket

❶ 上车后请刷卡，没卡乘客请买票。Shàng chē hòu qǐng shuā kǎ, méi kǎ chéngkè qǐng mǎi piào. Please swipe your card after you get on the bus. If you don't have a card, please buy a ticket. | ❷ 我买了两张电影票，我们一起去看电影吧。Wǒ mǎile liǎng zhāng diànyǐngpiào, wǒmen yìqǐ qù kàn diànyǐng ba. I've bought two movie tickets. Let's go to see the movie together. | ❸ 飞机票打折了，我们就坐飞机回家吧。Fēijīpiào dǎzhé le, wǒmen jiù zuò fēijī huí jiā ba. The plane ticket is on sale. Let's go home by plane. | ❹ 春节前，火车票不太好买。Chūnjié qián, huǒchēpiào bú tài hǎo mǎi. It is not very easy to buy a train ticket before Spring Festival. | ❺ 我们决定投票选出我们的班长。Wǒmen juédìng tóupiào xuǎnchū wǒmen de bānzhǎng. We decided to elect our class monitor based on the number of votes.

二级

83. 妻子 qīzi

<*n.*> (*as opposed to* "*husband*") wife

❶ 他的妻子很漂亮。Tā de qīzi hěn piàoliang. His wife is beautiful. | ❷ 他是个好丈夫，很爱妻子。Tā shì ge hǎo zhàngfu, hěn ài qīzi. He is a good husband who loves his wife deeply. | ❸ 我和我妻子都是老师。Wǒ hé wǒ qīzi dōu shì lǎoshī. Both my wife and I are teachers. | ❹ 他妻子是日本人。Tā qīzi shì Rìběnrén. His wife is Japanese. | ❺ 我妻子做饭很好吃。Wǒ qīzi zuò fàn hěn hǎochī. My wife is a good cook. | ❻ 他从来不跟妻子吵架。Tā cónglái bù gēn qīzi chǎojià. He has never argued with his wife.

84. 起床 qǐ//chuáng

<*v.*> get up

❶ 我每天早上六点起床。Wǒ měi tiān zǎoshang liù diǎn qǐchuáng. I get up at 6 a.m. every day. | ❷ 九点了，你怎么还没起床？ Jiǔ diǎn le, nǐ zěnme hái méi qǐchuáng? It is already 9 a.m. Why didn't you get up? | ❸ 我起床一个多小时了。Wǒ qǐchuáng yí ge duō xiǎoshí le. I got up more than an hour ago. | ❹ 我早就醒了，就是不愿意起床。Wǒ zǎo jiù xǐng le, jiù shì bú yuànyì qǐchuáng. I woke up early, but I just don't want to get up. | ❺ 你每天什么时候起床？ Nǐ měi tiān shénme shíhou qǐchuáng? When do you get up every day? | ❻ 他生病了，起不了床了。Tā shēngbìng le, qǐ bu liǎo chuáng le. He is sick, and can't get out of bed.

85. 千 qiān radical: 十 strokes: 3 stroke order: ㇒ 二 千

<*num.*> thousand

❶ 这台电视四千块钱。Zhè tái diànshì sì qiān kuài qián. This TV costs 4000 *kuai*. | ❷ 这个电影院有一千多个座位。Zhège diànyǐngyuàn yǒu yì qiān duō ge zuòwèi. This cinema has the capacity of more than 1000 people. | ❸ 这座建筑有上千年了。Zhè zuò jiànzhù yǒu shàng qiān nián le. This building is more than 1000 years old. | ❹ 那天的活动有三千多人参加。Nà tiān de huódòng yǒu sān qiān duō rén cānjiā. More than 3000 people participated in the activity that day. | ❺ 我们学校有六千多名学生。Wǒmen xuéxiào yǒu liù qiān duō míng xuésheng. There are more than 6000 students in our school. | ❻ 我认识两千多个汉字了。Wǒ rènshi liǎng qiān duō ge Hànzì le. I have learned more than 2000 characters.

86. 晴 qíng radical: 日 strokes:12 stroke order: 丨 冂 月 日 日一 日二 日丰 日丰 晴 晴 晴 晴

<*adj.*> sunny

❶ 雨停了，天晴了。Yǔ tíng le, tiān qíng le. The rain stopped and it cleared up. | ❷ 天一会儿晴，一会儿阴。Tiān yíhuìr qíng, yíhuìr yīn. It is sunny one moment, and cloudy the next. | ❸ 今天晴转阴。Jīntiān qíng zhuǎn yīn. It is sunny, then cloudy today. | ❹ 今天晴天，我们出去玩儿吧。Jīntiān qíngtiān, wǒmen chūqu wánr ba. It is sunny today; let's go out to play. | ❺ 这几天一直晴着，天气很好。Zhè jǐ tiān yìzhí qíngzhe, tiānqì hěn hǎo. It has always been sunny these days. The weather is great.

87. 去年 qùnián

<*n.*> last year

❶ 去年八月我在美国。Qùnián bā yuè wǒ zài Měiguó. I was in the United States of America last August. | ❷ 我去年来过一次北京。Wǒ qùnián láiguo yí cì Běijīng. I came to Beijing once last year. | ❸ 我的身体比去年好多了。Wǒ de shēntǐ bǐ qùnián hǎo duō le. I am much stronger than I was last year. | ❹ 这件事情发生在去年。Zhè jiàn shìqing fāshēng zài qùnián. It happened last year. | ❺ 我是去年来的，到现在已经五个多月了。Wǒ shì qùnián lái de, dào xiànzài yǐjīng wǔ ge duō yuè le. I came here last year and I have been here for more than five months. | ❻ 去年冬天特别冷，今年还可以。Qùnián dōngtiān tèbié lěng, jīnnián hái kěyǐ. It was so cold last winter, but it is alright this year.

88. 让（讓）ràng radical: 讠 strokes: 5 stroke order: ` 讠 讠丨 计 让

<*v.*> ① give up something for the benefit of somebody else

❶ 哪位乘客给这位老人让个座？Nǎ wèi chéngkè gěi zhè wèi lǎorén ràng ge

zuò? Dear passengers, would you please give your seat to the elderly? | ❷ 哥哥应该让着弟弟。Gēge yīnggāi ràngzhe dìdi. An elder brother should give in a little bit to his younger brother. | ❸ 他总是把好处让给别人。Tā zǒngshì bǎ hǎochù rànggěi biéren. He always gives up benefits to others. | ❹ 我把大房间让给妹妹住了。Wǒ bǎ dà fángjiān rànggěi mèimei zhù le. I let my younger sister live in the bigger room.

② let, ask, allow

❶ 爸爸让他去中国学汉语。Bàba ràng tā qù Zhōngguó xué Hànyǔ. Dad asked him to study Chinese in China. | ❷ 你让我过去，好吗? Nǐ ràng wǒ guòqu, hǎo ma? Could you let me pass, please? | ❸ 老师让我来找你。Lǎoshī ràng wǒ lái zhǎo nǐ. The teacher asked me to find you. | ❹关于这件事情，让我再想想好吗? Guānyú zhè jiàn shìqing, ràng wǒ zài xiǎngxiang hǎo ma? Can I think it over? | ❺ 你妈妈让你早点儿回家。Nǐ māma ràng nǐ zǎo diǎnr huí jiā. Your mom asked you to go home earlier. | ❻ 每次开车，女朋友都不让他喝酒。Měi cì kāi chē, nǚpéngyou dōu bú ràng tā hē jiǔ. His girlfriend doesn't allow him to drink alcohol before driving.

<prep.> used in a passive sentence to introduce the doer, similar to "被"

❶ 小树让风刮倒了。Xiǎo shù ràng fēng guādǎo le. The small tree was blown down by the wind. | ❷ 自行车让大卫骑走了。Zìxíngchē ràng Dàwèi qízǒu le. David rode the bike. | ❸ 手机让我给丢了。Shǒujī ràng wǒ gěi diū le. I lost the cellphone. | ❹ 那张画儿让人买走了。Nà zhāng huàr ràng rén mǎizǒu le. Someone bought the painting. | ❺ 他的病让医生治好了。Tā de bìng ràng yīshēng zhìhǎo le. A doctor cured his illness. | ❻ 苹果都让他们吃完了。Píngguǒ dōu ràng tāmen chīwán le. They ate up all the apples.

89. 上班 shàng//bān

<*v.*> go to work

❶ 我每天早晨八点上班。Wǒ měi tiān zǎochen bā diǎn shàngbān. I go to work at 8 a.m. every morning. | ❷ 我在上班呢，不能随便离开。Wǒ zài shàngbān ne, bù néng suíbiàn líkāi. I am working, and I cannot be absent from duty. | ❸ 上班的时候，公司不让打私人电话。Shàngbān de shíhou, gōngsī bú ràng dǎ sīrén diànhuà. You are not allowed to make personal phone calls at work. | ❹ 他毕业后，一直在这个公司上班。Tā bìyè hòu, yìzhí zài zhège gōngsī shàngbān. He has been working in this company after graduation. | ❺ 他上班的地方离家很近。Tā shàngbān de dìfang lí jiā hěn jìn. His working place is near his home. | ❻ 他找到了工作，已经开始上班了。Tā zhǎodàole gōngzuò, yǐjīng kāishǐ shàngbān le. He's found a job and started to work. | ❼ 我上了一天班，太累了。Wǒ shàngle yì tiān bān, tài lèi le. I am extremely tired after a whole day's work. | ❽ 我生病了，今天上不了班了。Wǒ shēngbìng le, jīntiān shàng bu liǎo bān le. I am sick and can't go to work today.

二级

90. 身体（身體）shēntǐ

<*n.*> body, health

❶ 你最近身体好吗？ Nǐ zuìjìn shēntǐ hǎo ma? How are you recently? | ❷ 他每天都锻炼身体。Tā měi tiān dōu duànliàn shēntǐ. He does physical exercise every day. | ❸ 我身体很健康，从来不生病。Wǒ shēntǐ hěn jiànkāng, cónglái bù shēngbìng. I'm pretty healthy and never get sick. | ❹ 我觉得身体有点儿不舒服。Wǒ juéde shēntǐ yǒudiǎnr bù shūfu. I am not feeling well. | ❺ 我最近身体不太好。Wǒ zuìjìn shēntǐ bú tài hǎo. I haven't been very well recently. | ❻ 有个好身体比什么都重要。Yǒu ge hǎo shēntǐ bǐ shénme dōu zhòngyào. Being healthy is more important than anything else.

91. 生病 shēng//bìng

<*v.*> get sick

❶ 我生病了，不能去上课了。Wǒ shēngbìng le, bù néng qù shàngkè le. I am

sick and cannot take the class. | ❷ 他经常运动，很少生病。Tā jīngcháng yùndòng, hěn shǎo shēngbìng. He often does physical exercise, so he seldom gets sick. | ❸ 昨天我生病了，在家休息了一天。Zuótiān wǒ shēngbìng le, zài jiā xiūxile yì tiān. I was sick yesterday, so I rested at home. | ❹ 你穿得太少了，小心生病。Nǐ chuān de tài shǎo le, xiǎoxīn shēngbìng. You wear so few clothes. Please be careful not to get sick. | ❺ 听说你前几天生病了，现在怎么样了？Tīngshuō nǐ qián jǐ tiān shēngbìng le, xiànzài zěnmeyàng le? I heard you were sick a few days ago. How are you now? | ❻ 这些年我没生过一次病。Zhèxiē nián wǒ méi shēngguo yí cì bìng. I have never been sick these years. | ❼ 你生的是什么病？Nǐ shēng de shì shénme bìng? What seems to be your problem?

92. 生日 shēngrì

<n.> birthday

❶ 祝你生日快乐！Zhù nǐ shēngrì kuàilè! Happy birthday to you! | ❷ 八月十二号是我的生日。Bā yuè shí'èr hào shì wǒ de shēngrì. My birthday is on August 12th. | ❸ 明天是我妈妈的生日。Míngtiān shì wǒ māma de shēngrì. Tomorrow is my mom's birthday. | ❹ 我们给你过生日吧。Wǒmen gěi nǐ guò shēngrì ba. Let's celebrate your birthday. | ❺ 这个生日礼物是男朋友送给她的。Zhège shēngrì lǐwù shì nánpéngyou sònggěi tā de. This is a birthday gift from her boyfriend. | ❻ 明天晚上是我的生日聚会，你们都来吧。Míngtiān wǎnshang shì wǒ de shēngrì jùhuì, nǐmen dōu lái ba. Please come to my party tomorrow night.

二级

93. 时间（時間）shíjiān

<n.> ① time

❶ 明天你有时间吗？Míngtiān nǐ yǒu shíjiān ma? Will you be free tomorrow? | ❷ 我们很长时间没见面了。Wǒmen hěn cháng shíjiān méi jiànmiàn le.

We haven't seen each other for a long time. | ❸ 从学校到你家要多长时间? Cóng xuéxiào dào nǐ jiā yào duō cháng shíjiān? How long does it take you to your home from the school? | ❹ 别着急，我们还有时间。Bié zháojí, wǒmen hái yǒu shíjiān. Don' t worry; we still have time.

② time, period

❶ 考试的时间是两个小时。Kǎoshì de shíjiān shì liǎng ge xiǎoshí. The exam takes two hours. | ❷ 你业余时间做什么? Nǐ yèyú shíjiān zuò shénme? What do you do in your spare time? | ❸ 你看书的时间太长了，休息一会儿吧。Nǐ kàn shū de shíjiān tài cháng le, xiūxi yíhuìr ba. You've been reading for such a long time. Please take a break. | ❹ 暑假有两个月的休息时间。Shǔjià yǒu liǎng ge yuè de xiūxi shíjiān. The summer vacation is two months' long.

③ a point in time

❶现在的时间是九点二十分。Xiànzài de shíjiān shì jiǔ diǎn èrshí fēn. It is 9:20 now. | ❷ 考试结束的时间是十一点。Kǎoshì jiéshù de shíjiān shì shíyī diǎn. The exam will end at 11 a.m. | ❸ 我们见面的时间定在下午一点。Wǒmen jiànmiàn de shíjiān dìng zài xiàwǔ yī diǎn. Our meeting time has been scheduled at 1 p.m. | ❹ 明天我们什么时间开会? Míngtiān wǒmen shénme shíjiān kāihuì? When will our meeting be held tomorrow? | ❺ 请你把见面的时间、地点告诉他们。Qǐng nǐ bǎ jiànmiàn de shíjiān、dìdiǎn gàosu tāmen. Please tell them when and where the meeting will be held.

94. 事情 shìqing

<*n.*> thing, affair, matter

❶ 这是一件让人高兴的事情。Zhè shì yí jiàn ràng rén gāoxìng de shìqing. This is something that makes us happy. | ❷ 这件事情很麻烦。Zhè jiàn shìqing hěn máfan. It's really troublesome. | ❸ 今天我有很多事情要做。Jīntiān wǒ yǒu hěn duō shìqing yào zuò. I have a lot of things to attend to today. | ❹ 这件事情你不要告诉他。Zhè jiàn shìqing nǐ búyào gàosu tā. Please don't tell him about it. |

❺ 最近他家里的麻烦事情太多了。Zuìjìn tā jiāli de máfan shìqing tài duō le. There have been too many knotty things in his family these days. | ❻ 这件事情是怎么发生的？ Zhè jiàn shìqing shì zěnme fāshēng de? How did it happen? | ❼ 你能谈谈事情的经过吗？ Nǐ néng tántan shìqing de jīngguò ma? Can you tell us what happened? | ❽ 我很难忘记小时候的事情。Wǒ hěn nán wàngjì xiǎoshíhou de shìqing. I can hardly forget those things in my childhood.

95. 手表（手錶）shǒubiǎo

<*n.*> wrist watch

❶ 这块手表两千块钱。Zhè kuài shǒubiǎo liǎng qiān kuài qián. This watch costs 2000 *kuai*. | ❷ 他的手表是爸爸送的。Tā de shǒubiǎo shì bàba sòng de. His watch is a gift from his father. | ❸ 这块手表我戴了二十年了。Zhè kuài shǒubiǎo wǒ dàile èrshí nián le. I have been wearing this watch for 20 years. | ❹ 他戴了一块很精致的手表。Tā dàile yí kuài hěn jīngzhì de shǒubiǎo. He wears a very exquisite watch. | ❺ 我的手表快了两分钟。Wǒ de shǒubiǎo kuàile liǎng fēnzhōng. My watch is two minutes fast. | ❻ 这个商场有修理手表的地方吗？ Zhège shāngchǎng yǒu xiūlǐ shǒubiǎo de dìfang ma? Is there a watch repair shop in this shopping mall?

二级

96. 手机（手機）shǒujī

<*n.*> mobile phone, cellphone

❶ 你的手机号码是多少？ Nǐ de shǒujī hàomǎ shì duōshao? What is your cellphone number? | ❷ 我今天忘了带手机。Wǒ jīntiān wàngle dài shǒujī. I forgot to bring my cellphone with me today. | ❸ 谁的手机响了？ Shéi de shǒujī xiǎng le? Whose cellphone is ringing? | ❹ 明天我们手机联系吧。Míngtiān wǒmen shǒujī liánxì ba. We'll contact each other by cellphone tomorrow. | ❺ 有事情你可以打我手机。Yǒu shìqing nǐ kěyǐ dǎ wǒ shǒujī. If you have any problems, please feel free to call me on my cellphone. | ❻ 我的手机二十四小时都开机。Wǒ de shǒujī èrshísì xiǎoshí dōu kāijī. I keep my cellphone on 24 hours a day. | ❼ 上课不能玩儿手机。Shàngkè bù néng wánr shǒujī. Don't play with your cellphone in class.

97. 送 sòng radical: 辶 strokes: 9

stroke order: 丶 丷 䒑 兰 𦍌 关 `关 关辶 送

<v.> ① deliver, send

❶ 我一会儿给你送过去。Wǒ yíhuìr gěi nǐ sòng guòqu. I will send it to you a little later. | ❷ 今天的报纸送来了。Jīntiān de bàozhǐ sònglái le. Today's newspaper has been delivered. | ❸ 我们已经把他送到医院了。Wǒmen yǐjīng bǎ tā sòngdào yīyuàn le. We have already sent him to the hospital. | ❹ 这辆车是送水果的。Zhè liàng chē shì sòng shuǐguǒ de. The vehicle is used to deliver fruits. | ❺ 这些电脑要送到农村的小学去。Zhèxiē diànnǎo yào sòngdào nóngcūn de xiǎoxué qù. These computers will be sent to primary schools in rural areas.

② bestow, give (as a gift)

❶ 这是我送你的生日礼物。Zhè shì wǒ sòng nǐ de shēngrì lǐwù. This is a gift from me for your birthday. | ❷ 这本书送给你吧。Zhè běn shū sònggěi nǐ ba. The book is for you. | ❸ 我们送给了这所小学一批电脑。Wǒmen sònggěile zhè suǒ xiǎoxué yì pī diànnǎo. We donated some computers to the primary school. | ❹ 他每天给妻子送一朵鲜花。Tā měi tiān gěi qīzi sòng yì duǒ xiānhuā. He gives his wife a flower every day. | ❺ 爸爸送给我一个新手机。Bàba sònggěi wǒ yí ge xīn shǒujī. My dad gave me a new cellphone.

③ see somebody off, take somebody to some place

❶ 明天朋友送我回国。Míngtiān péngyou sòng wǒ huí guó. My friend will see me off when I go back to my country tomorrow. | ❷ 晚上我要去机场送朋友。Wǎnshang wǒ yào qù jīchǎng sòng péngyou. I will see off a friend at the airport tonight. |

❸ 我每天要先送孩子上学，再去上班。Wǒ měi tiān yào xiān sòng háizi shàngxué, zài qù shàngbān. I take my child to school first and then go to work every day. | ❹ 我送你到门口吧。Wǒ sòng nǐ dào ménkǒu ba. Let me see you off at the door. | ❺ 客人要走了，你去送送。Kèrén yào zǒu le, nǐ qù sòngsong. The guest is leaving; please see him off.

98. 所以 suǒyǐ

<*conj.*> therefore, so

❶ 我感冒了，所以没去上课。Wǒ gǎnmào le, suǒyǐ méi qù shàngkè. I caught a cold, so I didn't go to school. | ❷ 他常锻炼身体，所以很少生病。Tā cháng duànliàn shēntǐ, suǒyǐ hěn shǎo shēngbìng. He often does physical exercise, so he seldom gets sick. | ❸ 今天很冷，所以你要多穿点儿衣服。Jīntiān hěn lěng, suǒyǐ nǐ yào duō chuān diǎnr yīfu. Today is very cold. Please put on more clothes. | ❹ 因为要毕业回国了，所以他把电视机卖了。Yīnwèi yào bìyè huí guó le, suǒyǐ tā bǎ diànshìjī mài le. He sold his TV because he would go back to his country after graduation. | ❺ 因为这里经常下雨，所以人们出门都带着伞。Yīnwèi zhèli jīngcháng xià yǔ, suǒyǐ rénmen chū mén dōu dàizhe sǎn. It often rains, so everyone takes an umbrella with him when he goes out.

二级

99. 它 tā radical: 宀 strokes: 5 stroke order: 丶 丷 宀 它 它

<*pron.*> it

❶ 我家有只小狗，它很可爱。Wǒ jiā yǒu zhī xiǎogǒu, tā hěn kě'ài. We have a cute puppy at home. | ❷ 这个苹果烂了，扔了它吧。Zhège píngguǒ làn le, rēngle tā ba. This apple is rotten. Please throw it away. | ❸ 这辆自行车我不用了，把它送给你吧。Zhè liàng zìxíngchē wǒ bú yòng le, bǎ tā sònggěi nǐ ba. I will not use this bicycle any more. I'll give it to you. | ❹ 这瓶酒你喝了它吧。Zhè píng jiǔ nǐ hēle tā ba. Please drink this bottle of wine. | ❺ 我家的小猫很可

爱，我很喜欢它。Wǒ jiā de xiǎomāo hěn kě'ài, wǒ hěn xǐhuan tā. Our kitten is so cute. I like it very much. | ❻ 这所大学很有名，它有一百年了。Zhè suǒ dàxué hěn yǒumíng, tā yǒu yìbǎi nián le. This is a renowned university with more than 100 years of history.

100. 踢足球 tī zúqiú

<*phr.*> play football, play soccer

❶ 我们每天下午四点去踢足球。Wǒmen měi tiān xiàwǔ sì diǎn qù tī zúqiú. We play soccer at 4 every afternoon. | ❷ 他从小就喜欢踢足球。Tā cóngxiǎo jiù xǐhuan tī zúqiú. He likes playing football since childhood. | ❸ 你跟我们一起去踢足球吧。Nǐ gēn wǒmen yìqǐ qù tī zúqiú ba. Come along with us to play soccer. | ❹ 我喜欢的体育运动是踢足球。Wǒ xǐhuan de tǐyù yùndòng shì tī zúqiú. My favorite sport is soccer. | ❺ 昨天他踢了两个小时足球。Zuótiān tā tīle liǎng ge xiǎoshí zúqiú. He spent two hours playing football yesterday. | ❻ 他踢足球踢得特别好。Tā tī zúqiú tī de tèbié hǎo. He is very good at playing soccer.

101. 题（題）tí radical: 页 strokes: 15 stroke order: 丨 冂 日 日 旦 早 早 昇 是 是 是 是 题 题 题

<*n.*> question, exercise

❶ 这些练习题都很难。Zhèxiē liànxítí dōu hěn nán. All these exercises are difficult. | ❷ 我们一起做这个题吧。Wǒmen yìqǐ zuò zhège tí ba. Let's solve this problem together. | ❸ 我们的考试题难不难？ Wǒmen de kǎoshìtí nán bù nán? Are the questions in our exam difficult? | ❹ 请大家看第三题。Qǐng dàjiā kàn dì-sān tí. Please look at Question 3. | ❺ 你们再把这些题做一遍。Nǐmen zài bǎ zhèxiē tí zuò yí biàn. Please do these exercises again. | ❻ 这个听力题有两个答案。Zhège tīnglìtí yǒu liǎng ge dá'àn. There are two answers to this question in Listening Comprehension. | ❼ 考试的时候，你们要看清楚题。Kǎoshì de shíhou, nǐmen yào kàn qīngchu tí. Please read the questions carefully in the exam.

102. 跳舞 tiào//wǔ

<*v.*> dance

❶ 她跳舞很好看。Tā tiàowǔ hěn hǎokàn. She dances beautifully. | ❷ 她喜欢唱歌和跳舞。Tā xǐhuan chàng gē hé tiàowǔ. She likes singing and dancing. | ❸ 我们一起去跳舞，好吗？Wǒmen yìqǐ qù tiàowǔ, hǎo ma? Let's go dancing, shall we? | ❹ 她每天早上去公园里跳舞。Tā měi tiān zǎoshang qù gōngyuán li tiàowǔ. She goes dancing in the park every morning. | ❺ 我不会跳舞，你们跳吧。Wǒ bú huì tiàowǔ, nǐmen tiào ba. I don't know how to dance; you guys just go ahead. | ❻ 你给我们跳个舞吧。Nǐ gěi wǒmen tiào ge wǔ ba. Please dance for us. | ❼ 她会跳中国舞，也会跳印度舞。Tā huì tiào Zhōngguówǔ, yě huì tiào Yìndùwǔ. She is good at Chinese dances and Indian dances.

103. 外 wài radical: 夕 strokes: 5

stroke order: ノ ク 夕 夘 外

<*n.*> ① (*as opposed to "inside" and "inward"*) outside

❶ 屋外是一片草地。Wū wài shì yí piàn cǎodì. There is a lawn outside the house. | ❷ 窗外有一棵大树。Chuāng wài yǒu yì kē dà shù. There is a big tree outside the window. | ❸ 教室外有一个小花园。Jiàoshì wài yǒu yí ge xiǎo huāyuán. There is a small park outside the classroom. | ❹ 我在门外呢，快点儿开门。Wǒ zài mén wài ne, kuài diǎnr kāi mén. I am outside the door. Please open it now. | ❺ 我住校外，离学校很远。Wǒ zhù xiào wài, lí xuéxiào hěn yuǎn. I live far away from campus. | ❻ 他是外科医生。Tā shì wàikē yīshēng. He is a surgeon.

② foreign

❶ 我家在外地。Wǒ jiā zài wàidì. I'm not a local resident. | ❷ 欢迎外国公司和企业来中国投资。Huānyíng wàiguó gōngsī hé qǐyè lái Zhōngguó tóuzī. We welcome foreign companies and enterprises to invest in China. | ❸ 这几年我们公司加强了对外交流与合作。Zhè jǐ nián wǒmen gōngsī jiāqiángle duì wài jiāoliú yǔ hézuò. Our company has enhanced foreign exchange and cooperation these years.

104. 完 wán radical: 宀 strokes: 7

stroke order: 丶 丷 宀 宀 宀 宀 完

<v.> ① use up, run out

❶ 这些菜都吃完了。Zhèxiē cài dōu chīwán le. All the dishes were eaten up. | ❷ 他的钱很快就花完了。Tā de qián hěn kuài jiù huāwán le. He soon spent all his money. | ❸ 你在这儿吃完饭再走吧。Nǐ zài zhèr chīwán fàn zài zǒu ba. Please have the meal before you go. | ❹ 他一会儿就喝完了两瓶啤酒。Tā yíhuìr jiù hēwánle liǎng píng píjiǔ. He drank up two bottles of beer in a second. | ❺ 我的牙膏用完了。Wǒ de yágāo yòngwán le. I've used up my toothpaste.

② finish, complete

❶ 你的工作什么时候完啊？ Nǐ de gōngzuò shénme shíhou wán a? When will you finish your work? | ❷ 电影一完我就回家。Diànyǐng yì wán wǒ jiù huí jiā. I will go home right after the movie. | ❸ 我们忙完了就去看电影。Wǒmen mángwánle jiù qù kàn diànyǐng. We will go to a movie as soon as we finish our work. | ❹ 等这件事情完了，你再干别的。Děng zhè jiàn shìqing wán le, nǐ zài gàn bié de. Please don't do other things until this is done. | ❺ 我们已经考完试了。Wǒmen yǐjīng kǎowán shì le. We have finished our exam. | ❻ 这么多工作，我一个人一天干不完。Zhème duō gōngzuò, wǒ yí ge rén yì tiān gàn bu wán. I cannot do so much work by myself in a single day.

105. 玩 wánr radical: 王 strokes: 8

stroke order: 一 二 千 王 王 王 玗 玩

<v.> ① play, have fun

❶ 下午我们去公园玩儿吧。Xiàwǔ wǒmen qù gōngyuán wánr ba. Let's enjoy ourselves in the park this afternoon. | ❷ 你们喜欢玩儿什么？ Nǐmen xǐhuan wánr shénme? What do you like to play with? | ❸ 孩子们在外面玩儿呢。Háizimen zái wàimiàn wánr ne. The kids are still playing outside. | ❹ 她喜欢跟朋友们一起玩儿。Tā xǐhuan gēn péngyoumen yìqǐ wánr. She likes having fun with her friends. | ❺ 没事的时候，他就拿出手机来玩儿。Méi shì de shíhou, tā jiù náchū shǒujī lái wánr. He plays with his cellphone whenever he is free. | ❻ 有时间到我家来玩儿吧。Yǒu shíjiān dào wǒ jiā lái wánr ba. Please drop in when you are free. | ❼ 孩子嘛，哪个不喜欢玩儿？ Háizi ma, nǎge bù xǐhuan wánr? Every child likes playing.

② play, take part in a recreational or sporting event

❶ 他每天下午都玩儿足球。Tā měi tiān xiàwǔ dōu wánr zúqiú. He plays football every afternoon. | ❷ 他最大的爱好是玩儿篮球。Tā zuì dà de àihào shì wánr lánqiú. His favorite hobby is playing basketball. | ❸ 我现在喜欢玩儿电脑游戏。Wǒ xiànzài xǐhuan wánr diànnǎo yóuxì. I like playing computer games now. | ❹ 暑假里，他每天玩儿扑克。Shǔjià li, tā měi tiān wánr pūkè. He spent his summer vacation playing poker every day.

二级

106. 晚上 wǎnshang

<n.> evening, night

❶ 他昨天晚上很晚才回家。Tā zuótiān wǎnshang hěn wǎn cái huí jiā. He went home late last night. | ❷ 他每天晚上都看电视。Tā měi tiān wǎnshang dōu kàn diànshì. He watches TV every night. | ❸ 晚上我们一起去看电影吧。Wǎnshang wǒmen yìqǐ qù kàn diànyǐng ba. Let's go to see a movie tonight. | ❹ 你

晚上一般做什么？ Nǐ wǎnshang yìbān zuò shénme? What do you usually do at night? | ❺ 晚上是我和家人在一起的时间。Wǎnshang shì wǒ hé jiārén zài yìqǐ de shíjiān. I spend evenings with my family. | ❻ 这孩子是在昨天晚上出生的。Zhè háizi shì zài zuótiān wǎnshang chūshēng de. This baby was born last night.

107. 为什么（為什麼）wèi shénme

<*phr.*> why

❶ 你为什么学习汉语？ Nǐ wèi shénme xuéxí Hànyǔ? Why did you study Chinese? | ❷ 他为什么没来？ Tā wèi shénme méi lái? Why didn't he come? | ❸ 她为什么哭了？ Tā wèi shénme kū le? Why is she crying? | ❹ 大卫为什么不说话？ Dàwèi wèi shénme bù shuōhuà? Why didn't David say anything? | ❺ 他们为什么那么高兴啊？ Tāmen wèi shénme nàme gāoxìng a? Why are they so happy? | ❻ 你说这是为什么呢？ Nǐ shuō zhè shì wèi shénme ne? Do you know why? | ❼ 你为什么来晚了？ Nǐ wèi shénme láiwǎn le? Why are you late?

108. 问（問）wèn radical: 门 strokes: 6

stroke order: ` 丨 门 门 问 问

<*v.*> ① ask

❶ 这个问题你问老师吧。Zhège wèntí nǐ wèn lǎoshī ba. You'd better ask your teacher this question. | ❷ 李先生，可以问您一个问题吗？ Lǐ xiānsheng, kěyǐ wèn nín yí ge wèntí ma? Can I ask you a question, Mr. Li? | ❸ 我也不知道怎么走了，我们问问路吧。Wǒ yě bù zhīdào zěnme zǒu le, wǒmen wènwen lù ba. I don't know where we should go, either. Let's ask somebody for directions. | ❹ 我能问你一件事吗？ Wǒ néng wèn nǐ yí jiàn shì ma? Can I ask you something? | ❺ 这件事你问清楚后再做。Zhè jiàn shì nǐ wèn qīngchu hòu zài zuò. You'd better ask someone before you do it. | ❻ 我问过小王，他也不知道。Wǒ wènguo Xiǎo Wáng, tā yě bù zhīdào. I asked Xiao Wang, but he didn't know, either. | ❼ 我问了他几次，他都没告诉我。Wǒ wènle tā jǐ cì, tā dōu méi gàosu wǒ. I asked him several times, but he refused to tell me.

② greet

❶ 大卫问老师好。Dàwèi wèn lǎoshī hǎo. David said "hi" to his teacher. | ❷ 代我向你父母问声好。Dài wǒ xiàng nǐ fùmǔ wèn shēng hǎo. Please send my regards to your parents. | ❸ 他一见了我就问这问那，对我十分关心。Tā yí jiànle wǒ jiù wèn zhè wèn nà, duì wǒ shífēn guānxīn. As soon as he saw me, he asked me different questions, showing great concern for me. | ❹ 他曾经问起你，我告诉他你很好。Tā céngjīng wènqǐ nǐ, wǒ gàosu tā nǐ hěn hǎo. He asked about you, and I told him you were fine.

109. 问题（問題）wèntí

<*n.*> ① question

❶ 谁有问题，可以提出来。Shéi yǒu wèntí, kěyǐ tí chūlai. Please speak up if you have any questions. | ❷ 大家还有什么问题？Dàjiā hái yǒu shénme wèntí? Do you have any other questions? | ❸ 我能不能问你一个问题？Wǒ néng bù néng wèn nǐ yí ge wèntí? Can I ask you a question? | ❹ 这个问题很容易回答。Zhège wèntí hěn róngyì huídá. This question is easy to answer. | ❺ 请你回答老师的问题。Qǐng nǐ huídá lǎoshī de wèntí. Please answer your teacher's question. | ❻ 这个问题的答案已经找到了。Zhège wèntí de dá'àn yǐjīng zhǎodào le. The answer to this question has been found.

② problem, difficulty

❶ 工作中自然会遇到很多问题。Gōngzuò zhōng zìrán huì yùdào hěn duō wèntí. You will inevitably encounter many problems at work. | ❷ 他们的婚姻出现了问题。Tāmen de hūnyīn chūxiànle wèntí. Some problems arose in their marriage. | ❸ 他帮我们解决了一个又一个的问题。Tā bāng wǒmen jiějuéle yí ge yòu yí ge de wèntí. He helped us solve problems one after another. | ❹ 他感觉到公司出现了一些问题。Tā gǎnjué dào gōngsī chūxiànle yìxiē wèntí. He noticed there's something wrong with this company. | ❺ 你有什么工作上的问题可以问老王。Nǐ yǒu shénme gōngzuò shang de wèntí kěyǐ wèn Lǎo Wáng. If you have any questions at work, please ask Lao Wang for advice.

③ mistake, error

❶ 你的作业里有不少问题。Nǐ de zuòyè li yǒu bù shǎo wèntí. You made many mistakes in your homework. | ❷ 我的电脑出问题了，开不了机。Wǒ de diànnǎo chū wèntí le, kāi bu liǎo jī. I cannot start my computer because there is something wrong with it. | ❸ 这些问题都已经改正了。Zhèxiē wèntí dōu yǐjīng gǎizhèng le. All these mistakes have been corrected. | ❹ 我的汽车最近老出问题。Wǒ de qìchē zuìjìn lǎo chū wèntí. There has always been something wrong with my car recently. | ❺ 你帮我看看，自行车的问题在哪儿。Nǐ bāng wǒ kànkan, zìxíngchē de wèntí zài nǎr. Would you please check my bicycle to see what has gone wrong?

二级

110. 西瓜 xīguā

<*n.*> watermelon

❶ 我买了两个大西瓜。Wǒ mǎile liǎng ge dà xīguā. I bought two big watermelons. | ❷ 这个西瓜很好吃。Zhège xīguā hěn hǎochī. This watermelon is tasty. | ❸ 我爱吃北京的西瓜。Wǒ ài chī Běijīng de xīguā. I like watermelons in Beijing. | ❹ 西瓜多少钱一斤？Xīguā duōshao qián yì jīn? How much is half a kilo of watermelons? | ❺ 她不爱吃西瓜。Tā bú ài chī xīguā. She doesn't like watermelons. | ❻ 这种西瓜又大又甜。Zhè zhǒng xīguā yòu dà yòu tián. This kind of watermelon is big and sweet.

111. 希望 xīwàng

<v.> hope, wish

❶ 我希望去中国学习汉语。Wǒ xīwàng qù Zhōngguó xuéxí Hànyǔ. I hope I can study Chinese in China. | ❷ 这是给你的生日礼物，希望你喜欢。Zhè shì gěi nǐ de shēngrì lǐwù, xīwàng nǐ xǐhuan. This is a birthday gift for you, and I hope you'll like it. | ❸ 大家都很希望你能来参加这次活动。Dàjiā dōu hěn xīwàng nǐ néng lái cānjiā zhè cì huódòng. We all hope you can come to this activity. | ❹ 真希望今年暑假能去旅游。Zhēn xīwàng jīnnián shǔjià néng qù lǚyóu. I really hope I can go travelling in this summer vacation. | ❺ 他从小就希望当一名老师。Tā cóngxiǎo jiù xīwàng dāng yì míng lǎoshī. He had wanted to be a teacher since childhood.

<n.> ① desire, dream, expectation

❶ 我的希望能实现吗？Wǒ de xīwàng néng shíxiàn ma? Will my dream come true? | ❷ 我要把希望变成现实。Wǒ yào bǎ xīwàng biànchéng xiànshí. I will turn my dream into reality.

② somebody or something on whom / which hope is placed

❶ 孩子是父母的希望。Háizi shì fùmǔ de xīwàng. Children are the hopes of their parents. | ❷ 你现在是大家的希望。Nǐ xiànzài shì dàjiā de xīwàng. You are our hope. | ❸ 你们是国家的希望。Nǐmen shì guójiā de xīwàng. You are the hope of the nation.

③ possibility

❶ 这件事没希望了。Zhè jiàn shì méi xīwàng le. There's no hope for it. | ❷ 希望还是有的，不过你要努力争取。Xīwàng háishi yǒu de, búguò nǐ yào nǔlì zhēngqǔ. Hope still exists, but you need to strive for it. | ❸ 他有得第一名的希望。Tā yǒu dé dì-yī míng de xīwàng. He stands a chance of winning the first place.

112. 洗 xǐ radical: 氵 strokes: 9

stroke order: 丶 冫 氵 氵 汒 汢 泩 洗 洗

<*v.*> wash

❶ 我下午要洗衣服。Wǒ xiàwǔ yào xǐ yīfu. I will do the laundry this afternoon. | ❷ 你洗手了吗? Nǐ xǐ shǒu le ma? Did you wash your hands? | ❸ 这件衣服我洗了好几遍。Zhè jiàn yīfu wǒ xǐle hǎojǐ biàn. I have washed this clothes several times. | ❹ 这是刚买来的水果，好好儿洗洗再吃。Zhè shì gāng màilái de shuǐguǒ, hǎohāor xǐxi zài chī. These fruits were bought just now. Please wash them well before you eat them. | ❺ 衣服洗得真干净。Yīfu xǐ de zhēn gānjìng. These clothed washed well. | ❻ 他没洗脸就出去了。Tā méi xǐ liǎn jiù chūqu le. He went out without washing his face. | ❼ 我去洗个澡。Wǒ qù xǐ ge zǎo. I'll take a bath. | ❽ 今天天气很好，我下午想去洗车。Jīntiān tiānqì hěn hǎo, wǒ xiàwǔ xiǎng qù xǐ chē. It's a fine day today. I'll wash my car this afternoon.

二级

113. 向 xiàng radical: 丿 strokes: 6

stroke order: ノ 丨 门 向 向 向

<*prep.*> ① to, toward

❶ 你一直向前走就到了。Nǐ yìzhí xiàng qián zǒu jiù dào le. Walk straight ahead, then you will be there. | ❷ 我看见他向西去了。Wǒ kànjiàn tā xiàng xī qù le. I saw him going to the west. | ❸ 你到前面的路口向左转，再走五十米就到了。Nǐ dào qiánmiàn de lùkǒu xiàng zuǒ zhuǎn, zài zǒu wǔshí mǐ jiù dào le. Take the first turn on the left and then walk 50 meters. | ❹ 请大家不要向外看。Qǐng dàjiā búyào xiàng wài kàn. Please don't look outside. | ❺ 飞机正在向南飞行。Fēijī zhèngzài xiàng nán fēixíng. The airplane is heading to the south.

② *used in front of a verb to introduce the recipient of an action*

❶ 我向你道歉。Wǒ xiàng nǐ dàoqiàn. I apologize to you. | ❷ 我要向你表示感谢。Wǒ yào xiàng nǐ biǎoshì gǎnxiè. Thank you. | ❸ 我有个问题想向您请

教。Wǒ yǒu ge wèntí xiǎng xiàng nín qǐngjiào. May I ask you a question? | ❹ 我向他说明了我的情况。Wǒ xiàng tā shuōmíngle wǒ de qíngkuàng. I explained to him my situation. | ❺ 这本书是我向同学借的。Zhè běn shū shì wǒ xiàng tóngxué jiè de. I borrowed this book from one of my classmates. | ❻ 我向妻子谈了我的想法。Wǒ xiàng qīzi tánle wǒ de xiǎngfǎ. I spoke my mind to my wife.

114. 小时（小時）xiǎoshí

<*n.*> hour

❶ 我等了他半个小时了，他还没来。Wǒ děngle tā bàn ge xiǎoshí le, tā hái méi lái. I have been waiting for him for half an hour, but he still hasn't shown up. | ❷ 再过一个小时，火车才开。Zài guò yí ge xiǎoshí, huǒchē cái kāi. The train won't leave until an hour later. | ❸ 从北京到上海坐火车要几个小时？Cóng Běijīng dào Shànghǎi zuò huǒchē yào jǐ ge xiǎoshí? How long does it take you to go from Beijing to Shanghai by train? | ❹ 从学校到我家，坐公共汽车要一小时二十分钟。Cóng xuéxiào dào wǒ jiā, zuò gōnggòng qìchē yào yì xiǎoshí èrshí fēnzhōng. It takes me an hour and twenty minutes to get to the school from my home by bus. | ❺ 我昨天晚上只睡了四个小时觉。Wǒ zuótiān wǎnshang zhǐ shuìle sì ge xiǎoshí jiào. I only slept four hours last night. | ❻ 我花了两个小时的时间才做完作业。Wǒ huāle liǎng ge xiǎoshí de shíjiān cái zuòwán zuòyè. It took me two hours to finish my homework.

115. 笑 xiào radical: ⺮ strokes:10

stroke order: 丿 𠂉 𠂉 ⺮ ⺮ ⺮ 竺 竺 竽 笑

<*v.*> laugh, smile

❶ 他笑起来很好看。Tā xiào qǐlai hěn hǎokàn. He looks good when he smiles. | ❷ 他一看见我就笑。Tā yí kànjiàn wǒ jiù xiào. He smiles as soon as he sees me. | ❸ 儿子看着妈妈给他的礼物笑了。Érzi kànzhe māma gěi tā de lǐwù xiào le. The son smiled when he saw the gift his mother gave him. | ❹ 他们高兴得大笑起来。Tāmen gāoxìng de dà xiào qǐlai. They were so happy that they laughed heartily. | ❺ 别哭了，笑一笑。Bié kū le, xiào yí xiào. Stop crying. Smile. | ❻ 这个电影很有意思，逗得我们不停地笑。Zhège diànyǐng hěn yǒu yìsi, dòu de wǒmen bù tíng de xiào. The movie was so funny that we kept laughing all the time. | ❼ 他笑得眼泪都流出来了。Tā xiào de yǎnlèi dōu liú chūlai le. He laughed to tears. | ❽ 大家不要笑了。Dàjiā búyào xiào le. Everybody, stop laughing, please.

116. 新 xīn radical: 斤 strokes: 13 stroke order: 丶 亠 亠 立 立 辛 辛 辛 亲 亲 新 新 新

<*adj.*> new

❶ 这辆汽车很新。Zhè liàng qìchē hěn xīn. This car is pretty new. | ❷ 这是我的新手机，你看怎么样？Zhè shì wǒ de xīn shǒujī, nǐ kàn zěnmeyàng? This is my new cellphone. What do you think of it? | ❸ 这双鞋是新的，还没穿过。Zhè shuāng xié shì xīn de, hái méi chuānguo. This pair of shoes is brand new. They haven't been worn before. | ❹ 女孩子都喜欢穿新衣服。Nǚ háizi dōu xǐhuan chuān xīn yīfu. All the girls like wearing new clothes. | ❺ 我买了一台新电视。Wǒ mǎile yì tái xīn diànshì. I bought a new TV set. | ❻ 大家欢迎这位新同学来到我们班。Dàjiā huānyíng zhè wèi xīn tóngxué láidào wǒmen bān. Everybody! Let's welcome this new student to our class!

二级

<*adv.*> newly

❶ 他是新来的老师。Tā shì xīn lái de lǎoshī. He is a new teacher. | ❷ 这个饭馆是新开的。Zhège fànguǎn shì xīn kāi de. This is a new restaurant. | ❸ 我新买了一辆自行车。Wǒ xīn mǎile yí liàng zìxíngchē. I bought a new bike. | ❹ 我们学校新盖了一个图书馆。Wǒmen xuéxiào xīn gàile yí ge túshūguǎn. A new library was built in our school. | ❺ 新做的这张桌子比原来的大多了。Xīn zuò de zhè zhāng zhuōzi bǐ yuánlái de dà duō le. This new table is much bigger than the former one.

117. 姓 xìng radical: 女 strokes: 8

stroke order: ㄑ 女 女 女' 女' 女'' 姓 姓

<*n.*> family name, surname

❶ 您贵姓？ Nín guìxìng? Would you mind telling me your last name? | ❷ "李"是她的姓，"红"是她的名。"Lǐ" shì tā de xìng, "Hóng" shì tā de míng. "Li" is her family name, and "Hong" is her given name. | ❸ 中国人姓在前面，名在后面。Zhōngguórén xìng zài qiánmiàn, míng zài hòumiàn. Chinese people put their family names before their given names. | ❹ 你这个姓很少见。Nǐ zhège xìng hěn shǎo jiàn. You have a rare surname. | ❺ 在这个地方写你的姓，后面一栏写你的名。Zài zhège dìfang xiě nǐ de xìng, hòumiàn yì lán xiě nǐ de míng. Write your last name here and your given name in the following column.

<*v.*> last name, surname, family name

❶ 请问，你姓什么？ Qǐngwèn, nǐ xìng shénme? Excuse me, may I have your last name? | ❷ 我姓李，他姓王。Wǒ xìng Lǐ, tā xìng Wáng. My last name is Li, and his last name is Wang. | ❸ 他俩都姓张。Tā liǎ dōu xìng Zhāng. Both of them are surnamed Zhang. | ❹ 在中国，姓"李"的人最多。Zài Zhōngguó, xìng "Lǐ" de rén zuì duō. "Li" is the most popular family name in China. | ❺ 你知道他姓什么吗？ Nǐ zhīdào tā xìng shénme ma? Do you know his last name?

118. 休息 xiūxi

<*v.*> have (take) a res, rest

❶ 课间我们休息十分钟。Kèjiān wǒmen xiūxi shí fēnzhōng. Let's have a 10-minute break. | ❷ 老师，我们休息一下吧。Lǎoshī, wǒmen xiūxi yíxià ba. Let's take a break, sir. | ❸ 他累了，正在休息。Tā lèi le, zhèngzài xiūxi. He is tired and is having a break. | ❹ 我昨天很晚才休息。Wǒ zuótiān hěn wǎn cái xiūxi. I stayed up last night. | ❺ 今天太累了，你早点儿休息吧。Jīntiān tài lèi le, nǐ zǎo diǎnr xiūxi ba. You are very tired today. Please have a good rest as soon as possible. |

二级

❻ 他生病了，在家休息了两天。Tā shēngbìng le, zài jiā xiūxile liǎng tiān. He was sick and he rested at home for two days. | ❼ 昨晚你休息得好不好? Zuówǎn nǐ xiūxi de hǎo bù hǎo? Did you have a good rest last night?

119. 雪 xuě radical: ⻗ strokes: 11 stroke order: 一 ㇀ 冖 币 币 雨 雨 雪 雪 雪 雪

<*n.*> snow

❶ 外面雪很大，你别出去了。Wàimiàn xuě hěn dà, nǐ bié chūqu le. It is snowing heavily outside. You'd better keep indoors. | ❷ 昨天晚上下雪了。Zuótiān wǎnshang xià xuě le. It snowed last night. | ❸ 北京今年冬天还没下过雪。Běijīng jīnnián dōngtiān hái méi xiàguo xuě. It hasn't snowed this winter in Beijing. | ❹ 天气预报说明天有大雪。Tiānqì yùbào shuō míngtiān yǒu dà xuě. The weather forecast says there is going to be a heavy snow tomorrow. | ❺ 雪天路不好走，你小心点儿。Xuě tiān lù bù hǎo zǒu, nǐ xiǎoxīn diǎnr. The roads are icy on such a snowy day. Be careful. | ❻ 这场雪下得很大。Zhè cháng xuě xià de hěn dà. It is a heavy snow. | ❼ 今年冬天雪很少，气候很干燥。Jīnnián dōngtiān xuě hěn shǎo, qìhòu hěn gānzào. With little snow, it is very dry this winter.

二级

120. 颜色（顏色）yánsè

<*n.*> color

❶ 这件红颜色的衣服很好看。Zhè jiàn hóng yánsè de yīfu hěn hǎokàn. This red dress looks great. | ❷ 她的头发是黄颜色的。Tā de tóufa shì huáng yánsè de. Her hair is blond. | ❸ 我不喜欢这个手机的颜色。Wǒ bù xǐhuan zhège shǒujī de yánsè. I don't like the color of the cellphone. | ❹ 这件衣服是浅颜色的，夏天穿比较好。Zhè jiàn yīfu shì qiǎn yánsè de, xiàtiān chuān bǐjiào hǎo. This garment is light-colored. You'd better wear it in summer. | ❺ 她喜欢穿深颜色的衣服。Tā xǐhuan chuān shēn yánsè de yīfu. She likes wearing dark-colored clothes.

121. 眼睛 yǎnjing

<*n.*> eyes

❶ 她的眼睛很漂亮。Tā de yǎnjing hěn piàoliang. Her eyes are beautiful. | ❷ 她有一双大眼睛。Tā yǒu yì shuāng dà yǎnjing. She has big eyes. | ❸ 他是小眼睛、高个子。Tā shì xiǎo yǎnjing、gāo gèzi. He is a tall guy with small eyes. | ❹ 我眼睛疼。Wǒ yǎnjing téng. My eyes are sore. | ❺ 他一只眼睛看不见了。Tā yì zhī yǎnjing kàn bu jiàn le. He has lost sight in one eye. | ❻ 要注意保护你的眼睛。Yào zhùyì bǎohù nǐ de yǎnjing. Please protect your eyes carefully.

122. 羊肉 yángròu

<*n.*> mutton

❶ 他最爱吃羊肉。Tā zuì ài chī yángròu. Lamb is his favorite. | ❷ 这个超市的羊肉很新鲜。Zhège chāoshì de yángròu hěn xīnxiān. The mutton sold in this supermarket is very fresh. | ❸ 这个饭店做的羊肉特别好吃。Zhège fàndiàn zuò de yángròu tèbié hǎochī. The mutton cooked in this restaurant is very delicious. | ❹ 我喜欢喝羊肉汤。Wǒ xǐhuan hē yángròutāng. I like mutton soup. | ❺ 这个菜是羊肉的吗？ Zhège cài shì yángròu de ma? Is it cooked with mutton? | ❻ 对不起，我不吃羊肉。Duìbuqǐ, wǒ bù chī yángròu. Sorry, I don't eat mutton.

123. 药（藥）yào radical: 艹 strokes: 9

stroke order: 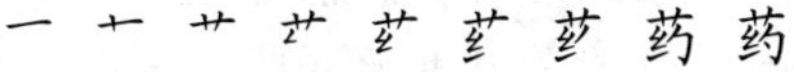

<*n.*> drug, medicine

❶ 你吃过药了吗？ Nǐ chīguo yào le ma? Have you taken your medicine? | ❷ 你感冒了，我给你开点儿感冒药吧。Nǐ gǎnmào le, wǒ gěi nǐ kāi diǎnr gǎnmàoyào ba. You've caught a cold. I'll write you a prescription. | ❸ 这种药很

苦，但很管用。Zhè zhǒng yào hěn kǔ, dàn hěn guǎnyòng. This medicine tastes bitter, but it is very effective. | ❹ 你要按时吃药，病才会好得快。Nǐ yào ànshí chī yào, bìng cái huì hǎo de kuài. Take your medicine on time, and you'll get better soon. | ❺ 这是进口药，所以比较贵。Zhè shì jìnkǒuyào, suǒyǐ bǐjiào guì. The medicine was imported, so it is more expensive. | ❻ 我不怕吃药，就怕打针。Wǒ bú pà chī yào, jiù pà dǎzhēn. I am not afraid of taking medications, but I feel scared when I have injections.

124. 要 yào radical: 覀 strokes: 9

stroke order: 一 丅 丙 襾 襾 覀 要 要 要

<aux.> ① want (to do something), hope (to do something)

❶ 他要来北京学汉语。Tā yào lái Běijīng xué Hànyǔ. He will study Chinese in Beijing. | ❷ 我要买台电脑。Wǒ yào mǎi tái diànnǎo. I am going to buy a computer. | ❸ 哥哥要去南方旅游。Gēge yào qù nánfāng lǚyóu. My elder brother is going to travel in south China. | ❹ 你们要好好儿学习。Nǐmen yào hǎohāor xuéxí. Study hard. | ❺ 大家要不要休息一会儿？Dàjiā yào bú yào xiūxi yíhuìr? Do you need a rest?

② should

❶ 开车时，路上要小心。Kāi chē shí, lùshang yào xiǎoxīn. Be careful when you drive. | ❷ 这些书要还给图书馆。Zhèxiē shū yào huángěi túshūguǎn. These books need to be returned to the library. | ❸ 这些苹果要好好儿洗洗再吃。Zhèxiē píngguǒ yào hǎohāor xǐxi zài chī. Wash these apples carefully before you eat them. | ❹ 我的作业要在明天上午完成。Wǒ de zuòyè yào zài míngtiān shàngwǔ wánchéng. I'll finish my homework before tomorrow morning.

③ will, is going to

❶ 要下雨了，我们快走吧。Yào xià yǔ le, wǒmen kuài zǒu ba. It will rain soon; let's hurry. | ❷ 春天快要到了。Chūntiān kuàiyào dào le. Spring will come soon. | ❸ 妹妹明天就要出国了，真有些舍不得。Mèimei míngtiān jiùyào chū guó le, zhēn yǒuxiē shě bu de. My younger sister will go abroad tomorrow. I feel loath to part with her.

<*v.*> ① want, need

❶ 我要一杯咖啡。Wǒ yào yì bēi kāfēi. I'd like to have a cup of coffee. | ❷ 我要一个菜就够了。Wǒ yào yí ge cài jiù gòu le. One dish is enough for me. | ❸ 我跟哥哥要了一百块。Wǒ gēn gēge yàole yìbǎi kuài. I asked 100 *kuai* from my elder brother. | ❹ 师傅，我要三斤苹果。Shīfu, wǒ yào sān jīn píngguǒ. 1.5 kilograms of apples, please. | ❺ 我们要辆出租车吧。Wǒmen yào liàng chūzūchē ba. Let's take a taxi. | ❻ 你要那么多报纸做什么？ Nǐ yào nàme duō bàozhǐ zuò shénme? Why did you need so much newspaper? | 这些书我不要了，你都可以拿走。Zhèxiē shū wǒ bú yào le, nǐ dōu kěyǐ názǒu. I don't need these books any more; you can take them away.

② require, request, ask

❶ 妈妈要我下班后就回家。Māma yào wǒ xiàbān hòu jiù huí jiā. My mom asked me to go home right after work. | ❷ 公司要他马上离开。Gōngsī yào tā mǎshàng líkāi. The company asked him to leave at once. | ❸ 经理经常要我们加班。Jīnglǐ jīngcháng yào wǒmen jiābān. The manager often asks us to work overtime.

二级

125. 也 yě radical: 乛 strokes: 3 stroke order: 乛 ㇆ 也

<*adv.*> ① too, either, also

❶ 我是中国人，他也是。Wǒ shì Zhōngguórén, tā yě shì. I am Chinese, so is he. | ❷ 我喜欢中国文化，我妻子也喜欢。Wǒ xǐhuan Zhōngguó wénhuà, wǒ qīzi yě xǐhuan. I like Chinese culture, so does my wife. | ❸ 玛丽和我一样，也有两个姐姐。Mǎlì hé wǒ yíyàng, yě yǒu liǎng ge jiějie. I have two elder sisters. So does Mary. | ❹ 他和我的爱好相同，也喜欢打篮球。Tā hé wǒ de àihào xiāngtóng, yě xǐhuan dǎ lánqiú. He and I have the same hobby—playing basketball. |

❺ 昨天，她也没来上课。Zuótiān, tā yě méi lái shàngkè. She didn't take the class, either.

② *indicating the situation in the previous clause does not affect the consequence expressed in the following clause*

❶ 下雨我们也要去。Xià yǔ wǒmen yě yào qù. We will go there even if it rains. | ❷ 你不给我打电话，我也会给你打。Nǐ bù gěi wǒ dǎ diànhuà, wǒ yě huì gěi nǐ dǎ. I would call you even if you don't call me. | ❸ 哪怕不睡觉，也要把今天的工作完成。Nǎpà bú shuìjiào, yě yào bǎ jīntiān de gōngzuò wánchéng. I will finish today's work even if I don't sleep. | ❹ 无论发生什么情况，我也不会改变。Wúlùn fāshēng shénme qíngkuàng, wǒ yě bú huì gǎibiàn. I won't change no matter what happens.

③ *indicating an emphasis or stress*

❶ 教室里一个人也没有。Jiàoshì li yí ge rén yě méiyǒu. There is not a single person in the classroom. | ❷ 我一点儿也不累。Wǒ yìdiǎnr yě bú lèi. I am not tired at all. | ❸ 她连自行车也不会骑。Tā lián zìxíngchē yě bú huì qí. She can't even ride a bicycle. | ❹ 在这里，我一个人也不认识。Zài zhèli, wǒ yí ge rén yě bú rènshi. I don't know a single person here. | ❺ 刚来北京时，我一个朋友也没有。Gāng lái Běijīng shí, wǒ yí ge péngyou yě méiyǒu. I didn't have a single friend when I first came to Beijing.

126. 已经（已經）yǐjīng

<adv.> already

❶ 老师已经走了。Lǎoshī yǐjīng zǒu le. The teacher has already gone. | ❷ 她已经三十多岁了。Tā yǐjīng sānshí duō suì le. She is already over 30. | ❸ 我已经吃过饭了。Wǒ yǐjīng chīguo fàn le. I have had lunch already. | ❹ 我们已经到机场了。Wǒmen yǐjīng dào jīchǎng le. We have already arrived at the airport. | ❺ 我已经学了三年汉语了。Wǒ yǐjīng xuéle sān nián Hànyǔ le. I have been studying Chinese for three years already. | ❻ 我到火车站的时候，火车已经开

走了。Wǒ dào huǒchēzhàn de shíhou, huǒchē yǐjīng kāizǒu le. The train had left when I arrived at the railway station. | ❼ 我已经打过两次电话了。Wǒ yǐjīng dǎguo liǎng cì diànhuà le. I have already called twice.

127. 一起 yìqǐ

<*adv.*> together

❶ 大家一起读。Dàjiā yìqǐ dú. Let's read together. | ❷ 我们一起去看电影吧。Wǒmen yìqǐ qù kàn diànyǐng ba. Let's go to the movie together. | ❸ 我们一起生活了四年。Wǒmen yìqǐ shēnghuóle sì nián. We have been living together for 4 years. | ❹ 我把作业和书一起交给了老师。Wǒ bǎ zuòyè hé shū yìqǐ jiāogěile lǎoshī. I handed in my homework and the book to my teacher. | ❺ 他俩经常一起吃饭。Tā liǎ jīngcháng yìqǐ chīfàn. The two of them often dine together.

<*n.*> the same place or aspect

❶ 我和哥哥住在一起。Wǒ hé gēge zhù zài yìqǐ. I live with my elder brother. | ❷ 我们在一起工作。Wǒmen zài yìqǐ gōngzuò. We work together. | ❸ 我们想到一起了。Wǒmen xiǎngdào yìqǐ le. We had the same idea. | ❹ 大家喜欢和王老师在一起。Dàjiā xǐhuan hé Wáng lǎoshī zài yìqǐ. Everybody likes being with Mr. Wang.

128. 意思 yìsi

<*n.*> ① meaning

❶ 我不明白这个词的意思。Wǒ bù míngbai zhège cí de yìsi. I don't know the meaning of this word. | ❷ 这句话是什么意思？ Zhè jù huà shì shénme yìsi? What's the meaning of this sentence? | ❸ 这个词有多个意思。Zhège cí yǒu duō ge yìsi. This is a word with multiple meanings. | ❹ 这篇课文的意思是讲每个国家的文化都不一样。Zhè piān kèwén de yìsi shì jiǎng měi ge guójiā de wénhuà dōu bù yíyàng. This lesson tells us that culture differs from one country to another.

② idea, opinion

❶ 我不明白他的意思。Wǒ bù míngbai tā de yìsi. I don't understand what he meant. | ❷ 我的意思是我们明天再讨论。Wǒ de yìsi shì wǒmen míngtiān zài tǎolùn. In my opinion, we can continue our discussion tomorrow. | ❸ 你是什么意思，请直接告诉我们。Nǐ shì shénme yìsi, qǐng zhíjiē gàosu wǒmen. What do you mean? Please be straightforward. | ❹ 这是大家的意思，不是我一个人的想法。Zhè shì dàjiā de yìsi, bú shì wǒ yí ge rén de xiǎngfǎ. This is not only my opinion, but also everyone else's.

③ (*used in* "有意思" *or* "没意思") fun

❶ 这本书很有意思。Zhè běn shū hěn yǒu yìsi. This is an interesting book. | ❷ 李老师上课特别有意思。Lǐ lǎoshī shàngkè tèbié yǒu yìsi. Mr. Li gave interesting lectures. | ❸ 我朋友很有意思，喜欢开玩笑。Wǒ péngyou hěn yǒu yìsi, xǐhuan kāi wánxiào. My friend is a fun person, who likes to make jokes. | ❹ 这个电影真没意思，我都快睡着了。Zhège diànyǐng zhēn méi yìsi, wǒ dōu kuài shuìzháo le. This movie was so boring that I almost fell asleep while seeing it. | ❺这是一本很有意思的小说。Zhè shì yì běn hěn yǒu yìsi de xiǎoshuō. This is a very interesting novel.

二级

129. 因为（因為）yīnwèi

<*prep.*> for, by, because

❶ 因为这件事，他们的关系不好了。Yīnwèi zhè jiàn shì, tāmen de guānxì bù hǎo le. As a result of it, they broke up with each other. | ❷ 因为得不到你的爱，他才出国了。Yīnwèi dé bu dào nǐ de ài, tā cái chū guó le. He went abroad because he couldn't gain your love. | ❸ 因为等你，我们晚到一个小时。Yīnwèi děng nǐ, wǒmen wǎn dào yí ge xiǎoshí. We were an hour late as we waited for you. | ❹ 因为生病，我不能去上课了。Yīnwèi shēngbìng, wǒ bù néng qù shàngkè le. I can't take the class because I am sick. | ❺ 因为天气的

原因，我们不去爬山了。Yīnwèi tiānqì de yuányīn, wǒmen bú qù pá shān le. In consideration of the weather, we will not climb the mountain.

<*conj.*> (*used with* "所以") because, due to

❶ 因为要回国，所以他不来了。Yīnwèi yào huí guó, suǒyǐ tā bù lái le. He will go back to his country, so he won't come. | ❷ 因为这里经常下雨，所以人们出门都带着伞。Yīnwèi zhèli jīngcháng xià yǔ, suǒyǐ rénmen chūmén dōu dàizhe sǎn. Everyone takes an umbrella with him since it often rains here. | ❸ 因为我们关系好，所以经常在一起。Yīnwèi wǒmen guānxì hǎo, suǒyǐ jīngcháng zài yìqǐ. We often hang out together because we are close friends. | ❹ 小王今天没来上课，因为他感冒了。Xiǎo Wáng jīntiān méi lái shàngkè, yīnwèi tā gǎnmào le. Xiao Wang didn't come to the class today because he's caught a cold. | ❺ 我这么做，是因为我相信你。Wǒ zhème zuò, shì yīnwèi wǒ xiāngxìn nǐ. I did it because I trust you.

二级

130. 阴（陰）yīn radical: 阝 strokes: 6

stroke order: ㇋ 阝 阝丿 阴 阴 阴

<*adj.*> (*as opposed to* "晴 (qíng) *sunny, clear*") cloudy, overcast

❶ 今天阴天，可能会下雨。Jīntiān yīntiān, kěnéng huì xià yǔ. It's overcast today, and it may rain. | ❷ 刚才还是晴天，现在又阴了。Gāngcái háishi qíngtiān, xiànzài yòu yīn le. It was sunny a moment ago, but it's overcast now. | ❸ 这几天一直阴着，看不见太阳。Zhè jǐ tiān yìzhí yīnzhe, kàn bu jiàn tàiyáng. It has always been overcast these days. We cannot see the sunshine. | ❹ 天阴得厉害，马上就要下雨了。Tiān yīn de lìhai, mǎshàng jiùyào xià yǔ le. It is terribly overcast; it may rain soon. | ❺ 天突然阴了下来。Tiān tūrán yīnle xiàlai. It suddenly becomes cloudy. | ❻ 今天晴转阴。Jīntiān qíng zhuǎn yīn. It's sunny then cloudy today.

131. 游泳 yóu//yǒng

<*v.*> swim

❶ 今天下午我去游泳了。Jīntiān xiàwǔ wǒ qù yóuyǒng le. I swam this afternoon. | ❷ 我最喜欢的运动是游泳。Wǒ zuì xǐhuan de yùndòng shì yóuyǒng. My favorite sport is swimming. | ❸ 我爱看游泳比赛。Wǒ ài kàn yóuyǒng bǐsài. I like watching swimming races. | ❹ 他正在学游泳。Tā zhèngzài xué yóuyǒng. He is studying how to swim. | ❺ 这星期我游过三次泳。Zhè xīngqī wǒ yóuguo sān cì yǒng. I went swimming three times this week. | ❻ 我弟弟游泳游得非常快。Wǒ dìdi yóuyǒng yóu de fēicháng kuài. My younger brother swims very fast.

132. 右边（右邊）yòubian

<*n.*> (*as opposed to* "左边") the right side

❶ 小王坐左边，我坐右边。Xiǎo Wáng zuò zuǒbian, wǒ zuò yòubian. Xiao Wang sits on the left, and I sit on the right. | ❷ 你的右边有人吗？ Nǐ de yòubian yǒu rén ma? Is there anybody on your right? | ❸ 路的右边是树林，左边是草地。Lù de yòubian shì shùlín, zuǒbian shì cǎodì. Woods is on the right of the road, and a lawn is on the left. | ❹ 右边这个楼是教学楼。Yòubian zhège lóu shì jiàoxuélóu. The teaching building is on the right. | ❺他从左边换到了右边。Tā cóng zuǒbian huàndàole yòubian. He switched from the left to the right. | ❻ 请你站在电梯右边。Qǐng nǐ zhàn zài diàntī yòubian. Please stand on the right when you take an escalator.

133. 鱼 yú radical: 鱼 strokes: 8

stroke order: ノ ⺈ 𠂊 各 刍 角 鱼 鱼

<*n.*> fish

❶ 这条河里有很多鱼。Zhè tiáo hé li yǒu hěn duō yú. There are a lot of fish in the river. | ❷ 他喜欢养鱼、养花儿。Tā xǐhuan yǎng yú、yǎng huār. He likes raising fish and flowers. | ❸ 今天中午我们吃鱼。Jīntiān zhōngwǔ wǒmen chī yú. We will have fish for lunch today. | ❹ 这条鱼还活着。Zhè tiáo yú hái huózhe. The fish is still alive. | ❺ 这条鱼有一公斤重。Zhè tiáo yú yǒu yì gōngjīn zhòng. The fish weighs a kilogram. | ❻ 市场里有卖活鱼的。Shìchǎng li yǒu mài huó yú de. Live fish is sold in the market. | ❼ 这种鱼在海里生活。Zhè zhǒng yú zài hǎi li shēnghuó. This type of fish lives in the sea.

134. 元 yuán radical: 儿 strokes: 4 stroke order: 一 二 テ 元

<*m.*> *yuan*, a Chinese currency unit

❶ 这本书四十元。Zhè běn shū sìshí yuán. This book costs 40 *yuan*. | ❷ 这件衣服一百二十元。Zhè jiàn yīfu yì bǎi èrshí yuán. The garment costs 120 *yuan*. | ❸ 他做了一笔几十万元的生意。Tā zuòle yì bǐ jǐshí wàn yuán de shēngyi. He did a business of several hundred thousands of *yuan*. | ❹1 美元能换多少元人民币? 1 měiyuán néng huàn duōshao yuán rénmínbì? How much Renminbi can one US dollar be converted to? | ❺ 这上面写的价格是三百四十元。Zhè shàngmiàn xiě de jiàgé shì sānbǎi sìshí yuán. It is marked 340 *yuan*.

135. 远（遠）yuǎn radical: 辶 strokes: 7

stroke order: 一 二 テ 元 `元 沅 远

<*adj.*> (*as opposed to* "近 (jìn) *close*") far

❶ 我家离学校很远。Wǒ jiā lí xuéxiào hěn yuǎn. My home is very far away from the school. | ❷ 从这儿到机场远不远？Cóng zhèr dào jīchǎng yuǎn bù yuǎn? Is it far away from here to the airport? | ❸ 今天我们要去个很远的地方。Jīntiān wǒmen yào qù ge hěn yuǎn de dìfang. We will go to a faraway place today. | ❹ 从火车站到学校有多远？Cóng huǒchēzhàn dào xuéxiào yǒu duō yuǎn? How far is the school from the railway station? | ❺ 商店不太远，我们走着去吧。Shāngdiàn bú tài yuǎn, wǒmen zǒuzhe qù ba. The shop is not so far away. Let's walk there. | ❻ 路太远了，我们坐车去吧。Lù tài yuǎn le, wǒmen zuò chē qù ba. It's too far. Let's take a bus.

136. 运动（運動）yùndòng

<*v.*> do physical exercise

❶ 他出去运动了。Tā chūqu yùndòng le. He is doing exercise outside. | ❷ 我每天下午四点运动。Wǒ měi tiān xiàwǔ sì diǎn yùndòng. I do exercise at 4 p.m. every day. | ❸ 很多人喜欢在早上运动。Hěn duō rén xǐhuan zài zǎoshang yùndòng. Many people like doing morning exercise in the morning. | ❹ 你坐了一天了，出去运动一会儿吧。Nǐ zuòle yì tiān le, chūqu yùndòng yíhuìr ba. You have been sitting here for a whole day. Please do exercise outside. | ❺ 一天不运动，我就不舒服。Yì tiān bú yùndòng, wǒ jiù bù shūfu. I don't feel well if I don't exercise for just one day. | ❻ 运动完以后，我觉得舒服多了。Yùndòng wán yǐhòu, wǒ juéde shūfu duō le. I feel much better after doing physical exercise. | ❼ 你不能整天坐在电脑前，要多运动运动。Nǐ bù néng zhěng tiān zuò zài diànnǎo qián, yào duō yùndòng yùndòng. You can't sit in front of the computer the whole day. You need to do more exercise.

<*n.*> physical exercise, athletic sports

❶ 运动对健康有好处。Yùndòng duì jiànkāng yǒu hǎochù. Exercise is good for health. | ❷ 我最喜欢体育运动。Wǒ zuì xǐhuan tǐyù yùndòng. I like athletic sports the best. | ❸ 很多人喜欢足球运动。Hěn duō rén xǐhuan zúqiú yùndòng. Many people like playing football. | ❹ 你每天运动太少，容易发胖。Nǐ měi tiān yùndòng tài shǎo, róngyì fāpàng. You don't do much exercise every day, so you will easily gain weight. | ❺ 我不喜欢跑步，喜欢球类运动。Wǒ bù xǐhuan pǎobù, xǐhuan qiúlèi yùndòng. I don't like jogging, but I like ball games. | ❻ 学校要在下周举行运动会。Xuéxiào yào zài xià zhōu jǔxíng yùndònghuì. The sports meeting will be held in the school next week. | ❼ 我每天都给自己留出一个小时的运动时间。Wǒ měi tiān dōu gěi zìjǐ liúchū yí ge xiǎoshí de yùndòng shíjiān. I take an hour to get some exercise every day.

137. 再 zài radical: 一 strokes: 6

stroke order: 一 丆 冂 帀 再 再

<*adv.*> ① again, once more

❶ 对不起，我们经理今天不在，你明天再来吧。Duìbuqǐ, wǒmen jīnglǐ jīntiān bú zài, nǐ míngtiān zài lái ba. Sorry, our manager isn't in today. Please come again tomorrow. | ❷ 你一会儿再给他打电话，好吗？ Nǐ yíhuìr zài gěi tā dǎ diànhuà, hǎo ma? Would you mind calling him again later? | ❸这个地方有错儿，你再改改吧。Zhège dìfang yǒu cuòr, nǐ zài gǎigai ba. You made a mistake here; please correct it. | ❹ 天还没黑，再坐一会儿吧。Tiān hái méi hēi, zài zuò yíhuìr ba. It is not dark yet. Please stay here longer.

② (*indicating the order of actions*) then

❶ 洗完澡再睡觉。Xǐwán zǎo zài shuìjiào. Take a bath before you sleep. | ❷ 我吃完饭再去找你。Wǒ chīwán fàn zài qù zhǎo nǐ. I will go to see you after dinner. | ❸ 你想好了再说。Nǐ xiǎnghǎole zài shuō. Think it over before you speak. | ❹ 我要写完作业再看电视。Wǒ yào xiěwán zuòyè zài kàn diànshì. I will finish my homework before watching TV.

③ *indicating a further degree*

❶ 这件衣服再肥一点儿就好了。Zhè jiàn yīfu zài féi yìdiǎnr jiù hǎo le. It would be nice if only the dress is a little bit bigger. | ❷ 这个手机不错，价格再低一些就更好了。Zhège shǒujī búcuò, jiàgé zài dī yìxiē jiù gèng hǎo le. The cellphone is good and it will be better if it is sold at a lower price. | ❸ 这个菜辣得不能再辣了。Zhège cài là de bù néng zài là le. This dish is extremely hot.

④ however, whatever

❶ 困难再大，我们也会克服的。Kùnnan zài dà, wǒmen yě huì kèfú de. However difficult it may be, we will overcome it. | ❷ 汉语再难学，我也要把它学好。Hànyǔ zài nán xué, wǒ yě yào bǎ tā xuéhǎo. I'll learn Chinese well no matter how difficult it is. | ❸ 他再怎么说，我也不相信他。Tā zài zěnme shuō, wǒ yě bù xiāngxìn tā. I don't trust him no matter what he says. | ❹ 他再怎么吃东西都不会发胖。Tā zài zěnme chī dōngxi dōu bú huì fāpàng. He won't put on weight no matter how much he eats.

⑤ *introducing a supplement or an additional item*

❶ 这次获奖的有三个人，我、刘明，再就是我们班长。Zhè cì huòjiǎng de yǒu sān ge rén, wǒ、Liú Míng, zài jiù shì wǒmen bānzhǎng. Three persons won the prize: Liu Ming, our class monitor and I. | ❷ 餐厅除了米饭、馒头，再就是面条了。Cāntīng chúle mǐfàn、mántou、zài jiù shì miàntiáo le. Besides cooked rice, steamed bun, there are noodles in the canteen. | ❸这里风景美，再加上气候好，所以来这里旅游的人很多。Zhèli fēngjǐng měi, zài jiāshang qìhòu hǎo, suǒyǐ lái zhèli lǚyóu de rén hěn duō. With beautiful scenery and mild climate, this place attracts a large number of tourists.

⑥ *indicating the extended scope*

❶ 他小时候去过一次日本，后来再也没有出过国。Tā xiǎoshíhou qùguo yí cì Rìběn, hòulái zài yě méiyǒu chūguo guó. He has been to Japan once when he was a kid, but he has never gone abroad ever since. | ❷ 我们班的学习成绩可以再提高一些。Wǒmen bān de xuéxí chéngjì kěyǐ zài tígāo yìxiē. Our class can do better in the academic achievements. | ❸ 你再多找一些人，我们一起去旅行。Nǐ zài duō zhǎo yìxiē rén, wǒmen yìqǐ qù lǚxíng. You may find more people to join us to travel together.

⑦ *stressing a negation*

❶ 以后我再也不理你了。Yǐhòu wǒ zài yě bù lǐ nǐ le. I will never talk to you any more. | ❷ 在北京待的时间长了，再也不愿意离开了。Zài Běijīng dāi de shíjiān cháng le, zài yě bú yuànyì líkāi le. After having stayed in Beijing for a long time, you'll be unwilling to leave. | ❸ 那里什么好玩儿的都没有，我再也不想去了。Nàli shénme hǎowánr de dōu méiyǒu, wǒ zài yě bù xiǎng qù le. It has nothing fun there. I won't go there any more.

⑧ *introducing an assumption*

❶ 你再不好好儿学习，以后就找不到工作了。Nǐ zài bù hǎohāor xuéxí, yǐhòu jiù zhǎo bu dào gōngzuò le. If you don't study hard, you will not be able to find a job in the future. | ❷ 你再这么玩儿下去，考试就通不过了。Nǐ zài zhème wánr xiàqu, kǎoshì jiù tōng bu guò le. If you keep slacking off like this, you won't pass the exam. | ❸ 他们再争吵下去，恐怕要分手了。Tāmen zài zhēngchǎo xiàqu, kǒngpà yào fēnshǒu le. If they keep arguing, they will probably break up.

138. 早上 zǎoshang

<*n.*> morning, same as "早晨"

❶ 我每天早上七点到公司。Wǒ měi tiān zǎoshang qī diǎn dào gōngsī. I arrive at the company at 7 a.m. every morning. | ❷ 他早上吃的是鸡蛋和面包。Tā zǎoshang chī de shì jīdàn hé miànbāo. He eats eggs and bread in the morning. | ❸ 他每天早上都跑步和打太极拳。Tā měi tiān zǎoshang dōu pǎobù hé dǎ tàijíquán. He goes jogging and practices Chinese shadow boxing every morning. | ❹ 早上空气好，我们出去走走吧。Zǎoshang kōngqì hǎo, wǒmen chūqu zǒuzou ba. The air is fresh in the morning; let's go out for a walk. | ❺ 这孩子是在早上出生的。Zhè háizi shì zài zǎoshang chūshēng de. The child was born in the morning. | ❻ 飞机到达的时间是明天早上六点。Fēijī dàodá de shíjiān shì míngtiān zǎoshang liù diǎn. The plane will arrive at 6 a.m. tomorrow.

139. 张（張）zhāng radical: 弓 strokes: 7

stroke order: ㇇ ㇇ 弓 弓' 弓' 张 张

<*m.*> ① *a measure word for paper, paintings, tickets, etc*

❶ 请给我几张纸。Qǐng gěi wǒ jǐ zhāng zhǐ. Give me some paper, please. | ❷ 这张纸币是假的。Zhè zhāng zhǐbì shì jiǎ de. This note is counterfeit. | ❸ 这张牛皮质量很好。Zhè zhāng niúpí zhìliàng hěn hǎo. This piece of cowhide is of fine quality. | ❹ 这是一张一百元的。Zhè shì yì zhāng yìbǎi yuán de. This is a 100 *yuan* note.

② *a measure word for beds, tables*

❶ 屋子里放着一张双人床。Wūzi li fàngzhe yì zhāng shuāngrénchuáng. There is a double-bed in the room. | ❷ 这个教室有二十张桌子。Zhège jiàoshì yǒu èrshí zhāng zhuōzi. There are 20 desks in the classroom. | ❸ 我睡这张小床就可以了。Wǒ shuì zhè zhāng xiǎo chuáng jiù kěyǐ le. It'll be OK for me to sleep on this small bed.

③ *a measure word for mouths or faces*

❶ 她有一张小小的嘴。Tā yǒu yì zhāng xiǎoxiǎo de zuǐ. She has a small mouth.| ❷ 她长着一张漂亮的脸。Tā zhǎngzhe yì zhāng piàoliang de liǎn. She has a beautiful face. | ❸ 孩子的张张笑脸都像花儿一样。Háizi de zhāngzhāng xiàoliǎn dōu xiàng huār yíyàng. The children' s smiles are like flowers.

<*v.*> open, spread, stretch

❶ 你张开手，我放到你手心里。Nǐ zhāngkāi shǒu, wǒ fàngdào nǐ shǒuxīn li. Open your hand, and I will put it on your palm. | ❷ 小鸟张开翅膀飞起来了。Xiǎoniǎo zhāngkāi chìbǎng fēi qǐlai le. The bird spread its wings and flew away. | ❸ 他突然张开双臂，一把抱住了那位朋友。Tā tūrán zhāngkāi shuāngbì, yì bǎ bàozhùle nà wèi péngyou. He suddenly hugged his friend with his arms. | ❹这朵花儿完全张开了，好看极了。Zhè duǒ huār wánquán zhāngkāi le, hǎokàn jí le. The flower is in full blossom and looks really beautiful.

<*n.*> surname

❶ A: 您贵姓？ B: 我姓张。A: Nín guìxìng? B: Wǒ xìng Zhāng. A: May I have your surname? B: My surname is Zhang. | ❷ 小张，请你过来一下。Xiǎo Zhāng, qǐng nǐ guòlai yíxià. Xiao Zhang, please come here. | ❸ 张老师教我们汉语听力。Zhāng lǎoshī jiāo wǒmen Hànyǔ tīnglì. Mr. Zhang teaches us Chinese listening course.

140. 丈夫 zhàngfu

<*n.*> (*as opposed to* "妻子 (qīzi) *wife*") husband

❶ 她丈夫出差了，家里就她自己了。Tā zhàngfu chūchāi le, jiāli jiù tā zìjǐ le. Her husband is on a business trip, and she is home alone. | ❷ 她选择丈夫的标准是诚实、可靠。Tā xuǎnzé zhàngfu de biāozhǔn shì chéngshí、kěkào. Her criteria for choosing a husband are being honest and reliable. | ❸ 大卫特别爱他的妻子，是个好丈夫。Dàwèi tèbié ài tā de qīzi, shì ge hǎo zhàngfu. David is a good husband who loves his wife very much. | ❹ 她丈夫的脾气特别好，从来没让她生过气。Tā zhàngfu de píqi tèbié hǎo, cónglái méi ràng tā shēngguo qì. Her husband is a good-tempered man; he never made her angry. | ❺ 你想找个什么样的丈夫？ Nǐ xiǎng zhǎo ge shénme yàng de zhàngfu? What kind of husband do you want?

二级

141. 找 zhǎo radical: 扌 strokes: 7

stroke order: 一 亅 扌 扌 扌 找 找

<*v.*> ① look for, find

❶ 请问，你找哪位？ Qǐngwèn, nǐ zhǎo nǎ wèi? Excuse me, who would you like to talk to? | ❷ 我正在找我的钥匙，你看见了吗？ Wǒ zhèngzài zhǎo wǒ de yàoshi, nǐ kànjiàn le ma? I am looking for my key. Did you see it? | ❸ 他一直在找便宜点儿的房子。Tā yìzhí zài zhǎo piányi diǎnr de fángzi. He has been looking for a less expensive house. | ❹ 钱包找到了，你不用着急了。Qiánbāo zhǎodào le, nǐ búyòng zháojí le. Don't worry. I have found my purse. | ❺ 我去了很多图书馆，都没找到这本书。Wǒ qùle hěn duō túshūguǎn, dōu méi zhǎodào zhè běn shū. I searched many libraries, but I didn't find the book.

② *intentionally cause a bad consequence*

❶ 他天天给我找麻烦。Tā tiāntiān gěi wǒ zhǎo máfan. He picked me on every day. | ❷ 你别没事找事了，人家根本没那意思。Nǐ bié méi shì zhǎo shì le, rénjia gēnběn méi nà yìsi. Don't bother yourself with nothing. He didn't mean it. | ❸ 你这不是找罪受吗？ Nǐ zhè bú shì zhǎo zuì shòu ma? Are you asking for trouble?

③ give change (to)

❶ 去市场买菜，找了我很多零钱。Qù shìchǎng mǎi cài, zhǎole wǒ hěn duō língqián. I bought some vegetables in the bazaar and got much change. | ❷ 这次的零钱别找了，以后再说。Zhè cì de língqián bié zhǎo le, yǐhòu zàishuō. Please keep the change. | ❸ 这张一百块钱，我们找不开。Zhè zhāng yìbǎi kuài qián, wǒmen zhǎo bu kāi. We don't have change for the 100-*kuai* note. | ❹ 银行里找的零钱都是新的。Yínháng li zhǎo de língqián dōu shì xīn de. All the change from the bank is new.

二级

142. 着 zhe radical: 𦍌 strokes: 11 stroke order: 丶 丷 䒑 䒑 兰 𦍌 羊 着 着 着 着

<*part.*> ① *used after a verb indicating the action is in process*

❶ 晚会上，人们高兴地唱着、跳着。Wǎnhuì shang, rénmen gāoxìng de chàngzhe、tiàozhe. People are singing and dancing happily in the party. | ❷ 玛丽一边吃着饭，一边看着电视。Mǎlì yìbiān chīzhe fàn, yìbiān kànzhe diànshì. Mary is watching TV while eating her meal. | ❸ 小声点儿，屋子里正开着会呢。Xiǎo shēng diǎnr, wūzi li zhèng kāizhe huì ne. Lower your voice. There is a meeting going on in the room.

② *used after a verb or an adjective to indicate a continuous state*

❶ 她今天穿着一条白色的裙子。Tā jīntiān chuānzhe yì tiáo báisè de qúnzi. She wears a white skirt today. | ❷ 教室里坐着许多同学。Jiàoshì li zuòzhe xǔduō tóngxué. There are many students sitting in the classroom. | ❸ 墙上挂着一张他们的合影。Qiáng shang guàzhe yì zhāng tāmen de héyǐng. A group photo was hung on the wall. | ❹ 桌子上摆着一盆花儿。Zhuōzi shang bǎizhe yì pén huār. There is a pot of flower on the table. | ❺ 屋里的灯还亮着。Wū li de dēng hái liàngzhe. The light in the room is still on.

③ *used between two verbs to indicate two actions are taking place at the same time, or to indicate the manner or state of an action*

❶ 他总喜欢躺着看书。Tā zǒng xǐhuan tǎngzhe kàn shū. He always likes reading, lying on bed. | ❷ 杰克常听着音乐写作业。Jiékè cháng tīngzhe yīnyuè xiě zuòyè. Jack often listens to the music while doing his homework. | ❸ 这些天他正忙着搬家。Zhèxiē tiān tā zhèng mángzhe bānjiā. He has been busy moving to a new place these days. | ❹ 小王说着说着笑了起来。Xiǎo Wáng shuōzhe shuōzhe xiàole qǐlai. Xiao Wang laughed while talking.

④ *used after a verb or an adjective to stress the imperative tone*

❶ 听着，以后别去那儿了。Tīngzhe, yǐhòu bié qù nàr le. Listen! Don't go there any more. | ❷ 累了一天了，你歇着吧。Lèile yì tiān le, nǐ xiēzhe ba. You had a tiring day. Please have a rest. | ❸ 轻着点儿，孩子们都睡了。Qīngzhe diǎnr, háizimen dōu shuì le. Be quiet, please. All the kids are sleeping.

143. 真 zhēn radical: 十 strokes: 10

stroke order: 一 十 ｒ 市 占 有 育 直 真 真

<*adv.*> really, indeed

❶ 这儿的风景真漂亮。Zhèr de fēngjǐng zhēn piàoliang. The scenery here is beautiful. | ❷ 李老师教得真好，我们都喜欢上他的课。Lǐ lǎoshī jiāo de zhēn hǎo, wǒmen dōu xǐhuan shàng tā de kè. Mr. Li is such a great teacher. We all like his class. | ❸ 时间过得真快，一晃来北京已经半年多了。Shíjiān guò de zhēn kuài, yì huǎng lái Běijīng yǐjīng bàn nián duō le. How time flies! I've been in Beijing for more than half a year. | ❹ 我真没有钱了，一点儿不骗你。Wǒ zhēn méiyǒu qián le, yìdiǎnr bú piàn nǐ. Trust me, I really don't have any money left. | ❺ 我真想马上去中国。Wǒ zhēn xiǎng mǎshàng qù Zhōngguó. How I want to go to China right now! | ❻ 你穿上这件衣服真好看。Nǐ chuānshang zhè jiàn yīfu zhēn hǎokàn. You look great in this dress.

<*adj.*> (*as opposed to* "假 (jiǎ) *false, fake*") real, not fake

❶ 这张一百元的钱是真的。Zhè zhāng yìbǎi yuán de qián shì zhēn de. This 100-*yuan* note is real. | ❷ 这些都不是真花儿，是假的。Zhèxiē dōu bú shì zhēn huār, shì jiǎ de. These flowers are not real, but artificial ones. | ❸ 我说的是真的，没骗你。Wǒ shuō de shì zhēn de, méi piàn nǐ. What I said is real. I didn't lie to you. | ❹ 这是真人真事，一点儿都不假。Zhè shì zhēn rén zhēn shì, yìdiǎnr dōu bù jiǎ. This is a 100% true story.

144. 正在 zhèngzài

<*adv.*> *indicating an action or a state is going on*

❶ 学生们正在教室里上课呢。Xuéshengmen zhèngzài jiàoshì li shàngkè ne. The students are having a class in the classroom. | ❷ 手术正在进行，你们不能进去。Shǒushù zhèngzài jìnxíng, nǐmen bù néng jìnqu. The surgery is still going on, so you cannot go in. | ❸ 经理正在忙着呢，你过一会儿再打电话吧。Jīnglǐ zhèngzài mángzhe ne, nǐ guò yíhuìr zài dǎ diànhuà ba. The manager is busy now. Could you call again later? | ❹ 现在我们正在努力，问题不久就可以解决。Xiànzài wǒmen zhèngzài nǔlì, wèntí bùjiǔ jiù kěyǐ jiějué. We are still making efforts now. The problem can be solved soon.

145. 知道 zhīdào

<*v.*> know, have the knowledge of

❶ 我知道他是中国人，家在北京。Wǒ zhīdào tā shì Zhōngguórén, jiā zài Běijīng. I know he is Chinese from Beijing. | ❷ 同学们还不知道这件事，你告诉他们吧。Tóngxuémen hái bù zhīdào zhè jiàn shì, nǐ gàosu tāmen ba. The students still don't know about it. Please tell them. | ❸ 我知道他昨天为什么没来。Wǒ zhīdào tā zuótiān wèi shénme méi lái. I know why he didn't come yesterday. | ❹ 这件事我知道好几天了。Zhè jiàn shì wǒ zhīdào hǎojǐ tiān le. I have known about it for a couple of days. | ❺ 他知道的事儿多着呢，几天几夜也讲不完。Tā zhīdào de shìr duōzhe ne, jǐ tiān jǐ yè yě jiǎng bu wán. He knows so many things that he cannot tell them all in several days. | ❻ 这件事我们就假装不知道吧。Zhè jiàn shì wǒmen jiù jiǎzhuāng bù zhīdào ba. Let's pretend to know nothing about it.

二级

146. 准备（準備）zhǔnbèi

<*v.*> ① prepare, get ready, arrange or plan on advance

❶ 他正在准备下周的考试。Tā zhèngzài zhǔnbèi xià zhōu de kǎoshì. He is preparing for the examination next week. | ❷ 下午有个会议，他正紧张地准备着。Xiàwǔ yǒu ge huìyì, tā zhèng jǐnzhāng de zhǔnbèizhe. He is busy preparing for the meeting this afternoon. | ❸ 关于这次谈判，我们准备得很充分。Guānyú zhè cì tánpàn, wǒmen zhǔnbèi de hěn chōngfèn. We have made full preparation for this negotiation. | ❹ 她拿出事先准备的礼物送给朋友。Tā náchū shìxiān zhǔnbèi de lǐwù sònggěi péngyou. She gave her friend the gift she prepared in advance. | ❺ 明天就要去旅行了，晚上我得准备准备。Míngtiān jiùyào qù lǚxíng le, wǎnshang wǒ děi zhǔnbèi zhǔnbèi. I'll travel tomorrow. I need to make some preparation for it tonight.

② intend, plan

❶ 他准备明年去美国留学。Tā zhǔnbèi míngnián qù Měiguó liúxué. He is preparing for studying in the United States of America next year. | ❷ 我们准备参加下个月的汉语水平考试。Wǒmen zhǔnbèi cānjiā xià ge yuè de Hànyǔ Shuǐpíng Kǎoshì. We are preparing for the HSK next month. | ❸ 她不准备考研究生，想直接工作。Tā bù zhǔnbèi kǎo yánjiūshēng, xiǎng zhíjiē gōngzuò. She doesn't want to pursue graduate studies; she wants to work right after graduation instead.

<*n.*> preparation

❶ 这件事来得太突然，他一点儿准备也没有。Zhè jiàn shì lái de tài tūrán, tā yìdiǎnr zhǔnbèi yě méiyǒu. It happened so suddenly that he was totally unprepared. | ❷ 你放心，我有思想准备。Nǐ fàngxīn, wǒ yǒu sīxiǎng zhǔnbèi. Don't worry. I'm psychologically prepared for it. | ❸ 你要做好心理准备，这个计划有可能通不过。Nǐ yào zuòhǎo xīnli zhǔnbèi, zhège jìhuà yǒu kěnéng tōng bu guò. You'd better have a psychological preparation that the proposal may be rejected. | ❹ 为防止灾害发生，他们做了充分的准备。Wèi fángzhǐ zāihài fāshēng, tāmen zuòle chōngfèn de zhǔnbèi. They have made full preparation to prevent the disaster from happening.

二级

147. 自行车（自行車）zìxíngchē

<*n.*> bicycle

❶ 我每天骑自行车上班。Wǒ měi tiān qí zìxíngchē shàngbān. I ride a bicycle to work every day. | ❷ 这是一辆女式自行车。Zhè shì yí liàng nǚshì zìxíngchē. This is a bicycle for ladies. | ❸ 我的自行车钥匙找不到了。Wǒ de zìxíngchē yàoshi zhǎo bu dào le. I cannot find the key to my bike. | ❹ 你的自行车锁了没有？ Nǐ de zìxíngchē suǒle méiyǒu? Did you lock your bicycle? | ❺ 这个城市的自行车特别多。Zhège chéngshì de zìxíngchē tèbié duō. There are so many bicycles in the city. | ❻ 我喜欢骑自行车。Wǒ xǐhuan qí zìxíngchē. I like riding a bicycle.

148. 走 zǒu radical: 走 strokes: 7

stroke order: 一 十 土 丰 丰 走 走

<v.> ① walk, go on foot

❶ 孩子一岁多就会走了。Háizi yí suì duō jiù huì zǒu le. Children can walk after one year old. | ❷ 她走到母亲身边，说了几句话。Tā zǒudào mǔqīn shēnbiān, shuōle jǐ jù huà. She walked to her mom and said something. | ❸ 再走半个小时，我们就到了。Zài zǒu bàn ge xiǎoshí, wǒmen jiù dào le. Walk for another half an hour, and we will be there. | ❹ 每天晚上，他都围着操场走五圈。Měi tiān wǎnshang, tā dōu wéizhe cāochǎng zǒu wǔ quān. He walks 5 circles around the playground every evening. | ❺ 我走累了，咱们休息一下吧。Wǒ zǒulèi le, zánmen xiūxi yíxià ba. I'm too tired from walking. Let's take a break.

② leave

❶ 李老师走了，不知道去哪儿了。Lǐ lǎoshī zǒu le, bù zhīdào qù nǎr le. Mr. Li left. No one knows where he has gone. | ❷ 他刚走不久，一会儿还回来呢。Tā gāng zǒu bùjiǔ, yíhuìr hái huílai ne. He just left and will be back later. | ❸ 电影还没演完，就走了不少人。Diànyǐng hái méi yǎnwán, jiù zǒule bù shǎo rén. Quite a few people had left before the movie was finished. | ❹ 我到的时候，火车刚开走。Wǒ dào de shíhou, huǒchē gāng kāizǒu. The train has just left when I arrived. | ❺ 他要去美国留学，准备下个月走。Tā yào qù Měiguó liúxué, zhǔnbèi xià ge yuè zǒu. He will go to study in America next month.

③ move, run (in certain pace)

❶ 我的手表走得很准。Wǒ de shǒubiǎo zǒu de hěn zhǔn. My watch keeps good time. | ❷ 玩具狗坏了，不能走了。Wánjùgǒu huài le, bù néng zǒu le. The toy dog is broken and cannot walk any more.

149. 最 zuì radical: 日 strokes: 12 stroke order: 丨 口 日 旦 早 早 早 早 昰 最 最 最

<*adv.*> most

❶ 他在班里的学习成绩最好。Tā zài bān li de xuéxí chéngjì zuì hǎo. He has the best academic performance in his class. | ❷ 儿子最喜欢看动画片。Érzi zuì xǐhuan kàn dònghuàpiàn. My son likes watching cartoon most. | ❸ 父亲是最能理解他的人。Fùqīn shì zuì néng lǐjiě tā de rén. His father is the one who understands him best. | ❹ 走在人群最前面的那个人就是他。Zǒu zài rénqún zuì qiánmiàn de nàge rén jiù shì tā. He is the one who walks in front of the crowd. | ❺ 最让他高兴的是，同学们都来参加他的生日聚会了。Zuì ràng tā gāoxìng de shì, tóngxuémen dōu lái cānjiā tā de shēngrì jùhuì le. What made him happy most was that all the classmates had come to his birthday party.

二级

150. 左边（左邊）zuǒbian

<*n.*> (*as opposed to* "右边") left, left hand side

❶ 他坐在了左边的椅子上。Tā zuò zài le zuǒbian de yǐzi shang. He sat on the left chair. | ❷ 我的手机经常放在左边的口袋里。Wǒ de shǒujī jīngcháng fàng zài zuǒbian de kǒudai li. I usually put my cellphone in my left pocket. | ❸ 我左边的耳朵听不到声音了。Wǒ zuǒbian de ěrduo tīng bu dào shēngyīn le. I'm deaf in the left ear. | ❹ 到前面的路口我们就分开了，我往左边走，她往右边走。Dào qiánmiàn de lùkǒu wǒmen jiù fēnkāi le, wǒ wǎng zuǒbian zǒu, tā wǎng yòubian zǒu. We separated at the road entrance in front of us. I walked to the left, and she walked to the right.

三级
Level 3

1. 阿姨 āyí

<*n.*> (*form of address for childcare worker or housemaid*) auntie

❶ 王阿姨，您请坐。Wáng āyí, nín qǐng zuò. Please take a seat, Auntie Wang. | ❷ 阿姨，请问附近有商店吗？ Āyí, qǐngwèn fùjìn yǒu shāngdiàn ma? Excuse me, would you please tell me if there is a store nearby? | ❸ 我经常在阿姨这儿买衣服，您不记得我了？ Wǒ jīngcháng zài āyí zhèr mǎi yīfu, nín bú jìde wǒ le? I often buy clothes at your stall. Don't you remember me, auntie? | ❹ 那个卖水果的阿姨挺好的。Nàge mài shuǐguǒ de āyí tǐng hǎo de. That woman fruit seller is very nice. | ❺ 我找了个阿姨帮我洗衣服。Wǒ zhǎole ge āyí bāng wǒ xǐ yīfu. I hired a maid to help me with the laundry. | ❻ 北京的叔叔阿姨们都很热情。Běijīng de shūshu āyímen dōu hěn rèqíng. All the uncles and aunties in Beijing are hospitable.

2. 啊 a

radical: 口 strokes: 10

stroke order: 丨 ⼌ 口 口⁷ 叩 叩 呵 呵 呵 啊

<*part.*> ① *used at the end of a sentence to show one's admiration*

❶ 这些花儿多漂亮啊！ Zhèxiē huār duō piàoliang a! How beautiful the flowers are! | ❷ 这座楼真高啊！ Zhè zuò lóu zhēn gāo a! How high the building is! | ❸ 雪下得好大啊！ Xuě xià de hǎo dà a! What a heavy snowfall! | ❹ 这次考试真难啊！ Zhè cì kǎoshì zhēn nán a! What a difficult examination!

② *used at the end of a sentence to show one's agreement, pleading, urge, instruction, etc.*

❶ 他说得对啊。Tā shuō de duì a. What he said is right. | ❷ 你快点儿说啊！ Nǐ kuài diǎnr shuō a! Come on! Tell me now! | ❸ 你快去啊，他们等着你

呢。Nǐ kuài qù a, tāmen děngzhe nǐ ne. Hurry! They are waiting for you. | ❹ 我没说什么啊。Wǒ méi shuō shénme a. I said nothing. | ❺ 你三点一定到啊。Nǐ sān diǎn yídìng dào a. Please be here at three o'clock sharp.

③ *used at the end of a sentence to indicate doubt*

❶ 你吃不吃啊？Nǐ chī bù chī a? Do you want to eat it or not? | ❷ 这可怎么办啊？Zhè kě zěnme bàn a? What shall I do? | ❸ 你说的是真的啊？Nǐ shuō de shì zhēn de a? Is what you said true? | ❹ 我怎么没听说啊？Wǒ zěnme méi tīngshuō a? How come I never heard of it? | ❺ 这两天天气怎么样啊？Zhè liǎng tiān tiānqì zěnmeyàng a? How is the weather these days? | ❻ 你觉得北京怎么样啊？Nǐ juéde Běijīng zěnmeyàng a? What do you think of Beijing? | ❼ 刚才是谁啊？Gāngcái shì shéi a? Who is that person here just now?

④ *used in the middle of a sentence as a pause*

❶ 他啊，最喜欢看电视了。Tā a, zuì xǐhuan kàn diànshì le. He likes watching TV most. | ❷ 这几年啊，中国的变化很大。Zhè jǐ nián a, Zhōngguó de biànhuà hěn dà. Great changes have taken place in China these days. | ❸ 王教授啊，他上个星期出国了。Wáng jiàoshòu a, tā shàng ge xīngqī chū guó le. Professor Wang went abroad last week. | ❹ 他们啊，现在都去游泳了。Tāmen a, xiànzài dōu qù yóuyǒng le. They've all gone swimming now.

3. 矮 ǎi radical: 矢 strokes: 13 stroke order: ノ 𠂉 𠂉 午 矢 矢 矢 矢 矢 矢 矮 矮 矮

三级

<*adj.*> (*as opposed to* "*high*") short

❶ 这个房子很矮。Zhège fángzi hěn ǎi. This is a very short house. | ❷ 我们家的人都比较矮。Wǒmen jiā de rén dōu bǐjiào ǎi. Folks in my family are short. | ❸ 这孩子太矮了，够不着按电梯。Zhè háizi tài ǎi le, gòu bu zháo àn diàntī. The child is too short to reach the button of the elevator. | ❹ 我比我哥哥矮二十

厘米。Wǒ bǐ wǒ gēge ǎi èrshí límǐ. I am 20 centimeters shorter than my elder brother. | ❺ 他比我矮不了多少。Tā bǐ wǒ ǎi bu liǎo duōshao. He is not much shorter than I. | ❻ 他矮矮的个子，长长的头发。Tā ǎiǎi de gèzi, chángcháng de tóufa. He is a short man with long hair. | ❼ 才十岁，这孩子已经长得不矮了。Cái shí suì, zhè háizi yǐjīng zhǎng de bù ǎi le. Although the child is only ten years old, he is not short any more.

4. 爱好（爱好）àihào

<*v.*> like

❶ 我爱好打篮球，每天要打两个小时。Wǒ àihào dǎ lánqiú, měi tiān yào dǎ liǎng ge xiǎoshí. I like playing basketball so much that I play it two hours a day. | ❷ 他从小就爱好音乐。Tā cóngxiǎo jiù àihào yīnyuè. He likes music since childhood. | ❸ 他是个爱好旅游的人，去过很多国家了。Tā shì ge àihào lǚyóu de rén, qùguo hěn duō guójiā le. He likes travelling and has been to many countries. | ❹ 全世界人民都爱好和平。Quán shìjiè rénmín dōu àihào hépíng. People all over the world love peace. | ❺ 我爱好各种体育运动。Wǒ àihào gèzhǒng tǐyù yùndòng. I like all kinds of sports.

<*n.*> hobby

❶ 你有什么爱好？ Nǐ yǒu shénme àihào? What is your hobby? | ❷ 我的爱好是踢足球。Wǒ de àihào shì tī zúqiú. I like playing football. | ❸ 看电影是我最大的爱好。Kàn diànyǐng shì wǒ zuì dà de àihào. Seeing movies is my favorite hobby. | ❹ 他没什么特别的爱好，就是喜欢跳舞。Tā méi shénme tèbié de àihào, jiù shì xǐhuan tiàowǔ. He doesn't have a special hobby except dancing. | ❺ 我们俩有共同的爱好，所以成了朋友。Wǒmen liǎ yǒu gòngtóng de àihào, suǒyǐ chéngle péngyou. We both have the same hobby, so we've become friends. | ❻ 我的爱好让我认识了很多朋友。Wǒ de àihào ràng wǒ rènshile hěn duō péngyou. My hobbies helped me have many friends.

5. 安静 ānjìng

<*adj.*> silent, quiet, peaceful

❶ 现在请大家安静！ Xiànzài qǐng dàjiā ānjìng! Now, silence, please! | ❷ 教室里很安静，学生们都在学习。Jiàoshì li hěn ānjìng, xuéshengmen dōu zài xuéxí. The classroom is very quiet; all the students are studying. | ❸ 我喜欢图书馆里安静的环境。Wǒ xǐhuan túshūguǎn li ānjìng de huánjìng. I like the quiet environment of the library. | ❹ 会议开始了，大家都安静了下来。Huìyì kāishǐ le, dàjiā dōu ānjìngle xiàlai. Everyone quieted down after the meeting started. | ❺ 那天我们正在安静地上课，突然外面传来一阵呼喊声。Nà tiān wǒmen zhèngzài ānjìng de shàngkè, tūrán wàimiàn chuánlái yí zhèn hūhǎnshēng. When we took a class that day, suddenly we heard somebody screaming. | ❻ 这是个很安静的小村子，甚至没有一辆汽车。Zhè shì ge hěn ānjìng de xiǎo cūnzi, shènzhì méiyǒu yí liàng qìchē. There is not even a car in this quiet village.

6. 把 bǎ radical: 扌 strokes: 7

stroke order: 一 丁 扌 扌 扌 扌 把

<*prep.*> *used when the object is the receiver of an action*

❶ 我把护照丢了。Wǒ bǎ hùzhào diū le. I lost my passport. | ❷ 请你把门关上，好吗？ Qǐng nǐ bǎ mén guānshang, hǎo ma? Would you please close the door? | ❸ 他把书包里的书都拿出来了。Tā bǎ shūbāo li de shū dōu ná chūlai le. He took all the books out of his schoolbag. | ❹ 我已经把钱还给他了。Wǒ yǐjīng bǎ qián huángěi tā le. I have returned the money to him. | ❺ 你把书放在桌子上吧。Nǐ bǎ shū fàng zài zhuōzi shang ba. Put the book on the table, please. | ❻ 他把汽车停在了楼下。Tā bǎ qìchē tíng zài le lóu xià. He parked the car downstairs.

<*m.*> ① *a measure word for devices with a handle*

❶ 你去搬一把椅子来吧。Nǐ qù bān yì bǎ yǐzi lái ba. Go to get a chair, please. |

❷ 我有两把雨伞，可以借给你一把。Wǒ yǒu liǎng bǎ yǔsǎn, kěyǐ jiègěi nǐ yì bǎ. I have two umbrellas, and I can lend you one. | ❸ 我的钥匙丢了，下午去配了一把。Wǒ de yàoshi diū le, xiàwǔ qù pèile yì bǎ. I lost my key, so I had a new one made this afternoon. | ❹ 你找把刀，切了这个西瓜吧。Nǐ zhǎo bǎ dāo, qiēle zhège xīguā ba. Get a knife to cut this watermelon. | ❺ 他的自行车上加了两把锁。Tā de zìxíngchē shang jiāle liǎng bǎ suǒ. His bicycle is double-locked.

② *a measure word for things grasped by hand*

❶ 我买了一把香蕉。Wǒ mǎile yì bǎ xiāngjiāo. I bought a bunch of bananas. | ❷ 我们送给了老师一把花儿。Wǒmen sònggěile lǎoshī yì bǎ huār. We bought a bunch of flowers for our teacher. | ❸ 米不多了，就剩一把了。Mǐ bù duō le, jiù shèng yì bǎ le. There is just a handful of rice left. | ❹ 他给了我一把花生吃。Tā gěile wǒ yì bǎ huāshēng chī. He gave me a handful of peanuts. | ❺ 这把土是从故乡带来的。Zhè bǎ tǔ shì cóng gùxiāng dàilai de. This handful of soil is brought from my hometown.

7. 班 bān radical: 王 strokes: 10

stroke order: 一 二 干 王 王 玎 玎 珏 班 班

<*n.*> ① class

❶ 我们班有十五个人。Wǒmen bān yǒu shíwǔ ge rén. There are 15 people in our class. | ❷ 我们中学的时候在一个班。Wǒmen zhōngxué de shíhou zài yí ge bān. We study in the same class in high school. | ❸ 我在一班，我朋友在二班。Wǒ zài yī bān, wǒ péngyou zài èr bān. I study in Class One, and my friend in Class Two. | ❹ 你在哪个班学习？Nǐ zài nǎge bān xuéxí? Which class do you study in? | ❺ 我俩想在一个班，可以吗？Wǒ liǎ xiǎng zài yí ge bān, kěyǐ ma? We two want to be in the same class, can we? | ❻ 他是我们班学习最好的同学。Tā shì wǒmen bān xuéxí zuì hǎo de tóngxué. He is one of the best students in our class.

② shift, study

❶ 我每天早上八点上班。Wǒ měi tiān zǎoshang bā diǎn shàngbān. I go to work at 8 a.m. every morning. | ❷ 下班了，回家了。Xiàbān le, huí jiā le. It's time to get off work. Let's go home. | ❸ 明天是我值班。Míngtiān shì wǒ zhíbān. I'll be on duty tomorrow.

<m.> a measure word for scheduled forms of transportation

❶ 我坐下一班飞机去上海。Wǒ zuò xià yì bān fēijī qù Shànghǎi. I'll take the next plane to Shanghai. | ❷ 我每天早上坐第一班公共汽车去上班。Wǒ měi tiān zǎoshang zuò dì-yī bān gōnggòng qìchē qù shàngbān. Every morning I take the first bus to work. | ❸ 第二班车要半个小时以后才能开。Dì-èr bān chē yào bàn ge xiǎoshí yǐhòu cái néng kāi. The second bus will leave in half an hour. | ❹ 晚上最后一班车是几点？Wǎnshang zuìhòu yì bān chē shì jǐ diǎn? When is the last bus at night?

8. 搬 bān radical: 扌 strokes: 13 stroke order: 一 十 扌 扌' 扒 扔 扔 拍 拍 拍 护 搬 搬

<v.> ① change the location of (large or heavy objects)

❶ 你去搬一把椅子来吧。Nǐ qù bān yì bǎ yǐzi lái ba. Go to get a chair, please. | ❷ 你能帮我搬一下这张桌子吗？Nǐ néng bāng wǒ bān yíxià zhè zhāng zhuōzi ma? Would you please move this table for me? | ❸ 我搬不动这个沙发。Wǒ bān bu dòng zhège shāfā. I can't move this couch. | ❹ 他把电视搬到另外一个房间了。Tā bǎ diànshì bāndào lìngwài yí ge fángjiān le. He moved the TV set to another room. | ❺ 这个冰箱我们两个人都搬不起来。Zhège bīngxiāng wǒmen liǎng ge rén dōu bān bu qǐlái. Neither of us can move this refrigerator. | ❻ 你搬桌子干什么啊？Nǐ bān zhuōzi gàn shénme a? Why did you move this table?

② move from one place to another

❶ 我的邻居已经搬走了。Wǒ de línjū yǐjīng bānzǒu le. My neighbor has moved away. | ❷ 你是什么时候搬过来的？ Nǐ shì shénme shíhou bān guòlai de? When did you move in? | ❸ 因为工作的关系，我已经搬了三次家了。Yīnwèi gōngzuò de guānxì, wǒ yǐjīng bānle sān cì jiā le. I have moved three times for my work. | ❹ 他从父母家搬出来住了。Tā cóng fùmǔ jiā bān chūlai zhù le. He has moved out of his parents' house. | ❺ 我家就要搬了，以后我们见面的机会就少了。Wǒ jiā jiùyào bān le, yǐhòu wǒmen jiànmiàn de jīhuì jiù shǎo le. I'm about to move, so we will have few chances to meet.

9. 办法（辦法）bànfǎ

<*n.*> way to handle affairs, method

❶ 这孩子不爱学习，你有什么办法吗？ Zhè háizi bú ài xuéxí, nǐ yǒu shénme bànfǎ ma? The kid isn't interested in studies. What can you do about it? | ❷ 你别着急，让我们想想办法。Nǐ bié zháojí, ràng wǒmen xiǎngxiang bànfǎ. Don't worry; let's see what we can do. | ❸ 这件事情不难，我有办法。Zhè jiàn shìqing bù nán, wǒ yǒu bànfǎ. It's not difficult. I have an idea. | ❹ 他们想出了一个好办法。Tāmen xiǎngchūle yí ge hǎo bànfǎ. They came up with a good idea. | ❺ 真没办法，他就是不听我的。Zhēn méi bànfǎ, tā jiù shì bù tīng wǒ de. Oh, well! He just didn't follow my advice. | ❻ 我现在是一点儿办法也没有了。Wǒ xiànzài shì yìdiǎnr bànfǎ yě méiyǒu le. Now I don't have the slightest idea. | ❼ 他的办法多，我们让他给出出主意。Tā de bànfǎ duō, wǒmen ràng tā gěi chūchu zhǔyi. He is resourceful; let's ask him for advice. | ❽ 你用这个办法，肯定就能解决问题。Nǐ yòng zhège bànfǎ, kěndìng jiù néng jiějué wèntí. You can definitely solve the problem using this method.

10. 办公室（辦公室）bàngōngshì

<*n.*> office

❶ 他每天早上七点就到了办公室。Tā měi tiān zǎoshang qī diǎn jiù dàole bàngōngshì. He gets to the office at 7 a.m. every morning. | ❷ 下课以后，你到我办公室来一下。Xiàkè yǐhòu, nǐ dào wǒ bàngōngshì lái yíxià. Please come to my office after class. | ❸ 我们在办公室见面吧。Wǒmen zài bàngōngshì jiànmiàn ba. Let's meet in the office. | ❹ 我的办公室在七层 708 号。Wǒ de bàngōngshì zài qī céng 708 hào. My office is in Room 708 on the seventh floor. | ❺ 你们几个人一个办公室？ Nǐmen jǐ ge rén yí ge bàngōngshì? How many people work in your office? | ❻ 现在是上班时间，他应该在办公室里。Xiànzài shì shàngbān shíjiān, tā yīnggāi zài bàngōngshì li. It's the business hour now. He must have been in his office. | ❼ 这是我办公室的电话号码，白天我都在。Zhè shì wǒ bàngōngshì de diànhuà hàomǎ, báitiān wǒ dōu zài. This is my office number; I'll be there during the day.

11. 半 bàn radical: 丷 strokes: 5 stroke order: 丶 丷 䒑 兰 半

<*num.*> half

❶ 我已经学过半年汉语。Wǒ yǐjīng xuéguo bàn nián Hànyǔ. I have studied Chinese for half a year. | ❷ 我来中国半个月了。Wǒ lái Zhōngguó bàn ge yuè le. I have been in China for half a month. | ❸ 到新年还有一个半月。Dào xīnnián hái yǒu yí ge bàn yuè. The New Year is coming in one and a half month. | ❹ 我喝不了一瓶啤酒，我们俩每人半瓶吧。Wǒ hē bu liǎo yì píng píjiǔ, wǒmen liǎ měi rén bàn píng ba. I cannot drink up a bottle of beer. Let's share it. | ❺ 他的孩子三岁半了。Tā de háizi sān suì bàn le. His child is three and a half years old. | ❻ 再过半个小时，我们就到美国了。Zài guò bàn ge xiǎoshí, wǒmen jiù dào Měiguó le. We will arrive in the United States of America in another half an hour.

12. 帮忙（幫忙）bāng//máng

<*v.*> help, do someone a favor

❶ 多谢您帮忙！ Duō xiè nín bāngmáng! Thanks a lot for your help! | ❷ 我今天事儿多，只好请他来帮忙。Wǒ jīntiān shìr duō, zhǐhǎo qǐng tā lái bāngmáng. I am so busy today that I have to ask him for help. | ❸ 我刚才去给别人帮忙了。Wǒ gāngcái qù gěi biéren bāngmáng le. I helped others just now. | ❹ 他现在需要人帮忙，我不能离开。Tā xiànzài xūyào rén bāngmáng, wǒ bù néng líkāi. He needs help now, so I can't leave. | ❺ 你能帮我一个忙吗？ Nǐ néng bāng wǒ yí ge máng ma? Could you please do me a favor? | ❻ 他一个人拿不了那么多书，我们去帮帮忙吧。Tā yí ge rén ná bu liǎo nàme duō shū, wǒmen qù bāngbangmáng ba. He can't carry so many books; let's go to help him. | ❼ 对不起，我帮不了你这个忙。Duìbuqǐ, wǒ bāng bu liǎo nǐ zhège máng. Sorry, I can't help you.

13. 包 bāo radical: 勹 strokes: 5 stroke order: ノ 勹 勺 匀 包

<*n.*> bag, backpack

❶ 我今天没有带包。Wǒ jīntiān méiyǒu dài bāo. I didn't bring my bag today. | ❷ 你带上个包吧，我就不带了。Nǐ dàishang ge bāo ba, wǒ jiù bú dài le. Please take a bag with you, so I won't have to take mine. | ❸ 她的包很好看。Tā de bāo hěn hǎokàn. Her bag looks nice. | ❹ 这个包有点儿旧了，我想买个新的。Zhège bāo yǒudiǎnr jiù le, wǒ xiǎng mǎi ge xīn de. This bag is a little old, so I want to buy a new one. | ❺ 这本书放你包里吧。Zhè běn shū fàng nǐ bāo li ba. Please put this book in your bag. | ❻ 我包里放不下了，你帮我拿着吧。Wǒ bāo li fàng bu xià le, nǐ bāng wǒ názhe ba. It cannot be squeezed into my bag. Please carry it for me.

<*m.*> package, bundle

❶ 我去买一包烟。Wǒ qù mǎi yì bāo yān. I'm going to buy a packet of cigarettes. | ❷ 他给了我一包饼干。Tā gěile wǒ yì bāo bǐnggān. He gave me a packet of biscuits. | ❸ 我带来了两包中国茶。Wǒ dàiláile liǎng bāo Zhōngguóchá. I brought two packets of Chinese tea. | ❹ 这些糖十块钱一包。Zhèxiē táng shí kuài qián yì bāo. The candy costs 10 *kuai* per packet. | ❺ 他带了一大包东西来。Tā dàile yí dà bāo dōngxi lái. He brought a big parcel of stuff.

<*v.*> wrap

❶ 我们今天晚上包饺子。Wǒmen jīntiān wǎnshang bāo jiǎozi. We will make dumplings tonight. | ❷ 你能帮我包起来吗？ Nǐ néng bāng wǒ bāo qǐlai ma? Could you wrap it for me? | ❸ 医生把他的手包上了。Yīshēng bǎ tā de shǒu bāoshang le. The doctor bound up his hand. | ❹ 这两种东西不要包在一起。Zhè liǎng zhǒng dōngxi búyào bāo zài yìqǐ. Don't pack the two things together. | ❺ 这个礼物是包好的，还没打开。Zhège lǐwù shì bāohǎo de, hái méi dǎkāi. The present is still wrapped; it hasn't been opened yet.

14. 饱（飽）bǎo radical: 饣 strokes: 8

stroke order: 丿 𠂉 饣 饣 饣 饣 饣 饱

<*adj.*> full, stuffed

❶ 我饱了，吃不下了。Wǒ bǎo le, chī bu xià le. I'm full and I cannot eat any more. | ❷ 我还很饱呢，现在什么也不想吃。Wǒ hái hěn bǎo ne, xiànzài shénme yě bù xiǎng chī. I'm still full and I don't want to eat anything. | ❸ 晚饭别吃得太饱。Wǎnfàn bié chī de tài bǎo. Don't overeat at supper. | ❹ 现在我肚子饱得很，不想吃东西。Xiànzài wǒ dùzi bǎo de hěn, bù xiǎng chī dōngxi. I'm stuffed, and don't want to eat anything at this moment. | ❺ 中午我没吃饱，现在饿着呢。Zhōngwǔ wǒ méi chībǎo, xiànzài èzhe ne. I didn't eat my fill at lunch, so I'm hungry now.

15. 北方 běifāng

<*n.*> north, northern part of China

❶ 我爸爸是北方人，妈妈是南方人。Wǒ bàba shì běifāngrén, māma shì nánfāngrén. My dad was from the north, while my mom was from the south. | ❷ 冬天的时候，北方很冷。Dōngtiān de shíhou, běifāng hěn lěng. The north is very cold in winter. | ❸ 我住在中国的北方。Wǒ zhù zài Zhōngguó de běifāng. I live in northern China. | ❹ 他是一个标准的北方小伙子。Tā shì yí ge biāozhǔn de běifāng xiǎohuǒzi. He is a typical northern Chinese lad. | ❺ 我大学是在北方读的。Wǒ dàxué shì zài běifāng dú de. I pursued my college education in northern China. | ❻ 我现在已经习惯北方的生活了。Wǒ xiànzài yǐjīng xíguàn běifāng de shēnghuó le. I have become used to the life in the north. | ❼ 一般来说，北方比较干燥，尤其是春天的时候。Yìbān lái shuō, běifāng bǐjiào gānzào, yóuqí shì chūntiān de shíhou. Generally speaking, it is relatively dry in the north, especially in spring.

16. 被 bèi radical: 衤 strokes: 10

stroke order: 丶 ⺈ 礻 衤 衤 衤 衤 衤 被 被

<*prep.*> *used before the doer of an action, with the subject being the receiver of the action*

❶ 我的书被同学借走了。Wǒ de shū bèi tóngxué jièzǒu le. I lent my book to a classmate. | ❷ 他被狗咬了一口。Tā bèi gǒu yǎole yì kǒu. He was bitten by a dog. | ❸ 我的电脑被弟弟弄坏了。Wǒ de diànnǎo bèi dìdi nònghuài le. My computer was broken by my younger brother. | ❹ 那个杯子被我摔碎了。Nàge bēizi bèi wǒ shuāisuì le. I broke the cup. | ❺ 我被老师批评了一顿。Wǒ bèi lǎoshī pīpíngle yí dùn. I was criticized by my teacher. | ❻ 我的手机被人偷了。Wǒ de shǒujī bèi rén tōu le. My cellphone was stolen. | ❼ 我被这件事情

感动了。Wǒ bèi zhè jiàn shìqing gǎndòng le. I'm moved by it. | ❽ 他并没有被困难吓倒。Tā bìng méiyǒu bèi kùnnan xiàdǎo. He didn't shrink back before difficulties.

17. 鼻子 bízi

<*n.*> nose

❶ 我感冒了，鼻子不通气。Wǒ gǎnmào le, bízi bù tōngqì. I have a cold and got a stuffy nose. | ❷ 你的鼻子出血了。Nǐ de bízi chū xiě le. Your nose is bleeding. | ❸ 他的鼻子高高的，眼睛大大的。Tā de bízi gāogāo de, yǎnjing dàdà de. He has a Roman nose and big eyes. | ❹ 我的鼻子不通气了，真难受。Wǒ de bízi bù tōngqì le, zhēn nánshòu. My nose is stuffy, which makes me feel awful. | ❺ 他的声音是从鼻子里发出来的。Tā de shēngyīn shì cóng bízi li fā chūlai de. He made a sound out of his nose.

18. 比较（比較）bǐjiào

<*v.*> compare, contrast

❶ 两个手机放在一起比较，就能知道哪个更好。Liǎng ge shǒujī fàng zài yìqǐ bǐjiào, jiù néng zhīdào nǎge gèng hǎo. Put the two cellphones side by side, you'll know which one is better. | ❷ 你比较一下这两件衣服，看哪件更合适。Nǐ bǐjiào yíxià zhè liǎng jiàn yīfu, kàn nǎ jiàn gèng héshì. Please compare these two dresses to see which one is more suitable. | ❸ 这两部电影比较起来，还是第一部有意思。Zhè liǎng bù diànyǐng bǐjiào qǐlai, háishi dì-yī bù yǒu yìsi. Of the two movies, the first one is more interesting. | ❹ 我们对这些产品的质量进行了比较，发现有些是不合格的。Wǒmen duì zhèxiē chǎnpǐn de zhìliàng jìnxíngle bǐjiào, fāxiàn yǒuxiē shì bù hégé de. After comparing the qualities of the products, we found some of them are not up to the standards. | ❺ 这两部书我比较

过了，其中一部分内容是相同的。Zhè liǎng bù shū wǒ bǐjiàoguo le, qízhōng yí bùfēn nèiróng shì xiāngtóng de.　I have compared these two books and found some parts are identical. | ❻ 我比较了三次，才发现了这两张画儿的不同。Wǒ bǐjiàole sān cì, cái fāxiànle zhè liǎng zhāng huàr de bù tóng.　I didn't find the difference between the two paintings until I compared them three times.

<*adv.*> comparatively, relatively, rather

❶ 今天比较冷，你多穿点儿。Jīntiān bǐjiào lěng, nǐ duō chuān diǎnr.　It's rather cold today. You'd better put on more clothes. | ❷ 我住的地方坐车比较方便。Wǒ zhù de dìfang zuò chē bǐjiào fāngbiàn.　My residence has excellent traffic links. | ❸ 这条路比较近一些。Zhè tiáo lù bǐjiào jìn yìxiē.　This is a shortcut. | ❹ 坐飞机还是比较安全的。Zuò fēijī háishi bǐjiào ānquán de.　It's relatively safe to take a plane. | ❺ 我比较喜欢打篮球。Wǒ bǐjiào xǐhuan dǎ lánqiú.　I like playing basketball more. | ❻ 你们两个谁比较能喝酒？Nǐmen liǎng ge shéi bǐjiào néng hē jiǔ?　Of you two, who can drink more?

19. 比赛（比賽）bǐsài

<*v.*> match, contest

❶ 明天我们和二班比赛打篮球。Míngtiān wǒmen hé èr bān bǐsài dǎ lánqiú.　We will play basketball with Class Two tomorrow. | ❷ 我们比赛看谁跑得快。Wǒmen bǐsài kàn shéi pǎo de kuài.　Let's see who runs faster. | ❸ 我不想跟他比赛。Wǒ bù xiǎng gēn tā bǐsài.　I don't want to compete against him. | ❹ 我们刚比赛完，现在累极了。Wǒmen gāng bǐsài wán, xiànzài lèi jí le.　The game is just over, and we are exhausted now. | ❺ 我跟他比赛过两次，都输了。Wǒ gēn tā bǐsàiguo liǎng cì, dōu shū le.　I played twice with him and lost both games. | ❻ 他一和人比赛就来精神。Tā yì hé rén bǐsài jiù lái jīngshen.　He perks up whenever he has a competition with others.

<*n.*> competition

❶ 今天晚上有足球比赛。Jīntiān wǎnshang yǒu zúqiú bǐsài. A football game is going to be held tonight. | ❷ 我喜欢看一些体育比赛的电视节目。Wǒ xǐhuan kàn yìxiē tǐyù bǐsài de diànshì jiémù. I like watching sports on TV. | ❸ 我们两个班的篮球比赛明天开始。Wǒmen liǎng ge bān de lánqiú bǐsài míngtiān kāishǐ. The two classes will have basketball matches starting tomorrow. | ❹ 他参加了校游泳比赛，得了第一名。Tā cānjiāle xiào yóuyǒng bǐsài, déle dì-yī míng. He took part in the school swimming competition and ranked the first. | ❺ 这场比赛的结果很难说。Zhè chǎng bǐsài de jiéguǒ hěn nán shuō. It's hard to tell the result of the game. | ❻ 我不知道比赛时间，你能告诉我吗？Wǒ bù zhīdào bǐsài shíjiān, nǐ néng gàosu wǒ ma? I don't know the time of the game. Can you tell me when?

20. 必须（必須）bìxū

<*aux.*> must, shall

❶ 这场比赛很重要，你必须参加。Zhè chǎng bǐsài hěn zhòngyào, nǐ bìxū cānjiā. This is a very important game. You must take part in it. | ❷ 你八点之前必须到这里。Nǐ bā diǎn zhīqián bìxū dào zhèli. You must be here before 8 o'clock. | ❸ 机场太远，你必须坐车去。Jīchǎng tài yuǎn, nǐ bìxū zuò chē qù. The airport is too far away. You must go there by car. | ❹ 我们必须要遵守这里的法律。Wǒmen bìxū yào zūnshǒu zhèli de fǎlǜ. We must abide by the local law. | ❺ 学生必须参加考试，才能有成绩。Xuésheng bìxū cānjiā kǎoshì, cái néng yǒu chéngjì. The students must sit the exam to get an academic record. | ❻ 这件事必须我自己来办。Zhè jiàn shì bìxū wǒ zìjǐ lái bàn. I must do it myself. | ❼ 教育孩子必须要有耐心。Jiàoyù háizi bìxū yào yǒu nàixīn. Educating children requires patience. | ❽ 今天的事必须今天完成。Jīntiān de shì bìxū jīntiān wánchéng. Today's work shall not be postponed till tomorrow.

21. 变化（變化）biànhuà

<*v.*> change

❶ 这儿的天气变化得很快。Zhèr de tiānqì biànhuà de hěn kuài. The weather changes very quickly here. | ❷ 下星期我们一起去旅行，这件事没有变化吧？Xià xīngqī wǒmen yìqǐ qù lǚxíng, zhè jiàn shì méiyǒu biànhuà ba? Our travel plan for next week is not going to be changed, is it? | ❸ 现在情况有些变化，我们需要重新做决定。Xiànzài qíngkuàng yǒu xiē biànhuà, wǒmen xūyào chóngxīn zuò juédìng. Things have changed now, so we need to make some decisions again. | ❹ 你变化一下方法，也许就能成功。Nǐ biànhuà yíxià fāngfǎ, yěxǔ jiù néng chénggōng. Change your method, and you may succeed. | ❺ 他还是老样子，一点儿变化也没有。Tā háishi lǎo yàngzi, yìdiǎnr biànhuà yě méiyǒu. He is still his old self. | ❻ 十年来，这里的变化很大。Shí nián lái, zhèli de biànhuà hěn dà. Great changes have taken place in the past ten years.

22. 表示 biǎoshì

<*v.*> show, express

❶ 她不说话就是表示不同意。Tā bù shuōhuà jiù shì biǎoshì bù tóngyì. She kept silent to express her disagreement. | ❷ 他送你花儿就是表示喜欢你。Tā sòng nǐ huār jiù shì biǎoshì xǐhuan nǐ. He sent you some flowers to show he likes you. | ❸ 他表示以后会按时完成作业。Tā biǎoshì yǐhòu huì ànshí wánchéng zuòyè. He made up his mind to finish his homework on time in future. | ❹ 大家对这位新同学的到来表示欢迎。Dàjiā duì zhè wèi xīn tóngxué de dàolái biǎoshì huānyíng. Everyone welcomed the new student. | ❺ 我已经向他表示过多次了。Wǒ yǐjīng xiàng tā biǎoshìguo duō cì le. I've told him again and again. | ❻ 我送了他一个礼物，表示感谢。Wǒ sòngle tā yí ge lǐwù, biǎoshì gǎnxiè. I gave him a present to express my gratitude. | ❼ 他点头了，表示

已经同意了。Tā diǎntóu le, biǎoshì yǐjīng tóngyì le. He nodded to show his agreement.

23. 表演 biǎoyǎn

<*v.*> act, perform

❶ 下星期学校开联欢会，老师要求我们用汉语表演节目。Xià xīngqī xuéxiào kāi liánhuānhuì, lǎoshī yāoqiú wǒmen yòng Hànyǔ biǎoyǎn jiémù. The teacher asked us to put on a show in Chinese at the school get-together next week. | ❷ 他表演完了以后，大家都鼓起掌来。Tā biǎoyǎn wán le yǐhòu, dàjiā dōu gǔqǐ zhǎng lái. Everyone applauded after he had finished his performance. | ❸ 他表演得很好，观众们都很喜欢。Tā biǎoyǎn de hěn hǎo, guānzhòngmen dōu hěn xǐhuan. He gave an amazing performance and all the audience liked it. | ❹ 我第一次表演时，心里特别紧张。Wǒ dì-yī cì biǎoyǎn shí, xīnli tèbié jǐnzhāng. I was so nervous when I made my debut. | ❺ 我表演过三次了，不那么害怕了。Wǒ biǎoyǎnguo sān cì le, bú nàme hàipà le. After performing three times, I am not so scared. | ❻ 你表演的时候，别太紧张就行了。Nǐ biǎoyǎn de shíhou, bié tài jǐnzhāng jiù xíng le. Don't be too nervous in your performance. Everything will be OK.

<*n.*> performance

❶ 我很喜欢他的表演。Wǒ hěn xǐhuan tā de biǎoyǎn. I like his performance very much. | ❷ 你们都来看我的表演吧。Nǐmen dōu lái kàn wǒ de biǎoyǎn ba. Please come to see my show. | ❸ 这次表演是在一个广场上。Zhè cì biǎoyǎn shì zài yí ge guǎngchǎng shang. The show is going to be given at a square. | ❹ 我想参加这次的汉语节目表演。Wǒ xiǎng cānjiā zhè cì de Hànyǔ jiémù biǎoyǎn. I want to participate in the Chinese Language Show.

24. 别人 biéren

<*pron.*> others, else

❶ 别人都走了，你怎么还没走？ Biéren dōu zǒu le, nǐ zěnme hái méi zǒu? Everyone else has gone. Why are you still here? | ❷ 我不知道，你再问问别人吧。Wǒ bù zhīdào, nǐ zài wènwen biéren ba. I don't know; you'd better ask others. | ❸ 这辆车是别人的，我借来的。Zhè liàng chē shì biéren de, wǒ jièlái de. I borrowed this car. | ❹ 别人都听懂了，就是我还不太明白。Biéren dōu tīngdǒng le, jiù shì wǒ hái bú tài míngbai. Everyone else has got it, but I still don't understand. | ❺ 这件事情除了我和大卫，别人都不知道。Zhè jiàn shìqing chúle wǒ hé Dàwèi, biéren dōu bù zhīdào. Except David and I, nobody knows about it.

25. 宾馆（賓館）bīnguǎn

<*n.*> hotel

❶ 我每次都住在这个宾馆。Wǒ měi cì dōu zhù zài zhège bīnguǎn. I stay in this hotel each time I come here. | ❷ 那是个大宾馆，有八百多个房间。Nà shì ge dà bīnguǎn, yǒu bābǎi duō ge fángjiān. It's a big hotel with more than 800 rooms. | ❸ 这个宾馆都住满了，没有房间了。Zhège bīnguǎn dōu zhùmǎn le, méiyǒu fángjiān le. This hotel is filled to its capacity. There is not a room available. | ❹ 我们大学门口有个四星级宾馆。Wǒmen dàxué ménkǒu yǒu ge sì xīngjí bīnguǎn. There is a four-star hotel next to the gate of our university. | ❺ 我已经预订了宾馆，你不用管了。Wǒ yǐjīng yùdìngle bīnguǎn, nǐ búyòng guǎn le. Don't worry. I have made a reservation in a hotel. | ❻ 我早饭在宾馆里吃。Wǒ zǎofàn zài bīnguǎn li chī. I have my breakfast at the hotel. | ❼ 你就住我家吧，别住宾馆了。Nǐ jiù zhù wǒ jiā ba, bié zhù bīnguǎn le. Please stay in my house instead of the hotel.

26. 冰箱 bīngxiāng

<*n.*> refrigerator

❶ 冰箱里有饮料，你自己拿吧。Bīngxiāng li yǒu yǐnliào, nǐ zìjǐ ná ba. Help yourself to the drinks in the refrigerator. | ❷ 这些啤酒需要放在冰箱里吗？ Zhèxiē píjiǔ xūyào fàng zài bīngxiāng li ma? Shall we put the beer in the refrigerator? | ❸ 我想买台大一点儿的冰箱。Wǒ xiǎng mǎi tái dà yìdiǎnr de bīngxiāng. I want to buy a bigger refrigerator. | ❹ 这台冰箱用了十年了。Zhè tái bīngxiāng yòngle shí nián le. This refrigerator has been running for a decade. | ❺ 我的冰箱里空了，一会儿去买点儿水果放进去。Wǒ de bīngxiāng li kōng le, yíhuìr qù mǎi diǎnr shuǐguǒ fàng jìnqu. My refrigerator is empty. I'll buy some fruits to put them in.

27. 才（纔）cái radical: 扌 strokes: 3 stroke order: 一 十 才

<*adv.*> ① *used after the words showing time, meaning something happens quite late*

❶ 他十岁才上小学。Tā shí suì cái shàng xiǎoxué. He didn't go to school until he was 10. | ❷ 我们说好三点见面，他四点才来。Wǒmen shuōhǎo sān diǎn jiànmiàn, tā sì diǎn cái lái. We should have met at 3 o'clock, but he didn't come until 4. | ❸ 他病了三个月才好。Tā bìngle sān ge yuè cái hǎo. He didn't recover until three months later. | ❹ 表演一直到下午六点才结束。Biǎoyǎn yìzhí dào xiàwǔ liù diǎn cái jiéshù. The show wasn't over until 6 p.m. | ❺ 他四十多岁才结婚。Tā sìshí duō suì cái jiéhūn. He didn't get married until he was in his 40s. | ❻ 我去了三家书店，才买到这本书。Wǒ qùle sān jiā shūdiàn, cái mǎidào zhè běn shū. I didn't get this book until I went to the third bookstore.

② *meaning something happens just shortly before*

❶ 他才出去，不会走远。Tā cái chūqu, bú huì zǒuyuǎn. He went out just now, so he can't be too far away from here. | ❷ 经理才回来，正在休息呢。Jīnglǐ cái huílai, zhèngzài xiūxi ne. The manager has just come back. He is resting. | ❸ 我昨天才来北京，哪儿也没去。Wǒ zuótiān cái lái Běijīng, nǎr yě méi qù. I didn't go anywhere in Beijing since I just arrived here yesterday. | ❹ 你的病才好，还要多喝水、注意休息。Nǐ de bìng cái hǎo, hái yào duō hē shuǐ、zhùyì xiūxi. You just recovered from illness. Please drink more water and take a good rest. | ❺ 他俩结婚才一年就离婚了。Tā liǎ jiéhūn cái yì nián jiù líhūn le. They got divorced just a year after they got married.

③ *used before a measure word, meaning "only a small amount of"*

❶ 他才十五岁，不能喝酒。Tā cái shíwǔ suì, bù néng hē jiǔ. He is not allowed to drink alcohol since he is only 15 years old. | ❷ 我们才两个人，搬不动这张桌子。Wǒmen cái liǎng ge rén, bān bu dòng zhè zhāng zhuōzi. We, only two persons, cannot move this table. | ❸ 他才学了一个月英语，还说不好。Tā cái xuéle yí ge yuè Yīngyǔ, hái shuō bu hǎo. He cannot speak English well because he has been studying it for only a month. | ❹ 现在才五点，不用着急。Xiànzài cái wǔ diǎn, búyòng zháojí. Take it easy; it's just 5 o'clock. | ❺ 他才离开家一天，就想家了。Tā cái líkāi jiā yì tiān, jiù xiǎng jiā le. He missed his family just one day after he left it. | ❻ 我才喝了两杯啤酒，不会醉的。Wǒ cái hēle liǎng bēi píjiǔ, bú huì zuì de. Two cups of beer cannot make me drunk.

④ *used in exclamatory sentences to express emphasis*

❶ 这么贵的衣服，我才不买呢。Zhème guì de yīfu, wǒ cái bù mǎi ne. In no way shall I buy such expensive clothes! | ❷ 昨天的比赛才有意思呢。Zuótiān de bǐsài cái yǒu yìsi ne. Yesterday's game was so interesting! | ❸ 我唱得不好，我妈妈唱得才好呢。Wǒ chàng de bù hǎo, wǒ māma chàng de cái hǎo ne. I'm not a good singer, but my mother is. | ❹ 他才是你要找的人呢。Tā cái shì nǐ yào zhǎo de rén ne. He is just the one you are looking for.

⑤ *used in the second clause of a complex sentence to connect the two clauses*

❶ 你要多喝水，感冒才好得快。Nǐ yào duō hē shuǐ, gǎnmào cái hǎo de

kuài. Drink more water, so you will recover from your cold soon. | ❷ 因为不懂，才来问你。Yīnwèi bù dǒng, cái lái wèn nǐ. I didn't get it, so I asked you for help. | ❸ 为了让你高兴，他才这么做的。Wèile ràng nǐ gāoxìng, tā cái zhème zuò de. He did it to make you happy. | ❹ 由于大家的帮助，我才成功了。Yóuyú dàjiā de bāngzhù, wǒ cái chénggōng le. Thanks to everyone's help, I succeeded! | ❺ 只有晴天才能看到远处的山。Zhǐyǒu qíngtiān cái néng kàndào yuǎnchù de shān. Only on sunny days can you see the mountains in the distance.

28. 菜单（菜單）càidān

<*n.*> menu

❶ 这是餐厅的菜单，您看看。Zhè shì cāntīng de càidān, nín kànkan. This is the menu for you. Please have a look. | ❷ 服务员，请拿菜单来！Fúwùyuán, qǐng ná càidān lái! Waiter, may I see your menu, please? | ❸ 菜单上没有的菜做不了。Càidān shang méiyǒu de cài zuò bu liǎo. We cannot cook food unlisted on the menu. | ❹ 您可以看这个英文菜单。Nín kěyǐ kàn zhège Yīngwén càidān. Please see the English menu. | ❺ 请再拿一份菜单来，好吗？Qǐng zài ná yí fèn càidān lái, hǎo ma? Can I have another menu, please?

29. 参加（參加）cānjiā

<*v.*> take part in, attend, join, enter, participate

❶ 明天的比赛你能参加吗？Míngtiān de bǐsài nǐ néng cānjiā ma? Will you take part in the match tomorrow? | ❷ 明天的会大家都要参加。Míngtiān de huì dàjiā dōu yào cānjiā. Everyone is required to attend the meeting tomorrow. | ❸ 我们周末有个晚会，请你参加。Wǒmen zhōumò yǒu ge wǎnhuì, qǐng nǐ cānjiā. You're invited to our party this weekend. | ❹ 他二十二岁就参加了工作。Tā èrshí'èr suì jiù cānjiāle gōngzuò. He started to work at the age of 22. | ❺ 我从来没参加过比赛，所以有点儿紧张。Wǒ cónglái méi cānjiāguo bǐsài,

三级

suǒyǐ yǒudiǎnr jǐnzhāng. I've never entered a contest, so I am a little nervous. | ❻ 他参加了全校游泳比赛，得了第一名。Tā cānjiāle quán xiào yóuyǒng bǐsài, déle dì-yī míng. He entered the school swimming competition and ranked the first. | ❼ 明天的考试我可能参加不了了。Míngtiān de kǎoshì wǒ kěnéng cānjiā bu liǎo le. I may not be able to sit the exam tomorrow.

30. 草 cǎo radical: 艹 strokes: 9

stroke order: 一 十 艹 艹 芇 苩 苩 荁 草

<*n.*> grass

❶ 公园里的草都绿了。Gōngyuán li de cǎo dōu lǜ le. The grasses have turned green in the park. | ❷ 这些草都长高了。Zhèxiē cǎo dōu zhǎnggāo le. The grass grows taller. | ❸ 他们都很爱护这些小草。Tāmen dōu hěn àihù zhèxiē xiǎocǎo. They take good care of the young grasses. | ❹ 房上长出来几棵草。Fáng shang zhǎng chūlai jǐ kē cǎo. Several grasses grow on the roof. | ❺ 你知道这是什么草吗？ Nǐ zhīdào zhè shì shénme cǎo ma? Do you know what kind of grass is it? | ❻ 这种草叫什么名字？ Zhè zhǒng cǎo jiào shénme míngzi? What is this kind of grasses called?

31. 层（層）céng radical: 尸 strokes: 7

stroke order: ㇇ コ 尸 尸 尸 层 层

<*m.*> (*a measure word for something that is overlapped or accumulated*) floor, layer

❶ 这座楼有二十一层。Zhè zuò lóu yǒu èrshíyī céng. There are 21 floors in this building. | ❷ 我家住在十二层。Wǒ jiā zhù zài shí'èr céng. My home is on the twelfth floor. | ❸ 我的办公室在七层的 708 房间。Wǒ de bàngōngshì zài qī céng de 708 fángjiān. My office is in Room 708, the seventh floor. | ❹ 我们在六层的会议室开会。Wǒmen zài liù céng de huìyìshì kāihuì. We will have a meeting in the conference room on the sixth floor. | ❺ 这个杯子包着两层纸。Zhège bēizi bāozhe liǎng céng zhǐ. This cup is wrapped in two layers of paper.

32. 差 chà radical: ⺶ strokes: 9

stroke order: 丶 丷 䒑 ⺷ 兰 𦍌 羊 𫇧 差

<*adj.*> poor, bad

❶ 以前我的英语很差，现在好多了。Yǐqián wǒ de Yīngyǔ hěn chà, xiànzài hǎo duō le. I used to have poor command of English, but now I have made some progress. | ❷ 这辆自行车质量比较差，经常出问题。Zhè liàng zìxíngchē zhìliàng bǐjiào chà, jīngcháng chū wèntí. This bike is of poor quality and often breaks down. | ❸ 我上中学的时候，学习差极了。Wǒ shàng zhōngxué de shíhou, xuéxí chà jí le. I had poor academic record at the middle school. | ❹ 我学习再差，也没考过不及格。Wǒ xuéxí zài chà, yě méi kǎoguo bù jígé. Although I'm not a good student, I never failed in an exam. | ❺ 这么差的东西，我不想买。Zhème chà de dōngxi, wǒ bù xiǎng mǎi. I will not buy such a lousy thing! | ❻ 我不行，比你差远了。Wǒ bù xíng, bǐ nǐ chàyuǎn le. I'm not as good as you. | ❼ 我的汉语水平比你差很多。Wǒ de Hànyǔ shuǐpíng bǐ nǐ chà hěn duō. My command of Chinese is not as good as yours.

<*v.*> be wanting, fall short of

❶ 现在的时间是差一刻八点。Xiànzài de shíjiān shì chà yí kè bā diǎn. It's a quarter to eight. | ❷ 我们还差一张火车票。Wǒmen hái chà yì zhāng huǒchēpiào. We are still short of a train ticket. | ❸ 我想买这本书，可是差两块钱。Wǒ xiǎng mǎi zhè běn shū, kěshì chà liǎng kuài qián. I'd like to buy this book, but I am short of two *kuai*. | ❹ 火车还差十分钟就要开了，你快去吧。Huǒchē hái chà shí fēnzhōng jiùyào kāi le, nǐ kuài qù ba. The train is leaving in ten minutes; you'd better hurry up. | ❺ 还差一个人没来，我们再等等。Hái chà yí ge rén méi lái, wǒmen zài děngdeng. A man still hasn't come. Let's wait a little longer.

33. 超市 chāoshì

<*n.*> supermarket

❶ 我家后面就是一个超市，买东西很方便。Wǒ jiā hòumiàn jiù shì yí ge chāoshì, mǎi dōngxi hěn fāngbiàn. With a supermarket just behind where I live, it's very convenient for me to go shopping. | ❷ 我每个星期六都要去超市。Wǒ měi ge xīngqī liù dōu yào qù chāoshì. I go shopping at the supermarket every Saturday. | ❸ 这个超市里的东西很多，什么都能买到。Zhège chāoshì li de dōngxi hěn duō, shénme dōu néng mǎidào. The supermarket, with many commodities in it, sells almost anything you want. | ❹ 请问，附近有没有超市？ Qǐngwèn, fùjìn yǒu méiyǒu chāoshì? Excuse me, is there a supermarket around? | ❺ 那个大超市晚上十点才关门。Nàge dà chāoshì wǎnshang shí diǎn cái guānmén. That big supermarket doesn't close until 10 p.m. | ❻ 我下午要去超市买水果，你要带东西吗？ Wǒ xiàwǔ yào qù chāoshì mǎi shuǐguǒ, nǐ yào dài dōngxi ma? I'll buy some fruits at the supermarket in the afternoon. Is there anything I can get for you?

34. 衬衫（襯衫）chènshān

<*n.*> shirt

❶ 他穿着一件白衬衫。Tā chuānzhe yí jiàn bái chènshān. He is in a white shirt. | ❷ 你穿多大号的衬衫？ Nǐ chuān duō dà hào de chènshān? What size shirt do you wear? | ❸ 这件衬衫样子很特别。Zhè jiàn chènshān yàngzi hěn tèbié. This shirt looks special. | ❹ 我的衬衫穿一天就脏了。Wǒ de chènshān chuān yì tiān jiù zāng le. My shirt gets dirty in just one day. | ❺ 我这件衬衫穿了四年了。Wǒ zhè jiàn chènshān chuānle sì nián le. I have worn this shirt for four years. | ❻ 这件衬衫很好看，就是太贵了。Zhè jiàn chènshān hěn hǎokàn, jiù shì tài guì le. This shirt looks nice, but it's too expensive.

35. 成绩（成績）chéngjì

<*n.*> result, achievement

❶ 老师，我们什么时候知道成绩？ Lǎoshī, wǒmen shénme shíhou zhīdào chéngjì? When will the test result be released, sir? | ❷ 我这次考试，听力成绩是八十五分。Wǒ zhè cì kǎoshì, tīnglì chéngjì shì bāshíwǔ fēn. I scored 85 in the listening comprehension test. | ❸ 我想知道我的考试成绩。Wǒ xiǎng zhīdào wǒ de kǎoshì chéngjì. I want to know my test result. | ❹ 我们班谁的成绩最高？ Wǒmen bān shéi de chéngjì zuì gāo? Who got the highest score in our class? | ❺ 他今年的工作取得了很大成绩。Tā jīnnián de gōngzuò qǔdéle hěn dà chéngjì. He made great achievement in his work this year. | ❻ 老王因工作成绩突出，受到了表扬。Lǎo Wáng yīn gōngzuò chéngjì tūchū, shòudàole biǎoyáng. Lao Wang was praised for his remarkable work performance.

36. 城市 chéngshì

<*n.*> city

❶ 他家住在城市，没去过农村。Tā jiā zhù zài chéngshì, méi qùguo nóngcūn. He lives in the city and has never been to the countryside. | ❷ 我不喜欢大城市的生活。Wǒ bù xǐhuan dà chéngshì de shēnghuó. I don't like the city life. | ❸ 北京是个既古老又年轻的城市。Běijīng shì ge jì gǔlǎo yòu niánqīng de chéngshì. Beijing is an old city with youthful vigor. | ❹ 我去过二十多个国家、一百多个城市。Wǒ qùguo èrshí duō ge guójiā、yìbǎi duō ge chéngshì. I have visited over 20 countries and 100 cities. | ❺ 这个城市给我留下了很好的印象。Zhège chéngshì gěi wǒ liúxiàle hěn hǎo de yìnxiàng. This city made a good impression on me. | ❻ 我去过的城市中，最喜欢北京。Wǒ qùguo de chéngshì zhōng, zuì xǐhuan Běijīng. I like Beijing the most among all the cities I visited. | ❼ 城市的发展带来了很多新问题。Chéngshì de fāzhǎn dàiláile hěn duō xīn wèntí. With the development of the city, a number of new problems have arisen.

37. 迟到（遲到）chídào

<*v.*> late

❶ 对不起，我迟到了。Duìbuqǐ, wǒ chídào le. Sorry, I'm late. | ❷ 他上课经常迟到。Tā shàngkè jīngcháng chídào. He is often late for class. | ❸ 我快迟到了，不能等你了。Wǒ kuài chídào le, bù néng děng nǐ le. I'm almost late, so I can't wait for you any more. | ❹ 他工作以来，从来没迟到过。Tā gōngzuò yǐlái, cónglái méi chídàoguo. He has never been late since he started to work. | ❺ 我们还有时间，不会迟到。Wǒmen hái yǒu shíjiān, bú huì chídào. We still have time. We won't be late. | ❻ 九月份，他一共迟到了三次。Jiǔ yuèfèn, tā yígòng chídàole sān cì. He has been late for three times since September. | ❼ 我不喜欢别人迟到，自己也不会迟到。Wǒ bù xǐhuan biéren chídào, zìjǐ yě bú huì chídào. I hate latecomers, and I am never one of them.

38. 出现（出現）chūxiàn

<*v.*> emerge, occur

❶ 现在问题出现了，就要想办法解决。Xiànzài wèntí chūxiàn le, jiù yào xiǎng bànfǎ jiějué. Since the problem has emerged now, we'd better find a solution. | ❷ 以前从来没出现过这种情况。Yǐqián cónglái méi chūxiànguo zhè zhǒng qíngkuàng. This situation has never occurred. | ❸ 这是近几年出现的新技术。Zhè shì jìn jǐ nián chūxiàn de xīn jìshù. This is a new technology emerged in recent years. | ❹ 他突然出现在我面前，让我吃了一惊。Tā tūrán chūxiàn zài wǒ miànqián, ràng wǒ chīle yì jīng. His sudden appearance took me by surprise. | ❺ 他们之间出现了很多问题。Tāmen zhījiān chūxiànle hěn duō wèntí. Many problems arose between them. | ❻ 两国的关系出现了危机。Liǎng guó de guānxì chūxiànle wēijī. The relationship between the two countries is facing a crisis.

39. 除了 chúle

<*prep.*> ① except, except for

❶ 除了大卫，别人都不会说汉语。Chúle Dàwèi, biéren dōu bú huì shuō Hànyǔ. No one can speak Chinese except David. | ❷ 除了老王没来，其他人都来了。Chúle Lǎo Wáng méi lái, qítā rén dōu lái le. Everybody is here except Lao Wang. | ❸ 除了这个菜，别的菜我都喜欢吃。Chúle zhège cài, bié de cài wǒ dōu xǐhuan chī. I like every dish except this one. | ❹ 除了太贵以外，这件衣服还真不错。Chúle tài guì yǐwài, zhè jiàn yīfu hái zhēn búcuò. This dress is very good except for its price. | ❺ 除了星期天，他每天都工作。Chúle xīngqītiān, tā měi tiān dōu gōngzuò. He works every day except Sunday.

② besides, apart from

❶ 我们班除了日本人，还有美国人、法国人等。Wǒmen bān chúle Rìběnrén, hái yǒu Měiguórén、Fǎguórén děng. Besides Japanese students, there are students from the United States of America, France and other countries in our class. | ❷ 除了历史课，我还要上英语课。Chúle lìshǐkè, wǒ hái yào shàng Yīngyǔkè. Besides history, I also take an English course. | ❸ 他除了喜欢打篮球，还喜欢踢足球。Tā chúle xǐhuan dǎ lánqiú, hái xǐhuan tī zúqiú. Besides basketball, he also likes playing football. | ❹ 除了这些，你还想知道什么？Chúle zhèxiē, nǐ hái xiǎng zhīdào shénme? Besides these, what else do you want to know?

三级

40. 厨房 chúfáng

<*n.*> kitchen

❶ 这边是餐厅，那边是厨房。Zhè biān shì cāntīng, nà biān shì chúfáng. The dining room is here, and the kitchen is over there. | ❷ 我的厨房很小，不过一个人做饭没问题。Wǒ de chúfáng hěn xiǎo, búguò yí ge rén zuòfàn méi wèntí. My kitchen is very small, but it is big enough for one person to cook in it. | ❸ 她正在厨房做饭呢，您等一下，我去叫她。Tā zhèngzài chúfáng zuòfàn ne, nín děng yíxià, wǒ qù jiào tā. She is cooking in the kitchen. Please wait for a while and I'll call her. | ❹ 你家的厨房真干净。Nǐ jiā de chúfáng zhēn gānjìng. Your kitchen is spotlessly clean. | ❺ 我也想有一个这么大的厨房。Wǒ yě xiǎng yǒu yí ge zhème dà de chúfáng. I also want to have such a big kitchen. | ❻ 你做完饭，收拾一下厨房。Nǐ zuòwán fàn, shōushi yíxià chúfáng. Please clean the kitchen after you finish cooking. | ❼ 厨房的卫生都是我自己打扫。Chúfáng de wèishēng dōu shì wǒ zìjǐ dǎsǎo. I always clean the kitchen myself.

41. 春 chūn radical: 日 strokes: 9

stroke order: 一 = 三 声 夫 夫 春 春 春

<*n.*> spring

❶ 我是 2010 年春结的婚。Wǒ shì 2010 nián chūn jié de hūn. I got married in spring 2010. | ❷ 2011 年春，我们一起来到中国。2011 nián chūn, wǒmen yìqǐ láidào Zhōngguó. We came to China together in spring 2011. | ❸ 这里一年四季，春夏秋冬非常明显。Zhèli yì nián sì jì, chūn-xià-qiū-dōng fēicháng míngxiǎn. It has four distinct seasons in a year here. | ❹ 自从那年春天我离开家以后，就再也没有回去过。Zìcóng nà nián chūntiān wǒ líkāi jiā yǐhòu, jiù zài yě méiyǒu huíquguo. I have never come back since I left home that spring. | ❺ 这里春季经常刮风。Zhèli chūnjì jīngcháng guāfēng. It is often windy in spring here. | ❻ 我最喜欢的季节是春天。Wǒ zuì xǐhuan de jìjié shì chūntiān. Spring is my favorite season.

三级

42. 词语（詞語）cíyǔ

<*n.*> word, expression

❶ 这个词语是什么意思？Zhège cíyǔ shì shénme yìsi? What's the meaning of this word? | ❷ 他已经掌握了两千多个汉语词语。Tā yǐjīng zhǎngwòle liǎng qiān duō ge Hànyǔ cíyǔ. He has learned more than 2000 Chinese words and expressions. | ❸ 我不知道用什么词语来表达我的感谢。Wǒ bù zhīdào yòng shénme cíyǔ lái biǎodá wǒ de gǎnxiè. I can hardly find the right words to express my gratitude. | ❹ 这本书里我不懂的词语太多了。Zhè běn shū li wǒ bù dǒng de cíyǔ tài duō le. There are too many new words in this book that I don't know. | ❺ 我写文章的时候总是觉得没什么词语可用。Wǒ xiě wénzhāng de shíhou zǒngshì juéde méi shénme cíyǔ kě yòng. I always find myself devoid of words when I write an article. | ❻ 这个词语老师解释了半天，我才明白。Zhège cíyǔ lǎoshī jiěshìle bàntiān, wǒ cái míngbai. After the teacher explained this word to me for a long time, I finally understood it.

43. 聪明（聰明）cōngming

<*adj.*> clever, smart

❶ 这孩子很聪明，学什么都很快。Zhè háizi hěn cōngming, xué shénme dōu hěn kuài. This is such a smart kid that he learns everything quickly. | ❷ 他聪明极了，一看就会。Tā cōngming jí le, yí kàn jiù huì. He is very smart and learns everything at a glance. | ❸ 我没见过像他这么聪明的人。Wǒ méi jiànguo xiàng tā zhème cōngming de rén. I have never seen such a smart guy like him. | ❹ 他是聪明人，不用多说。Tā shì cōngming rén, búyòng duō shuō. He is a smart man, so you don't need to be garrulous. | ❺ 这件事办得很聪明。Zhè jiàn shì bàn de hěn cōngming. It was smartly done. | ❻ 经过几次失败后，他们变得聪明起来了。Jīngguò jǐ cì shībài hòu, tāmen biàn de cōngming qǐlai le. They became clever after they failed several times. | ❼ 他不是特别聪明的人，但做事情非常努力。Tā bú shì tèbié cōngming de rén, dàn zuò shìqing fēicháng nǔlì. He is not clever, but he put forth his best efforts in everything he does.

44. 打扫（打掃）dǎsǎo

<v.> clean

❶ 今天下午我打扫房间，洗衣服。Jīntiān xiàwǔ wǒ dǎsǎo fángjiān, xǐ yīfu. I will clean my room and do my laundry this afternoon. | ❷ 他这几天太忙了，没有时间打扫宿舍。Tā zhè jǐ tiān tài máng le, méiyǒu shíjiān dǎsǎo sùshè. He has been too busy to clean his dormitory these days. | ❸ 她每天打扫，家里非常干净。Tā měi tiān dǎsǎo, jiāli fēicháng gānjìng. She cleans her house every day to keep it spotless. | ❹ 屋子里有点儿脏，我们打扫一下吧。Wūzi li yǒudiǎnr zāng, wǒmen dǎsǎo yíxià ba. The house is a little messy. Let's clean it. | ❺ 这里的卫生间打扫得很干净。Zhèli de wèishēngjiān dǎsǎo de hěn gānjìng. This restroom has been cleaned very well. | ❻ 服务员，我的房间可以打扫了。Fúwùyuán, wǒ de fángjiān kěyǐ dǎsǎo le. Clean my room, please. | ❼ 晚上我们一起打扫打扫卫生吧。Wǎnshang wǒmen yìqǐ dǎsǎo dǎsǎo wèishēng ba. Let's do some cleaning together tonight.

45. 打算 dǎsuàn

<v.> plan

❶ 毕业后，我打算去中国。Bìyè hòu, wǒ dǎsuàn qù Zhōngguó. I am planning to go to China after graduation. | ❷ 他打算去美国上大学。Tā dǎsuàn qù Měiguó shàng dàxué. He planned to pursue college education in the United States of America. | ❸ 我打算明年买辆新车。Wǒ dǎsuàn míngnián mǎi liàng xīn chē. I plan to buy a new car next year. | ❹ 我已经打算好了，下个月就回国。Wǒ yǐjīng dǎsuàn hǎo le, xià ge yuè jiù huí guó. I have decided to go back to my country next month. | ❺ 你打算什么时候结婚？Nǐ dǎsuàn shénme shíhou jiéhūn? When will you get married? | ❻ 他退休以后打算去世界各地旅游。Tā tuìxiū yǐhòu dǎsuàn qù shìjiè gèdì lǚyóu. He planned to travel around the world after he retired.

<*n.*> plan

❶ 毕业后，你有什么打算？ Bìyè hòu, nǐ yǒu shénme dǎsuàn? What's your plan after graduation? | ❷ 我的打算是去中国学习一年汉语。Wǒ de dǎsuàn shì qù Zhōngguó xuéxí yì nián Hànyǔ. My plan is to study Chinese for one year in China. | ❸ 我现在还没什么打算。Wǒ xiànzài hái méi shénme dǎsuàn. I still don't have any plans now. | ❹ 你下一步的打算是什么？ Nǐ xià yí bù de dǎsuàn shì shénme? What's your next move?

46. 带（帶）dài radical: 巾 strokes: 9

stroke order: 一 十 卄 卅 卅 卅 带 带 带

<*v.*> ① take, bring, carry with oneself

❶ 我带着照相机呢，我们拍个照吧。Wǒ dàizhe zhàoxiàngjī ne, wǒmen pāi ge zhào ba. I've brought my camera with me. Let's take a photo. | ❷ 要下雨了，你别忘了带雨伞。Yào xià yǔ le, nǐ bié wàngle dài yǔsǎn. It's going to rain. Don't forget to take an umbrella with you. | ❸ 我带的东西太多了，很多用不着。Wǒ dài de dōngxi tài duō le, hěn duō yòng bu zháo. I have brought too many things with me, but many of them are useless. | ❹ 你记着把护照带上。Nǐ jìzhe bǎ hùzhào dàishang. Remember to take your passport with you. | ❺ 我们多带一些水，渴了可以喝。Wǒmen duō dài yìxiē shuǐ, kěle kěyǐ hē. Let's bring more water, so we could drink it when we feel thirsty. | ❻ 吃的带得太多了，我们吃不完。Chī de dài de tài duō le, wǒmen chī bu wán. We've brought more food than we can eat.

② do something incidentally

❶ 你出门时帮我把门带上。Nǐ chūmén shí bāng wǒ bǎ mén dàishang. Please shut the door after you. | ❷ 我要去商店，你要带什么东西吗？ Wǒ yào qù shāngdiàn, nǐ yào dài shénme dōngxi ma? I'll go to the store. Is there anything I can buy for you? | ❸ 你帮我带瓶洗发水回来吧。Nǐ bāng wǒ dài píng xǐfàshuǐ huílai ba. Would you please bring me a bottle of shampoo? | ❹ 你就带上他一起去吧。Nǐ jiù dàishang tā yìqǐ qù ba. Please go with him.

③ lead, head

❶ 我带你到公共汽车站吧。Wǒ dài nǐ dào gōnggòng qìchēzhàn ba. Let me show you the way to the bus stop. | ❷ 老师带着我们参观了很多地方。Lǎoshī dàizhe wǒmen cānguānle hěn duō dìfang. The teacher showed us around. | ❸ 他带孩子去医院看病了。Tā dài háizi qù yīyuàn kànbìng le. He took the kid to the hospital.

47. 担心（擔心）dān//xīn

<*v.*> be afraid of, worry

❶ 天气不好，我担心会下雨。Tiānqì bù hǎo, wǒ dānxīn huì xià yǔ. The weather is terrible. I'm afraid it is going to rain. | ❷ 父亲身体不好，我很担心。Fùqīn shēntǐ bù hǎo, wǒ hěn dānxīn. My dad is in poor health. I am so worried about him. | ❸ 孩子深夜还没回家，父母都担心起来。Háizi shēnyè hái méi huí jiā, fùmǔ dōu dānxīn qǐlai. The kid didn't go home at midnight, which made his parents worried. | ❹ 我现在最担心的是找不到工作。Wǒ xiànzài zuì dānxīn de shì zhǎo bu dào gōngzuò. What worries me most is that I cannot find a job. | ❺ 别担心，我们都会帮助你的。Bié dānxīn, wǒmen dōu huì bāngzhù nǐ de. Don't worry; we will help you. | ❻ 我在这里一切都很好，你们不用为我担心。Wǒ zài zhèli yíqiè dōu hěn hǎo, nǐmen búyòng wèi wǒ dānxīn. Everything is fine with me; there is no need for you to be concerned. | ❼ 他一个人在外国，父母一直担着心。Tā yí ge rén zài wàiguó, fùmǔ yìzhí dānzhe xīn. He stays alone in a foreign country, which has always made his parents worried. | ❽ 我担了半天心，什么事情也没发生。Wǒ dānle bàntiān xīn, shénme shìqing yě méi fāshēng. I've been worried for a long time, but nothing happened.

48. 蛋糕 dàngāo

<*n.*> cake

❶ 我最爱吃蛋糕了。Wǒ zuì ài chī dàngāo le. I like cakes most. | ❷ 他每天早上都吃一块儿蛋糕。Tā měi tiān zǎoshang dōu chī yí kuàir dàngāo. He eats a piece of cake every morning. | ❸ 我送了他一个生日蛋糕。Wǒ sòngle tā yí ge shēngrì dàngāo. I brought a birthday cake for him. | ❹ 这个蛋糕太大了，我们六个人也吃不完。Zhège dàngāo tài dà le, wǒmen liù ge rén yě chī bu wán. This cake is too big for six people to eat up. | ❺ 你们来我家吃生日蛋糕吧。Nǐmen lái wǒ jiā chī shēngrì dàngāo ba. Please have the birthday cake in my house. | ❻ 这是个水果蛋糕，很好吃。Zhè shì ge shuǐguǒ dàngāo, hěn hǎochī. This fruit cake is very delicious.

49. 当然（當然）dāngrán

<*adv.*> of course, surely

❶ 这么好看的衣服，我当然喜欢了。Zhème hǎokàn de yīfu, wǒ dāngrán xǐhuan le. Of course I like this beautiful dress. | ❷ 他没学过汉语，当然听不懂中国人说话了。Tā méi xuéguo Hànyǔ, dāngrán tīng bu dǒng Zhōngguórén shuōhuà le. He has never studied Chinese, so it's natural he doesn't understand what Chinese people said. | ❸ 他是我最好的朋友，我当然相信他。Tā shì wǒ zuì hǎo de péngyou, wǒ dāngrán xiāngxìn tā. He is my best friend; certainly I trust him. | ❹ 我能来到中国，当然高兴了。Wǒ néng láidào Zhōngguó, dāngrán gāoxìng le. Certainly I'm glad to come to China. | ❺ A：你一定要来啊。B：当然。A: Nǐ yídìng yào lái a. B: Dāngrán. A: Please do come. B: Sure. | ❻ 我当然明白他是什么意思。Wǒ dāngrán míngbai tā shì shénme yìsi. I surely understand what he meant.

50. 地 de radical: 土 strokes: 6

stroke order: 一 十 土 圠 坤 地

<part.> structural auxiliary word, used before a verb or an adjective to constitute an adverbial modifier of the sentence

❶ 他高兴地笑了。Tā gāoxìng de xiào le. He laughed happily. | ❷ 听到这个消息，她大声地哭了起来。Tīngdào zhège xiāoxi, tā dà shēng de kūle qǐlai. She cried loudly upon hearing the news. | ❸ 她慢慢地走着，一点儿也不着急。Tā mànmàn de zǒuzhe, yìdiǎnr yě bù zháojí. She walked slowly and leisurely. | ❹ 雨不停地下着。Yǔ bùtíng de xiàzhe. It has always been raining. | ❺ 他高高兴兴地跑回家了。Tā gāogāoxìngxìng de pǎohuí jiā le. He ran home happily. | ❻ 学生们都在认真地听老师讲课。Xuéshengmen dōu zài rènzhēn de tīng lǎoshī jiǎngkè. All the students are listening to the teacher attentively. | ❼ 他们快乐地生活着。Tāmen kuàilè de shēnghuózhe. They live happily.

51. 灯（燈）dēng radical: 火 strokes: 6

stroke order: 丶 丷 少 火 灯 灯

<*n.*> light

❶ 天黑了，开灯吧。Tiān hēi le, kāi dēng ba. It's dark; let's turn on the light. | ❷ 这个灯坏了，不亮了。Zhège dēng huài le, bú liàng le. The light doesn't work. | ❸ 你为什么开着这么多灯？Nǐ wèi shénme kāizhe zhème duō dēng? Why did you turn on so many lights? | ❹ 外面没有灯，特别黑。Wàimiàn méiyǒu dēng, tèbié hēi. There's no light outside, so it's quite dark. | ❺ 一会儿你关灯吧。Yíhuìr nǐ guān dēng ba. Please turn off the light later. | ❻ 开着灯，我睡不着觉。Kāizhe dēng, wǒ shuì bu zháo jiào. I can't sleep with the light on. | ❼ 我刚到路口，红灯就亮了。Wǒ gāng dào lùkǒu, hóngdēng jiù liàng le. The traffic signal turned red as soon as I arrived at the crossing.

52. 低 dī radical: 亻 strokes: 7

stroke order: ノ 亻 亻 仁 仾 低 低

<*adj.*> ① low

❶ 这把椅子太低了，坐着不舒服。Zhè bǎ yǐzi tài dī le, zuòzhe bù shūfu. The chair is too low to sit snugly. | ❷ 飞机越飞越低。Fēijī yuè fēi yuè dī. The plane is flying lower and lower. | ❸ 这张画儿挂得太低了，再高点儿就好了。Zhè zhāng huàr guà de tài dī le, zài gāo diǎnr jiù hǎo le. This painting is hung too low. You'd better hang it a little higher. | ❹ 这些药你放得太低了，孩子都能拿到。Zhèxiē yào nǐ fàng de tài dī le, háizi dōu néng nádào. The medicine has been placed too low and within children's reach. | ❺ 他个子不低，大概有 1 米 80。Tā gèzi bù dī, dàgài yǒu 1 mǐ 80. He is not short. He is approximately 180 centimeters in height.

② low, junior

❶ 我的汉语水平还比较低。Wǒ de Hànyǔ shuǐpíng hái bǐjiào dī. I still have a poor command of Chinese. | ❷ 她说话的声音太低，我听不清楚。Tā shuōhuà de shēngyīn tài dī, wǒ tīng bu qīngchu. She spoke in such a low voice that I cannot hear her clearly. | ❸ 今天的气温比昨天低很多。Jīntiān de qìwēn bǐ zuótiān dī hěn duō. The temperature today is much lower than that was yesterday. | ❹ 这是最低的价格了，不能再便宜了。Zhè shì zuì dī de jiàgé le, bù néng zài piányi le. This is already the bargain price. | ❺ 低年级的同学坐左边，高年级的同学坐右边。Dī niánjí de tóngxué zuò zuǒbian, gāo niánjí de tóngxué zuò yòubian. Junior students sit on the left side and the senior students sit on the right side.

<*v.*> hang down, droop

❶ 他走路的时候总低着头。Tā zǒulù de shíhou zǒng dīzhe tóu. He always lowers his head as he walks. | ❷ 他在低着头看书，什么也没发现。Tā zài dīzhe tóu kàn shū, shénme yě méi fāxiàn. He buried himself in his book and found nothing. | ❸ 她一低头，看见地上有个钱包。Tā yì dī tóu, kànjiàn dìshang yǒu ge qiánbāo. She lowered her head and found a wallet on the ground. | ❹ 他低着头，一句话也不说。Tā dīzhe tóu, yí jù huà yě bù shuō. He lowered his head and said nothing. | ❺ 他上课的时候，总是低着头不说话。Tā shàngkè de shíhou, zǒngshì dīzhe tóu bù shuōhuà. He always silently lowers his head in class.

53. 地方 dìfang

<*n.*> ① locality

❶ 他去过中国很多地方。Tā qùguo Zhōngguó hěn duō dìfang. He has been to many places in China. | ❷ 你住在什么地方？Nǐ zhù zài shénme dìfang? Where do you live? | ❸ 我们在什么地方下车？Wǒmen zài shénme dìfang xià chē? Where shall we get off the bus? | ❹ 周末我经常去的地方是图书馆。Zhōumò wǒ jīngcháng qù de dìfang shì túshūguǎn. I often go to the library during weekends. | ❺ 桌子上没地方了，把杯子放地上吧。Zhuōzi shang méi dìfang le, bǎ bēizi fàng dìshang ba. There is nowhere to put the cup on the table. Please put it on the floor. | ❻ 我很喜欢这个地方，不想走了。Wǒ hěn xǐhuan zhège dìfang, bù xiǎng zǒu le. I like this place so much that I don't want to leave. | ❼ 教室全都坐满了，没地方了。Jiàoshì quán dōu zuòmǎn le, méi dìfang le. There is nowhere to sit in the classroom.

② part

❶ 这本书你看到什么地方了？Zhè běn shū nǐ kàndào shénme dìfang le? Which part of the book are you reading? | ❷ 我说的不对的地方，你别生气。Wǒ shuō de bú duì de dìfang, nǐ bié shēngqì. Please don't be angry with me if what I said was wrong. | ❸ 这篇文章有好几个地方需要修改。Zhè piān wénzhāng yǒu hǎojǐ ge dìfang xūyào xiūgǎi. There are several parts in the article that need to be revised. | ❹ 有的地方我没听明白。Yǒu de dìfang wǒ méi tīng míngbai. There are several parts I don't understand. | ❺ 你什么地方不懂，就问老师。Nǐ shénme dìfang bù dǒng, jiù wèn lǎoshī. If there is anything you don't understand, please ask the teacher.

54. 地铁（地鐵）dìtiě

<*n.*> subway

❶ 我们坐地铁去吧，地铁很快。Wǒmen zuò dìtiě qù ba, dìtiě hěn kuài. Let's take the subway; it's really fast. | ❷ 我家离地铁站很近，走路就五分钟。Wǒ jiā lí dìtiězhàn hěn jìn, zǒulù jiù wǔ fēnzhōng. It's only a 5 minutes' walk to the subway station from where I live. | ❸ 我们应该坐地铁几号线？Wǒmen yīnggāi zuò dìtiě jǐ hào xiàn? Which subway line shall we take? | ❹ 你买一张地铁票就可以了，我有公交卡。Nǐ mǎi yì zhāng dìtiěpiào jiù kěyǐ le, wǒ yǒu gōngjiāokǎ. Please just buy your own subway ticket; I have an IC card. | ❺ 坐地铁能不能到首都机场？Zuò dìtiě néng bù néng dào shǒudū jīchǎng? Can we go to the Capital Airport by subway? | ❻ 我们坐地铁，半个小时就可以到。Wǒmen zuò dìtiě, bàn ge xiǎoshí jiù kěyǐ dào. We can get there in half an hour by subway.

55. 地图 dìtú

<*n.*> map

❶ 我买了一张北京地图。Wǒ mǎile yì zhāng Běijīng dìtú. I bought a map of Beijing. | ❷ 我带着地图呢，不会迷路的。Wǒ dàizhe dìtú ne, bú huì mílù de. I have brought a map with me, so I won't get lost. | ❸ 我们看看地图，就知道该怎么走了。Wǒmen kànkan dìtú, jiù zhīdào gāi zěnme zǒu le. Let's check the map to find which direction we should take. | ❹ 在这张地图上，找不到我住的城市。Zài zhè zhāng dìtú shang, zhǎo bu dào wǒ zhù de chéngshì. I can't find the city where I live on this map. | ❺ 他的房间里挂着一张世界地图。Tā de fángjiān li guàzhe yì zhāng shìjiè dìtú. A world map was hung in his room. | ❻ 他拿着一张地图，走遍了中国。Tā názhe yì zhāng dìtú, zǒubiànle Zhōngguó. He traveled around China with a map in his hand.

56. 电梯（電梯）diàntī

<*n.*> elevator, lift

❶ 我们这个楼每层都有电梯，很方便。Wǒmen zhège lóu měi céng dōu yǒu diàntī, hěn fāngbiàn. It's very convenient that we have an elevator on each floor of the building. | ❷ 电梯停在六楼不动了。Diàntī tíng zài liù lóu bú dòng le. The elevator stops at the 6th floor. | ❸ 你能帮我按一下电梯吗？Nǐ néng bāng wǒ àn yíxià diàntī ma? Can you press the button of the elevator for me? | ❹ 电梯坏了，我们走上去吧。Diàntī huài le, wǒmen zǒu shàngqu ba. The elevator is broken. Let's take the stairs. | ❺ 我等电梯的时候，她打来了电话。Wǒ děng diàntī de shíhou, tā dǎláile diànhuà. She called me when I was waiting for the elevator. | ❻ 他们是在电梯里认识的。Tāmen shì zài diàntī li rènshi de. They got acquainted in the elevator. | ❼ 电梯的门打不开了。Diàntī de mén dǎ bu kāi le. The door of the elevator cannot be opened.

57. 电子邮件（電子郵件）diànzǐ yóujiàn

<*phr.*> email

❶ 我每天第一件事是看电子邮件。Wǒ měi tiān dì-yī jiàn shì shì kàn diànzǐ yóujiàn. The first thing I do every day is to check my email. | ❷ 收到电子邮件后，要及时回复。Shōudào diànzǐ yóujiàn hòu, yào jíshí huífù. After receiving an email, you should reply it in time. | ❸ 昨天我给你发了一封电子邮件，你收到没有？Zuótiān wǒ gěi nǐ fāle yì fēng diànzǐ yóujiàn, nǐ shōudào méiyǒu? I sent you an email yesterday. Have you received it? | ❹ 我晚上回了几封电子邮件。Wǒ wǎnshang huíle jǐ fēng diànzǐ yóujiàn. I replied several emails last night. | ❺ 这些电子邮件都是垃圾邮件。Zhèxiē diànzǐ yóujiàn dōu shì lājī yóujiàn. These are junk mails. | ❻ 我们经常用电子邮件联系，没见过面。Wǒmen jīngcháng yòng diànzǐ yóujiàn liánxì, méi jiànguo miàn. We often contact via email, but we've never met.

58. 东（東）dōng radical: 一 strokes: 5

stroke order: 一 𠂇 𠃋 车 东

<*n.*> east

❶ 一直往东走，就是十号楼。Yìzhí wǎng dōng zǒu, jiù shì shí hào lóu. Walk straight east, you'll see Building 10. | ❷ 我分不清哪边是东，哪边是西。Wǒ fēn bu qīng nǎ bian shì dōng, nǎ bian shì xī. I can't tell the east from the west. | ❸ 我的窗户朝东，早上就能见到太阳。Wǒ de chuānghu cháo dōng, zǎoshang jiù néng jiàndào tàiyáng. My window faces east, so I can see the sun rising in the morning. | ❹ 路东是商店，路西是邮局。Lù dōng shì shāngdiàn, lù xī shì yóujú. The store is on the east side of the street, and the post office is on the west side. | ❺ 现在刮的是东风。Xiànzài guā de shì dōngfēng. The wind blew from the east. | ❻ 你往东走二百米，就能看见火车站。Nǐ wǎng dōng zǒu èrbǎi mǐ, jiù néng kànjiàn huǒchēzhàn. Walk east 200 meters, then you'll see the railway station.

59. 冬 dōng radical: 夂 strokes: 5 stroke order: ノ ク 夂 冬 冬

<*n.*> winter

❶ 我们是 2008 年冬认识的。Wǒmen shì 2008 nián dōng rènshi de. We got acquainted in the winter of 2008. | ❷ 那年冬季，我们一起去了美国。Nà nián dōngjì, wǒmen yìqǐ qùle Měiguó. We went to the United States of America that winter. | ❸ 这里一年四季春夏秋冬非常明显。Zhèli yì nián sì jì chūn-xià-qiū-dōng fēicháng míngxiǎn. It features four distinct seasons. | ❹ 自从 2003 年冬我离开家以后，就没有回去过。Zìcóng 2003 nián dōng wǒ líkāi jiā yǐhòu, jiù méiyǒu huíquguo. I've never gone back home since I left it in the winter of 2003. | ❺ 这里的冬天非常冷。Zhèli de dōngtiān fēicháng lěng. It's very cold in winter here. | ❻ 我最不喜欢的季节是冬天。Wǒ zuì bù xǐhuan de jìjié shì dōngtiān. Winter is the last season I like.

60. 动物（動物）dòngwù

<*n.*> animal

❶ 动物是人类的朋友。Dòngwù shì rénlèi de péngyou. Animals are humans' friends. | ❷ 他喜欢各种小动物。Tā xǐhuan gè zhǒng xiǎodòngwù. He likes all kinds of small animals. | ❸ 现在，动物的种类越来越少了。Xiànzài, dòngwù de zhǒnglèi yuè lái yuè shǎo le. There are fewer and fewer animal species now. | ❹ 我们要保护这些动物，使它们不受伤害。Wǒmen yào bǎohù zhèxiē dòngwù, shǐ tāmen bú shòu shānghài. We should protect these animals from injury. | ❺ 有很多动物面临着灭绝的危险。Yǒu hěn duō dòngwù miànlínzhe mièjué de wēixiǎn. Many animals are threatened with extinction. | ❻ 孩子小的时候，我经常带他去动物园。Háizi xiǎo de shíhou, wǒ jīngcháng dài tā qù dòngwùyuán. I often went to the zoo with my child when he was young.

61. 短 duǎn radical: 矢 strokes: 12 stroke order: 丿 𠂉 𠂉 ⺧ 矢 矢一 矢丆 矢石 矩 矩 矩 短

<*adj.*> short

❶ 我们的教材第三课很短，生词也不多。Wǒmen de jiàocái dì-sān kè hěn duǎn, shēngcí yě bù duō. In our textbook, Lesson 3 is a short lesson with few new words. | ❷ 这件衣服比那件短很多。Zhè jiàn yīfu bǐ nà jiàn duǎn hěn duō. This garment is much shorter than that one. | ❸ 这条裤子太短了，我想换条长一点儿的。Zhè tiáo kùzi tài duǎn le, wǒ xiǎng huàn tiáo cháng yìdiǎnr de. This pair of pants is too short. Can I change it for a longer one? | ❹ 火车在这儿只停留很短的时间。Huǒchē zài zhèr zhǐ tíngliú hěn duǎn de shíjiān. The train stops here and stays for only a short time. | ❺ 那个短头发的姑娘是我妹妹。Nàge duǎn tóufa de gūniang shì wǒ mèimei. The girl with short hair is my younger sister. | ❻ 我觉得两个小时有点儿短，我们需要更长的时间。Wǒ juéde liǎng ge xiǎoshí yǒudiǎnr duǎn, wǒmen xūyào gèng cháng de shíjiān. I think a period of two hours is a bit short; we need a longer time.

62. 段 duàn radical: 殳 strokes: 9

stroke order: ´ 𠂆 𠂆 𠂆 ⺼ 𠂆 𣪊 段 段

<*m.*> ① (*used to indicate part of a whole*) passage, paragraph

❶ 她说的这段话很有道理。Tā shuō de zhè duàn huà hěn yǒu dàolǐ. What she said makes perfect sense. | ❷ 他给我们讲了一段故事。Tā gěi wǒmen jiǎngle yí duàn gùshi. He told us a story. | ❸ 请大家看课文的第三段。Qǐng dàjiā kàn kèwén de dì-sān duàn. Please read the third paragraph of the text. | ❹ 这段文章的主要意思是要保护动物。Zhè duàn wénzhāng de zhǔyào yìsi shì yào bǎohù dòngwù. The main idea of this article is about the protection of animals. | ❺ 我们请老师唱一段，好不好？ Wǒmen qǐng lǎoshī chàng yí duàn, hǎo bù hǎo? Let's ask our teacher to sing a song. Do you agree?

② *used to mean a span of time or distance, etc.*

❶ 那是一段美好的日子。Nà shì yí duàn měihǎo de rìzi. Those were beautiful old days. | ❷ 在中国的那段时间我很难忘记。Zài Zhōngguó de nà duàn shíjiān wǒ hěn nán wàngjì. I can hardly forget the days when I was in China. | ❸ 我这段时间很忙。Wǒ zhè duàn shíjiān hěn máng. I have been quite busy these days. | ❹ 你要先坐一段汽车，然后再走十几分钟就到了。Nǐ yào xiān zuò yí duàn qìchē, ránhòu zài zǒu shíjǐ fēnzhōng jiù dào le. Take a bus first and then walk more than ten minutes, and you'll be there. | ❺ 从车站到我家的那段路很难走。Cóng chēzhàn dào wǒ jiā de nà duàn lù hěn nán zǒu. It's a difficult road from the station to my home.

63. 锻炼（鍛煉）duànliàn

<*v.*> do exercise, have physical training

❶ 他每天都锻炼。Tā měi tiān dōu duànliàn. He does exercise every day. | ❷ 我每天坚持锻炼一个小时。Wǒ měi tiān jiānchí duànliàn yí ge xiǎoshí. I do physical exercise for an hour every day. | ❸ 他工作太忙，没时间锻炼。Tā gōngzuò tài máng, méi shíjiān duànliàn. He was too busy with his work to do physical exercise. | ❹ 你要经常锻炼，身体才健康。Nǐ yào jīngcháng duànliàn, shēntǐ cái jiànkāng. You need to do exercise regularly to keep fit. | ❺ 工作再忙，也要找时间锻炼锻炼。Gōngzuò zài máng, yě yào zhǎo shíjiān duànliàn duànliàn. No matter how busy you are with your work, you need to find some time to do exercise. | ❻ 他从六点锻炼到七点。Tā cóng liù diǎn duànliàn dào qī diǎn. He do exercise from 6 to 7 o'clock. | ❼ 我锻炼的方法就是走路。Wǒ duànliàn de fāngfǎ jiù shì zǒulù. I walk to keep fit.

64. 多么（多麼）duōme

<*adv.*> (*used in an exclamatory sentence to indicate a high degree*) how

❶ 多么聪明的孩子啊！ Duōme cōngming de háizi a! What a smart child! | ❷ 我多么想找到一个好工作啊！ Wǒ duōme xiǎng zhǎodào yí ge hǎo gōngzuò a! How I want to find a good job! | ❸ 这地方多么漂亮啊！ Zhè dìfang duōme piàoliang a! How beautiful this place is! | ❹ 多么好的天气啊，我们去踢足球吧。Duōme hǎo de tiānqì a, wǒmen qù tī zúqiú ba. What fine weather! Let's play football. | ❺ 多么难得的机会啊，你要把握住啊。Duōme nándé de jīhuì a, nǐ yào bǎwò zhù a. What a rare opportunity! Just don't miss it. | ❻ 看，他多么快乐啊！ Kàn, tā duōme kuàilè a! Look, how happy he is!

65. 饿（餓）è radical: 饣 strokes: 10 stroke order: ノ ⺈ 饣 饣 饣 饣 饣 饿 饿 饿

<*adj.*> hungry

❶ 我饿了，我们去吃饭吧。Wǒ è le, wǒmen qù chīfàn ba. I am hungry. Let's go out for a meal. | ❷ 我没吃早饭，现在很饿。Wǒ méi chī zǎofàn, xiànzài hěn è.

I didn't have my breakfast, so I'm very hungry now. | ③ 他一天没吃东西，饿坏了。Tā yì tiān méi chī dōngxi, è huài le. He didn't eat anything the whole day. He is starving. | ④ 我还不饿呢，不想吃饭。Wǒ hái bú è ne, bù xiǎng chīfàn. I'm not hungry yet. I don't want to have a meal.

<*v.*> starve

① 他饿着肚子呢，早就想吃饭了。Tā èzhe dùzi ne, zǎo jiù xiǎng chīfàn le. He is starving and has been yearning to eat his meal for quite a while. | ② 他饿得一点儿力气也没有了。Tā è de yìdiǎnr lìqi yě méiyǒu le. He is extremely weak with hunger. | ③ 早上没吃饭，饿了一上午。Zǎoshang méi chīfàn, èle yí shàngwǔ. I didn't have my breakfast, so I've been hungry the whole morning.

66. 而且 érqiě

<*conj.*> also, and

① 他不但会说英语，而且会说汉语。Tā búdàn huì shuō Yīngyǔ, érqiě huì shuō Hànyǔ. He speaks English and Chinese. | ② 他不但会开车，而且技术很好。Tā búdàn huì kāichē, érqiě jìshù hěn hǎo. He is not just a driver. He is a great driver. | ③ 我们不但认识，而且是好朋友。Wǒmen búdàn rènshi, érqiě shì hǎo péngyou. We are not only acquaintances, but are also very good friends. | ④ 我不仅去过中国，而且不止一次。Wǒ bùjǐn qùguo Zhōngguó, érqiě bùzhǐ yí cì. I've been to China more than once. | ⑤ 他不但会做饭，而且做得特别好吃。Tā búdàn huì zuòfàn, érqiě zuò de tèbié hǎochī. He is not just a cook. He is a very good cook. | ⑥ 他第一次出国，而且又不会说英语，所以很紧张。Tā dì-yī cì chū guó, érqiě yòu bú huì shuō Yīngyǔ, suǒyǐ hěn jǐnzhāng. This was his first time to go abroad and he didn't know how to speak English, so he was very nervous.

67. 耳朵 ěrduo

<*n.*> ear

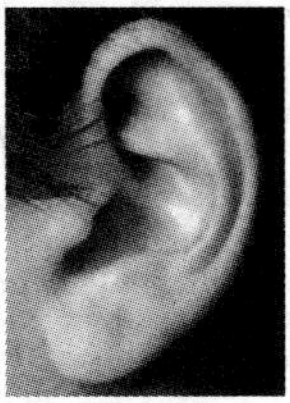

❶ 这只小狗两只耳朵大大的，真可爱。Zhè zhī xiǎogǒu liǎng zhī ěrduo dàdà de, zhēn kě'ài. This puppy with two big ears is so cute. | ❷ 奶奶的耳朵什么也听不见了。Nǎinai de ěrduo shénme yě tīng bu jiàn le. My grandma is completely deaf. | ❸ 一只虫子飞到我耳朵里了。Yì zhī chóngzi fēidào wǒ ěrduo li le. A bug flied into my ear. | ❹ 大象的耳朵像一把大扇子。Dàxiàng de ěrduo xiàng yì bǎ dà shànzi. The elephant's ears look like big fans. | ❺ 我的右耳朵有点儿听不见了。Wǒ de yòu ěrduo yǒudiǎnr tīng bu jiàn le. I'm a little bit deaf in my right ear. | ❻ 飞机下降的时候，我的耳朵特别难受。Fēijī xiàjiàng de shíhou, wǒ de ěrduo tèbié nánshòu. I felt a terrible pain in my ears when the plane was descending. | ❼ 你耳朵怎么流血了？Nǐ ěrduo zěnme liú xiě le? Why is your ear bleeding?

68. 发烧（發燒）fā//shāo

<*v.*> fever

❶ 你发烧了，快去医院吧。Nǐ fāshāo le, kuài qù yīyuàn ba. You have a fever. Please see a doctor, now! | ❷ 我这几天感冒了，一直在发烧。Wǒ zhè jǐ tiān gǎnmào le, yìzhí zài fāshāo. I have contracted a cold these days and have been having a fever. | ❸ 我昨天发烧了，没去上课。Wǒ zuótiān fāshāo le, méi qù shàngkè. I got a fever yesterday, so I didn't go to class. | ❹ 他发了两天烧，今天才好一点儿。Tā fāle liǎng tiān shāo, jīntiān cái hǎo yìdiǎnr. He has had a fever for two days. He is getting better today. | ❺ 她昨天还在锻炼，今天怎么发起烧来了？Tā zuótiān hái zài duànliàn, jīntiān zěnme fāqǐ shāo lái le? She was doing physical exercise just yesterday. How come she has a fever today? | ❻ 你发不发烧啊？Nǐ fā bù fāshāo a? Do you have a fever? | ❼ 他发高烧呢，在床上躺

了一天了。Tā fā gāo shāo ne, zài chuáng shang tǎngle yì tiān le. He is having a high fever, and has stayed in bed for a whole day.

69. 发现（發現）fāxiàn

<*v.*> ① discover, find

❶ 一百年前，人们发现了这个小岛。Yìbǎi nián qián, rénmen fāxiànle zhège xiǎodǎo. People discovered this isle 100 years ago. | ❷ 他发现这里过去是海。Tā fāxiàn zhèli guòqù shì hǎi. He found it used to be a sea. | ❸ 后来人们发现这是一种自然现象。Hòulái rénmen fāxiàn zhè shì yì zhǒng zìrán xiànxiàng. Later people found this is a natural phenomenon. | ❹ 古代的科学家发现了这个规律。Gǔdài de kēxuéjiā fāxiànle zhège guīlǜ. Ancient scientists discovered this law. | ❺ 我发现他每天来得很早。Wǒ fāxiàn tā měi tiān lái de hěn zǎo. I noticed that he comes here early every day.

② find

❶ 他发现地上有个钱包。Tā fāxiàn dìshang yǒu ge qiánbāo. He found a wallet on the ground. | ❷ 我醒来的时候，发现妈妈坐在我旁边。Wǒ xǐnglái de shíhou, fāxiàn māma zuò zài wǒ pángbiān. I found my mom sitting beside me when I woke up. | ❸ 你就藏在这里，谁也不会发现你。Nǐ jiù cáng zài zhèli, shéi yě bú huì fāxiàn nǐ. No one can find you if you hide here. | ❹ 你找了半天，发现什么了？Nǐ zhǎole bàntiān, fāxiàn shénme le? After searching for such a long time, what did you find? | ❺ 警察发现他的时候，他已经死了。Jǐngchá fāxiàn tā de shíhou, tā yǐjīng sǐ le. He's already dead when the police found him.

<*n.*> discover

❶ 他是一名科学家，在科学研究上有很多发现。Tā shì yì míng kēxuéjiā, zài kēxué yánjiū shang yǒu hěn duō fāxiàn. He is a scientist who has made many scientific discoveries. | ❷ 学会用火，是人类的重要发现。Xuéhuì yòng huǒ, shì rénlèi de zhòngyào fāxiàn. Learning how to use fire is an important discovery made by humans. | ❸ 医学上的一些研究和重要发现，让我们会更健康。Yīxué shang de yìxiē yánjiū hé zhòngyào fāxiàn, ràng wǒmen huì gèng jiànkāng. Some medical findings will make us healthier. | ❹ 他的新发现，为研究这个问题提供了很大帮助。Tā de xīn fāxiàn, wèi yánjiū zhège wèntí tígōngle hěn dà bāngzhù. His new discovery provides great help for the study of this issue. | ❺ 这是一个了不起的发现，很有价值。Zhè shì yí ge liǎobuqǐ de fāxiàn, hěn yǒu jiàzhí. This is a great and valuable discovery.

70. 方便 fāngbiàn

<*adj.*> ① convenient

❶ 我家离商店很近，买东西很方便。Wǒ jiā lí shāngdiàn hěn jìn, mǎi dōngxi hěn fāngbiàn. My home is near the store and it's convenient for me to do shopping. | ❷ 我在中国生活得很好，去哪儿都很方便。Wǒ zài Zhōngguó shēnghuó de hěn hǎo, qù nǎr dōu hěn fāngbiàn. I have a wonderful life in China. It's convenient to go anywhere. | ❸ 我觉得骑自行车比坐公共汽车更方便。Wǒ juéde qí zìxíngchē bǐ zuò gōnggòng qìchē gèng fāngbiàn. I feel riding a bike is more convenient than taking a bus. | ❹ 我这里生活方便得很，你就放心吧。Wǒ zhèli shēnghuó fāngbiàn de hěn, nǐ jiù fàngxīn ba. Please set your mind at ease. I live a convenient life here. | ❺ 公共汽车是这里最方便的交通工具了。Gōnggòng qìchē shì zhèli zuì fāngbiàn de jiāotōng gōngjù le. Buses are the most convenient means of transportation here.

② suitable

❶ 你现在说话方便吗？ Nǐ xiànzài shuōhuà fāngbiàn ma? Is it convenient for you to talk now? | ❷ 他现在正忙呢，我去不方便。Tā xiànzài zhèng máng ne, wǒ qù bù fāngbiàn. He is busy now, so it's not the right time for me to go there. | ❸ 如果你方便，就帮我买袋洗衣粉回来。Rúguǒ nǐ fāngbiàn, jiù bāng wǒ mǎi dài xǐyīfěn huílai. If convenient, would you please buy a packet of washing powder for me? | ❹ 你现在方便吗？我想找你谈谈。Nǐ xiànzài fāngbiàn ma? Wǒ xiǎng zhǎo nǐ tántan. Are you free now? Could I have a word with you? | ❺ 欢迎你们

在方便的时候再过来看看。Huānyíng nǐmen zài fāngbiàn de shíhou zài guòlai kànkan. Please come again whenever it's convenient for you.

<*v.*> provide convenience

❶ 这个商店二十四小时营业，方便了顾客。Zhège shāngdiàn èrshísì xiǎoshí yíngyè, fāngbiànle gùkè. This store opens 24 hours a day to provide convenience for its customers. | ❷ 为了方便大家借书，图书馆延长了工作时间。Wèile fāngbiàn dàjiā jiè shū, túshūguǎn yánchángle gōngzuò shíjiān. To provide convenience for people to borrow books, the library has extended its working hours. | ❸ 他想的不是怎样方便自己，而是怎样方便别人。Tā xiǎng de búshì zěnyàng fāngbiàn zìjǐ, érshì zěnyàng fāngbiàn biéren. What he thinks is not how to make things easier for himself, but how to benefit others. | ❹ 为了方便学生们买票，火车站的工作人员到学校卖票来了。Wèile fāngbiàn xuéshengmen mǎi piào, huǒchēzhàn de gōngzuò rényuán dào xuéxiào mài piào lái le. To provide convenience for students to buy tickets, the staff working at the railway station are selling tickets in the school.

71. 放 fàng radical: 方 strokes: 8

stroke order: 丶 亠 亣 方 方' 方𠂉 方攵 放

<*v.*> ① set free, release

❶ 他把那只小鸟放了。Tā bǎ nà zhī xiǎoniǎo fàng le. He set the little bird free. | ❷ 警察把那个人放走了。Jǐngchá bǎ nàge rén fàngzǒu le. The police let that guy go. | ❸ 他才从监狱里放出来。Tā cái cóng jiānyù li fàng chūlai. He is just released from prison. | ❹ 你们放了他吧，他是好人。Nǐmen fàngle tā ba, tā shì hǎo rén. Please set him free; he is a good guy. | ❺ 你别抓我，放开你的手！Nǐ bié zhuā wǒ, fàngkāi nǐ de shǒu! Don't grab me. Let me go.

② add, put (in)

❶ 你的咖啡要不要放糖？ Nǐ de kāfēi yào bú yào fàng táng? Do you want to put some sugar in your coffee? | ❷ 你往锅里放点儿油。Nǐ wǎng guō li fàng diǎnr yóu. Put some oil in the pan. | ❸ 服务员，我的可乐要放冰。Fúwùyuán, wǒ de kělè yào fàng bīng. Waitress, please put some ice in my coke. | ❹ 这个菜盐放多了，很咸。Zhège cài yán fàngduō le, hěn xián. Too much salt is put in this dish, and it tastes too salty. | ❺ 你要不要放点儿醋？ Nǐ yào bú yào fàng diǎnr cù? Would you like to put some vinegar? | ❻ 辣椒要少放一点儿，我怕辣。Làjiāo yào shǎo fàng yìdiǎnr, wǒ pà là. Please put less hot pepper. I don't like spicy food.

③ put

❶ 这儿放床，那儿放桌子。Zhèr fàng chuáng, nàr fàng zhuōzi. Put the bed here, and the table there. | ❷ 我的自行车放楼下了。Wǒ de zìxíngchē fàng lóu xià le. I left my bicycle downstairs. | ❸ 你把作业放桌子上吧。Nǐ bǎ zuòyè fàng zhuōzi shang ba. Please put your homework on the table. | ❹ 东西太多了，屋子里放不下。Dōngxi tài duō le, wūzi li fàng bu xià. There is too much stuff to put in the room. | ❺ 我的杯子放哪儿了？ Wǒ de bēizi fàng nǎr le? Where did I put my cup?

④ put aside, lay aside

❶ 牛奶不能放太长时间。Niúnǎi bù néng fàng tài cháng shíjiān. Milk has a short shelf life. | ❷ 这面包放了几天了？ Zhè miànbāo fàngle jǐ tiān le? How long has the bread been there? | ❸ 这瓶酒放了两年多了。Zhè píng jiǔ fàngle liǎng nián duō le. This bottle of wine has been stored for two years. | ❹ 酒越放越好喝。Jiǔ yuè fàng yuè hǎohē. The longer the wine is stored, the better it tastes. | ❺ 这蛋糕你总放着不吃，会放坏的。Zhè dàngāo nǐ zǒng fàngzhe bù chī, huì fànghuài de. The cake will be rotten if you keep it untouched.

⑤ stop (working or studying) for a certain period of time

❶ 明天放假，不用去上班了。Míngtiān fàngjià, búyòng qù shàngbān le.

I will be off tomorrow, and I won't need to work. | ❷ 元旦你们放几天假? Yuándàn nǐmen fàng jǐ tiān jià? How many days off do you have for the New Year's Day holiday? | ❸ 都放学很长时间了，他怎么还不回来? Dōu fàngxué hěn cháng shíjiān le, tā zěnme hái bù huílai? The class has been dismissed for quite a long time. Why didn't he come back yet? | ❹ 过年时，我们放了一个多月的假。Guònián shí, wǒmen fàngle yí ge duō yuè de jià. We had a holiday of more than a month to celebrate the Chinese New Year.

⑥ herd

❶ 他小时候放过羊。Tā xiǎoshíhou fàngguo yáng. He herded sheep when he was young. | ❷ 他一边放马，一边看书。Tā yìbiān fàng mǎ, yìbiān kàn shū. He is reading while herding horses. | ❸ 我去放放这些牛，它们也想出去了。Wǒ qù fàngfang zhèxiē niú, tāmen yě xiǎng chūqu le. I am going to herd these cattle; they also seem eager to get out. | ❹ 他每天放完羊以后才做作业。Tā měi tiān fàngwán yáng yǐhòu cái zuò zuòyè. Only after herding his sheep, does he do his homework every day.

⑦ ignite, set fire (to)

❶ 中国人过年的时候要放鞭炮。Zhōngguórén guònián de shíhou yào fàng biānpào. Chinese people set off firecrackers to celebrate the Chinese New Year. | ❷ 男孩子喜欢放鞭炮。Nán háizi xǐhuan fàng biānpào. Boys like setting off firecrackers. | ❸ 他想放火烧了这个房子。Tā xiǎng fàng huǒ shāole zhège fángzi. He wanted to set fire to the house.

72. 放心 fàng//xīn

<v.> be at ease, rest assured

❶ 你们放心吧，这里非常安全。Nǐmen fàngxīn ba, zhèli fēicháng ānquán. Please rest assured. It's very safe here. | ❷ 你一个人出国，我不放心。Nǐ yí ge rén chū guó, wǒ bú fàngxīn. I cannot set my mind at ease at the thought of your going abroad alone. | ❸ 孩子一个人在家，我有点儿不放心。Háizi yí ge rén zài jiā, wǒ yǒudiǎnr bú fàngxīn. Leaving the kid alone at home made me upset. | ❹ 看着他上车了，我才放心。Kànzhe tā shàng chē le, wǒ cái fàngxīn. Only after I saw him getting on the bus did I feel relieved. | ❺ 他经常出错儿，能让人放心吗? Tā jīngcháng chū cuòr, néng ràng rén fàngxīn ma? He often makes mistakes. How can I trust him? | ❻ 我真放心不下他们，万一出了事怎么办? Wǒ zhēn fàngxīn bu xià tāmen, wànyī chūle shì zěnme bàn? I am really worried about them. What shall I do if an accident happens? | ❼ 考试成绩出来了，他才放下了心。kǎoshì chéngjì chūlai le, tā cái fàngxiale xīn. He couldn't rest assured until his test result was released.

73. 分 fēn radical: 八 strokes: 4 stroke order: ノ 八 分 分

<v.> ① divide, separate

❶ 我们分两个班上课。Wǒmen fēn liǎng ge bān shàngkè. We are divided into two classes. | ❷ 这个西瓜大家分着吃了吧。Zhège xīguā dàjiā fēnzhe chīle ba. Let's divide this watermelon and eat it. | ❸ 这个蛋糕太大了，你帮我分一分吧。Zhège dàngāo tài dà le, nǐ bāng wǒ fēn yì fēn ba. The cake is too big. Could you divide it for me? | ❹ 这些药分三次吃。Zhèxiē yào fēn sān cì chī. The medicine is to be taken in three dosages. | ❺ 他们已经分家了，两个儿子都有自己的家。Tāmen yǐjīng fēn jiā le, liǎng ge érzi dōu yǒu zìjǐ de jiā. Their two sons have shared out the family property and lived apart. | ❻ 这个问题，我分两方面来说。Zhège wèntí, wǒ fēn liǎng fāngmiàn lái shuō. I'll discuss the issue from two aspects.

② distribute, assign, allot

❶ 公司正在分苹果，每人十斤。Gōngsī zhèngzài fēn píngguǒ, měi rén shí jīn. The company is allotting five kilograms of apples to each of its employees. | ❷ 这个房子是以前学校分给他的。Zhège fángzi shì yǐqián xuéxiào fēngěi tā de. This house was allotted to him by the school before. | ❸ 经理正在给员工们分工作任务。Jīnglǐ zhèngzài gěi yuángōngmen fēn gōngzuò rènwù.

The manager is assigning the task to the employees. | ❹ 你怎么才来？我带来的巧克力都分光了。Nǐ zěnme cái lái? Wǒ dàilái de qiǎokèlì dōu fēnguāng le. Why did you come here so late? I've already given out all the chocolates I brought.

③ tell, distinguish

❶ 我分不出他俩谁是哥哥，谁是弟弟。Wǒ fēn bu chū tā liǎ shéi shì gēge, shéi shì dìdi. I can't tell the elder brother from the younger one. | ❷ 我分不出来红色和绿色。Wǒ fēn bu chūlái hóngsè hé lǜsè. I can't distinguish red from green. | ❸ 她分不清中国人和日本人。Tā fēn bu qīng Zhōngguórén hé Rìběnrén. She cannot distinguish Chinese from Japanese. | ❹ 要分清谁对谁错，还真不容易。Yào fēnqīng shéi duì shéi cuò, hái zhēn bù róngyì. It's not easy to tell right from wrong.

<*n.*> score

❶ 她这次考了 80 分。Tā zhè cì kǎole 80 fēn. She scored 80 in this exam. | ❷ 我们班的平均分是 75 分。Wǒmen bān de píngjūnfēn shì 75 fēn. The average score of our class is 75. | ❸ 老师的分算错了，我应该是 82 分。Lǎoshī de fēn suàncuò le, wǒ yīnggāi shì 82 fēn. The teacher counted my score wrongly. It is supposed to be 82. | ❹ 比赛的时候，要一分一分地争。Bǐsài de shíhou, yào yì fēn yì fēn de zhēng. Not a single score should be blundered away in a game.

<*m.*> ① cent

❶ 你给了我二十块，我找你八毛六分。Nǐ gěile wǒ èrshí kuài, wǒ zhǎo nǐ bā máo liù fēn. You gave me 20 *kuai*, and here's your change, 8 *mao* and 6 *fen*. | ❷ 我差两分钱不够十块。Wǒ chà liǎng fēn qián bú gòu shí kuài. I'm two *fen* short of 10 *kuai*. | ❸ 没关系，差一分钱我不要了。Méi guānxi, chà yì fēn qián wǒ bú yào le. Never mind. Please keep the one *fen* change. | ❹ 这些菜是六十六块七毛八分钱。Zhèxiē cài shì liùshíliù kuài qi máo bā fēn qián. These vegetables cost 66 *kuai*, 7 *mao* and 8 *fen*.

② minute

❶ 现在是八点十分。Xiànzài shì bā diǎn shí fēn. It is ten minutes past eight. | ❷ 我们九点五十分在火车站见面。Wǒmen jiǔ diǎn wǔshí fēn zài huǒchēzhàn jiànmiàn.

We'll meet at ten minutes to ten at the railway station. | ❸ 现在是差五分四点。Xiànzài shì chà wǔ fēn sì diǎn. It's five minutes to four. | ❹ 我一分也不能等了，我要马上去医院。Wǒ yì fēn yě bù néng děng le, wǒ yào mǎshàng qù yīyuàn. I can't wait for even one minute. I have to go to the hospital right now. | ❺ 时间一分一分地过去了，他还没来。Shíjiān yì fēn yì fēn de guòqu le, tā hái méi lái. The clock is ticking away, but he still hasn't come.

74. 附近 fùjìn

<*n.*> nearby, around

❶ 请问，附近有没有银行？Qǐngwèn, fùjìn yǒu méiyǒu yínháng? Excuse me, is there a bank near here? | ❷ 医院的附近有一个超市。Yīyuàn de fùjìn yǒu yí ge chāoshì. There is a supermarket near the hospital. | ❸ 我家就住附近，离学校不远。Wǒ jiā jiù zhù fùjìn, lí xuéxiào bù yuǎn. I live nearby, which is not far away from the school. | ❹ 附近就有饭馆，我们不用去别的地方了。Fùjìn jiù yǒu fànguǎn, wǒmen búyòng qù bié de dìfang le. There is a small restaurant nearby, so we don't need to go anywhere else. | ❺ 邮局就在商店附近。Yóujú jiù zài shāngdiàn fùjìn. The post office is just near the store. | ❻ 这个市场方便了附近的人们。Zhège shìchǎng fāngbiànle fùjìn de rénmen. The market has provided convenience for people who live around. | ❼ 我对附近的情况还不熟悉。Wǒ duì fùjìn de qíngkuàng hái bù shúxi. I'm not familiar with the nearby area.

75. 复习（複習）fùxí

<*v.*> review

❶ 我下午在家复习汉语。Wǒ xiàwǔ zài jiā fùxí Hànyǔ. I reviewed Chinese at home this afternoon. | ❷ 快考试了，我还没复习呢。Kuài kǎoshì le, wǒ hái méi fùxí ne. The exam is coming, but I still haven't reviewed my lessons yet. | ❸ 他已经复习了一个多月了，肯定能考好。Tā yǐjīng fùxíle yí ge duō yuè le, kěndìng néng kǎohǎo. He's been reviewing the lessons for more than a month, and certainly he'll score high marks in the exam. | ❹ 下课以后，你一定再复习复习，这样就能记住了。Xiàkè yǐhòu, nǐ yídìng zài fùxí fùxí, zhèyàng jiù néng jìzhù le. Please review again what you've learned after class, then you can keep it in mind. | ❺ 这篇课文我已经复习过两遍了。Zhè piān kèwén wǒ yǐjīng fùxíguo liǎng biàn le. I've reviewed this text twice. | ❻ 老师帮我们复习了前十课。Lǎoshī bāng wǒmen fùxíle qián shí kè. The teacher helped us go over the first 10 lessons. | ❼ 大家复习得好，所以考得才很好。Dàjiā fùxí de hǎo, suǒyǐ kǎo de cái hěn hǎo. We have reviewed very well, so we got good test results.

76. 干净（乾净）gānjìng

<*adj.*> ① clean

❶ 这个城市很干净。Zhège chéngshì hěn gānjìng. The city is very clean. | ❷ 我的手是干净的。Wǒ de shǒu shì gānjìng de. My hands are clean. | ❸ 他把房间打扫得非常干净。Tā bǎ fángjiān dǎsǎo de fēicháng gānjìng. He has done an excellent job cleaning the room. | ❹ 这些菜我都洗干净了。Zhèxiē cài wǒ dōu xǐ gānjìng le. I've washed the vegetables well. | ❺ 他换上了一身干净的衣服。Tā huànshangle yì shēn gānjìng de yīfu. He has changed to clean clothes. | ❻ 他的房间里永远都是干干净净的。Tā de fángjiān li yǒngyuǎn dōu shì gāngānjìngjìng de. His room is always clean.

② nothing is left

❶ 饭菜都吃干净了。Fàncài dōu chī gānjìng le. All the food has been eaten up. | ❷ 我的钱花得很干净，一分也没了。Wǒ de qián huā de hěn gānjìng, yì fēn yě méi le. I have used up all my money. Not even a penny is left. | ❸ 苹果卖得干干净净，一个也没了。Píngguǒ mài de gāngānjìngjìng, yí ge yě méi le. All the apples are sold out. None of them is left. | ❹ 不管有什么东西，他都能吃个干净。Bùguǎn yǒu shénme dōngxi, tā dōu néng chī ge gānjìng. He can eat up whatever is available.

77. 敢 gǎn radical: 攵 strokes: 11 stroke order: 乛 ⺈ 子 开 开 开 耳 耳 耴 敢 敢

<*aux.*> ① dare, have guts or pluck to do something

❶ 那儿很危险，你敢去吗？ Nàr hěn wēixiǎn, nǐ gǎn qù ma? It's very dangerous. Dare you go there? | ❷ 天黑了，她不敢出门儿。 Tiān hēi le, tā bù gǎn chūménr. It was dark. She didn't dare to go outside. | ❸ 他做错了事，不敢见父母了。 Tā zuòcuòle shì, bù gǎn jiàn fùmǔ le. He did the wrong thing, so he didn't dare to see his parents. | ❹ 他什么话都敢说。 Tā shénme huà dōu gǎn shuō. He dares to say everything. | ❺ 你敢从这儿跳下去吗？ Nǐ gǎn cóng zhèr tiào xiàqu ma? Do you dare to jump from here? | ❻ 他胆子小，不敢开车。 Tā dǎnzi xiǎo, bù gǎn kāichē. He didn't dare to drive.

② sure

❶ 我敢说他肯定结婚了。 Wǒ gǎn shuō tā kěndìng jiéhūn le. I am sure he has got married. | ❷ 我敢肯定他能得第一名。 Wǒ gǎn kěndìng tā néng de dì-yī míng. I am sure he will rank the first. | ❸ 你敢说他的汉语水平是最高的吗？ Nǐ gǎn shuō tā de Hànyǔ shuǐpíng shì zuì gāo de ma? Are you sure his command of Chinese is the best? | ❹ 他能不能来，我不敢肯定。 Tā néng bù néng lái, wǒ bù gǎn kěndìng. I am not sure whether he will come.

78. 感冒 gǎnmào

<*v.*> catch a cold, get a flu

❶ 我感冒了，头疼、发烧。 Wǒ gǎnmào le, tóu téng、fāshāo. I've contracted a cold and got a headache and fever. | ❷ 他身体不太好，总是感冒。 Tā shēntǐ bú tài hǎo, zǒngshì gǎnmào. He is not in good health and always catches a cold. | ❸ 我这个月感冒了两次。 Wǒ zhège yuè gǎnmàole liǎng cì. I got a cold twice this month. | ❹ 我感冒得厉害，不能去了。 Wǒ gǎnmào de lìhai, bù néng qù le. I got a bad cold, so I cannot go there. | ❺ 你穿得太少了，小心感冒。 Nǐ chuān de tài shǎo le, xiǎoxīn gǎnmào. You are not wearing enough clothes. Please be careful not to catch a cold. | ❻ 我经常感冒，不知道是怎么了。Wǒ jīngcháng gǎnmào, bù zhīdào shì zěnme le. I often catch a cold, and I don't know why. | ❼ 最近感冒的人很多。Zuìjìn gǎnmào de rén hěn duō. A lot of people got a cold recently. | ❽ 你感冒刚好，最好不要出去。Nǐ gǎnmào gāng hǎo, zuì hǎo búyào chūqu. You just recovered from a cold, so you'd better keep indoors.

<*n.*> cold

❶ 他得了感冒，正发烧呢。Tā déle gǎnmào, zhèng fāshāo ne. He has caught a cold and is now having a fever. | ❷ 你的感冒好了没有？Nǐ de gǎnmào hǎo le méiyǒu? Have you recovered from your cold? | ❸ 我感觉不舒服，可能是感冒了。Wǒ gǎnjué bù shūfu, kěnéng shì gǎnmào le. I feel awful, maybe I've got a cold. | ❹ 她这次感冒，两个多星期才好。Tā zhè cì gǎnmào, liǎng ge duō xīngqī cái hǎo. It took her more than two weeks to recover from her cold.

79. 刚才（剛才）gāngcái

<*n.*> just now

❶ 刚才有人找你。Gāngcái yǒu rén zhǎo nǐ. Someone looked for you just now. | ❷ 你刚才说的话，都忘了吗？Nǐ gāngcái shuō de huà, dōu wàng le ma? Have you forgotten what you said just now? | ❸ 刚才发生的一切，我都看见了。Gāngcái fāshēng de yíqiè, wǒ dōu kànjiàn le. I've seen what just happened. | ❹ 刚才我还看见她了，怎么一会儿就不见了？Gāngcái wǒ hái kànjiàn tā le, zěnme yíhuìr jiù bújiàn le? I saw her just now. How come she is gone so soon? | ❺ 刚才的事是我错了。Gāngcái de shì shì wǒ cuò le. I was wrong just now. | ❻ 刚才我去办公室了。Gāngcái wǒ qù bàngōngshì le. I went to the office just now. | ❼ A：他什么时候走的？B：就刚才。A: Tā shénme shíhou zǒu de? B: Jiù gāngcái. A: When did he leave? B: A moment ago.

80. 根据（根據）gēnjù

<*n.*> basis, foundation, grounds

❶ 你这么说的根据是什么？ Nǐ zhème shuō de gēnjù shì shénme? On what ground did you say so? | ❷ 我的看法是有根据的。Wǒ de kànfǎ shì yǒu gēnjù de. My opinion is well-founded. | ❸ 你没有根据，不能乱说。Nǐ méiyǒu gēnjù, bù néng luàn shuō. You cannot make groundless and irresponsible remarks. | ❹ 这些就是我的根据。Zhèxiē jiù shì wǒ de gēnjù. These are my reasons. | ❺ 你有什么根据说他俩是夫妻？ Nǐ yǒu shénme gēnjù shuō tā liǎ shì fūqī? Do you have any evidence to say they are husband and wife?

<*v.*> (be) based on, depend on

❶ 我们去不去，要根据明天的天气。Wǒmen qù bú qù, yào gēnjù míngtiān de tiānqì. Whether we will go depends on the weather tomorrow. | ❷ 应该怎么做，要根据当时的情况。Yīnggāi zěnme zuò, yào gēnjù dāngshí de qíngkuàng. Please act according to circumstances. | ❸ 谁当班长，要根据大家的意见。Shéi dāng bānzhǎng, yào gēnjù dàjiā de yìjiàn. The class monitor should be chosen based on the opinions of the class. | ❹ 参加不参加这次活动，应该根据自愿的原则。Cānjiā bù cānjiā zhè cì huódòng, yīnggāi gēnjù zìyuàn de yuánzé. Participation in this activity shall be on a voluntary basis.

<*prep.*> according to

❶ 根据法律，你们应当承担这个责任。Gēnjù fǎlǜ, nǐmen yīngdāng chéngdān zhège zérèn. According to law, you should assume this responsibility. | ❷ 根据学校的规定，你不能参加考试了。Gēnjù xuéxiào de guīdìng, nǐ bù néng cānjiā kǎoshì le. According to the school rules, you cannot sit this exam. | ❸ 医生根据病人的情况，做出了住院的决定。Yīshēng gēnjù bìngrén de qíngkuàng, zuòchūle zhùyuàn de juédìng. Based on the patient's situation, the doctor has decided that he should be hospitalized. | ❹ 根据我的了解，他不可能骗你。Gēnjù wǒ de liǎojiě, tā bù kěnéng piàn nǐ. As far as I can see, he can not cheat on you. | ❺ 根据我的经验，我觉得能成功。Gēnjù wǒ de jīngyàn, wǒ juéde néng chénggōng. My experience tells me it will be a success. | ❻ 根据这些数字，我们可以看出一些问题。Gēnjù zhèxiē shùzì, wǒmen kěyǐ kànchū yìxiē wèntí. From the data, we can see some problems.

81. 跟 gēn radical: ⻊ strokes: 13 stroke order: 丶 ㄇ 口 ㄗ ㄗ ㄗ 𧾷 𧾷 跀 跀 跀 跟 跟 跟

<*v.*> follow

❶ 你跟着我，别乱走。Nǐ gēnzhe wǒ, bié luàn zǒu. Follow me. Don't walk around. | ❷ 你走慢点儿，我跟不上了。Nǐ zǒu màn diǎnr, wǒ gēn bu shàng le. Slow down, please. I can't catch up with you. | ❸ 老师在前面走，学生们跟在后面。Lǎoshī zài qiánmiàn zǒu, xuéshengmen gēn zài hòumiàn. The teacher walked in front and the students followed. | ❹ 你要不认识路，就跟我走。Nǐ yào bú rènshi lù, jiù gēn wǒ zǒu. You can follow me if you don't know the way. | ❺ 你总跟着我们做什么？Nǐ zǒng gēnzhe wǒmen zuò shénme? Why do you always follow us? | ❻ 弟弟总爱跟着哥哥。Dìdi zǒng ài gēnzhe gēge. The younger brother always wants to follow his elder brother.

<*prep.*> (*used as a preposition to introduce the recipient of an action*) with, and, to, from

❶ 我想跟你说一件事。Wǒ xiǎng gēn nǐ shuō yí jiàn shì. I have something to tell you. | ❷ 我没跟他见过面。Wǒ méi gēn tā jiànguo miàn. I haven't met him yet. | ❸ 我想先跟父母谈谈这件事。Wǒ xiǎng xiān gēn fùmǔ tántan zhè jiàn shì. I'd like to talk with my parents about it first. | ❹ 他没跟你住在一起吗？Tā méi gēn nǐ zhù zài yìqǐ ma? Doesn't he live with you? | ❺ 你儿子跟你长得一样。Nǐ érzi gēn nǐ zhǎng de yíyàng. Your son looks exactly like you. | ❻ 他跟三年前一样，一点儿变化也没有。Tā gēn sān nián qián yíyàng, yìdiǎnr biànhuà yě méiyǒu. He hasn't changed a bit since three years ago. | ❼ 这里的气候跟我的家乡差不多。Zhèli de qìhòu gēn wǒ de jiāxiāng chàbuduō. The weather here is just like that in my hometown. | ❽ 我的看法跟你差不多。Wǒ de kànfǎ gēn nǐ chàbuduō. My opinion is just like yours. | ❾ 这件事情跟我一点儿关系也没有。Zhè jiàn shìqing gēn wǒ yìdiǎnr guānxì yě méiyǒu. It has nothing to do with me.

<*conj.*> and

❶ 大卫跟安娜都是美国人。Dàwèi gēn Ānnà dōu shì Měiguórén. David and Anna are Americans. | ❷ 他妻子跟我妻子是同事。Tā qīzi gēn wǒ qīzi shì tóngshì. His wife and mine are colleagues. | ❸ 我的书跟作业本都放在教室里了。Wǒ de shū gēn zuòyèběn dōu fàng zài jiàoshì li le. I left my books and exercise books in the classroom. | ❹ 他的儿子跟女儿都在中国。Tā de érzi gēn nǚ'ér dōu zài Zhōngguó. His son and daughter are both in China. | ❺ 我把学习跟生活的情况都告诉了父母。Wǒ bǎ xuéxí gēn shēnghuó de qíngkuàng dōu gàosule fùmǔ. I told my parents everything in my study and life.

82. 更 gèng radical: 一 strokes: 7

stroke order: 一 丆 冂 戸 百 更 更

<*adv.*> more, even more, still more

❶ 今天比昨天更冷。Jīntiān bǐ zuótiān gèng lěng. Today is even colder than yesterday. | ❷ 她比以前更漂亮了。Tā bǐ yǐqián gèng piàoliang le. She is much prettier than before. | ❸ 你这么说，我更不知道该怎么办了。Nǐ zhème shuō, wǒ gèng bù zhīdào gāi zěnme bàn le. I'd know less about what to do if you say so. | ❹ 自从生病以后，他的学习就更差了。Zìcóng shēngbìng yǐhòu, tā de xuéxí jiù gèng chà le. After he got sick, he became more underachieved. | ❺ 他在中国有了女朋友，更不想离开了。Tā zài Zhōngguó yǒule nǚpéngyou, gèng bù xiǎng líkāi le. Since he made a girlfriend in China, he has become more unwilling to leave the country. | ❻ 他说完以后，我更不明白了。Tā shuōwán yǐhòu, wǒ gèng bù míngbai le. After hearing his words, I felt even more confused. | ❼ 我喜

欢打篮球，但是更喜欢踢足球。Wǒ xǐhuan dǎ lánqiú, dànshì gèng xǐhuan tī zúqiú. I like playing basketball, but I like playing soccer more.

83. 公园（公園）gōngyuán

<*n.*> park

❶ 天气这么好，我们去公园走走吧。Tiānqì zhème hǎo, wǒmen qù gōngyuán zǒuzou ba. It's such a nice day. Let's take a walk in the park. | ❷ 那个公园就在我家附近。Nàge gōngyuán jiù zài wǒ jiā fùjìn. That park is just near my home. | ❸ 他带孩子去公园玩儿了，到现在还没回来。Tā dài háizi qù gōngyuán wánr le, dào xiànzài hái méi huílai. He took the kid to the park and hasn't come back yet. | ❹ 北京有些公园是收费的，有些是免费的。Běijīng yǒuxiē gōngyuán shì shōu fèi de, yǒuxiē shì miǎnfèi de. Some of the parks in Beijing charge an entrance fee while others don't. | ❺ 我们九点钟在公园门口见面，好吗？ Wǒmen jiǔ diǎnzhōng zài gōngyuán ménkǒu jiànmiàn, hǎo ma? Shall we meet at the entrance of the park at 9 o'clock? | ❻ 我们星期天去公园划船吧。Wǒmen xīngqītiān qù gōngyuán huá chuán ba. Let's go boating in the park this Sunday. | ❼ 这个公园晚上十点关门。Zhège gōngyuán wǎnshang shí diǎn guānmén. The park closes at 10 p.m.

84. 故事 gùshi

三级

<*n.*> story

❶ 我小时候最爱听妈妈讲故事。Wǒ xiǎoshíhou zuì ài tīng māma jiǎng gùshi. I liked listening to my mother's stories most when I was a kid. | ❷ 他讲的那个故事很有意思。Tā jiǎng de nàge gùshi hěn yǒu yìsi. The story he told is fascinating. | ❸ 这是一个真实的故事。Zhè shì yí ge zhēnshí de gùshi. This is a true story. | ❹ 我喜欢看历史故事方面的书。Wǒ xǐhuan kàn lìshǐ gùshi fāngmiàn de shū. I like reading storybooks about history. | ❺ 我被小说中的故事感动了。Wǒ bèi xiǎoshuō zhōng de gùshi gǎndòng le. I'm moved by the novel. | ❻ 王老师很会讲故事。Wáng lǎoshī hěn huì jiǎng gùshi. Mr. Wang is good at telling stories. | ❼ 关于他的故事，三天三夜也说不完。Guānyú tā de gùshi, sān tiān sān yè yě shuō bu wán. There is a long story about him.

85. 刮风（颳風）guā//fēng

<*v.*> (*of wind*) blow

❶ 北京的春天常常刮风。Běijīng de chūntiān chángcháng guāfēng. It is often windy during the spring in Beijing. | ❷ 刮风了，你把衣服收起来吧。Guāfēng le, nǐ bǎ yīfu shōu qǐlai ba. It's windy. You'd better put your clothes away. | ❸ 这里差不多每天都会刮风。Zhèli chàbuduō měi tiān dōu huì guāfēng. It's windy almost every day here. | ❹ 遇到刮风下雨的天气，我就在家休息。Yùdào guāfēng xià yǔ de tiānqì, wǒ jiù zài jiā xiūxi. I rest at home when the wind or rain comes. | ❺ 天气预报说，明天会刮大风。Tiānqì yùbào shuō, míngtiān huì guā dà fēng. The weather forecast says it will be windy tomorrow. | ❻ 刮了两天的风，天气冷了很多。Guāle liǎng tiān de fēng, tiānqì lěngle hěn duō. After two days of wind, it became much colder. | ❼ 刚才刮了一阵儿风，现在停了。Gāngcái guāle yízhènr fēng, xiànzài tíng le. It was windy a while ago, and now the wind has stopped.

86. 关（關）guān radical: 丷 strokes: 6

stroke order: 丶 丷 ⺌ 兰 并 关

<*v.*> ① close

❶ 晚上你别忘了关门。Wǎnshang nǐ bié wàngle guānmén. Please don't forget to close the door at night. | ❷ 我们关上窗户吧。Wǒmen guānshang chuānghu ba. Let's close the window. | ❸ 这个抽屉关不上了。Zhège chōuti guān bu shàng le. The drawer can't be closed. | ❹ 下雨了，我去关一下窗户。Xià yǔ le, wǒ qù guān yíxià chuānghu. It's raining; I'll close the window. | ❺ 这个商店晚上十点钟关门。Zhège shāngdiàn wǎnshang shí diǎnzhōng guānmén. This store closes at 10 p.m.

② turn off, shut down

❶ 你一会儿别忘了关灯。Nǐ yíhuìr bié wàngle guān dēng. Don't forget to turn off the light. | ❷ 关了电视吧，没什么好看的。Guānle diànshì ba, méi shénme hǎokàn de. Let's turn off the TV; there's nothing worth watching. | ❸ 我睡觉前忘了关电脑。Wǒ shuìjiào qián wàngle guān diànnǎo. I forgot to shut down the computer before I went to bed. | ❹ 我的电脑关不了，是不是有问题了？ Wǒ de diànnǎo guān bu liǎo, shì bú shì yǒu wèntí le? I cannot shut down my computer. What seems to be the trouble? | ❺ 洗衣机到时候会自己关的。Xǐyījī dào shíhou huì zìjǐ guān de. The washing machine has an Auto Power Off function.

③ lock, retain

❶ 他被警察关起来了。Tā bèi jǐngchá guān qǐlai le. He was put to jail by the police. | ❷ 他整天把自己关在房间里看书。Tā zhěng tiān bǎ zìjǐ guān zài fángjiān li kàn shū. He kept himself in the room and read books all the time. | ❸ 孩子不能在家关着，应该让他出去玩儿。Háizi bù néng zài jiā guānzhe, yīnggāi ràng tā chūqu wánr. A kid is supposed to go out to play instead of being kept at home. | ❹ 你别害怕，老虎被关着呢，出不来。Nǐ bié hàipà, lǎohǔ bèi guānzhe ne, chū bu lái. Don't be afraid. The tiger is caged and won't get out.

87. 关系（關係）guānxì

<*n.*> ① relationship

❶ 他们俩的关系很好。Tāmen liǎ de guānxì hěn hǎo. They are on good terms. | ❷ 他们是老师和学生的关系。Tāmen shì lǎoshī hé xuésheng de guānxì. They are in the teacher-student relationship. | ❸ 我们不是男女朋友关系。

Wǒmen bú shì nán-nǚ péngyou guānxì. We are not boyfriend and girlfriend. | ❹ 这两个国家的关系越来越紧密。Zhè liǎng ge guójiā de guānxì yuè lái yuè jǐnmì. The relationship between these two countries is getting closer and closer. | ❺ 我们班同学们的关系很亲密。Wǒmen bān tóngxuémen de guānxì hěn qīnmì. Our classmates have a close relationship with each other.

② bearing, relevance, impact, significance

❶ 我带伞了，下雨也没关系。Wǒ dài sǎn le, xià yǔ yě méi guānxi. I've brought an umbrella, so it doesn't matter if it rains. | ❷ 贵点儿没关系，只要东西好就可以。Guì diǎnr méi guānxi, zhǐyào dōngxi hǎo jiù kěyǐ. It doesn't matter if it is expensive, provided it is of good quality. | ❸ 你没有自行车没关系，我可以借给你。Nǐ méiyǒu zìxíngchē méi guānxi, wǒ kěyǐ jiègěi nǐ. It doesn't matter if you don't have a bicycle. I'll lend it to you. | ❹ 他的病跟抽烟太多有关系。Tā de bìng gēn chōu yān tài duō yǒu guānxì. His illness has a bearing on his smoking too much. | ❺ 这件事情跟我没有关系。Zhè jiàn shìqing gēn wǒ méiyǒu guānxì. It has nothing to do with me. | ❻ 没关系，这里我很熟悉，我们不会迷路的。Méi guānxi, zhèli wǒ hěn shúxi, wǒmen bú huì mílù de. It doesn't matter. I am very familiar with this area, so we won't get lost. | ❼ 你感冒可能跟天气有关系。Nǐ gǎnmào kěnéng gēn tiānqì yǒu guānxì. Maybe your cold has a bearing on the weather.

③ because of, since

❶ 由于时间关系，我就不多说了。Yóuyú shíjiān guānxì, wǒ jiù bù duō shuō le. Time is up, so that's all for today. | ❷ 因为身体的关系，他不能工作了。Yīnwèi shēntǐ de guānxì, tā bù néng gōngzuò le. He cannot work any more because of his poor health. | ❸ 由于天气的关系，我们取消了比赛。Yóuyú tiānqì de guānxì, wǒmen qǔxiāole bǐsài. We canceled the game because of the weather. | ❹ 我没有去旅游，是由于经济关系。Wǒ méiyǒu qù lǚyóu, shì yóuyú jīngjì guānxì. I didn't go travelling for some financial reasons.

<v.> concern, affect, have a bearing on

❶ 学习成绩好坏，关系到我能不能毕业的问题。Xuéxí chéngjì hǎo huài, guānxì dào wǒ néng bù néng bìyè de wèntí. My academic performance has a bearing on my graduation. | ❷ 这件事关系到每个人的利益。Zhè jiàn shì guānxì dào měi ge rén de lìyì. This event involves in the interests of all. | ❸ 保护环境，关系到人类生存问题。Bǎohù huánjìng, guānxì dào rénlèi shēngcún wèntí. Environmental protection concerns the survival of human beings. | ❹ 这次比赛，关系到我们能不能进入决赛。Zhè cì bǐsài, guānxì dào wǒmen néng bù néng jìnrù juésài. This game will decide whether we could be qualified for the final.

88. 关心（關心）guānxīn

<v.> care for, be concerned with

❶ 中国的老师对我们很关心。Zhōngguó de lǎoshī duì wǒmen hěn guānxīn. Our Chinese teachers care for us very much. | ❷ 学校对学生们的生活非常关心。Xuéxiào duì xuéshengmen de shēnghuó fēicháng guānxīn. The school is very attentive to students' life. | ❸ 每个人都很关心这次考试成绩。Měi ge rén dōu hěn guānxīn zhè cì kǎoshì chéngjì. Everyone cares about the test results. | ❹ 我们对她关心得还不够。Wǒmen duì tā guānxīn de hái bú gòu. We didn't pay enough attention to her. | ❺ 他很关心地问起我们的生活问题。Tā hěn guānxīn de wènqǐ wǒmen de shēnghuó wèntí. He asked about our life with concern. | ❻ 谢谢你们的关心。Xièxie nǐmen de guānxīn. Thank you for your concern. | ❼ 健康是每个人都很关心的问题。Jiànkāng shì měi ge rén dōu hěn guānxīn de wèntí. Health is a matter of everyone's concern.

89. 关于（關于）guānyú

<prep.> about, on

❶ 关于这个问题，我们以后再讨论。Guānyú zhège wèntí, wǒmen yǐhòu zài tǎolùn. Let's talk about the issue later. | ❷ 关于买房子的事，我还要想一想。

Guānyú mǎi fángzi de shì, wǒ hái yào xiǎng yì xiǎng. As for purchase of a house, I'll think it over. | ❸ 我买了两本关于中国文化的书。Wǒ mǎile liǎng běn guānyú Zhōngguó wénhuà de shū. I bought two books about Chinese culture. | ❹ 他写过很多关于保护环境方面的文章。Tā xiěguo hěn duō guānyú bǎohù huánjìng fāngmiàn de wénzhāng. He has written many articles on environmental protection. | ❺ 关于谁对谁错的问题，我们就不评论了。Guānyú shéi duì shéi cuò de wèntí, wǒmen jiù bù pínglùn le. We won't comment on who's right or wrong. | ❻ 关于这件事情，大家的看法不一样。Guānyú zhè jiàn shìqing, dàjiā de kànfǎ bù yíyàng. People have different opinions on this issue.

90. 国家（國家）guójiā

<*n.*> country, nation

❶ 他已经去过二十多个国家了。Tā yǐjīng qùguo èrshí duō ge guójiā le. He has been to more than 20 countries. | ❷ 我们国家的文化跟你们不一样。Wǒmen guójiā de wénhuà gēn nǐmen bù yíyàng. The culture of our nation is quite different from yours. | ❸ 他们都是同一个国家的。Tāmen dōu shì tóng yí ge guójiā de. They come from the same country. | ❹ 你们国家有多少人口？Nǐmen guójiā yǒu duōshao rénkǒu? What's the population of your country? | ❺ 虽然我们来自不同的国家，但我们的关系很好。Suīrán wǒmen láizì bù tóng de guójiā, dàn wǒmen de guānxì hěn hǎo. Although we are from different countries, we get on well. | ❻ 他回到了自己的国家，感到非常高兴。Tā huídàole zìjǐ de guójiā, gǎndào fēicháng gāoxìng. He felt very happy to go back to his country.

91. 果汁 guǒzhī

<*n.*> juice

❶ 你喝果汁还是咖啡？Nǐ hē guǒzhī háishi kāfēi? Would you like juice or coffee? | ❷ 麻烦你给我来杯果汁吧。Máfan nǐ gěi wǒ lái bēi guǒzhī ba.

Would you please give me a glass of juice? | ❸ 你想喝什么味儿的果汁? Nǐ xiǎng hē shénme wèir de guǒzhī? Which flavor of juice would you like to have? | ❹ 今天的晚饭没有啤酒，只有果汁。Jīntiān de wǎnfàn méiyǒu píjiǔ, zhǐyǒu guǒzhī. We will not have beer but only juice for supper today. | ❺ 这杯果汁是我自己用苹果做的。Zhè bēi guǒzhī shì wǒ zìjǐ yòng píngguǒ zuò de. This glass of juice was made of apples by myself. | ❻ 这些都是新鲜的果汁，味道很好。Zhèxiē dōu shì xīnxiān de guǒzhī, wèidào hěn hǎo. The juice is fresh and tastes delicious. | ❼ 这瓶果汁放得时间太长了，可能不能喝了。Zhè píng guǒzhī fàng de shíjiān tài cháng le, kěnéng bù néng hē le. This bottle of juice has been kept for a long time and has probably gone bad.

92. 过去（過去）guòqu / guòqù

<*v.*> ① leave or pass by where a speaker or a listener is and go toward another place

❶ 他叫你呢，你快过去吧。Tā jiào nǐ ne, nǐ kuài guòqu ba. Hurry up! He is calling you. | ❷ 你等着我，我过去问一下就回来。Nǐ děngzhe wǒ, wǒ guòqu wèn yíxià jiù huílai. Wait for me! I'll go to ask someone and be right back. | ❸ 你把他的书带过去吧。Nǐ bǎ tā de shū dài guòqu ba. Please take his book to him. | ❹ 这杯水我帮你拿过去吧。Zhè bēi shuǐ wǒ bāng nǐ ná guòqu ba. Let me bring this glass of water for you. | ❺ 听到老师叫他，他马上跑过去了。Tīngdào lǎoshī jiào tā, tā mǎshàng pǎo guòqu le. After hearing his name called, he ran up to his teacher at once.

② get through, (*used after verbs to show direction*) run over

❶ 12 路汽车刚刚开过去，你等下一辆吧。12 lù qìchē gānggāng kāi guòqu, nǐ děng xià yí liàng ba. Bus 12 has just passed by. Please wait for the next one. | ❷ 10 路公共汽车刚过去。10 lù gōnggòng qìchē gāng guòqu. Bus 10 has just passed by. | ❸ 我没看见他从这里过去。Wǒ méi kànjiàn tā cóng zhèli guòqu. I didn't see him passing by here. | ❹ 路太窄了，汽车过不去。Lù tài zhǎi le, qìchē guò bu qù. The road is too narrow for the car to get through.

<*n.*> past, bygones

❶ 过去她在银行工作。Guòqù tā zài yínháng gōngzuò. She worked in a bank. | ❷ 他过去是老师。Tā guòqù shì lǎoshī. He was a teacher. | ❸ 过去我们见过一次。Guòqù wǒmen jiànguo yí cì. We met once before. | ❹ 过去的事情就不要再说了。Guòqù de shìqing jiù búyào zài shuō le. Let bygones be bygones. | ❺ 过去我经常去图书馆，现在去得少了。Guòqù wǒ jīngcháng qù túshūguǎn, xiànzài qù de shǎo le. I used to go to the library often; now I go there less frequently. | ❻ 他很喜欢回忆过去的事情。Tā hěn xǐhuan huíyì guòqù de shìqing. He likes recalling the past.

93. 还是（還是）háishi

<*adv.*> ① still

❶ 他还是住在原来的地方。Tā háishi zhù zài yuánlái de dìfang. He still lives in his old place. | ❷ 我还是不能同意你的看法。Wǒ háishi bù néng tóngyì nǐ de kànfǎ. I still can't agree with you. | ❸ 十年过去了，她还是那么漂亮。Shí nián guòqu le, tā háishi nàme piàoliang. Ten years have passed. She is still so beautiful. | ❹ 虽然老师讲了两遍，可我还是不明白。Suīrán lǎoshī jiǎngle liǎng biàn, kě wǒ háishi bù míngbai. Although the teacher explained it twice, I still can't understand. | ❺ 虽然已经是春天了，可还是这么冷。Suīrán yǐjīng shì chūntiān le, kě háishi zhème lěng. Although it's already spring, it is still so cold.

② had better

❶ 今天别去了，还是明天去吧。Jīntiān bié qù le, háishi míngtiān qù ba. We'd better go there tomorrow instead of today. | ❷ 你还是先打个电话吧，看他在不在家。Nǐ háishi xiān dǎ ge diànhuà ba, kàn tā zài bú zài jiā. You'd better call him first to check if he's at home. | ❸ 你太累了，还是早点儿睡觉吧。

Nǐ tài lèi le, háishi zǎo diǎnr shuìjiào ba. You are too tired now. You'd better go to bed early. | ❹ 在家做饭太麻烦了，我们还是去饭馆吃吧。Zài jiā zuò fàn tài máfan le, wǒmen háishi qù fànguǎn chī ba. It's too troublesome to cook at home. We'd better eat at a restaurant. | ❺ 这件事还是我告诉大家吧。Zhè jiàn shì háishi wǒ gàosu dàjiā ba. I'd better tell everyone about it. | ❻ 你别在这儿等他了，还是先回家吧。Nǐ bié zài zhèr děng tā le, háishi xiān huí jiā ba. Please don't wait for him here. You'd better go home first.

<*conj.*> or

❶ 你喝茶还是喝咖啡？ Nǐ hē chá háishi hē kāfēi? Would you like to drink tea or coffee? | ❷ 你是美国人还是英国人？ Nǐ shì Měiguórén háishi Yīngguórén? Are you American or British? | ❸ 你想去哪个国家？中国还是日本？ Nǐ xiǎng qù nǎge guójiā? Zhōngguó háishi Rìběn? Which country would you like to go to, China or Japan? | ❹ 我们先看电影还是先去商店？ Wǒmen xiān kàn diànyǐng háishi xiān qù shāngdiàn? Where shall we go to first, the theater or the store? | ❺ 你是坐公共汽车还是骑自行车去？ Nǐ shì zuò gōnggòng qìchē háishi qí zìxíngchē qù? Will you go there by bus or by bicycle? | ❻ 我不知道你说得对还是她说得对。Wǒ bù zhīdào nǐ shuō de duì háishi tā shuō de duì. I don't know whose words are right, yours or hers.

94. 害怕 hàipà

<*v.*> be afraid of, be scared, be frightened

❶ 她害怕一个人在家。Tā hàipà yí ge rén zài jiā. She is afraid of staying at home alone. | ❷ 打雷的时候，她很害怕。Dǎléi de shíhou, tā hěn hàipà. She is very scared of thunder. | ❸ 我害怕考试，一考试就紧张。Wǒ hàipà kǎoshì, yì kǎoshì jiù jǐnzhāng. I'm always nervous about exams. | ❹ 他做错了事，害怕被老师批评。Tā zuòcuòle shì, hàipà bèi lǎoshī pīpíng. He did something wrong and was afraid of being criticized by the teacher. | ❺ 她害怕极了，连看都不敢看。Tā hàipà jí le, lián kàn dōu bù gǎn kàn. She was so frightened that she didn't even dare to look at it. | ❻ 你越害怕困难，困难就越多。Nǐ yuè hàipà kùnnan, kùnnan jiù yuè duō. The more you are afraid of difficulties, the more difficulties you'll have. | ❼ 你不用害怕，我们会跟你在一起。Nǐ búyòng hàipà, wǒmen huì gēn nǐ zài yìqǐ. Don't be scared; we'll be with you.

95. 河 hé radical: 氵 strokes: 8

stroke order: 丶 冫 氵 汀 沪 沔 沔 河

<*n.*> river

❶ 我家门前有一条河。Wǒ jiā mén qián yǒu yì tiáo hé. There is a river in front of my house. | ❷ 这条河很深。Zhè tiáo hé hěn shēn. This is a very deep river. | ❸ 这条河有两千多公里长。Zhè tiáo hé yǒu liǎng qiān duō gōnglǐ cháng. This river is more than 2000 kilometers long. | ❹ 中国有很多条大河。Zhōngguó yǒu hěn duō tiáo dà hé. There are many long rivers in China. | ❺ 这条河叫什么名字？Zhè tiáo hé jiào shénme míngzi? What's the name of this river? | ❻ 晚上，我们经常到河边散步。Wǎnshang, wǒmen jīngcháng dào hébiān sànbù. We often walk along the riverside at night. | ❼ 没有船，我们怎么过河？Méiyǒu chuán, wǒmen zěnme guò hé? How can we cross the river without a boat? | ❽ 夏天的时候，他们喜欢到河里游泳。Xiàtiān de shíhou, tāmen xǐhuan dào hé li yóuyǒng. They like swimming in the river in summer.

96. 黑板 hēibǎn

<*n.*> blackboard

❶ 请大家看黑板。Qǐng dàjiā kàn hēibǎn. Please look at the blackboard. | ❷ 我写在黑板上，你们记在本子上。Wǒ xiě zài hēibǎn shang, nǐmen jì zài běnzi shang. After I write it on the blackboard, please write it on your notebooks. | ❸ 请你到黑板前面来，对着大家说。Qǐng nǐ dào hēibǎn qiánmiàn lái, duìzhe dàjiā shuō. Please come to the front of the blackboard and talk to the class. | ❹ 你能把这个字

写在黑板上吗？ Nǐ néng bǎ zhège zì xiě zài hēibǎn shang ma? Could you write this character on the blackboard? | ❺ 现在老师们上课都用电脑了，很少用黑板了。Xiànzài lǎoshīmen shàngkè dōu yòng diànnǎo le, hěn shǎo yòng hēibǎn le. Nowadays, teachers use computers and seldom use the blackboard in class. | ❻ 老师，我来帮你擦黑板吧。Lǎoshī, wǒ lái bāng nǐ cā hēibǎn ba. Sir/Miss, let me clean the blackboard for you.

97. 护照（護照）hùzhào

<*n.*> passport

❶ 我的护照快到期了。Wǒ de hùzhào kuài dàoqī le. My passport will expire soon. | ❷ 这儿要写上你的护照号码。Zhèr yào xiěshang nǐ de hùzhào hàomǎ. Please write your passport number here. | ❸ 糟糕，我的护照找不到了。Zāogāo, wǒ de hùzhào zhǎo bu dào le. Shit! I can't find my passport. | ❹ 您需要看我们的护照吗？ Nín xūyào kàn wǒmen de hùzhào ma? Do you need to see our passports? | ❺ 请把你的护照拿出来。Qǐng bǎ nǐ de hùzhào ná chūlai. Please show your passport. | ❻ 这是我的护照，有什么问题吗？ Zhè shì wǒ de hùzhào, yǒu shénme wèntí ma? This is my passport. Is there a problem? | ❼ 你护照上的照片跟现在不一样。Nǐ hùzhào shang de zhàopiàn gēn xiànzài bù yíyàng. You don't look like your photo in your passport.

98. 花 huā radical: 艹 strokes: 7

stroke order: 一 十 艹 艹 艹 花 花

<*v.*> ① spend

❶ 今天我买书花了五百多块钱。Jīntiān wǒ mǎi shū huāle wǔbǎi duō kuài qián. I spent more than 500 *kuai* buying books today. | ❷ 我带的钱都花完了。Wǒ dài de qián dōu huāwán le. I've spent all the money I brought. | ❸ 你买这个房子花了多少钱？ Nǐ mǎi zhège fángzi huāle duōshao qián? How much did you spend on this house? | ❹ 这个月我花得太多了。Zhège yuè wǒ huā de tài duō le. I have spent too much money this month. | ❺ 以后花钱的地方多着呢。Yǐhòu huā qián de dìfang duōzhe ne. Please save money for future use. | ❻ 该花的钱不要省，不该花的钱不要花。Gāi huā de qián búyào shěng, bù gāi huā de qián búyào huā. Please spend money wisely.

② take, cost

❶ 我花了两个小时的时间才到家。Wǒ huāle liǎng ge xiǎoshí de shíjiān cái dào jiā. It took me two hours to get home. | ❷ 他花了两年时间，才学会开车。Tā huāle liǎng nián shíjiān, cái xuéhuì kāi chē. It took him two years to learn how to drive. | ❸ 时间花了不少，可是什么也没学会。Shíjiān huāle bù shǎo, kěshì shénme yě méi xuéhuì. Although I spent much time, I learned nothing. | ❹ 他没花多长时间就做完了。Tā méi huā duō cháng shíjiān jiù zuòwán le. He got it done almost in no time.

<*n.*> (*followed by* "儿") flower

❶ 这朵花儿真漂亮！Zhè duǒ huār zhēn piàoliang! What a beautiful flower! | ❷ 春天到了，花儿快开了。Chūntiān dào le, huār kuài kāi le. Spring is here. Flowers will bloom soon. | ❸ 她毕业后开了一家花店。Tā bìyè hòu kāile yì jiā huādiàn. She ran a flower shop after graduation.

99. 花园（花園）huāyuán

<*n.*> garden

❶ 走进我们学校的大门，就是一个花园。Zǒujìn wǒmen xuéxiào de dàmén, jiù shì yí ge huāyuán. There is a garden right after you walk into the school. | ❷ 他带孩子去楼下的花园了。Tā dài háizi qù lóu xià de huāyuán le. He took the kid downstairs to the garden. | ❸ 他家房子后面是自己的小花园。Tā jiā fángzi hòumiàn shì zìjǐ de xiǎo huāyuán. He has a garden behind his house. | ❹ 我很喜欢你们家的小花园。Wǒ hěn xǐhuan nǐmen jiā de xiǎo huāyuán. I like your little garden very much. | ❺ 春天了，花园里的花儿都开了。Chūntiān le, huāyuán li de huār dōu kāi le. Spring is here. All the flowers in the garden are blooming. | ❻ 这个大学跟一个大花园一样漂亮。Zhège dàxué gēn yí ge dà huāyuán yíyàng piàoliang. This university is as beautiful as a big garden.

100. 画（畫）huà radical: 凵 strokes: 8

stroke order: 一 丆 冂 冃 冊 亩 画 画

<*v.*> draw, paint

❶ 他画了一只猫。Tā huàle yì zhī māo. He drew a cat. | ❷ 我会画跑着的马。Wǒ huì huà pǎozhe de mǎ. I can draw a running horse. | ❸ 他画什么都画得很像。Tā huà shénme dōu huà de hěn xiàng. Everything he draws is lifelike. | ❹ 他画得很快，一会儿就画好了。Tā huà de hěn kuài, yíhuìr jiù huàhǎo le. He finished the painting in no time. | ❺ 他花了半年的时间才画完这幅画儿。Tā huāle bàn nián de shíjiān cái huàwán zhè fú huàr. It took him half a year to finish this painting. | ❻ 我什么也不会画。Wǒ shénme yě bú huì huà. I can draw nothing. | ❼ 我一画你就知道是什么了。Wǒ yí huà nǐ jiù zhīdào shì shénme le. You'll know what it is right after I draw it.

<*n.*> (*followed by* "儿") painting

❶ 这张画儿真漂亮！Zhè zhāng huàr zhēn piàoliang! What a beautiful picture! | ❷ 我喜欢画画儿。Wǒ xǐhuan huà huàr. I like painting. | ❸ 我想在墙上挂张画儿。Wǒ xiǎng zài qiáng shang guà zhāng huàr. I want to hang a picture on the wall. | ❹ 我买了很多中国画儿。Wǒ mǎile hěn duō Zhōngguóhuàr. I bought many Chinese paintings. | ❺ 这个地方像画儿一样漂亮。Zhège dìfang xiàng huàr yíyàng piàoliang. This place is as beautiful as a painting.

<*m.*> stroke (of a Chinese character)

❶ 这个汉字是七画。Zhège Hànzì shì qī huà. This character has seven strokes. | ❷ 这个字最后一画是点儿。Zhège zì zuìhòu yí huà shì diǎnr. The last stroke of this character is a dot. | ❸ 你看这个汉字有几画？ Nǐ kàn zhège Hànzì yǒu jǐ huà? Please count how many strokes this Chinese character has.

101. 坏（壞）huài radical: 土 strokes: 7

stroke order: 一 十 土 圹 圹 坏 坏

<*adj.*> ① rotten, bad

❶ 这个苹果坏了，不能吃了。Zhège píngguǒ huài le, bù néng chī le. This apple is rotten and inedible. | ❷ 牛奶可能坏了，你别喝了。Niúnǎi kěnéng huài le, nǐ bié hē le. The milk may have gone bad; don't drink it. | ❸ 我的自行车坏了，我是走着来的。Wǒ de zìxíngchē huài le, wǒ shì zǒuzhe lái de. My bike didn't work, so I walked here. | ❹ 这些水果都坏了，赶紧扔了吧。Zhèxiē shuǐguǒ dōu huài le, gǎnjǐn rēng le ba. All these fruits are rotten. Please throw them away, now! | ❺ 面包是昨天买的，怎么会坏呢？ Miànbāo shì zuótiān mǎi de, zěnme huì huài ne? I just bought the bread yesterday. How come it went bad?

② bad, evil

❶ 他以前做过很多坏事。Tā yǐqián zuòguo hěn duō huài shì. He did many bad things. | ❷ 他虽然脾气不好，但人不坏。Tā suīrán píqi bù hǎo, dàn rén bú huài. Although he's ill-tempered, he is not a bad man. | ❸ 这个人很坏，没人喜欢跟他交朋友。Zhège rén hěn huài, méi rén xǐhuan gēn tā jiāo péngyou. He is an evil man, so no one wants to be his friend. | ❹ 你这个坏习惯该改一改了。Nǐ zhège huài xíguàn gāi gǎi yì gǎi le. You need to change this bad habit. | ❺ 我看弟弟跟着他快学坏了。Wǒ kàn dìdi gēnzhe tā kuài xuéhuài le. I think he has set a bad example for my younger brother. | ❻ 他的坏毛病很多，不知道你能不能接受。Tā de huài máobing hěn duō, bù zhīdào nǐ néng bù néng jiēshòu. He has so many bad habits. I wonder if you can put up with them.

102. 还（還）huán radical: 辶 strokes: 7

stroke order: 一 丆 不 不 不 不 还

<*v.*> return

❶ 图书馆的书我都还了。Túshūguǎn de shū wǒ dōu huán le. I've returned all the books to the library. | ❷ 我昨天借了你一百块钱，现在还你。Wǒ zuótiān jièle nǐ yìbǎi kuài qián, xiànzài huán nǐ. Here is the 100 *kuai* I borrowed from you yesterday. | ❸ 我下午要去图书馆还书。Wǒ xiàwǔ yào qù túshūguǎn huán shū. I will return the books back to the library this afternoon. | ❹ 你借这么多钱，以后怎么还啊？ Nǐ jiè zhème duō qián, yǐhòu zěnme huán a? If you borrow so much money, how can you return it later? | ❺ 我欠他的太多了，这一生也还不完。Wǒ qiàn tā de tài duō le, zhè yì shēng yě huán bu wán. I owe him so much that I'll be in debt for the rest of my life. | ❻ 那支笔不用还了，你留着用吧。Nà zhī bǐ búyòng huán le, nǐ liúzhe yòng ba. You don't need to return this pen. Please keep it.

[Note] It is also pronounced as "hái". See Level 2 on page 115.

103. 环境（環境）huánjìng

<*n.*> ① environment

❶ 这里有花有草，环境很好。Zhèli yǒu huā yǒu cǎo, huánjìng hěn hǎo. With flowers and grasses, it boasts a good environment. | ❷ 我喜欢环境优美的地方。Wǒ xǐhuan huánjìng yōuměi de dìfang. I like places with beautiful environment. | ❸ 这个地区的环境保护得很好。Zhège dìqū de huánjìng bǎohù de hěn hǎo. The environment in this area is well-protected. | ❹ 这里气候好，自然环境也好。Zhèli qìhòu hǎo, zìrán huánjìng yě hǎo. The weather is quite pleasant here, so is its natural environment.| ❺ 我们要爱护环境卫生，不乱丢垃圾。Wǒmen yào àihù huánjìng wèishēng, bú luàn diū lājī. Let's keep the environment clean and not litter around. | ❻ 环境污染是人类面临的一个严重问题。Huánjìng wūrǎn shì rénlèi miànlín de yí ge yánzhòng wèntí. Environmental pollution is a serious problem facing mankind.

② conditions, circumstances

❶ 我们的学习环境已经很好了。Wǒmen de xuéxí huánjìng yǐjīng hěn hǎo le. We are already provided with pretty good learning environment. | ❷ 这么好的生活环境，你还不满意吗? Zhème hǎo de shēnghuó huánjìng, nǐ hái bù mǎnyì ma? Aren't you still unsatisfied with such a good living condition? | ❸ 我想换个工作，改变一下工作环境。Wǒ xiǎng huàn ge gōngzuò, gǎibiàn yíxià gōngzuò huánjìng. I want to change a job and the working environment.| ❹ 这是一个新环境，肯定会有新问题。Zhè shì yí ge xīn huánjìng, kěndìng huì yǒu xīn wèntí. You will surely encounter new issues in a new environment. | ❺ 艰苦的环境，能够让我成长得更快一些。Jiānkǔ de huánjìng, nénggòu ràng wǒ chéngzhǎng de gèng kuài yìxiē. Tough conditions can make me grow faster.

104. 换 huàn radical: 扌 strokes: 10 stroke order: 一 十 扌 扌' 扌' 扌' 扌' 扌' 换 换

<*v.*> ① exchange

❶ 我想用这本词典换你那张 DVD。Wǒ xiǎng yòng zhè běn cídiǎn huàn nǐ nà zhāng DVD. I want to give this dictionary in exchange for your DVD. | ❷ 咱俩换换可以吗? 我喝这杯小的，你喝这杯大的。Zán liǎng huànhuan kěyǐ ma? Wǒ hē zhè bēi xiǎo de, nǐ hē zhè bēi dà de. Shall we change the cups so that I'll have the small one and you'll have the large one? | ❸ 这辆自行车是我用电脑换的。Zhè liàng zìxíngchē shì wǒ yòng diànnǎo huàn de. I bartered my computer for the bicycle. | ❹ 这张邮票是我跟别人换来的。Zhè zhāng yóupiào shì wǒ gēn biéren huànlái de. I bartered for the stamp with somebody else.

② change

❶ 他最近换工作了，不当老师了。Tā zuìjìn huàn gōngzuò le, bù dāng lǎoshī le. He has changed his job recently and is not a teacher any more. | ❷ 你等我一下，

我换一件衣服。Nǐ děng wǒ yíxià, wǒ huàn yí jiàn yīfu. Wait! I need to change my clothes. | ❸ 你帮我换一个房间吧，这个房间太吵。Nǐ bāng wǒ huàn yí ge fángjiān ba, zhège fángjiān tài chǎo. Would you please change a room for me? It's too noisy. | ❹ 我们得先坐公共汽车，然后换地铁。Wǒmen de xiān zuò gōnggòng qìchē, ránhòu huàn dìtiě. We need to take the bus first, and then change to the subway. | ❺ 从学校到你家，要换车吗？ Cóng xuéxiào dào nǐ jiā, yào huàn chē ma? Do you need to change the buses from the school to your home? | ❻ 我想换到水平高一点儿的班。Wǒ xiǎng huàndào shuǐpíng gāo yìdiǎnr de bān. I want to change to a class of a higher level.

③ convert

❶ 我想用美元换点儿人民币。Wǒ xiǎng yòng měiyuán huàn diǎnr rénmínbì. I want to convert some U.S. dollars into Renminbi. | ❷ 你想换多少美元？ Nǐ xiǎng huàn duōshao měiyuán? How many U.S. dollars do you want to convert? | ❸ 你能帮我换一点儿零钱吗？ Nǐ néng bāng wǒ huàn yìdiǎnr língqián ma? Could you exchange it into some small change for me? | ❹ 现在一美元换多少人民币？ Xiànzài yì měiyuán huàn duōshao rénmínbì? How much Renminbi is equal to one U.S. dollar?

105. 黄 huáng radical: 黄 strokes: 11 stroke order: 一 十 廾 廾 芈 芇 苎 莃 菁 黄 黄

三级

<*adj.*> yellow

❶ 她穿着一件黄衬衫。Tā chuānzhe yí jiàn huáng chènshān. She wears a yellow shirt.| ❷ 这种树开黄花。Zhè zhǒng shù kāi huáng huā. The flowers of this tree are yellow. | ❸ 她是黄头发，蓝眼睛。Tā shì huáng tóufa, lán yǎnjing. She is a blonde. | ❹ 那个黄颜色的包是我的。Nàge huáng yánsè de bāo shì wǒ de. That yellow bag is mine. | ❺ 我喜欢红皮鞋，不喜欢黄的。Wǒ xǐhuan hóng píxié, bù xǐhuan huáng de. I like red shoes, not the yellow ones.

106. 会议（會議）huìyì

<*n.*> meeting, conference

❶ 我下午三点有个会议。Wǒ xiàwǔ sān diǎn yǒu ge huìyì. I have a meeting at 3 p.m. | ❷ 明天的会议你一定要参加。Míngtiān de huìyì nǐ yídìng yào cānjiā. You must attend tomorrow's meeting. | ❸ 这次会议来了一百多人。Zhè cì huìyì láile yìbǎi duō rén. More than 100 people attended this meeting. | ❹ 我们准备开一个工作会议。Wǒmen zhǔnbèi kāi yí ge gōngzuò huìyì. We are going to have a working conference. | ❺ 会议的时间、地点都已经定下来了。Huìyì de shíjiān、dìdiǎn dōu yǐjīng dìng xiàlai le. The time and venue of this meeting have been decided. | ❻ 会议结束后，大家照了个相。Huìyì jiéshù hòu, dàjiā zhàole ge xiàng. After the meeting, we took a group photo.

107. 或者 huòzhě

<*conj.*> or, and

❶ 你下午来或者晚上来都可以。Nǐ xiàwǔ lái huòzhě wǎnshang lái dōu kěyǐ. You can come either in the afternoon or evening. | ❷ 看电视或者看电影，我都喜欢。Kàn diànshì huòzhě kàn diànyǐng, wǒ dōu xǐhuan. I like watching TV and seeing a movie. | ❸ 这件事要马上告诉他或者他妻子。Zhè jiàn shì yào mǎshàng gàosu tā huòzhě tā qīzi. We must immediately tell him or his wife about it. | ❹ 我们星期六或者星期天去公园吧。Wǒmen xīngqīliù huòzhě xīngqītiān qù gōngyuán ba. Let's go to the park on Saturday or Sunday. | ❺ 下次见面，或者你来我家，或者我去你家。Xià cì jiànmiàn, huòzhě nǐ lái wǒ jiā, huòzhě wǒ qù nǐ jiā. Next time, let's meet either in my house or yours. | ❻ 中午或者吃中餐，或者吃西餐，都行。Zhōngwǔ huòzhě chī zhōngcān, huòzhě chī xīcān, dōu xíng. Chinese food and Western food are both OK for lunch.

108. 几乎（幾乎）jīhū

<*adv.*> ① almost, nearly

❶ 我几乎等了一个小时。Wǒ jīhū děngle yí ge xiǎoshí. I've waited for almost an hour. | ❷ 北京的名胜古迹我几乎都去过了。Běijīng de míngshèng gǔjì wǒ jīhū dōu qùguo le. I've visited almost all the scenic spots and historic sites in Beijing. | ❸ 我几乎听不出他的声音了。Wǒ jīhū tīng bu chū tā de shēngyīn le. I can hardly recognize his voice. | ❹ 她的头发几乎全白了。Tā de tóufa jīhū quán bái le. Almost all her hair has turned gray. | ❺ 这件衣服几乎比那件贵一倍。Zhè jiàn yīfu jīhū bǐ nà jiàn guì yí bèi. This dress almost doubles the price of that one. | ❻ 他们公司几乎都是年轻人。Tāmen gōngsī jīhū dōu shì niánqīngrén. Almost all the employees in their company are young people.

② almost

❶ 要不是她提醒我，我几乎忘了。Yào bú shì tā tíxǐng wǒ, wǒ jīhū wàng le. I almost forgot it if she didn't remind me. | ❷ 他说得跟真的一样，我几乎都相信了。Tā shuō de gēn zhēn de yíyàng, wǒ jīhū dōu xiāngxìn le. What he said sounded so real that I almost believed him. | ❸ 他滑了一下，几乎摔倒了。Tā huále yíxià, jīhū shuāidǎo le. He slipped and almost fell.

109. 机会（機會）jīhuì

<*n.*> opportunity, chance

三级

❶ 这个机会来得不容易。Zhège jīhuì lái de bù róngyì. The chance doesn't easily come by. | ❷ 明年我有机会到中国学两个月汉语。Míngnián wǒ yǒu jīhuì dào Zhōngguó xué liǎng ge yuè Hànyǔ. I'll have an opportunity to study Chinese in China for two months next year. | ❸ 这种机会不多，你应该抓住。Zhè zhǒng jīhuì bù duō, nǐ yīnggāi zhuāzhù. Such a chance comes once in a blue moon. You should grab it. | ❹ 最近我们没有见面的机会了。Zuìjìn wǒmen méiyǒu jiànmiàn de jīhuì le. We won't have the chance to meet recently. | ❺ 这是你最后一次机

会了，希望你努力。Zhè shì nǐ zuìhòu yí cì jīhuì le, xīwàng nǐ nǔlì. This is your last chance. I hope you'll work hard. | ❻ 我们是因为一个偶然的机会认识的。Wǒmen shì yīnwèi yí ge ǒurán de jīhuì rènshi de. We met by chance. | ❼ 到中国以后，你会有很多机会发展自己。Dào Zhōngguó yǐhòu, nǐ huì yǒu hěn duō jīhuì fāzhǎn zìjǐ. You'll have plenty of chances to develop yourself after you get to China.

110. 极（極）jí radical: 木 strokes: 7

stroke order: 一 十 才 木 朳 杒 极

<*adv.*> ① extremely, very much, very

❶ 这里冬天极冷。Zhèli dōngtiān jí lěng. Winter is extremely cold here. | ❷ 他说话极快，我有时候听不清。Tā shuōhuà jí kuài, wǒ yǒushíhou tīng bu qīng. He speaks so fast that sometimes I can't hear him clearly. | ❸ 这些东西极贵，我买不起。Zhèxiē dōngxi jí guì, wǒ mǎi bu qǐ. The stuff here is very expensive and more than I can afford. | ❹ 他极爱唱歌，在哪儿都唱。Tā jí ài chàng gē, zài nǎr dōu chàng. He likes singing so much that he sings everywhere he goes. | ❺ 经理对他的做法极不满意。Jīnglǐ duì tā de zuòfǎ jí bù mǎnyì. The manager is very unhappy with what he did. | ❻ 他跑得极快，谁也追不上他。Tā pǎo de jí kuài, shéi yě zhuī bu shàng tā. He runs so fast that no one can catch up with him. | ❼ 我对汉语极有兴趣。Wǒ duì Hànyǔ jí yǒu xìngqù. I'm very interested in Chinese language. | ❽ 这里极不安全，你赶快离开吧。Zhèli jí bù ānquán, nǐ gǎnkuài líkāi ba. It's very dangerous here; you'd better leave now.

② *used as a complement after an adjective or a verb, usually followed by* "了"

❶ 听到这个消息，他高兴极了。Tīngdào zhège xiāoxi, tā gāoxìng jí le. He was very happy upon hearing the news. | ❷ 他渴极了，一下子喝了两大杯水。Tā kě jí le, yíxiàzi hēle liǎng dà bēi shuǐ. He was so thirsty that he drank two big glasses of water in one go. | ❸ 这个故事有意思极了。Zhège gùshi yǒu yìsi jí le. This story is very interesting.

111. 记得（記得）jìde

<*v.*> remember

❶ 小时候的事他都记得。Xiǎoshíhou de shì tā dōu jìde. He can remember everything in his childhood. | ❷ 你还记得那个爱哭的女孩儿吗？Nǐ hái jìde nàge ài kū de nǚháir ma? Do you still remember the girl who often cried? | ❸ 他已经不记得我的名字了。Tā yǐjīng bú jìde wǒ de míngzi le. He has forgotten my name. | ❹ 我到现在还记得他的样子。Wǒ dào xiànzài hái jìde tā de yàngzi. I still remember what he looked like. | ❺ 我记得他说过喜欢大海。Wǒ jìde tā shuōguo xǐhuan dàhǎi. I remember he said he liked the sea. | ❻ 那件事他一直记得清清楚楚。Nà jiàn shì tā yìzhí jìde qīngqīngchǔchǔ. He has always remembered it. | ❼ 那是很多年以前的事了，我已经记不得了。Nà shì hěn duō nián yǐqián de shì le, wǒ yǐjīng jì bu de le. Since it happened many years ago, I can't remember it any more.

112. 季节（季節）jìjié

<*n.*> season

❶ 这里春夏秋冬四个季节非常明显。Zhèli chūn-xià-qiū-dōng sì ge jìjié fēicháng míngxiǎn. It has four distinct seasons here. | ❷ 你最喜欢哪个季节？Nǐ zuì xǐhuan nǎge jìjié? Which season do you like most? | ❸ 每到下雨的季节，这条河就满了。Měi dào xià yǔ de jìjié, zhè tiáo hé jiù mǎn le. The river overflows whenever the rainy season comes. | ❹ 秋天是收获的季节。Qiūtiān shì shōuhuò de jìjié. Autumn is the season of harvest. | ❺ 这个季节不应该下雪啊？天气真是奇怪。Zhège jìjié bù yīnggāi xià xuě a? Tiānqì zhēn shì qíguài. It isn't supposed to snow in this season. The weather is so weird. | ❻ 我都分不清现

在是什么季节了。Wǒ dōu fēn bu qīng xiànzài shì shénme jìjié le. I can hardly tell the season now.

113. 检查（檢查）jiǎnchá

<*v.*> check

❶ 你做完作业以后，要再检查一遍。Nǐ zuòwán zuòyè yǐhòu, yào zài jiǎnchá yí biàn. You should check your homework after you finish it. | ❷ 我们仔细地检查过产品质量，没发现问题。Wǒmen zǐxì de jiǎncháguo chǎnpǐn zhìliàng, méi fāxiàn wèntí. We checked the quality of the products carefully and found no problem. | ❸ 我检查过很多次了，没有错误。Wǒ jiǎncháguo hěn duō cì le, méiyǒu cuòwù. I checked it several times and didn't find an error. | ❹ 对不起，我们要检查一下您的行李。Duìbuqǐ, wǒmen yào jiǎnchá yíxià nín de xíngli. Sorry, we need to check your luggage. | ❺ 这些包都要检查吗？ Zhèxiē bāo dōu yào jiǎnchá ma? Are all these bags going to be checked? | ❻ 我昨天去医院检查了身体。Wǒ zuótiān qù yīyuàn jiǎnchále shēntǐ. I got a physical examination in the hospital yesterday. | ❼ 你去前面进行安全检查吧。Nǐ qù qiánmiàn jìnxíng ānquán jiǎnchá ba. Please go ahead to take the security check.

114. 简单（簡單）jiǎndān

<*adj.*> simple, easy, brief

❶ 这个工作很简单，谁都会做。Zhège gōngzuò hěn jiǎndān, shéi dōu huì zuò. The job is so easy that everyone can do it. | ❷ 这是个很简单的问题，小学生都会。Zhè shì ge hěn jiǎndān de wèntí, xiǎoxuéshēng dōu huì. This is such an easy question that even a primary school student can answer it. | ❸ 我们先学习简单的，以后再学习难的。Wǒmen xiān xuéxí jiǎndān de, yǐhòu zài xuéxí nán de. Let's study it step by step from the easy ones to the difficult ones. | ❹ 这本书有点儿简单，我需要难一点儿的。Zhè běn shū yǒudiǎnr jiǎndān, wǒ xūyào nán yìdiǎnr de. This book is slightly simple. I need a more difficult one. | ❺ 他把什么事都想得很简单。Tā bǎ shénme shì dōu xiǎng de hěn jiǎndān. He takes everything simple. | ❻ 你为什么不用更简单的方法呢？ Nǐ wèi shénme bú yòng gèng jiǎndān de fāngfǎ ne? Why don't you choose a simpler way? | ❼ 我简单说说这件事情的经过。Wǒ jiǎndān shuōshuo zhè jiàn shìqing de jīngguò. Let me tell you what happened briefly. | ❽ 你能简单介绍一下自己吗？ Nǐ néng jiǎndān jièshào yíxià zìjǐ ma? Could you make a brief self-introduction?

115. 见面（見面）jiàn//miàn

<*v.*> meet

❶ 我们明天上午九点见面。Wǒmen míngtiān shàngwǔ jiǔ diǎn jiànmiàn. We'll meet at 9 a.m. tomorrow. | ❷ 我们见面的机会很少。Wǒmen jiànmiàn de jīhuì hěn shǎo. We have few chances to meet each other. | ❸ 我跟他八年多没见面了。Wǒ gēn tā bā nián duō méi jiànmiàn le. I haven't seen him for more than 8 years. | ❹ 我下午要跟他见个面。Wǒ xiàwǔ yào gēn tā jiàn ge miàn. I'll meet him this afternoon. | ❺ 这件事等我们见了面再说吧。Zhè jiàn shì děng wǒmen jiànle miàn zàishuō ba. Let's talk about it after we meet. | ❻ 我们只见过一面，并不熟悉。Wǒmen zhǐ jiànguo yí miàn, bìng bù shúxi. We met only once and are not familiar with each other. | ❼ 我俩以前没见过面。Wǒ liǎ yǐqián méi jiànguo miàn. We haven't met before. | ❽ 等你见了他的面，再告诉他这件事。Děng nǐ jiànle tā de miàn, zài gàosu tā zhè jiàn shì. Tell him about it when you meet him.

116. 健康 jiànkāng

<*n.*> health

❶ 为了你的健康，别抽烟了。Wèile nǐ de jiànkāng, bié chōu yān le. For your health, please do not smoke any more. | ❷ 老人更应该注意自己的健康。

Lǎorén gèng yīnggāi zhùyì zìjǐ de jiànkāng. Seniors should pay more attention to their health. | ❸ 他们都很重视身体健康状况。Tāmen dōu hěn zhòngshì shēntǐ jiànkāng zhuàngkuàng. They all attach great importance to their health. | ❹ 为大家的健康干杯！ Wèi dàjiā de jiànkāng gānbēi! To everyone's health! Cheers! | ❺ 人民的健康水平比以前提高了很多。Rénmín de jiànkāng shuǐpíng bǐ yǐqián tígāole hěn duō. People's health has been greatly improved than before.

<*adj.*> healthy

❶ 他每天锻炼，身体很健康。Tā měi tiān duànliàn, shēntǐ hěn jiànkāng. He does physical exercise every day and enjoys good health. | ❷ 为了有一个健康的身体，你应该少喝点儿酒。Wèile yǒu yí ge jiànkāng de shēntǐ, nǐ yīnggāi shǎo hē diǎnr jiǔ. You should drink less to be healthy. | ❸ 孩子们的身体越来越健康。Háizimen de shēntǐ yuè lái yuè jiànkāng. The kids are more and more healthier. | ❹ 我爷爷虽然七十多岁了，但身体健康得很。Wǒ yéye suīrán qīshí duō suì le, dàn shēntǐ jiànkāng de hěn. Although my grandpa is over 70 years old, he is very healthy. | ❺ 他的身体比以前健康多了。Tā de shēntǐ bǐ yǐqián jiànkāng duō le. He is healthier than before.

117. 讲（講）jiǎng radical: 讠 strokes: 6

stroke order: ` 讠 讠 讠 讲 讲

<*v.*> ① tell, speak, say

❶ 我听他讲过这件事。Wǒ tīng tā jiǎngguo zhè jiàn shì. I've heard him telling it. | ❷ 他会讲汉语。Tā huì jiǎng Hànyǔ. He can speak Chinese. | ❸ 她英语讲得很好。Tā Yīngyǔ jiǎng de hěn hǎo. She speaks English very well. | ❹ 关于这个问题，他讲了讲自己的看法。Guānyú zhège wèntí, tā jiǎngle jiǎng zìjǐ de kànfǎ. He gave his views on this issue. | ❺ 这话我已经讲过三遍了。Zhè huà wǒ yǐjīng jiǎngguo sān biàn le. I have said it three times.

三级

② explain, talk about

❶ 这个老师讲得非常清楚。Zhège lǎoshī jiǎng de fēicháng qīngchu. The teacher explained it very clearly. | ❷ 她一边画，一边讲。Tā yìbiān huà, yìbiān jiǎng. She drew a picture as she spoke. | ❸ 你能给我讲讲这个词语的用法吗？ Nǐ néng gěi wǒ jiǎngjiang zhège cíyǔ de yòngfǎ ma? Would you please explain the usages of this word? | ❹ 老师讲了昨天的作业情况。Lǎoshī jiǎngle zuótiān de zuòyè qíngkuàng. The teacher talked about yesterday's homework. | ❺ 他讲了半天，大家也没听懂。Tā jiǎngle bàntiān, dàjiā yě méi tīngdǒng. He explained for quite a while but no one got it.

③ pay attention to, stress, strive for

❶ 他很讲卫生，屋子里总是干干净净的。Tā hěn jiǎng wèishēng, wūzi li zǒngshì gāngānjìngjìng de. He always keeps his room clean. | ❷ 他教育孩子要讲文明、懂礼貌。Tā jiàoyù háizi yào jiǎng wénmíng、dǒng lǐmào. He tells the children to be polite and well-mannered. | ❸ 他把兴趣都放在学习上了，一点儿也不讲吃穿。Tā bǎ xìngqù dōu fàng zài xuéxí shang le, yìdiǎnr yě bù jiǎng chīchuān. He is absorbed in studies and is not particular about food and clothing.

118. 教 jiāo

radical: 攵 strokes: 11 stroke order: 一 十 土 耂 耂 考 孝 孝 孝 教 教

<*v.*> teach

❶ 我哥哥在大学教英语。Wǒ gēge zài dàxué jiāo Yīngyǔ. My elder brother teaches English in the university. | ❷ 我们的老师都教得很好。Wǒmen de lǎoshī dōu jiāo de hěn hǎo. All my teachers teach well. | ❸ 我的汉语是一个中国人教的。Wǒ de Hànyǔ shì yí ge Zhōngguórén jiāo de. My Chinese language is taught by a Chinese native. | ❹ 他教我汉语，我教他英语。Tā jiāo wǒ Hànyǔ, wǒ jiāo tā Yīngyǔ. He teaches me Chinese and I teach him English. | ❺ 我一教她，她就学会了。Wǒ yì jiāo tā, tā jiù xuéhuì le. She got it as soon as I taught her. | ❻ 我在中学教了五年的数学。Wǒ zài zhōngxué jiāole wǔ nián de shùxué. I've taught mathematics at a middle school for five years. | ❼ 我教汉语教了很长时间了。Wǒ jiāo Hànyǔ jiāole hěn cháng shíjiān le. I've been teaching Chinese language for quite a long time. | ❽ 你再教我一遍，可以吗？ Nǐ zài jiāo wǒ yí biàn, kěyǐ ma? Could you please teach me again? | ❾ 我教会了你，你就可以去教别人了。Wǒ jiāohuìle nǐ, nǐ jiù kěyǐ qù jiāo biéren le. You can teach others after learning from me.

119. 角 jiǎo radical: 角 strokes: 7

stroke order: ノ ⺈ ⺈ 角 角 角 角

<*m.*> *jiao* or *mao* in spoken Chinese, fractional unit of money in China (= $\frac{1}{10}$ of a *yuan* or 10 *fen*)

❶ 这本书六十元五角。Zhè běn shū liùshí yuán wǔ jiǎo. This book costs 60 *yuan* and five *jiao*. | ❷ 这些东西一共花了十元六角。Zhèxiē dōngxi yígòng huāle shí yuán liù jiǎo. These stuff costs me 10 *yuan* and six *jiao*. | ❸ 那天我花得就剩几角钱了。Nàtiān wǒ huā de jiù shèng jǐ jiǎo qián le. I spent all my money except several *jiao* left that day. | ❹ 我一角钱也没有了。Wǒ yì jiǎo qián yě méiyǒu le. I am penniless. | ❺ 你能给我十张一角的吗？ Nǐ néng gěi wǒ shí zhāng yì jiǎo de ma? Could you give me ten *jiao*?

<*n.*> ① corner

❶ 他坐在一个角上，我没看见。Tā zuò zài yí ge jiǎo shang, wǒ méi kànjiàn. He sat in a corner, and I didn't see him. | ❷ 那条街的街角有个小商店。Nà tiáo jiē de jiējiǎo yǒu ge xiǎo shāngdiàn. There is a small store at the street corner. | ❸ 电视放在房间的一个角上。Diànshì fàng zài fángjiān de yí ge jiǎo shang. The TV set is put in the corner of the room.| ❹ 我住在这个城市的东北角。Wǒ zhù zài zhège chéngshì de dōngběijiǎo. I live in the northeast corner of the city. | ❺ 椅子放在墙角吧。Yǐzi fàng zài qiángjiǎo ba. Put the chair in the corner of the room.

② horn

❶ 这只小羊还没长角呢。Zhè zhī xiǎoyáng hái méi zhǎng jiǎo ne. This lamb hasn't grown horns. | ❷ 那头牛的两只角很长。Nà tóu niú de liǎng zhī jiǎo hěn cháng. The ox has two long horns. | ❸ 这是牛角做的，很结实。Zhè shì niújiǎo zuò de, hěn jiēshi. This is made of ox horns, so it is very durable. | ❹ 你小心别让羊角碰到你。Nǐ xiǎoxīn bié ràng yángjiǎo pèngdào nǐ. Be careful not to bump into the sheep horn.

120. 脚 jiǎo radical: 月 strokes: 11 stroke order: 丿 刀 月 月 月一 月十 月土 月去 肤 胠 脚

<*n.*> foot

❶ 我的脚受伤了，不能走路了。Wǒ de jiǎo shòushāng le, bù néng zǒulù le. I cannot walk because one of my feet was injured. | ❷ 我的左脚很疼，不知道为什么。Wǒ de zuǒjiǎo hěn téng, bù zhīdào wèi shénme. I had a terrible pain in my left foot and I don't know why. | ❸ 我的脚大，得穿 44 号鞋。Wǒ de jiǎo dà, děi chuān 44 hào xié. My feet are so big that my shoes are 44 in size.| ❹ 这孩子就喜欢光着脚。Zhè háizi jiù xǐhuan guāngzhe jiǎo. This kid likes being barefooted. | ❺ 他们脚很臭。Tāmen jiǎo hěn chòu. Their feet smell terrible. | ❻ 你踩着我的脚了。Nǐ cǎizháo wǒ de jiǎo le. You are stamping on my foot.

121. 接 jiē radical: 扌 strokes: 11 stroke order: 一 丨 扌 扌丶 扩 扩 护 拉 按 接 接

<*v.*> ① take hold of, catch

❶ 他接过咖啡，放在了桌子上。Tā jiēguo kāfēi, fàng zài le zhuōzi shang. He took the coffee cup and put it on the table. | ❷ 你接好了，别掉了。Nǐ jiēhǎo le, bié diào le. Catch it and don't let it fall. | ❸ 我看见她正在搬大箱子，马上接了过来。Wǒ kànjiàn tā zhèngzài bān dà xiāngzi, mǎshàng jiēle guòlai. I took hold of her suitcase right after I saw her moving it. | ❹ 他接过礼物后，说了好几声“谢谢”。Tā jiēguo lǐwù hòu, shuōle hǎojǐ shēng "xièxie". He took the present and said "Thank you" several times. | ❺ 我送他东西，他不接怎么办？Wǒ sòng tā dōngxi, tā bù jiē zěnme bàn? If he doesn't take the gift I give him, what shall I do?

② pick somebody up, meet, welcome

❶ 下午我要去机场接一个朋友。Xiàwǔ wǒ yào qù jīchǎng jiē yí ge péngyou. I'll go to the airport to meet a friend this afternoon. | ❷ 你在家等我吧，我开车去接你。Nǐ zài jiā děng wǒ ba, wǒ kāichē qù jiē nǐ. Please wait for me at home; I'll pick you up. | ❸ 你下飞机以后，有没有人接你？Nǐ xià fēijī yǐhòu, yǒu méiyǒu rén jiē nǐ. Will anyone pick you up after you get off the plane? | ❹ 你在汽车站等一会儿，我马上去接你。Nǐ zài qìchēzhàn děng yíhuìr, wǒ mǎshàng qù jiē nǐ. Please wait a moment at the bus stop. I'll pick you up straight away. | ❺ 我把客人接到家了。Wǒ bǎ kèrén jiēdào jiā le. I picked up the guest and took him to our home. | ❻ 他每天下午要去学校接孩子。Tā měi tiān xiàwǔ yào qù xuéxiào jiē háizi. Every afternoon he picks up the kid at school. | ❼ 他不知道怎么走，我们还是去接一下比较好。Tā bù zhīdào zěnme zǒu, wǒmen háishi qù jiē yíxià bǐjiào hǎo. He doesn't know how to get here. We'd better pick him up.

③ receive, accept

❶ 电话响了，赶紧接电话。Diànhuà xiǎng le, gǎnjǐn jiē diànhuà. The phone is ringing. Please answer it, now! | ❷ 你帮我接下电话，我正洗澡呢。Nǐ bāng wǒ jiēxia diànhuà, wǒ zhèng xǐzǎo ne. Please answer the phone for me. I'm taking a shower. | ❸ 早上我接到一份快递。Zǎoshang wǒ jiēdào yí fèn kuàidì. I received an express mail this morning.

122. 街道 jiēdào

<*n.*> street

❶ 这个城市的每条街道都很干净。Zhège chéngshì de měi tiáo jiēdào dōu hěn gānjìng. Every street in this city is very clean. | ❷ 这条街道有三百多年历史了。Zhè tiáo jiēdào yǒu sānbǎi duō nián lìshǐ le. This street has a history of over 300 years. | ❸ 他们每天早晨都打扫街道。Tāmen měi tiān zǎochen dōu dǎsǎo jiēdào. They clean the street every morning. | ❹ 我们住在同一条街道上。Wǒmen zhù zài tóng yì tiáo jiēdào shang. We live on the same street. | ❺ 我很喜欢街道两边的大树。Wǒ hěn xǐhuan jiēdào liǎng biān de dà shù. I like the big trees along the street very much. | ❻ 以前这条街道很窄，现在变宽了。Yǐqián zhè tiáo jiēdào hěn zhǎi, xiànzài biàn kuān le. It was a very narrow street and now it has been widened.

123. 节目（節目）jiémù

<*n.*> program, item (on a program)

❶ 我们正在准备汉语表演的节目。Wǒmen zhèngzài zhǔnbèi Hànyǔ biǎoyǎn de jiémù. We are preparing for our Chinese program. | ❷ 你们的节目定下来没有？Nǐmen de jiémù dìng xiàlai méiyǒu? Have you decided your program? | ❸ 我最喜欢的电视节目是新闻。Wǒ zuì xǐhuan de diànshì jiémù shì xīnwén. News broadcast is my favorite TV program. | ❹ 我这次的节目是唱中国歌。Wǒ zhè cì de jiémù shì chàng Zhōngguógē. I'll sing a Chinese song in this show. | ❺ 晚会上，我们每个人都要表演一个节目。Wǎnhuì shang, wǒmen měi ge rén dōu yào biǎoyǎn yí ge jiémù. Everyone is going to give a performance at the party. | ❻ 现在是体育节目时间，妈妈不看了。Xiànzài shì tǐyù jiémù shíjiān, māma bú kàn le. It's time for the sports show now, and my mom won't watch it. | ❼ 这个电视节目很有意思，我每天晚上都看。Zhège diànshì jiémù hěn yǒu yìsi, wǒ měi tiān wǎnshang dōu kàn. This TV show is very interesting. I watch it every night.

124. 节日（節日）jiérì

<*n.*> festival

❶ 春节是中国最重要的节日。Chūnjié shì Zhōngguó zuì zhòngyào de jiérì. The Spring Festival is the most important festival in China. | ❷ 每到重大的节日，他们都会唱歌跳舞庆祝。Měi dào zhòngdà de jiérì, tāmen dōu huì chàng gē tiàowǔ qìngzhù. They would sing and dance whenever important festivals come. | ❸ 我们要举办一个节日庆祝活动。Wǒmen yào jǔbàn yí ge jiérì qìngzhù huódòng. An activity will be held to celebrate the festival. | ❹ 祝你节日快乐！身体健康！ Zhù nǐ jiérì kuàilè! Shēntǐ jiànkāng! Wish you a happy festival and good health! | ❺ 节日里，人们都打扮得非常漂亮。Jiérì li, rénmen dōu dǎban de fēicháng piàoliang. People put on beautiful clothes and gorgeous accessories during the festivals.

125. 结婚（結婚）jié//hūn

<*v.*> marry

❶ 他下个月结婚，现在正准备呢。Tā xià ge yuè jiéhūn, xiànzài zhèng zhǔnbèi ne. He will get married next month, and now he's busy preparing for it. | ❷ 我父母结婚二十多年了。Wǒ fùmǔ jiéhūn èrshí duō nián le. My parents have been married for over 20 years. | ❸ 他们还没结婚，现在是男女朋友关系。Tāmen hái méi jiéhūn, xiànzài shì nán-nǚ péngyou guānxì. They are not married yet, but they are boyfriend and girlfriend. | ❹ 我们决定春节的时候结婚。Wǒmen juédìng Chūnjié de shíhou jiéhūn. We've decided to get married during the Spring Festival. | ❺ 他们已经领了结婚证书。Tāmen yǐjīng lǐngle jiéhūn zhèngshū. They've already obtained their marriage license. | ❻ 我想送给他们一份结婚礼物。Wǒ xiǎng sònggěi tāmen yí fèn jiéhūn lǐwù. I want to give them a marriage present. | ❼ 你是哪年结的婚？ Nǐ shì nǎ nián jié de hūn? When did you get married? | ❽ 他结过两次婚。Tā jiéguo liǎng cì hūn. He has been married twice.

126. 结束（結束）jiéshù

<*v.*> end, conclude, finish

❶ 比赛结束了，我们赢了。Bǐsài jiéshù le, wǒmen yíng le. The game ended, and we won. | ❷ 会议什么时候结束？ Huìyì shénme shíhou jiéshù? When will the meeting end? | ❸ 节目马上就要结束了，你快来看吧。Jiémù mǎshàng jiùyào jiéshù le, nǐ kuài lái kàn ba. The show is going to end soon. Please come and watch it, now! | ❹ 会议已经结束一个小时了，你怎么才来？ Huìyì yǐjīng jiéshù yí ge xiǎoshí le, nǐ zěnme cái lái? The meeting has ended an hour ago. Why did you come so late? | ❺ 他们结束了对中国的访问，已经回国了。Tāmen jiéshùle duì Zhōngguó de fǎngwèn, yǐjīng huí guó le. They have concluded their visit to China and have gone back to their country. | ❻ 这个工作到五月份也结束不了。Zhège gōngzuò dào wǔ yuèfèn yě jiéshù bu liǎo. This job can't be finished even in May. | ❼ 这场比赛这么快就结束了？ Zhè chǎng bǐsài zhème kuài jiù jiéshù le? Has this match ended so soon? | ❽ 音乐会结束的时候，大家都站起来鼓掌。Yīnyuèhuì jiéshù de shíhou, dàjiā dōu zhàn qǐlai gǔzhǎng. When the concert ended, all people stood up and applauded.

127. 解决 jiějué

<*v.*> solve

❶ 我不想跟你吵，我是来解决问题的。Wǒ bù xiǎng gēn nǐ chǎo, wǒ shì lái jiějué wèntí de. I don't want to argue with you; I come here to solve the problem. | ❷ 问题出现了，要想办法解决。Wèntí chūxiàn le, yào xiǎng bànfǎ jiějué. When a problem arises, we should try to solve it. | ❸ 我生活上的问题都得到了及时解决。Wǒ shēnghuó shang de wèntí dōu dédàole jíshí jiějué. All my problems encountered in life are solved in time. | ❹ 我电脑出现的问题已经解决了。Wǒ diànnǎo chūxiàn de wèntí yǐjīng jiějué le. My computer crashed and I've had it fixed. | ❺ 他们之间的矛盾不难解决。Tāmen zhījiān de máodùn bù nán jiějué. It's not difficult to resolve the conflicts between them. | ❻ 老师帮助我解决了很多问题。Lǎoshī bāngzhù wǒ jiějuéle hěn duō wèntí. The teacher helped me solve many problems. | ❼ 你放心吧，没有解决不了的困难。Nǐ fàngxīn ba, méiyǒu jiějué bu liǎo de kùnnan. Relax, every problem has a solution.

128. 借 jiè radical: 亻 strokes: 10

stroke order: ノ 亻 亻 亻 仳 仳 併 借 借 借

<*v.*> ① borrow

❶ 我一会儿去图书馆借书。Wǒ yíhuìr qù túshūguǎn jiè shū. I'll borrow some books from the library. | ❷ 我跟他借了一千块钱。Wǒ gēn tā jièle yìqiān kuài qián. I borrowed 1000 *kuai* from him. | ❸ 我能不能借一下你的自行车？ Wǒ néng bù néng jiè yíxià nǐ de zìxíngchē? Can I borrow your bicycle? | ❹ 这本书我借了一个月了。Zhè běn shū wǒ jièle yí ge yuè le. I have kept this book I borrowed for a month. | ❺ 这本词典是我借的。Zhè běn cídiǎn shì wǒ jiè de. I borrowed this dictionary. | ❻ 我借来了一台电脑。Wǒ jièláile yì tái diànnǎo. I borrowed a computer. | ❼ 我的那本书被他借走了。Wǒ de nà běn shū bèi tā jièzǒu le. He borrowed that book from me. | ❽ 我能不能借你的手机用一下？ Wǒ néng bù néng jiè nǐ de shǒujī yòng yíxià? Can I use your cellphone?

② lend

❶ 图书馆今天不借书。Túshūguǎn jīntiān bú jiè shū. The library isn't open today. | ❷ 我借给他一把雨伞。Wǒ jiègěi tā yì bǎ yǔsǎn. I lent him my umbrella. | ❸ 他的自行车从来不外借。Tā de zìxíngchē cónglái bú wài jiè. He never lends his bicycles to others. | ❹ 你能借我一千块钱吗？ Nǐ néng jiè wǒ yìqiān kuài qián ma? Could you lend me 1000 *kuai*? | ❺ 你能借给我手机用一下吗？ Nǐ néng jiè gěi wǒ shǒujī yòng yíxià ma? Could I use your cellphone?

129. 经常（經常）jīngcháng

<*adv.*> often

❶ 我们经常在一起学习。Wǒmen jīngcháng zài yìqǐ xuéxí. We often study together. | ❷ 他上课经常迟到。Tā shàngkè jīngcháng chídào. He is often late for class. | ❸ 我经常去那个商店买东西。Wǒ jīngcháng qù nàge shāngdiàn mǎi dōngxi. I often shop in that store. | ❹ 平时我经常去图书馆看书。Píngshí wǒ jīngcháng qù túshūguǎn kàn shū. I often read books in the library. | ❺ 我经常带孩子去动物园。Wǒ jīngcháng dài háizi qù dòngwùyuán. I often take my kid to the zoo. | ❻ 他身体不太好，经常生病。Tā shēntǐ bú tài hǎo, jīngcháng shēng bìng. He is not very healthy and often gets sick. | ❼ 我们不经常见面，有时候两三个月也见不到。Wǒmen bù jīngcháng jiànmiàn, yǒushíhou liǎng-sān ge yuè yě jiàn bu dào. We seldom meet and sometimes we don't meet each other in two or three months.

130. 经过（經過）jīngguò

<*v.*> pass, go through

❶ 我们一会儿要经过一个大商店，你可以在那里买东西。Wǒmen yíhuìr yào jīngguò yí ge dà shāngdiàn, nǐ kěyǐ zài nàli mǎi dōngxi. We will pass by a store later; you can do shopping there. | ❷ 我来公司的路上，要经过一个花园。Wǒ lái gōngsī de lùshang, yào jīngguò yí ge huāyuán. I'll pass by a garden on my way to the company. | ❸ 这辆公共汽车要经过十站，才能到我们学校。Zhè liàng gōnggòng qìchē yào jīngguò shí zhàn, cái néng dào wǒmen xuéxiào. This bus makes 10 stops before it gets to our school. | ❹ 你来中国要经过日本吗？Nǐ lái Zhōngguó yào jīngguò Rìběn ma? Will you go through Japan when you come to China? | ❺ 他经过我身边的时候对我笑了笑。Tā jīngguò wǒ shēnbiān de shíhou duì wǒ xiàole xiào. He smiled at me when he passed by.

<*n.*> process, course

❶ 我了解这件事情的经过。Wǒ liǎojiě zhè jiàn shìqing de jīngguò. I know what happened. | ❷ 大家要求他讲讲恋爱的经过。Dàjiā yāoqiú tā jiǎngjiang liàn'ài de jīngguò. Everyone asked him to tell his love story. | ❸ 他想了想整个事情的经过，觉得自己也有不对的地方。Tā xiǎngle xiǎng zhěnggè shìqing de jīngguò, juéde zìjǐ yě yǒu bú duì de dìfang. He thought over the whole thing, and found he also did something improper. | ❹ 你能把事情的经过再讲一遍吗？ Nǐ néng bǎ shìqing de jīngguò zài jiǎng yí biàn ma? Could you tell me again what happened? | ❺ 这就是事情的全部经过。Zhè jiù shì shìqing de quánbù jīngguò. This is the whole story.

<*prep.*> after, with

❶ 经过考虑，我同意了他的要求。Jīngguò kǎolǜ, wǒ tóngyìle tā de yāoqiú. I granted his requests after consideration. | ❷ 经过研究，我们发现了很多问题。Jīngguò yánjiū, wǒmen fāxiànle hěn duō wèntí. After studying it, we found a lot of problems. | ❸ 经过不断努力，他终于成功了。Jīngguò bú duàn nǔlì, tā zhōngyú chénggōng le. After continuous efforts, he succeeded at last. | ❹ 经过朋友的帮助，我租到了房子。Jīngguò péngyou de bāngzhù, wǒ zūdàole fángzi. I rent my apartment with my friends' help. | ❺ 经过讨论，大家想出了一个好办法。Jīngguò tǎolùn, dàjiā xiǎngchūle yí ge hǎo bànfǎ. We came up with a good idea after discussion.

131. 经理（經理）jīnglǐ

三级

<*n.*> manager

❶ 他现在是一家公司的经理。Tā xiànzài shì yì jiā gōngsī de jīnglǐ. He is now a manager of a company. | ❷ 这件事情你需要找我们经理谈。Zhè jiàn shìqing nǐ xūyào zhǎo wǒmen jīnglǐ tán. Please discuss this issue with our manager. | ❸ 谁是你们这儿的经理？ Shéi shì nǐmen zhèr de jīnglǐ? Who's the manager here? | ❹ 你这件事办得很好，经理很满意。Nǐ zhè jiàn shì bàn de hěn hǎo, jīnglǐ hěn mǎnyì. You did a great job and the manager was very satisfied with you. | ❺ 我工作没做好，受到了经理的批评。Wǒ gōngzuò méi zuòhǎo, shòudàole jīnglǐ de pīpíng. I didn't do a good job and was criticized by the manager. | ❻ 我是这个饭店的经理，有什么事你说吧。Wǒ shì zhège fàndiàn de jīnglǐ, yǒu shénme shì nǐ shuō ba. I'm the manager of this restaurant. You can talk to me.

132. 久 jiǔ radical: 丿 strokes: 3 stroke order: ノ ク 久

<adj.> long

❶ 我等了很久他才来。Wǒ děngle hěn jiǔ tā cái lái. I waited a long time before he came. | ❷ 我们很久没有见面了。Wǒmen hěn jiǔ méiyǒu jiànmiàn le. We haven't met for a long time. | ❸ 他想了很久，才想起我来。Tā xiǎngle hěn jiǔ, cái xiǎngqǐ wǒ lái. He thought for a long time before recognizing me. | ❹ 这是很久以前的事情了。Zhè shì hěn jiǔ yǐqián de shìqing le. It happened a long time ago. | ❺ 牛奶放得太久容易坏。Niúnǎi fàng de tài jiǔ róngyì huài. Milk turns bad easily if it's kept too long. | ❻ 我不想久住在这里，最多一个星期。Wǒ bù xiǎng jiǔ zhù zài zhèli, zuì duō yí ge xīngqī. I don't want to live here for a long time. I'll stay here a week at most. | ❼ 对不起，让你久等了。Duìbuqǐ, ràng nǐ jiǔ děng le. Sorry for keeping you waiting so long. | ❽ 那一刻，我久久不能忘记。Nà yí kè, wǒ jiǔjiǔ bù néng wàngjì. I'll never forget that moment.

三级

133. 旧（舊）jiù radical: 日 strokes: 5

stroke order: 丨 ‖ 𠃊 旧 旧

<adj.> ① old, used, worn

❶ 这件衣服太旧了，别穿了。Zhè jiàn yīfu tài jiù le, bié chuān le. This dress is too old to wear. | ❷ 这本词典用了一个多月就用旧了。Zhè běn cídiǎn yòngle yí ge duō yuè jiù yòngjiù le. This dictionary became worn only after having been used for one month. | ❸ 他住在一个旧房子里，条件不太好。Tā zhù zài yí ge jiù fángzi li, tiáojiàn bú tài hǎo. He lives in an old house, and doesn't have good living conditions. | ❹ 我想买一辆旧自行车。Wǒ xiǎng mǎi yí liàng jiù zìxíngchē. I want to buy an used bicycle. | ❺ 她穿旧了的衣服都不要了。Tā chuānjiùle de yīfu dōu bú yào le. She threw away the worn out dresses.

② past, outdated, old

❶ 那个电话号码是旧的，我已经不用了。Nàge diànhuà hàomǎ shì jiù de, wǒ yǐjīng bú yòng le. That is an old phone number. I don't use it now. | ❷ 这种旧思想，已经跟不上时代了。Zhè zhǒng jiù sīxiǎng, yǐjīng gēn bu shàng shídài le. These old ideas are no longer keeping up with the times. | ❸ 你的旧习惯应该改一改了。Nǐ de jiù xíguàn yīnggāi gǎi yì gǎi le. You should change your old habits. | ❹ 我们已经不用这种旧办法了。Wǒmen yǐjīng bú yòng zhè zhǒng jiù bànfǎ le. We don't use this old method any more. | ❺ 这些旧报纸没有用了，卖掉吧。Zhèxiē jiù bàozhǐ méiyǒu yòng le, màidiào ba. The old newspaper is useless. Just sell it.

134. 举行（舉行）jǔxíng

<*v.*> hold (a meeting, ceremony, etc.)

❶ 游泳比赛明天举行。Yóuyǒng bǐsài míngtiān jǔxíng. The swimming race will be held tomorrow. | ❷ 我打算举行一个生日晚会。Wǒ dǎsuàn jǔxíng yí ge shēngrì wǎnhuì. I'm going to have a birthday party in the evening. | ❸ 我们学校已经多次举行过这种会议了。Wǒmen xuéxiào yǐjīng duō cì jǔxíngguo zhè zhǒng huìyì le. Conferences like this have been held many times at our school. | ❹ 他们的婚礼什么时候举行？ Tāmen de hūnlǐ shénme shíhou jǔxíng? When will their wedding ceremony be held? | ❺ 因为下雨，运动会可能举行不了了。Yīnwèi xià yǔ, yùndònghuì kěnéng jǔxíng bu liǎo le. The sports meeting may not be held because of the rain. | ❻ 这次运动会要举行十四天。Zhè cì yùndònghuì yào jǔxíng shísì tiān. The sports meeting will last 14 days.

135. 句子 jùzi

<*n.*> sentence

❶ 我不明白这个句子的意思。Wǒ bù míngbai zhège jùzi de yìsi. I don't understand the meaning of this sentence. | ❷ 这个句子很长，不容易理解。Zhège jùzi hěn cháng, bù róngyì lǐjiě. This sentence is so long that it is not easy to understand. | ❸ 我喜欢这些短句子。Wǒ xǐhuan zhèxiē duǎn jùzi. I like these short sentences. | ❹ 有时候一个词也是一个句子。Yǒushíhou yí ge cí yě shì yí ge jùzi. Sometimes a word functions as a sentence. | ❺ 你用“容易”说一个句子吧。Nǐ yòng “róngyì” shuō yí ge jùzi ba. Please make a sentence using the word“容易”. | ❻ 他想了半天，也没想出一个句子来。Tā xiǎngle bàntiān, yě méi xiǎngchū yí ge jùzi lái. He thought for quite a long time, but he didn't make a sentence. | ❼ 这个句子里有三个词我不知道是什么意思。Zhège jùzi li yǒu sān ge cí wǒ bù zhīdào shì shénme yìsi. There are three new words in this sentence that I don't know the meaning of.

136. 决定 juédìng

<*v.*> decide

❶ 出国的事情我已经决定了。Chū guó de shìqing wǒ yǐjīng juédìng le. I have decided to go abroad. | ❷ 他决定假期去英国旅游。Tā juédìng jiàqī qù Yīngguó lǚyóu. He decided to travel in Britain during his vacation. | ❸ 考试的时间由办公室来决定。Kǎoshì de shíjiān yóu bàngōngshì lái juédìng. The time of the examination will be decided by the office. | ❹ 我还没决定参加不参加比赛。Wǒ hái méi juédìng cānjiā bù cānjiā bǐsài. I haven't decided whether to attend this game. | ❺ 这件事情我一个人决定不了。Zhè jiàn shìqing wǒ yí ge rén juédìng bu liǎo. I can't decide the whole thing by myself. | ❻ 已经决定的事情就不要改变了。Yǐjīng juédìng de shìqing jiù búyào gǎibiàn le. What has been decided shouldn't be changed.

<*n.*> decision

❶ 让你当经理，这是公司的决定。Ràng nǐ dāng jīnglǐ, zhè shì gōngsī de juédìng. The company has decided to appoint you as the manager. | ❷ 这次会议做出了一个重要决定。Zhè cì huìyì zuòchūle yí ge zhòngyào juédìng. An important decision was made at this meeting. | ❸ 这些决定是大家都同意的。Zhèxiē juédìng shì dàjiā dōu tóngyì de. These are unanimous decisions. | ❹ 我不知道他们要做出怎样的决定。Wǒ bù zhīdào tāmen yào zuòchū zěnyàng de juédìng. I don't know what decision they will make. | ❺ 我觉得这个决定不合理。Wǒ juéde zhège juédìng bù hélǐ. I found this decision unreasonable.

137. 可爱（可爱）kě'ài

<*adj.*> lovely

❶ 这孩子真可爱。Zhè háizi zhēn kě'ài. This kid is so cute. | ❷ 他一见到这些可爱的孩子，就什么烦恼也没有了。Tā yí jiàndào zhèxiē kě'ài de háizi, jiù shénme fánnǎo yě méiyǒu le. Once he saw these lovely kids, all his worries went away. | ❸ 这只小狗很可爱，谁都喜欢。Zhè zhī xiǎogǒu hěn kě'ài, shéi dōu xǐhuan. The puppy is very lovely; everybody likes it. | ❹ 这些女孩儿一个比一个可爱。Zhèxiē nǚháir yí ge bǐ yí ge kě'ài. All these girls are lovely. | ❺ 她太可爱了，给我们带来了很多乐趣。Tā tài kě'ài le, gěi wǒmen dàiláile hěn duō lèqù. She is so adorable and has given us so much pleasure. | ❻ 我很热爱我可爱的家乡。Wǒ hěn rè'ài wǒ kě'ài de jiāxiāng. I have ardent love for my hometown.

138. 渴 kě radical: 氵 strokes: 12 stroke order:

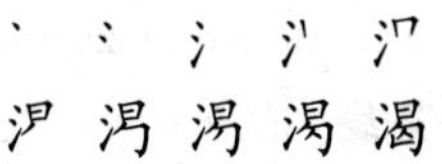

<*adj.*> thirsty

❶ 我渴了，去买瓶水。Wǒ kě le, qù mǎi píng shuǐ. I'm thirsty; I'll go to buy a bottle of water. | ❷ 我一天没喝水了，渴死了。Wǒ yì tiān méi hē shuǐ le, kěsǐ le. I haven't drunk water all day, and now I'm very thirsty. | ❸ 天气太热，我们都很渴。Tiānqì tài rè, wǒmen dōu hěn kě. It's too hot and we are all thirsty. | ❹ 你渴不渴？喝杯水吧。Nǐ kě bù kě? Hē bēi shuǐ ba. Are you thirsty? Drink a glass of water if you are. | ❺ 你渴的时候就吃个苹果。Nǐ kě de shíhou jiù chī ge píngguǒ. Eat an apple when you are thirsty. | ❻ 你们渴了一上午了，喝点儿水吧。Nǐmen kěle yí shàngwǔ le, hē diǎnr shuǐ ba. You've been thirsty the whole morning; please drink some water. | ❼ 我还不觉得渴呢，不想喝水。Wǒ hái bù juéde kě ne, bù xiǎng hē shuǐ. I'm not thirsty yet, and I don't want to drink water.

139. 刻 kè radical: 刂 strokes: 8

stroke order: 丶 亠 亠 亡 亥 亥 亥 刻

<*m.*> quarter

❶ 现在的时间是两点一刻。Xiànzài de shíjiān shì liǎng diǎn yí kè. It is 2:15 now. | ❷ 我们差一刻九点在办公室见面。Wǒmen chà yí kè jiǔ diǎn zài bàngōngshì jiànmiàn. We'll meet at the office at a quarter to nine. | ❸ 我们休息一刻钟。Wǒmen xiūxi yí kèzhōng. Let's take a rest for 15 minutes. | ❹ 我是十点一刻的火车，现在该走了。Wǒ shì shí diǎn yí kè de huǒchē, xiànzài gāi zǒu le. My train will leave at 10:15. I should go now. | ❺ 你四点三刻的时候再来吧。Nǐ sì diǎn sān kè de shíhou zài lái ba. Please come again at a quarter to five.

<*v.*> carve

❶ 他在石头上刻上了自己的名字。Tā zài shítou shang kèshangle zìjǐ de míngzi. He carved his name on the stone. | ❷ 他长高一点儿，就在墙上刻一条线。Tā zhǎnggāo yìdiǎnr, jiù zài qiáng shang kè yì tiáo xiàn. He carves a line on the wall whenever he is a little taller. | ❸ 这些字是刻上去的，擦不掉了。Zhèxiē zì shì kè shàngqu de, cā bu diào le. These words are engraved and cannot be wiped off. | ❹ 这儿刻着很多人的名字。Zhèr kèzhe hěn duō rén de míngzi.

A lot of people's names were carved here. | ❺ 他会在大米上刻字。Tā huì zài dàmǐ shang kè zì. He can carve words on rice.

140. 客人 kèrén

<*n.*> guest

❶ 今天我们家有客人来。Jīntiān wǒmen jiā yǒu kèrén lái. We have guests today. | ❷ 我是客人，我听你的。Wǒ shì kèrén, wǒ tīng nǐ de. As your guest, I'll suit the convenience of yours. | ❸ 家里来客人了，我走不开。Jiāli lái kèrén le, wǒ zǒu bu kāi. I have guests at home, so I can't leave now. | ❹ 我们公司下午要来两位外国客人。Wǒmen gōngsī xiàwǔ yào lái liǎng wèi wàiguó kèrén. Two foreign guests will visit our company this afternoon. | ❺ 他们都是我的客人，一定要招待好。Tāmen dōu shì wǒ de kèrén, yídìng yào zhāodài hǎo. As my guest, they must be cordially received. | ❻ 中午我请客人们一起吃饭。Zhōngwǔ wǒ qǐng kèrénmen yìqǐ chīfàn. I'll invite the guests to lunch.

141. 空调（空調）kōngtiáo

<*n.*> air conditioner

❶ 我们的教室都有空调。Wǒmen de jiàoshì dōu yǒu kōngtiáo. We have air conditioners in all the classrooms. | ❷ 我觉得很热，开一会儿空调吧。Wǒ juéde hěn rè, kāi yíhuìr kōngtiáo ba. I feel so hot; let's turn on the air conditioner. | ❸ 我车里有空调，不用穿那么多。Wǒ chē li yǒu kōngtiáo, búyòng chuān nàme duō. My car is air conditioned, so you don't need to wear so much clothes. | ❹ 空调开得太冷了，小心感冒。Kōngtiáo kāi de tài lěng le, xiǎoxīn gǎnmào. The air conditioner is too cold. Be careful not to catch a cold. | ❺ 现在不热，把空调关上吧。Xiànzài bú rè, bǎ kōngtiáo guānshang ba. It's not hot now. Let's turn off the air conditioner. | ❻ 我房间的空调坏了，您能来修一下吗？Wǒ fángjiān de kōngtiáo huài le, nín néng lái xiū yíxià ma. The air conditioner in my room doesn't work. Could you fix it? | ❼ 我想换一个有空调的房间。Wǒ xiǎng huàn yí ge yǒu kōngtiáo de fángjiān. I want to change to an air-conditioned room.

142. 口 kǒu radical: 口 strokes: 3 stroke order: 丨 冂 口

<*m.*> *a measure word for family members, wells, etc.*

❶ 我家有五口人。Wǒ jiā yǒu wǔ kǒu rén. There are five people in my family. | ❷ 你家有几口人？ Nǐ jiā yǒu jǐ kǒu rén? How many people are there in your family? | ❸ 我们家七口人住在一起。Wǒmen jiā qī kǒu rén zhù zài yìqǐ. All the seven people in my family live together. | ❹ 他们一家三口都喜欢音乐。Tāmen yì jiā sān kǒu dōu xǐhuan yīnyuè. All the three people in their family love music. | ❺ 孩子出生了，家里又多了一口人。Háizi chūshēng le, jiāli yòu duōle yì kǒu rén. After the baby was born, the family has a new member. | ❻ 村子里有两口井。Cūnzi li yǒu liǎng kǒu jǐng. There are two wells in the village.

<*n.*> opening, mouth, entrance, exit

❶ 安全出口在那边。Ānquán chūkǒu zài nà biān. The exit is over there. | ❷ 你在学校门口等我吧。Nǐ zài xuéxiào ménkǒu děng wǒ ba. Please wait for me at the gate of the school. | ❸ 哪儿是洞的入口？ Nǎr shì dòng de rùkǒu? Where is the entrance of the cave?

143. 哭 kū radical: 犬 strokes: 10

stroke order: 丨 冂 口 口 吅 吅 吅 罒 哭 哭

<*v.*> cry

❶ 她为什么哭了？ Tā wèi shénme kū le? Why did she cry? | ❷ 她的小狗死了，所以她哭了。Tā de xiǎogǒu sǐ le, suǒyǐ tā kū le. Her puppy was dead, so she cried. | ❸ 她哭着告诉我，她跟男朋友分手了。Tā kūzhe gàosu wǒ, tā gēn nánpéngyou fēnshǒu le. She told me in tears that she had broken up with her boyfriend. | ❹ 他难过得哭了起来。Tā nánguò de kūle qǐlai. He cried with grief. | ❺ 你怎么把她气哭了？ Nǐ zěnme bǎ tā qìkū le? Why did you reduce her to tears? | ❻ 你哭有什么用啊，还是要想办法解决问题。Nǐ kū yǒu shénme yòng a, háishi yào xiǎng bànfǎ jiějué wèntí. What's the use of crying? You need to find a way to solve the problem. | ❼ 孩子，别哭了，说说怎么了。Háizi, bié kū le, shuōshuo zěnme le. Don't cry, kid. Tell me what happened. | ❽ 他哭了一上午了。Tā kūle yí shàngwǔ le. He cried the whole morning.

144. 裤子（褲子）kùzi

<*n.*> pants

❶ 这条裤子多少钱？ Zhè tiáo kùzi duōshao qián? How much does this pair of pants cost? | ❷ 这条裤子太瘦，我穿不进去。Zhè tiáo kùzi tài shòu, wǒ chuān bu jìnqù. This pair of pants is too tight for me to wear. | ❸ 我得买几条新裤子了。Wǒ děi mǎi jǐ tiáo xīn kùzi le. I need to buy several pairs of pants. | ❹ 我很喜欢这条黑裤子。Wǒ hěn xǐhuan zhè tiáo hēi kùzi. I like this pair of black pants very much. | ❺ 他的裤子都太长，看起来很不合适。Tā de kùzi dōu tài cháng, kàn qǐlai hěn bù héshì. All his trousers are too long and don't seem to fit him. | ❻ 我喜欢穿浅颜色的裤子，不喜欢深颜色的。Wǒ xǐhuan chuān qiǎn yánsè de kùzi, bù xǐhuan shēn yánsè de. I like to wear light-colored pants, not the dark-colored ones.

145. 筷子 kuàizi

<*n.*> chopstick

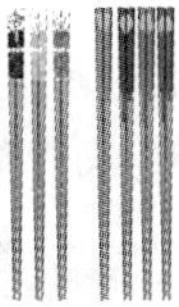

❶ 你会用筷子吗？ Nǐ huì yòng kuàizi ma? Can you use chopsticks? | ❷ 服务员，我们还少一双筷子。Fúwùyuán, wǒmen hái shǎo yì shuāng kuàizi. Excuse me, we are short of a pair of chopsticks. | ❸ 请你拿

两双筷子来。Qǐng nǐ ná liǎng shuāng kuàizi lái. Would you please bring two pairs of chopsticks? | ❹ 今天我来教大家用筷子。Jīntiān wǒ lái jiāo dàjiā yòng kuàizi. I'll show you how to use chopsticks today. | ❺ 我不会用筷子，给我个勺子吧。Wǒ bú huì yòng kuàizi, gěi wǒ ge sháozi ba. I don't know how to use chopsticks. Please give me a spoon. | ❻ 我走到哪儿都要带上几双筷子。Wǒ zǒudào nǎr dōu yào dàishang jǐ shuāng kuàizi. I bring several pairs of chopsticks with me wherever I go.

146. 蓝（藍）lán radical: 艹 strokes: 13 stroke order: 一 十 廾 艹 艹 芷 芷 苙 苙 菈 蓝 蓝 蓝

<*adj.*> blue

❶ 今天是晴天，天很蓝。Jīntiān shì qíngtiān, tiān hěn lán. It's sunny today and the sky is blue. | ❷ 她穿着一件蓝衬衫。Tā chuānzhe yí jiàn lán chènshān. She wears a blue blouse. | ❸ 这辆蓝颜色的汽车很漂亮。Zhè liàng lán yánsè de qìchē hěn piàoliang. The blue car is very beautiful. | ❹ 他有一双蓝眼睛。Tā yǒu yì shuāng lán yǎnjing. He has blue eyes. | ❺ 这些灯有时候变红，有时候变蓝，有时候变绿。Zhèxiē dēng yǒushíhou biàn hóng, yǒushíhou biàn lán, yǒushíhou biàn lǜ. These lights sometimes turn red, sometimes blue, and sometimes green. | ❻ 那个蓝颜色的电脑是我的。Nàge lán yánsè de diànnǎo shì wǒ de. The blue computer is mine. | ❼ 我喜欢蓝的，不喜欢黑的。Wǒ xǐhuan lán de, bù xǐhuan hēi de. I like the blue one, not the black one.

147. 老 lǎo radical: 耂 strokes: 6

stroke order: 一 十 土 耂 耂 老

<*adj.*> ① (*as opposed to* "*young*") old, aged

❶ 我爷爷很老了，今年都八十七岁了。Wǒ yéye hěn lǎo le, jīnnián dōu bāshíqī suì le. My grandpa is old. He is 87 this year. | ❷ 这些老人每天都很开心。

Zhèxiē lǎorén měi tiān dōu hěn kāixīn. These old men are happy every day. | ❸ 他们很关心老人的生活。Tāmen hěn guānxīn lǎorén de shēnghuó. They took good care of the elderly. | ❹ 他看起来有点儿老，不像三十岁。Tā kàn qǐlai yǒudiǎnr lǎo, bú xiàng sānshí suì. He looks a little older than 30. | ❺ 他最近很累，看起来老了十岁。Tā zuìjìn hěn lèi, kàn qǐlai lǎole shí suì. He has been very tired lately and looks 10 years older. | ❻ 虽然已经六十多岁了，可我一点儿也不觉得自己老。Suīrán yǐjīng liùshí duō suì le, kě wǒ yìdiǎnr yě bù juéde zìjǐ lǎo. Although I'm over 60, I still don't feel aged at all. | ❼ 他老得走不动了。Tā lǎo de zǒu bu dòng le. He is too old to walk.

② (*as opposed to* "新 (xīn)") outdated, old-fashioned, obsolete

❶ 我这台电脑很老了，差不多有十二年了。Wǒ zhè tái diànnǎo hěn lǎo le, chàbuduō yǒu shí'èr nián le. My computer is very old. It has been used for almost 12 years. | ❷ 这是一台老电视，二十年前生产的。Zhè shì yì tái lǎo diànshì, èrshí nián qián shēngchǎn de. It's an old TV set made 20 years ago. | ❸ 我们是老朋友了，不用客气。Wǒmen shì lǎo péngyou le, búyòng kèqi. We are old friends. Please make yourself at home. | ❹ 这件衣服的样子太老了，不好看。Zhè jiàn yīfu de yàngzi tài lǎo le, bù hǎokàn. The dress is too old-fashioned and ugly. | ❺ 他喜欢收藏老家具。Tā xǐhuan shōucáng lǎo jiājù. He likes collecting antique furniture. | ❻ 我是老北京，从小在这里长大。Wǒ shì lǎo Běijīng, cóngxiǎo zài zhèli zhǎngdà. I'm a native of Beijing, and I have grown up here since childhood.

<pref.> ① *used before some nouns of animals or people to form a noun*

❶ 儿子就喜欢去动物园看老虎。Érzi jiù xǐhuan qù dòngwùyuán kàn lǎohǔ. My son likes seeing tigers in the zoo. | ❷ 这个房间里有只老鼠。Zhège fángjiān li yǒu zhī lǎoshǔ. There's a mouse in this room. | ❸ 我们去问老师吧。Wǒmen qù wèn lǎoshī ba. Let's go to ask the teacher. | ❹ 这些老百姓都非常善良。Zhèxiē lǎobǎixìng dōu fēicháng shànliáng. All of these folks are very nice.

② *used to show intimacy*

❶ 老张，你的电话！Lǎo Zhāng, nǐ de diànhuà! Lao Zhang, you have a phone call. | ❷ 老王，你最近怎么样？ Lǎo Wáng, nǐ zuìjìn zěnmeyàng? Lao Wang, how have you been doing lately? | ❸ 老李，星期六一起去游泳吧。Lǎo Lǐ, xīngqīliù yìqǐ qù yóuyǒng ba. Lao Li, let's go swimming this Saturday.

③ *used before a person to indicate order*

❶ 我在家是老二。Wǒ zài jiā shì lǎo èr. I'm the second child of my family. | ❷ 他是老大，还有一个弟弟。Tā shì lǎo dà, hái yǒu yí ge dìdi. He's the first child of his parents. He has a younger brother. | ❸ 老三怎么还没回来呢？ Lǎo sān zěnme hái méi huílai ne? Why hasn't the third child come back?

<*adv.*> always, often

❶ 他老待在家里，不出去玩儿。Tā lǎo dài zài jiāli, bù chūqu wánr. He always stays at home and doesn't go out to play. | ❷ 他学习老那么好。Tā xuéxí lǎo nàme hǎo. He always gets straight A's. | ❸ 你怎么老忙？ Nǐ zěnme lǎo máng? Why are you always busy? | ❹ 他家里老没人。Tā jiāli lǎo méi rén. His home is always empty. | ❺ 他最近老买东西。Tā zuìjìn lǎo mǎi dōngxi. He has always been shopping recently. | ❻ 你别老和别人开玩笑。Nǐ bié lǎo hé biéren kāi wánxiào. You shouldn't make fun of others all the time. | ❼ 他的名字我老忘。Tā de míngzi wǒ lǎo wàng. I often forget his name. | ❽ 妹妹老来我这儿吃饭。Mèimei lǎo lái wǒ zhèr chīfàn. My younger sister often dines at my home.

三级

148. 离开（離開）lí//kāi

<*v.*> leave, part from, depart from

❶ 他早上七点就离开家了。Tā zǎoshang qī diǎn jiù líkāi jiā le. He left home at 7 a.m. | ❷ 我十二岁离开父母，到北京上学。Wǒ shí'èr suì líkāi fùmǔ, dào Běijīng shàngxué. I left my parents and studied in Beijing at the age of 12. | ❸ 他刚刚离开，一会儿就回来。Tā gānggāng líkāi, yíhuìr jiù huílai. He just left and will be back soon. | ❹ 我不想离开中国。Wǒ bù xiǎng líkāi Zhōngguó.

I don't want to leave China. | ❺ 我们不会离开太长时间。Wǒmen bú huì líkāi tài cháng shíjiān. We won't be away for too long. | ❻ 他们离开了不到一个月，就又见面了。Tāmen líkāile bú dào yí ge yuè, jiù yòu jiànmiàn le. They had been separated for no more than a month and then they met again. | ❼ 孩子太小，还离不开父母。Háizi tài xiǎo, hái lí bu kāi fùmǔ. The child is too young to leave his parents. | ❽ 鱼离不开水。Yú lí bu kāi shuǐ. Fish can't live without water.

149. 礼物（禮物）lǐwù

<*n.*> present, gift

❶ 这是我送你的生日礼物。Zhè shì wǒ sòng nǐ de shēngrì lǐwù. This is my birthday present for you. | ❷ 这件礼物太漂亮了，我很喜欢。Zhè jiàn lǐwù tài piàoliang le, wǒ hěn xǐhuan. What a beautiful gift! I like it very much. | ❸ 谢谢你的礼物。Xièxie nǐ de lǐwù. Thank you for your present. | ❹ 我们给他带个什么礼物呢？Wǒmen gěi tā dài ge shénme lǐwù ne? What gift shall we give him? | ❺ 我们第一次见面，要不要送礼物？Wǒmen dì-yī cì jiànmiàn, yào bú yào sòng lǐwù? Shall I bring a gift when we meet for the first time? | ❻ 这是从中国带来的礼物。Zhè shì cóng Zhōngguó dàilái de lǐwù. This is a gift from China.

150. 历史（歷史）lìshǐ

<*n.*> history

❶ 我对历史很感兴趣。Wǒ duì lìshǐ hěn gǎn xìngqù. I'm very interested in history. | ❷ 我想研究中国古代历史。Wǒ xiǎng yánjiū Zhōngguó gǔdài lìshǐ. I want to study the history of ancient China. | ❸ 社会在发展，历史在前进。Shèhuì zài fāzhǎn, lìshǐ zài qiánjìn. The society is developing and the history is moving on. | ❹ 他们俩的爱情已经成为历史。Tāmen liǎ de àiqíng yǐjīng chéngwéi lìshǐ. Their love has long gone. | ❺ 我不想回忆那段痛苦的历史。Wǒ bù xiǎng huíyì nà duàn tòngkǔ de lìshǐ. I don't want to recall the miserable past. | ❻ 我们什么时候也不应该忘记历史。Wǒmen shénme shíhou yě bù yīnggāi wàngjì lìshǐ. We shall never forget the history. | ❼ 这两个国家有很长的交往历史。Zhè liǎng ge guójiā yǒu hěn cháng de jiāowǎng lìshǐ. These two countries have a very long history of interactions. | ❽ 我很喜欢听他讲历史故事。Wǒ hěn xǐhuan tīng tā jiǎng lìshǐ gùshi. I like listening to his historical stories.

151. 脸（臉）liǎn radical: 月 strokes: 11stroke order: 丿 ⺆ 月 月 月' 肸 肸 肸 脍 脍 脸

<*n.*> face

❶ 我刚起床，还没洗脸。Wǒ gāng qǐchuáng, hái méi xǐ liǎn. I got up just now and haven't washed my face yet. | ❷ 那个姑娘大脸、大眼睛。Nàge gūniang dà liǎn、dà yǎnjing. That girl has a big face and big eyes. | ❸ 他的脸圆圆的，笑起来很可爱。Tā de liǎn yuányuán de, xiào qǐlai hěn kě'ài. He has a round face and he looks lovely when he smiles. | ❹ 我看不清舞台上演员们的脸。Wǒ kàn bu qīng wǔtái shang yǎnyuánmen de liǎn. I cannot clearly see the faces of the actors on the stage. | ❺ 她喝完酒以后，脸红了。Tā hēwán jiǔ yǐhòu, liǎn hóng le. Her face turns red after she drinks. | ❻ 他的脸上总是带着笑。Tā de liǎn shang zǒngshì dàizhe xiào. There's always a smile on his face. | ❼ 你的脸色不好看，是不是生病了？Nǐ de liǎnsè bù hǎokàn, shì bú shì shēngbìng le? You don't look well. Are you sick?

152. 练习（練習）liànxí

<*v.*> practice, exercise

❶ 学生们正在练习写汉字。Xuéshengmen zhèngzài liànxí xiě Hànzi.

The students are practicing writing Chinese characters. | ❷ 他练习画画儿很多年了。Tā liànxí huà huàr hěn duō nián le. He has been practicing painting for many years. | ❸ 学习汉语，要多多练习。Xuéxí Hànyǔ, yào duōduō liànxí. You should practice more when studying Chinese. | ❹ 他练习游泳练习得很辛苦。Tā liànxí yóuyǒng liànxí de hěn xīnkǔ. He is painstakingly practicing swimming. | ❺ 多练习练习你就会了。Duō liànxí liànxí nǐ jiù huì le. If you practice more, you'll learn it. | ❻ 他正在练习用汉语写文章。Tā zhèngzài liànxí yòng Hànyǔ xiě wénzhāng. He is practicing writing essays in Chinese. | ❼ 我刚练习完这首歌，你听听怎么样。Wǒ gāng liànxí wán zhè shǒu gē, nǐ tīngting zěnmeyàng. I've just practiced singing this song. Would you please listen to me?

<*n.*> exercise

❶ 这个练习一点儿也不难。Zhège liànxí yìdiǎnr yě bù nán. This exercise isn't difficult at all. | ❷ 请大家看书上的练习。Qǐng dàjiā kàn shū shang de liànxí. Please read the exercises in the book. | ❸ 今天的练习很多，你们得快点儿做。Jīntiān de liànxí hěn duō, nǐmen děi kuài diǎnr zuò. You have a lot of exercises to do today. You'd better hurry. | ❹ 老师给我们留了三个练习。Lǎoshī gěi wǒmen liúle sān ge liànxí. We were assigned three exercises by the teacher. | ❺ 我练习写完了。Wǒ liànxí xiěwán le. I've finished my exercises. | ❻ 明天交你们的练习。Míngtiān jiāo nǐmen de liànxí. Please hand in your exercise tomorrow. | ❼ 这是练习的答案，你们看看错了几个。Zhè shì liànxí de dá'àn, nǐmen kànkan cuòle jǐ ge. These are the answers to the exercises for your reference.

153. 辆（輛）liàng radical: 车 strokes: 11 stroke order: 一 七 𠂉 车 车 车一 车丆 车丙 车两 辆 辆

<*m.*> *a measure word for vehicles*

❶ 上个月我买了一辆汽车。Shàng ge yuè wǒ mǎile yí liàng qìchē. I bought

a car last month. | ❷ 那辆白色的汽车是我的。Nà liàng báisè de qìchē shì wǒ de. The white car is mine. | ❸ 我们叫辆出租车吧。Wǒmen jiào liàng chūzūchē ba. Let's take a taxi. | ❹ 门口停着好几辆汽车。Ménkǒu tíngzhe hǎojǐ liàng qìchē. There are several cars parked at the entrance. | ❺ 我有两辆自行车。Wǒ yǒu liǎng liàng zìxíngchē. I have two bicycles. | ❻ 一辆辆自行车放得很整齐。Yí liàngliàng zìxíngchē fàng de hěn zhěngqí. The bicycles are neatly parked.

154. 了解 liǎojiě

<*v.*> know, understand

❶ 我们是多年的朋友，我很了解他。Wǒmen shì duō nián de péngyou, wǒ hěn liǎojiě tā. We are friends for years and I know him pretty well. | ❷ 我了解我的父母，他们会同意的。Wǒ liǎojiě wǒ de fùmǔ, tāmen huì tóngyì de. I know my parents and they will agree. | ❸ 你的意思我已经了解了。Nǐ de yìsi wǒ yǐjīng liǎojiě le. I understand what you mean. | ❹ 对这件事情我还不够了解。Duì zhè jiàn shìqing wǒ hái bú gòu liǎojiě. I don't know much about it. | ❺ 情况我已经了解清楚了，你没有错儿。Qíngkuàng wǒ yǐjīng liǎojiě qīngchu le, nǐ méiyǒu cuòr. I've known what happened clearly. You're right. | ❻ 你了解这件事情的经过吗？ Nǐ liǎojiě zhè jiàn shìqing de jīngguò ma? Do you know how it happened?

三级

155. 邻居（鄰居）línjū

<*n.*> neighborhood

❶ 我们是邻居，当然认识。Wǒmen shì línjū, dāngrán rènshi. We are neighbors; of course we know each other. | ❷ 我们做邻居很多年了，关系很好。Wǒmen zuò línjū hěn duō nián le, guānxì hěn hǎo. We have been neighbors for years and are on good terms. | ❸ 这本书是我向邻居家借的。Zhè běn shū shì wǒ xiàng línjū jiā jiè de. I borrowed this book from my neighbor. | ❹ 我以前的两个邻居都搬走了。Wǒ yǐqián de liǎng ge línjū dōu bānzǒu le. Two of my former neighbors moved out. | ❺ 我是新来的邻居，认识一下吧。Wǒ shì xīn lái de línjū, rènshi yíxià ba. I'm your new neighbor. Nice to meet you. | ❻ 我们是多年的老邻居了。Wǒmen shì duō nián de lǎo línjū le. We have been neighbors for many years.

156. 楼（樓）lóu radical: 木 strokes:13 stroke order: 一 十 才 木 术 术' 术' 栏 栏 栏 楼 楼 楼

<*n.*> ① building

❶ 我们学校有十座楼。Wǒmen xuéxiào yǒu shí zuò lóu. There are ten buildings in our school. | ❷ 这个大楼是我们的图书馆。Zhège dàlóu shì wǒmen de túshūguǎn. This big building is our library. | ❸ 这是我们的教学楼，很漂亮的。Zhè shì wǒmen de jiàoxuélóu, hěn piàoliang de. This is our classroom building. It's very beautiful. | ❹ 这座楼明年就盖好了。Zhè zuò lóu míngnián jiù gàihǎo le. This building will be completed next year. | ❺ 公园周边建起了一座座高楼。Gōngyuán zhōubiān jiànqǐle yí zuòzuò gāo lóu. Tall buildings were built around the park. | ❻ 这些年，北京新建了很多高楼。Zhèxiē nián, Běijīng xīn jiànle hěn duō gāo lóu. A number of high-rises have been built in Beijing these years.

② floor

❶ 他家住一楼，我家住十楼。Tā jiā zhù yī lóu, wǒ jiā zhù shí lóu. His family lives on the first floor, and mine lives on the tenth. | ❷ 我住二楼，不用坐电梯。Wǒ zhù èr lóu, búyòng zuò diàntī. I live on the second floor, so I don't need to take an elevator. | ❸ 我住在三楼，321 房间。Wǒ zhù zài sān lóu, 321 fángjiān. I live in Room 321 on the third floor. | ❹ 我们都住得很高，在三十楼。Wǒmen dōu zhù de hěn gāo, zài sānshí lóu. We all live on the 30th floor of that tall building.

三级

157. 绿（綠）lǜ radical: 纟 strokes:11 stroke order: ㄥ 纟 纟 纟 纡 纡 纤 绿 绿 绿 绿

<*adj.*> green

❶ 春天来了，小草都绿了。Chūntiān lái le, xiǎocǎo dōu lǜ le. The spring is here and the grass turns green. | ❷ 她穿着一条绿裤子。Tā chuānzhe yì tiáo lǜ kùzi. She wears a pair of green pants. | ❸ 绿灯亮了，可以通过了。Lǜdēng liàng le, kěyǐ tōngguò le. If a green light is on, it means you can cross the street. | ❹ 雨后小草特别绿。Yǔ hòu xiǎocǎo tèbié lǜ. Grass is very green after rain. | ❺ 过马路要看交通红绿灯。Guò mǎlù yào kàn jiāotōng hóng-lǜ dēng. Pay attention to the traffic signals when you cross the street. | ❻ 那个绿颜色的包是我的。Nàge lǜ yánsè de bāo shì wǒ de. That green bag is mine. | ❼ 我喜欢绿的，不喜欢黑的。Wǒ xǐhuan lǜ de, bù xǐhuan hēi de. I like the green one, not the black one.

158. 马（馬）mǎ radical: 马 strokes: 3 stroke order: ㇇ 马 马

<*n.*> horse

❶ 那匹马又高又大。Nà pǐ mǎ yòu gāo yòu dà. That horse is tall and big.| ❷ 我很喜欢骑马。Wǒ hěn xǐhuan qí mǎ. I like horse riding. | ❸ 这匹白马跑得很快。Zhè pǐ bái mǎ pǎo de hěn kuài. The white horse runs very fast. | ❹ 我养过马，知道马爱吃什么。Wǒ yǎngguo mǎ, zhīdào mǎ ài chī shénme. I've raised horses, so I know what they like to eat. | ❺ 大家都喜欢他画的马。Dàjiā dōu xǐhuan tā huà de mǎ. Everybody likes the horses he draws. | ❻ 那边来了一群马。Nàbiān láile yì qún mǎ. There came a herd of horses.

159. 马上（馬上）mǎshàng

<*adv.*> immediately, at once

❶ 好的，我马上过去。Hǎo de, wǒ mǎshàng guòqu. OK, I'll go there right now. | ❷ 天马上就要亮了。Tiān mǎshàng jiùyào liàng le. It's almost daybreak. | ❸ 火车马上就要进站了。Huǒchē mǎshàng jiùyào jìn zhàn le. The train is pulling into the station soon. | ❹ 圣诞节马上就要到了，你打算怎么过？Shèngdàn Jié mǎshàng jiùyào dào le, nǐ dǎsuàn zěnme guò? Christmas is coming soon. What's your plan? | ❺ 你马上到医院，孩子生病了。Nǐ mǎshàng dào yīyuàn, háizi shēngbìng le. Please go to the hospital as soon as possible. Your kid is sick. | ❻ 电影马上就要开始了，我们进去吧。Diànyǐng mǎshàng jiùyào kāishǐ le, wǒmen jìnqu ba. The movie will start soon. Let's get in. | ❼ 马上就要下雨了，你别走了。Mǎshàng jiùyào xià yǔ le, nǐ bié zǒu le. It's going to rain soon. Please don't go.

160. 满意（滿意）mǎnyì

<*adj.*> satisfied

❶ 你们对这个地方满意吗？Nǐmen duì zhège dìfang mǎnyì ma? Are you satisfied with this place? | ❷ 我很满意这里的生活。Wǒ hěn mǎnyì zhèli de shēnghuó. I am very satisfied with my life here. | ❸ 学生答对了，老师满意地笑了。Xuésheng dáduì le, lǎoshī mǎnyì de xiào le. When the student gave the correct answer, the teacher smiled with satisfaction. | ❹ 大家对这次外出活动十分满意。Dàjiā duì zhè cì wàichū huódòng shífēn mǎnyì. Everyone was satisfied with this outing. | ❺ 顾客满意地离开了。Gùkè mǎnyì de líkāi le. The customer left with satisfaction. | ❻ 这次旅游很愉快，他感到很满意。Zhè cì lǚyóu hěn yúkuài, tā gǎndào hěn mǎnyì. He was satisfied with this pleasant trip. | ❼ 希望大家在这儿吃得满意，住得满意。Xīwàng dàjiā zài zhèr chī de mǎnyì, zhù de mǎnyì. I hope everyone is satisfied with the food and accommodation here.

161. 帽子 màozi

<*n.*> hat, cap

❶ 外面很冷，你戴上帽子吧。Wàimiàn hěn lěng, nǐ dàishang màozi ba. It's cold outside; you'd better put on the hat. | ❷ 他一进屋子，就摘了帽子。Tā yí jìn wūzi, jiù zhāile màozi. He took off his hat as soon as he entered the room. | ❸ 我很喜欢那顶花帽子，很漂亮。Wǒ hěn xǐhuan nà dǐng huā màozi, hěn piàoliang. I like that beautiful flowery hat very much. | ❹ 这种衣服上都有个帽子。Zhè zhǒng yīfu shang dōu yǒu ge màozi. This kind of clothes is designed with a hood. | ❺ 你戴红颜色的帽子很好看。Nǐ dài hóng yánsè de màozi hěn hǎokàn. You look good in a red hat.

162. 米 mǐ radical: 米 strokes: 6

stroke order: 丶 丷 䒑 半 米 米

<*n.*> rice

❶ 我爱吃米，不爱吃面。Wǒ ài chī mǐ, bú ài chī miàn. I like rice, but I don't like food made of flour. | ❷ 家里没米了，吃面条吧。Jiāli méi mǐ le, chī miàntiáo ba. We've run out of rice at home. Let's have noodles. | ❸ 这儿生产的米很好吃。Zhèr shēngchǎn de mǐ hěn hǎochī. Rice made here is very delicious. | ❹ 我买了二十斤米，够吃一个月了。Wǒ mǎile èrshí jīn mǐ, gòu chī yí ge yuè le. I bought ten kilograms of rice, which was enough for me to eat for a month. | ❺ 我是南方长大的，吃饭一天也离不开米。Wǒ shì nánfāng zhǎngdà de, chīfàn yì tiān yě lí bu kāi mǐ. I was brought up in the south and cannot eat without rice for a single day.

<*m.*> meter

❶ 一米等于一百厘米。Yì mǐ děngyú yìbǎi límǐ. One meter is equal to 100 centimeters. | ❷ 他身高一米七五。Tā shēngāo yì mǐ qīwǔ. He is 1.75 meters tall. | ❸ 这条裤子一米三长。Zhè tiáo kùzi yì mǐ sān cháng. This pair of pants is 1.3 meters long. | ❹ 我明天要参加百米赛跑。Wǒ míngtiān yào cānjiā bǎi mǐ sàipǎo. I'll take part in the one-hundred-meter race tomorrow.

163. 面包（麵包）miànbāo

<*n.*> bread

❶ 我早上吃面包、喝牛奶。Wǒ zǎoshang chī miànbāo、hē niúnǎi. I have bread and milk for my breakfast. | ❷ 这种面包很好吃，我天天买。Zhè zhǒng miànbāo hěn hǎochī, wǒ tiāntiān mǎi. These kind of bread tastes so good that I buy it every day. | ❸ 这些都是很好吃的面包片。Zhèxiē dōu shì hěn hǎochī de miànbāopiàn. These slices of bread taste delicious. | ❹ 你不喜欢吃面包吗？Nǐ bù xǐhuan chī miànbāo ma? Don't you like bread? | ❺ 他做的面包味道很好。Tā zuò de miànbāo wèidào hěn hǎo. The bread he makes is very tasty. | ❻ 这个面包太大了，我一顿吃不了。Zhège miànbāo tài dà le, wǒ yí dùn chī bu liǎo. The bread is too big for me to eat up in a meal.

164. 面条（麵條）miàntiáo

<*n.*> noodle

❶ 北方人喜欢吃面条。Běifāngrén xǐhuan chī miàntiáo. People in the south like noodles. | ❷ 你胃不舒服，我给你煮面条吃吧。Nǐ wèi bù shūfu, wǒ gěi nǐ zhǔ miàntiáo chī ba. Since you have a stomachache, I'll cook some noodles for you. | ❸ 这根面条真长，有一米了吧？Zhè gēn miàntiáo zhēn cháng, yǒu yì mǐ le ba? This strand of noodle is extremely long. Is it as long as one meter? | ❹ 生日的时候，我们要吃面条。Shēngrì de shíhou, wǒmen yào chī miàntiáo. We eat noodles on birthdays. | ❺ 我不爱吃面条，我爱吃面包。Wǒ bú ài chī miàntiáo, wǒ ài chī miànbāo. I don't like noodles, but I like bread.

165. 明白 míngbai

<*v.*> understand

❶ 这篇课文我完全明白了。Zhè piān kèwén wǒ wánquán míngbai le. I totally understand the text. | ❷ 我明白自己做错了，以后一定改正。Wǒ míngbai zìjǐ zuòcuò le, yǐhòu yídìng gǎizhèng. I realized I was wrong and made up my mind to correct it from now on. | ❸ 这个道理我现在才明白过来。Zhège dàolǐ wǒ xiànzài cái míngbai guòlai. I didn't understand the hows and whys until now. | ❹ 做人的道理，我才开始明白一些。Zuò rén de dàolǐ, wǒ cái kāishǐ míngbai yìxiē. I have just begun to know how to conduct myself. | ❺ 长大以后，明白的事情就更多了。Zhǎngdà yǐhòu, míngbai de shìqing jiù gèng duō le. After growing up, you will know more things.

<*adj.*> ① clear

❶ 他的态度已经非常明白了。Tā de tàidu yǐjīng fēicháng míngbai le. His attitude is very clear. | ❷ 写文章要写得清楚、明白。Xiě wénzhāng yào xiě de qīngchu、míngbai. An essay must be explicit and clear. | ❸ 对于这个问题，我在文章中已经写得非常明白了。Duìyú zhège wèntí, wǒ zài wénzhāng zhōng yǐjīng xiě de fēicháng míngbai le. On this issue, I've made it very clear in my article. | ❹ 他明明白白地告诉我，合同已经解除了。Tā míngmíngbáibái de gàosu wǒ, hétong yǐjīng jiěchú le. He told me clearly that the contract has been terminated.

② sensible

❶ 他是个明白人，你用不着多说。Tā shì ge míngbai rén, nǐ yòng bu zháo duō shuō. He is a sensible man. You can save your breath. | ❷ 他虽然已经是九十高龄了，人还很明白。Tā suīrán yǐjīng shì jiǔshí gāolíng le, rén hái hěn míngbai. Although he is 90, he's still very clear-headed. | ❸ 这些话跟明白人一说就懂。Zhèxiē huà gēn míngbai rén yì shuō jiù dǒng. These words are very clear to reasonable people.

166. 拿 ná radical: 手 strokes: 10

stroke order: 丿 人 𠆢 今 含 合 含 拿 拿 拿

<v.> hold, bring, carry, take

❶ 姐姐手里拿着一本书。Jiějie shǒuli názhe yì běn shū. My elder sister had a book in her hand. | ❷ 他拿来了很多苹果，让我们吃。Tā náláile hěn duō píngguǒ, ràng wǒmen chī. He brought a lot of apples for us to eat. | ❸ 我来帮你拿行李吧。Wǒ lái bāng nǐ ná xíngli ba. Let me help you with the luggage. | ❹ 东西太多了，你一个人拿不了。Dōngxi tài duō le, nǐ yí ge rén ná bu liǎo. There is too much stuff for you to carry on your own. | ❺ 我的手机一直拿在手里，怎么不见了？Wǒ de shǒujī yìzhí ná zài shǒuli, zěnme bújiàn le? I had been holding the cellphone in my hand. How come it is gone? | ❻ 这些水果我吃不完，你拿走一些吧。Zhèxiē shuǐguǒ wǒ chī bu wán, nǐ názǒu yìxiē ba. I can't eat up all the fruits. Please take away some of them. | ❼ 自助餐要吃多少拿多少，以免吃不完浪费。Zìzhùcān yào chī duōshao ná duōshao, yǐmiǎn chī bu wán làngfèi. At a buffet, just take what you can eat so that you won't waste food.

167. 奶奶 nǎinai

<n.> ① (paternal) grandma

❶ 奶奶今年七十八岁了。Nǎinai jīnnián qīshíbā suì le. My grandma is 78 years old.| ❷ 我女儿跟她奶奶生活在一起。Wǒ nǚ'ér gēn tā nǎinai shēnghuó zài yìqǐ. My daughter lives with her grandma. | ❸ 爷爷和奶奶身体都很好。Yéye hé nǎinai shēntǐ dōu hěn hǎo. My grandpa and grandma are very healthy. | ❹ 出国留学期间，我最想奶奶了。Chū guó liúxué qījiān, wǒ zuì xiǎng nǎinai le. I miss my grandma most when I studied abroad. | ❺ 我奶奶很早就去世了。Wǒ nǎinai hěn zǎo jiù qùshì le. My grandma has long passed away.

② *a respectful form of address for an elderly woman*

❶ 邻居李奶奶去市场买东西去了。Línjū Lǐ nǎinai qù shìchǎng mǎi dōngxi qù

le. Grandma Li, one of my neighbors, has gone shopping in the market. | ❷ 早上，很多老爷爷、老奶奶在花园里锻炼身体。Zǎoshang, hěn duō lǎoyéye、lǎonǎinai zài huāyuán li duànliàn shēntǐ. Many old people are doing physical exercise in the park in the morning. | ❸ 他帮着一位老奶奶过了马路。Tā bāngzhe yí wèi lǎonǎinai guòle mǎlù. He helped an old lady cross the street.

168. 南 nán radical: 十 strokes: 9

stroke order: 一 十 𠂇 ⺆ 冂 冃 冇 南 南

<*n.*> (*as opposed to* "北 (běi)") south

❶ 你一直往南走，就能看到那个楼。Nǐ yìzhí wǎng nán zǒu, jiù néng kàndào nàge lóu. Walk south, you will see that building. | ❷ 我家的窗户是朝南开的。Wǒ jiā de chuānghu shì cháo nán kāi de. The windows of my room face south. | ❸ 夏天经常刮南风。Xiàtiān jīngcháng guā nánfēng. Wind often blows southward in summer. | ❹ 我迷路了，分不清哪边是南，哪边是北。Wǒ mílù le, fēn bu qīng nǎ biān shì nán, nǎ biān shì běi. I'm lost and can't tell the directions. | ❺ 从这儿一直往南走两分钟，就有一个商店。Cóng zhèr yìzhí wǎng nán zǒu liǎng fēnzhōng, jiù yǒu yí ge shāngdiàn. Walk straight south for two minutes, you'll find a store. | ❻ 我们在学校南门门口见面吧。Wǒmen zài xuéxiào nánmén ménkǒu jiànmiàn ba. Let's meet at the south entrance of the school.

三级

169. 难（難）nán radical: 又 strokes: 10 stroke order: ㇇ 又 㕛 对 对 对 对 难 难 难

<*adj.*> ① (*as opposed to* "*easy*") difficult, hard

❶ 我觉得汉语很难学。Wǒ juéde Hànyǔ hěn nán xué. I feel Chinese language very difficult to learn. | ❷ 这次考试难不难？ Zhè cì kǎoshì nán bù nán? Is this exam difficult? | ❸ 有的汉字很难写，也很难记。Yǒu de Hànzì hěn nán xiě, yě hěn nán jì. Some Chinese characters are not only difficult to write, they are also difficult to learn by heart. | ❹ 我碰到了一件难事，不知道怎么办才好。Wǒ pèngdàole yí jiàn nán shì, bù zhīdào zěnme bàn cái hǎo. I ran into a difficulty and I don't know what I should do. | ❺ 踢足球一点儿也不难学。Tī zúqiú yìdiǎnr yě bù nán xué. It is not difficult to learn playing football at all. | ❻ 这个练习太难了，学生们都不会。Zhège liànxí tài nán le, xuéshengmen dōu bú huì. This exercise is so difficult that no student can do it.

② unpleasant, not good, bad

❶ 他的样子很难看。Tā de yàngzi hěn nán kàn. He looks ugly. | ❷ 他那天说的话特别难听。Tā nà tiān shuō de huà tèbié nán tīng. What he said that day is extremely unpleasant to the ear. | ❸ 这个菜很难吃。Zhège cài hěn nán chī. This dish tastes bad.

170. 难过（難過）nánguò

<*adj.*> sad

❶ 他的小狗死了，他很难过。Tā de xiǎogǒu sǐ le, tā hěn nánguò. He was very sad about the death of his puppy. | ❷ 他跟女朋友分手了，现在难过得很。Tā gēn nǚpéngyou fēnshǒu le, xiànzài nánguò de hěn. He is very sad that he broke up with his girlfriend. | ❸ 我们谁都不愿意看到你难过的样子。Wǒmen shéi dōu bú yuànyì kàndào nǐ nánguò de yàngzi. None of us wants to see you unhappy. | ❹ 你为什么这么难过啊？Nǐ wèi shénme zhème nánguò a? Why are you so sad? | ❺ 比赛输了，大家都很难过。Dǐsài shū le, dàjiā dōu hěn nánguò. We are sorry for losing the game. | ❻ 她难过得哭了。Tā nánguò de kū le. She cried sadly. | ❼ 他没考上大学，难过了很长时间。Tā méi kǎoshang dàxué, nánguòle hěn cháng shíjiān. It grieved him for a long time that he wasn't admitted into a college.

171. 年级（年級）niánjí

<*n.*> grade

❶ 他现在是大学一年级。Tā xiànzài shì dàxué yī niánjí. He is now a college freshman. | ❷ 中国的小学有六个年级。Zhōngguó de xiǎoxué yǒu liù ge niánjí. Primary schools in China run from Grades 1~6. | ❸ 她的孩子今年上小学三年级。Tā de háizi jīnnián shàng xiǎoxué sān niánjí. Her kid is in the third grade of primary school this year. | ❹ 他比我高一个年级。Tā bǐ wǒ gāo yí ge niánjí. He is a grade higher than I. | ❺ 我们年级的同学有很多，我不都认识。Wǒmen niánjí de tóngxué yǒu hěn duō, wǒ bù dōu rènshi. Since there are many students in our grade, I don't know everyone of them. | ❻ 高年级的同学经常帮助低年级的同学。Gāo niánjí de tóngxué jīngcháng bāngzhù dī niánjí de tóngxué. Senior students often help junior ones.

172. 年轻（年輕）niánqīng

<*adj.*> young

❶ 我们学校有很多年轻老师。Wǒmen xuéxiào yǒu hěn duō niánqīng lǎoshī. There are many young teachers in our school. | ❷ 我年轻的时候跑得很快。Wǒ niánqīng de shíhou pǎo de hěn kuài. I ran fast when I was young. | ❸ 你们现在还年轻，有些事情还不太懂。Nǐmen xiànzài hái niánqīng, yǒuxiē shìqing hái bú tài dǒng. You are still young now; there is always something you don't quite understand. | ❹ 我很羡慕你们年轻的一代。Wǒ hěn xiànmù nǐmen niánqīng de yí dài. I have great admiration for your younger generation. | ❺ 你穿上这件衣服，显得很年轻。Nǐ chuānshang zhè jiàn yīfu, xiǎnde hěn niánqīng. You look young in this dress. | ❻ 我们要重视这些年轻人，多给这些年轻人一些机会。Wǒmen yào zhòngshì zhèxiē niánqīng rén, duō gěi zhèxiē niánqīng rén yìxiē jīhuì. We should attach importance to these young people and give them more opportunities. | ❼ 你看起来比我年轻多了。Nǐ kàn qǐlai bǐ wǒ niánqīng duō le. You look much younger than I.

173. 鸟（鳥）niǎo radical: 鸟 strokes: 5

stroke order: 丿 勹 勺 鸟 鸟

<*n.*> bird

❶ 窗户外面有一只小鸟。Chuānghu wàimiàn yǒu yì zhī xiǎoniǎo. There's a little bird outside the window. | ❷ 公园里的鸟很多。Gōngyuán li de niǎo hěn duō. There are many birds in the park. | ❸ 他养了两只鸟。Tā yǎngle liǎng zhī niǎo. He keeps two birds. | ❹ 这只鸟叫得很好听。Zhè zhī niǎo jiào de hěn hǎotīng. The bird is singing beautifully. | ❺ 这些小鸟多可爱呀！ Zhèxiē xiǎoniǎo duō kě'ài ya! How adorable these birds are! | ❻ 北京有很多老人喜欢养鸟。Běijīng yǒu hěn duō lǎorén xǐhuan yǎng niǎo. Many senior citizens in Beijing like keeping birds.

174. 努力 nǔlì

<*adj.*> studious, arduous

❶ 他是个特别努力的学生。Tā shì ge tèbié nǔlì de xuésheng. He is a studious student. | ❷ 大家学习都非常努力。Dàjiā xuéxí dōu fēicháng nǔlì. Everyone studies hard. | ❸ 老师们每天都在努力地工作。Lǎoshīmen měi tiān dōu zài nǔlì de gōngzuò. The teachers work hard every day. | ❹ 这次考试同学们考得很好，希望你们继续努力。Zhè cì kǎoshì tóngxuémen kǎo de hěn hǎo, xīwàng nǐmen jìxù nǔlì. You had good performance in the exam. Please keep working hard! | ❺ 他做什么事情都很努力。Tā zuò shénme shìqing dōu hěn nǔlì. He put all his efforts into everything he does. | ❻ 如果你再努力一些，成绩会更好。Rúguǒ nǐ zài nǔlì yìxiē, chéngjì huì gèng hǎo. Work harder, then you'll have better academic performance. | ❼ 只要你努力去做，最后一定能成功。Zhǐyào nǐ nǔlì qù zuò, zuìhòu yídìng néng chénggōng. As long as you try your best, you'll succeed at last.

175. 爬山 pá shān

<*phr.*> climb a mountain

❶ 我们明天去爬山吧。Wǒmen míngtiān qù pá shān ba. Let's climb the mountain tomorrow. | ❷ 他每个星期六都去爬山。Tā měi ge xīngqī liù dōu qù pá shān. He climbs the mountain every Saturday. | ❸ 他最喜欢的运动是爬山。Tā zuì xǐhuan de yùndòng shì pá shān. Mountain climbing is his favorite sport. | ❹ 我爬山爬累了，想休息一会儿。Wǒ pá shān pá lèi le, xiǎng xiūxi yíhuìr. I'm tired out after climbing the mountain; I want to take a break. | ❺ 爬了一天的山，他已经很累了。Pále yì tiān de shān, tā yǐjīng hěn lèi le. After climbing the mountain the whole day, he was already exhausted. | ❻ 我的脚疼，爬不了山了。Wǒ de jiǎo téng, pá bu liǎo shān le. My foot is aching, so I can't climb the mountain.

176. 盘子（盤子）pánzi

<*n.*> plate

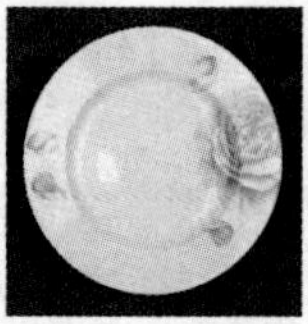

❶ 请你拿一个盘子来。Qǐng nǐ ná yí ge pánzi lái. Please bring me a plate. | ❷ 你做了这么多菜，家里的盘子都不够用了。Nǐ zuòle zhème duō cài, jiāli de pánzi dōu bú gòu yòng le. You've cooked so many dishes that we don't have enough plates for them. | ❸ 这个盘子是二百年以前的。Zhège pánzi shì èrbǎi nián yǐqián de. This plate was made 200 years ago. | ❹ 她家每次吃完饭，都是丈夫洗碗洗盘子。Tā jiā měi cì chīwán fàn, dōu shì zhàngfu xǐ wǎn xǐ pánzi. Her husband washes dishes after every meal in her family. | ❺ 把这两个菜放到一个盘子里。Bǎ zhè liǎng ge cài fàngdào yí ge pánzi li. Put the two dishes on one plate. | ❻ 我想买个大盘子，放水果。Wǒ xiǎng mǎi ge dà pánzi, fàng shuǐguǒ. I want to buy a big plate for the fruit.

177. 胖 pàng radical: 月 strokes: 9

stroke order: 丿 刀 月 月 月' 月' 月'' 月'' 胖

<*adj.*>(*as opposed to* "瘦 (shòu) *thin*") chubby, fat

❶ 她刚生了个胖儿子。Tā gāng shēngle ge pàng érzi. She just gave birth to a chubby baby boy. | ❷ 这孩子胖得快走不动路了。Zhè háizi pàng de kuài zǒu bu dòng lù le. The child is almost too fat to walk. | ❸ 奶奶病好了，最近也胖起来了。Nǎinai bìng hǎo le, zuìjìn yě pàng qǐlai le. My grandma has gained weight after she's recovered from her illness recently. | ❹ 这孩子胖胖的，显得很可爱。Zhè háizi pàngpàng de, xiǎnde hěn kě'ài. The kid looks chubby and lovely. | ❺ 这孩子最近吃得多，长胖了不少。Zhè háizi zuìjìn chī de duō, zhǎngpàngle bù shǎo. The kid has gained much weight because she's been eating too much recently. | ❻ 你不胖，用不着减肥。Nǐ bú pàng, yòng bu zháo jiǎnféi. You're not fat, so you don't need to lose weight. | ❼ 我们这些胖人就怕过夏天。Wǒmen zhèxiē pàng rén jiù pà guò xiàtiān. Being overweight, we hate summer.

178. 啤酒 píjiǔ

<*n.*> beer

❶ 你喝啤酒还是喝果汁？ Nǐ hē píjiǔ háishi hē guǒzhī? Would you like to drink beer or juice? | ❷ 昨天晚上他喝了五瓶啤酒。Zuótiān wǎnshang tā hēle wǔ píng píjiǔ. He drank five bottles of beer last night. | ❸ 爸爸吃饭时，喜欢喝啤酒。Bàba chīfàn shí, xǐhuan hē píjiǔ. Dad likes drinking beer at a meal. | ❹ 这些啤酒瓶子还可以卖给商店。Zhèxiē píjiǔ píngzi hái kěyǐ màigěi shāngdiàn. These beer bottles can be sold to the store. | ❺ 服务员，请拿两个啤酒杯来。Fúwùyuán, qǐng ná liǎng ge píjiǔbēi lái. Waitress, two beer glasses, please. | ❻ 我们每人来瓶啤酒怎么样？ Wǒmen měi rén lái píng píjiǔ zěnmeyàng? How about a beer for everyone?

179. 葡萄 pútao

<n.> grape

❶ 我买了三斤葡萄，两斤苹果。Wǒ mǎile sān jīn pútao, liǎng jīn píngguǒ. I bought 1.5 kilograms of grapes and a kilogram of apples. | ❷ 这些葡萄很甜，很好吃。Zhèxiē pútao hěn tián, hěn hǎochī. These grapes taste sweet and delicious. | ❸ 我喜欢喝红葡萄酒。Wǒ xǐhuan hē hóng pútaojiǔ. I like drinking red wine. | ❹ 这些葡萄放的时间太长了，很多都坏了。Zhèxiē pútao fàng de shíjiān tài cháng le, hěn duō dōu huài le. Many of these grapes are rotten due to long storage. | ❺ 我以前从没吃过这么好吃的葡萄。Wǒ yǐqián cóng méi chīguo zhème hǎochī de pútao. I have never had such delicious grapes.

180. 普通话（普通話）pǔtōnghuà

<n.> Mandarin (literally "Common Speech")

❶ 你会讲普通话吗？ Nǐ huì jiǎng pǔtōnghuà ma? Can you speak Mandarin? | ❷ 他的普通话说得很好。Tā de pǔtōnghuà shuō de hěn hǎo. He speaks Mandarin pretty well. | ❸ 我们老师都说普通话，我都能听懂。Wǒmen lǎoshī dōu shuō pǔtōnghuà, wǒ dōu néng tīngdǒng. All our teachers are Mandarin speakers, and I can understand what they say. | ❹ 我想跟你学习普通话，可以吗？ Wǒ xiǎng gēn nǐ xuéxí pǔtōnghuà, kěyǐ ma? Could I study Mandarin with you? | ❺ 普通话和北京话也不一样。Pǔtōnghuà hé Běijīnghuà yě bù yíyàng. Mandarin is also different from Beijing dialect. | ❻ 同学们都通过了汉语普通话考试。Tóngxuémen dōu tōngguòle Hànyǔ pǔtōnghuà kǎoshì. All the students passed the Mandarin exam. | ❼ 我的普通话不太好，你能听懂吗？ Wǒ de pǔtōnghuà bú tài hǎo, nǐ néng tīngdǒng ma? I don't have a good command of Mandarin; can you understand what I say?

181. 其实（其實）qíshí

<*adv.*> in reality, in fact

❶ 我以为他是美国人，其实他是英国人。Wǒ yǐwéi tā shì Měiguórén, qíshí tā shì Yīngguórén. I thought he was American; he's actually British. | ❷ 人们都以为他是中学生，其实他已经上大学了。Rénmen dōu yǐwéi tā shì zhōngxuéshēng, qíshí tā yǐjīng shàng dàxué le. Everyone thinks he is a high school student; in fact he's already been pursuing college education. | ❸ 他说自己不会唱歌，其实他唱得很好。Tā shuō zìjǐ bú huì chàng gē, qíshí tā chàng de hěn hǎo. He said he was a poor singer; in fact he sang pretty well. | ❹ 他看上去三十多岁，其实已经四十多岁了。Tā kàn shàngqu sānshí duō suì, qíshí yǐjīng sìshí duō suì le. He looks like in his 30s; in fact he's in his 40s. | ❺ 这些家具看着像木头的，其实是石头的。Zhèxiē jiājù kànzhe xiàng mùtou de, qíshí shì shítou de. It looks like wooden furniture, but it was actually made of stone. | ❻ 他表面上没说什么，其实心里很生气。Tā biǎomiànshang méi shuō shénme, qíshí xīnli hěn shēngqì. He said nothing, but he is in fact very angry. | ❼ 我其实不喜欢学音乐，是父母让我学的。Wǒ qíshí bù xǐhuan xué yīnyuè, shì fùmǔ ràng wǒ xué de. In fact, I don't like studying music. It was my parents who asked me to do it.

182. 其他 qítā

<*pron.*> other, else

❶ 你去买菜，其他事情我来做。Nǐ qù mǎi cài, qítā shìqing wǒ lái zuò. Please go to buy some vegetables. I'll take care of the rest. | ❷ 两位老人坐在这里，其他人站在他们左右。Liǎng wèi lǎorén zuò zài zhèli, qítā rén zhàn zài tāmen zuǒyòu. Please let the two elderly people sit here and the others standing on both sides of them. | ❸ 这次会议只有老王没来，其他人都来了。Zhè cì huìyì zhǐyǒu Lǎo Wáng méi lái, qítā rén dōu lái le. Except Mr. Wang, everybody else is here for the meeting. |

❹ 你快回家吧，其他事情你就别管了。Nǐ kuài huí jiā ba, qítā shìqing nǐ jiù bié guǎn le. Hurry back home and leave other things alone. | ❺ 我家只有哥哥会开车，其他人都不会。Wǒ jiā zhǐyǒu gēge huì kāi chē, qítā rén dōu bú huì. My elder brother is the only one in my family who can drive. | ❻ 我只去过日本，其他国家都没去过。Wǒ zhǐ qùguo Rìběn, qítā guójiā dōu méi qùguo. Except Japan, I haven't been to any other countries. | ❼ 只要能买到火车票，其他问题都好办。Zhǐyào néng mǎidào huǒchēpiào, qítā wèntí dōu hǎobàn. As long as you can buy a train ticket, everything else will be OK.

183. 奇怪 qíguài

<*adj.*> strange, weird

❶ 他有很多奇怪的想法。Tā yǒu hěn duō qíguài de xiǎngfǎ. He has a lot of strange ideas. | ❷ 这只狗长得非常奇怪，耳朵特别大。Zhè zhī gǒu zhǎng de fēicháng qíguài, ěrduo tèbié dà. The dog looks very weird: it has very big ears. | ❸ 昨天晚上我做了个奇怪的梦。Zuótiān wǎnshang wǒ zuòle ge qíguài de mèng. I had a weird dream last night. | ❹ 他今天穿得特别奇怪。Tā jīntiān chuān de tèbié qíguài. He is weirdly dressed today. | ❺ 这里的天气真奇怪，一会儿下雨一会儿下雪。Zhèli de tiānqì zhēn qíguài, yíhuìr xià yǔ yíhuìr xià xuě. The weather here is very strange; it rains for a while and then snows. | ❻ 他的表情显得有些奇怪。Tā de biǎoqíng xiǎnde yǒuxiē qíguài. He made some grotesque facial expressions. | ❼ 这是个很奇怪的问题。Zhè shì ge hěn qíguài de wèntí. This is a very strange question.

三级

184. 骑（騎）qí radical: 马 strokes: 11 stroke order: ㇇ 马 马 马 马 马 马 骀 骀 骑 骑

<*v.*> ride

❶ 他每天骑自行车上班。Tā měi tiān qí zìxíngchē shàngbān. He goes to work by bike every day. | ❷ 我喜欢骑马。Wǒ xǐhuan qí mǎ. I like horse riding. | ❸ 我看见他骑着车过去了。Wǒ kànjiàn tā qízhe chē guòqu le. I saw him passing by riding a bicycle. | ❹ 时间不多了，我们骑快点儿吧。Shíjiān bù duō le, wǒmen qí kuài diǎnr ba. Time is up. Let's ride faster. | ❺ 他骑了两个小时的自行车才赶到医院。Tā qíle liǎng ge xiǎoshí de zìxíngchē cái gǎndào yīyuàn. It took him two hours to ride to the hospital. | ❻ 孩子喜欢骑在爸爸身上玩儿。Háizi xǐhuan qí zài bàba shēnshang wánr. The kid likes riding on his father's back.

185. 铅笔（鉛筆）qiānbǐ

<*n.*> pencil

❶ 考试的时候，不能用铅笔写字。Kǎoshì de shíhou, bù néng yòng qiānbǐ xiě zì. We can't use a pencil in exams. | ❷ 他喜欢用铅笔画画儿。Tā xǐhuan yòng qiānbǐ huà huàr. He likes drawing pictures using a pencil. | ❸ 你能借我一只铅笔吗？ Nǐ néng jiè wǒ yì zhī qiānbǐ ma? Can you lend me a pencil? | ❹ 老师，我可以用铅笔写吗？ Lǎoshī, wǒ kěyǐ yòng qiānbǐ xiě ma? Can I use a pencil, sir? | ❺ 这支铅笔是红的，不是黑的。Zhè zhī qiānbǐ shì hóng de, bú shì hēi de. This pencil is red, not black. | ❻ 我的铅笔又断了。Wǒ de qiānbǐ yòu duàn le. My pencil is broken again.

186. 清楚 qīngchu

<*adj.*> clear, obvious

❶ 他讲得很清楚，我们都明白了。Tā jiǎng de hěn qīngchu, wǒmen dōu míngbai le. He said it so clearly that we all understood. | ❷ 对不起，我没听清楚。Duìbuqǐ, wǒ méi tīng qīngchu. Sorry, I didn't hear you clearly. | ❸ 我没听清楚，你能再说一遍吗？ Wǒ méi tīng qīngchu, nǐ néng zài shuō yí biàn ma? I didn't hear you clearly. Could you speak it again? | ❹ 我清楚地记得小时候的一些事情。Wǒ qīngchu de jìde xiǎoshíhou de yìxiē shìqing. I clearly recall something in my childhood. | ❺ 事实已经非常清楚了，我就不多说了。Shìshí yǐjīng fēicháng qīngchu le, wǒ jiù bù duō shuō le. The fact is very clear. I won't say more. | ❻ 他是个很认真的人，作业每次都写得清清楚楚的。Tā shì ge hěn rènzhēn de rén, zuòyè měi cì dōu xiě de qīngqīngchǔchǔ de. He is a conscientious man and does his homework with meticulous care every time. | ❼ 这么大声音，你们都能听清楚吗？Zhème dà shēngyīn, nǐmen dōu néng tīng qīngchu ma? Can you hear me clearly?

187. 秋 qiū radical: 禾 strokes: 9

stroke order: ㇒ 二 千 千 禾 禾 禾' 秒 秋

<*n.*> autumn

❶ 我是2011年秋结的婚。Wǒ shì 2011 nián qiū jié de hūn. I got married in the autumn of 2011. | ❷ 秋去冬来，又一年快过去了。Qiū qù dōng lái, yòu yì nián kuài guòqu le. Winter comes after autumn. Another year will soon pass away.| ❸ 那年秋，我们一起去了美国。Nànián qiū, wǒmen yìqǐ qùle Měiguó. We went together to the United States of America that autumn. | ❹ 这里一年四季春夏秋冬非常明显。Zhèli yì nián sì jì chūn-xià-qiū-dōng fēicháng míngxiǎn. It has four distinct seasons here. | ❺ 秋雨一连下了两天两夜。Qiūyǔ yì lián xiàle liǎng tiān liǎng yè. The autumn rain sustained for two whole days. | ❻ 北京的秋季是一年中最好的季节。Běijīng de qiūjì shì yì nián zhōng zuì hǎo de jìjié. Autumn is the best season of a year in Beijing.

三级

188. 裙子 qúnzi

<*n.*> skirt

❶ 女孩子都喜欢穿裙子。Nǚháizi dōu xǐhuan chuān qúnzi. All girls like wearing skirts. | ❷ 你穿这条红裙子很漂亮。Nǐ chuān zhè tiáo hóng qúnzi hěn piàoliang. You look very beautiful in the red skirt. | ❸ 她穿着条长裙子，显得个子很高。Tā chuānzhe tiáo cháng qúnzi, xiǎnde gèzi hěn gāo. She wears a long skirt and looks very tall. | ❹ 她昨天买了两条花裙子。Tā zuótiān mǎile liǎng tiáo huā qúnzi. She bought two flowery skirts yesterday. | ❺ 妈妈的裙子特别多，每天换一条。Māma de qúnzi tèbié duō, měi tiān huàn yì tiáo. Mom has a lot of skirts, and she changes her skirt every day. | ❻ 她特别喜欢穿裙子，冬天也穿。Tā tèbié xǐhuan chuān qúnzi, dōngtiān yě chuān. She likes wearing a skirt very much, even in winter.

189. 然后（然後）ránhòu

<*conj.*> then

❶ 我们先去北京，然后去上海。Wǒmen xiān qù Běijīng, ránhòu qù Shànghǎi. We go to Beijing first, and then to Shanghai. | ❷ 我打算先在国内学一点儿汉语，然后去中国旅游。Wǒ dǎsuàn xiān zài guónèi xué yìdiǎnr Hànyǔ, ránhòu qù Zhōngguó lǚyóu. I plan to learn some Chinese before going travelling around China. | ❸ 他想了半天，然后才回答我的问题。Tā xiǎngle bàntiān, ránhòu cái huídá wǒ de wèntí. He thought it over, then he answered my question. | ❹ 我们先学习拼音，然后再学习汉字。Wǒmen xiān xuéxí pīnyīn, ránhòu zài xuéxí Hànzì. We'll study *pinyin* before studying Chinese characters. | ❺ 你先吃饭，然后我们去书店。Nǐ xiān chīfàn, ránhòu wǒmen qù shūdiàn. You may have your meal first, and then we'll go to the bookstore. | ❻ 我先看看，然后再决定买不买。Wǒ xiān kànkan, ránhòu zài juédìng mǎi bù mǎi. Let me have a look first, and then I'll decide whether to buy it or not. | ❼ 昨天晚上我看了一会儿电视，然后又洗了几件衣服。Zuótiān wǎnshang wǒ kànle yíhuìr diànshì, ránhòu yòu xǐle jǐ jiàn yīfu. I watched TV for a while, then washed some clothes last night.

190. 热情（熱情）rèqíng

<*adj.*> enthusiastic, warm-hearted

❶ 这里的服务员对顾客很热情。Zhèli de fúwùyuán duì gùkè hěn rèqíng. The waiters here are very hospitable. | ❷ 他对人特别热情。Tā duì rén tèbié rèqíng. He treats people nicely. | ❸ 服务员热情地接待了我们。Fúwùyuán rèqíng de jiēdàile wǒmen. The waiter received us warmly. | ❹ 她每次见到我都热情地跟我打招呼。Tā měi cì jiàndào wǒ dōu rèqíng de gēn wǒ dǎ zhāohu. She greets me warmly every time she sees me. | ❺ 乘务员对这些外国游客热情极了。Chéngwùyuán duì zhèxiē wàiguó yóukè rèqíng jí le. The stewards are very hospitable to the foreign tourists. | ❻ 他态度热情，工作积极，受到了领导的表扬。Tā tàidu rèqíng, gōngzuò jījí, shòudàole lǐngdǎo de biǎoyáng. He was praised for his warm attitude and hard work. | ❼ 老师对学生们都很热情。Lǎoshī duì xuéshengmen dōu hěn rèqíng. The teacher treats the students nicely.

<*n.*> zeal, enthusiasm

❶ 他对学汉语很有热情。Tā duì xué Hànyǔ hěn yǒu rèqíng. He studies Chinese enthusiastically. | ❷ 这些人爱国的热情感动了我们。Zhèxiē rén ài guó de rèqíng gǎndòngle wǒmen. We were moved by their patriotism. | ❸ 父母要注意培养孩子们的学习热情。Fùmǔ yào zhùyì péiyǎng háizimen de xuéxí rèqíng. Parents should develop children's enthusiasm for study. | ❹ 他一直保持着写作的热情。Tā yìzhí bǎochízhe xiězuò de rèqíng. He maintained his passion in writing. | ❺ 丈夫看足球比赛的热情很高。Zhàngfu kàn zúqiú bǐsài de rèqíng hěn gāo. The husband is very enthusiastic when watching soccer games. | ❻ 你怎么对人一点儿热情也没有？Nǐ zěnme duì rén yìdiǎnr rèqíng yě méiyǒu? Why do you treat people without warmth?

191. 认为（認為）rènwéi

<*v.*> think

❶ 我认为他说得很对。Wǒ rènwéi tā shuō de hěn duì. I think he's right. | ❷ 大家都说那个电影好，他却认为没有意思。Dàjiā dōu shuō nàge diànyǐng hǎo, tā què rènwéi méiyǒu yìsi. Everyone says that's a good movie, but he thinks it's boring. | ❸ 我认为你不应该去见他。Wǒ rènwéi nǐ bù yīnggāi qù jiàn tā. I don't think you should meet him. | ❹ 我认为这件事情不是那么简单。Wǒ rènwéi zhè jiàn shìqing bú shì nàme jiǎndān. I don't think it is so simple. | ❺ 他被认为是班级里最聪明的学生。Tā bèi rènwéi shì bānjí li zuì cōngming de xuésheng. Everyone thinks he is the smartest student in the class. | ❻ 你认为会有人支持你吗？ Nǐ rènwéi huì yǒu rén zhīchí nǐ ma? Do you think someone will support you? | ❼ 对不起，我不这样认为。Duìbuqǐ, wǒ bú zhèyàng rènwéi. Sorry, I don't think so.

192. 认真（認真）rènzhēn

<*adj.*> serious, careful, conscientious

❶ 她是个非常认真的人。Tā shì ge fēicháng rènzhēn de rén. She is a very conscientious person. | ❷ 他做事情非常认真。Tā zuò shìqing fēicháng rènzhēn. He does everything with meticulous care. | ❸ 王老师讲得特别认真，学生们听得也很认真。Wáng lǎoshī jiǎng de tèbié rènzhēn, xuéshengmen tīng de yě hěn rènzhēn. Mr. Wang teaches the students carefully and the students listen to him carefully, too. | ❹ 如果你态度再认真一点儿，就不会出现这种错误。Rúguǒ nǐ tàidu zài rènzhēn yìdiǎnr, jiù bú huì chūxiàn zhè zhǒng cuòwù. You won't make such a mistake if you are more careful. | ❺ 我本来是开玩笑的，没想到他认真了。Wǒ běnlái shì kāi wánxiào de, méi xiǎngdào tā rènzhēn le. I was joking, but he took it seriously. | ❻ 他说的每一句话我们都应该认真地听。

Tā shuō de měi yí jù huà wǒmen dōu yīnggāi rènzhēn de tīng. We should listen to every word he says carefully. | ❼ 妹妹认真地问："真的有龙吗？" Mèimei rènzhēn de wèn: "Zhēn de yǒu lóng ma?" My younger sister asked seriously: "Does a dragon really exist?"

193. 容易 róngyì

<*adj.*> ① (*as opposed to* "*difficult*") easy

❶ 这次考试很容易，我考了90分。Zhè cì kǎoshì hěn róngyì, wǒ kǎole 90 fēn. This exam is very easy. I got 90 points. | ❷ 学习一门语言不是一件容易的事。Xuéxí yì mén yǔyán bú shì yí jiàn róngyì de shì. It is not easy to study a language. | ❸ 你觉得汉语容易学吗？ Nǐ juéde Hànyǔ róngyì xué ma? Do you think Chinese is easy to learn? | ❹ 什么事情都是看着容易，做起来难。Shénme shìqing dōu shì kànzhe róngyì, zuò qǐlai nán. It is easier said than done. | ❺ 第二个问题比第一个容易一些。Dì-èr ge wèntí bǐ dì-yī ge róngyì yìxiē. The second question is easier than the first one. | ❻ 这个问题不容易解决。Zhège wèntí bù róngyì jiějué. This problem is not easy to solve.

② likely, easily

❶ 这种浅颜色的衣服很容易脏。Zhè zhǒng qiǎn yánsè de yīfu hěn róngyì zāng. The light-coloured dress gets dirty easily. | ❷ 他身体不好，很容易生病。Tā shēntǐ bù hǎo, hěn róngyì shēngbìng. He has poor health and easily gets sick. | ❸ 天气太热了，很容易出汗。Tiānqì tài rè le, hěn róngyì chū hán. It's too hot and we get sweaty easily. | ❹ 她很容易生气，你说话要小心点儿。Tā hěn róngyì shēngqì, nǐ shuōhuà yào xiǎoxīn diǎnr. She gets angry easily; you'd better be careful about what you say. | ❺ 吸烟的人更容易得病。Xī yān de rén gèng róngyì débìng. Smokers are more easily to get sick.

194. 如果 rúguǒ

<*conj.*> if

❶ 明天如果下雨，我们就不去了。Míngtiān rúguǒ xià yǔ, wǒmen jiù bú qù le. We will not go if it rains. | ❷ 如果你喜欢，你就拿走吧。Rúguǒ nǐ xǐhuan, nǐ jiù názǒu ba. If you like it, you can take it. | ❸ 如果你明天有时间，就来吧。Rúguǒ nǐ míngtiān yǒu shíjiān, jiù lái ba. Please come if you are free tomorrow. | ❹ 如果你想学好汉语，就要多多努力。Rúguǒ nǐ xiǎng xuéhǎo Hànyǔ, jiù yào duōduō nǔlì. You should make more efforts if you want to study Chinese well. | ❺ 如果她爱你，就会跟你结婚。Rúguǒ tā ài nǐ, jiù huì gēn nǐ jiéhūn. If she loves you, she will marry you. | ❻ 如果你同意的话，我们就开始吧。Rúguǒ nǐ tóngyì dehuà, wǒmen jiù kāishǐ ba. Let's get it started if you agree. | ❼ 如果你不能来，就给我打个电话。Rúguǒ nǐ bù néng lái, jiù gěi wǒ dǎ ge diànhuà. Please call me if you can't come.

195. 伞（傘）sǎn　radical: 人　strokes: 6

stroke order: ノ 人 𠆢 仐 仺 伞

<*n.*> umbrella

❶ 下雨了，我们打伞吧。Xià yǔ le, wǒmen dǎ sǎn ba. It's raining. Let's use the umbrellas.| ❷ 雨天出门，别忘了带伞。Yǔtiān chūmén, bié wàngle dài sǎn. Don't forget to take the umbrella if you go out on rainy days. | ❸ 这把伞非常好看，我们买了吧。Zhè bǎ sǎn fēicháng hǎokàn, wǒmen mǎi le ba. This umbrella is very beautiful. Let's buy it. | ❹ 她们怕晒，都打着太阳伞。Tāmen pà shài, dōu dǎzhe tàiyángsǎn. They all use umbrellas to avoid getting tanned. | ❺ 我的那把伞坏了，不能用了。Wǒ de nà bǎ sǎn huài le, bù néng yòng le. My umbrella is broken and unusable. | ❻ 糟糕，下这么大雨，我忘了带伞。Zāogāo, xià zhème dà yǔ, wǒ wàngle dài sǎn. Shit! It's raining so hard and I forget to bring an umbrella with me!

196. 上网（上網）shàng//wǎng

<*v.*> surf the Internet

❶ 晚上我一般不看电视，我上网。Wǎnshang wǒ yìbān bú kàn diànshì, wǒ shàngwǎng. I usually don't watch TV at night; I surf the Internet. | ❷ 我的手机可以上网。Wǒ de shǒujī kěyǐ shàngwǎng. I can access the Internet using my cellphone. | ❸ 请问，房间里可以上网吗？ Qǐngwèn, fángjiān li kěyǐ shàngwǎng ma? Excuse me, is the Internet accessible in the room? | ❹ 你可以去附近的网吧上网。Nǐ kěyǐ qù fùjìn de wǎngbā shàngwǎng. You can go to the cybercafé to surf the Internet. | ❺ 你们这里上网多少钱一小时？ Nǐmen zhèli shàngwǎng duōshao qián yì xiǎoshí? How much for one hour's Internet surfing here? | ❻ 这孩子每天晚上都上网玩儿游戏。Zhè háizi měi tiān wǎnshang dōu shàngwǎng wánr yóuxì. The kid plays online games every night. | ❼ 我周末一般就是上上网，聊聊天儿。Wǒ zhōumò yìbān jiù shì shàngshangwǎng, liáoliaotiānr. I usually surf the Internet and chat online on weekends. | ❽ 我这台电脑上不了网了。Wǒ zhè tái diànnǎo shàng bu liǎo wǎng le. My computer is not connected to the Internet.

197. 生气（生氣）shēng//qì

<*v.*> get angry

❶ 我只是开玩笑，没想到他生气了。Wǒ zhǐ shì kāi wánxiào, méi xiǎngdào tā shēngqì le. I was just joking, but he got angry. | ❷ 她很容易生气，所以我们说话都很小心。Tā hěn róngyì shēngqì, suǒyǐ wǒmen shuōhuà dōu hěn xiǎoxīn. She gets angry easily, so we are all careful about what we say. | ❸ 妹妹一生气，就买很多吃的。Mèimei yì shēngqì, jiù mǎi hěn duō chī de. My younger sister buys a lot of food when she gets angry. | ❹ 她正在屋子里生气呢，你别进去了。Tā zhèngzài wūzi li shēngqì ne, nǐ bié jìnqu le. She is getting angry in the room. Please don't enter! | ❺ 这件事我告诉你，你可不许生气。Zhè jiàn shì wǒ gàosu nǐ, nǐ kě bù xǔ shēngqì. I'll tell you about it, but please don't get mad. | ❻ 你这是生谁的气呢? Nǐ zhè shì shēng shéi de qì ne? Who are you mad at? | ❼ 那天，我生了一肚子的气。Nà tiān, wǒ shēngle yí dùzi de qì. I was so angry that day.

198. 声音（聲音）shēngyīn

<*n.*> sound, voice

❶ 他说话的声音很好听。Tā shuōhuà de shēngyīn hěn hǎotīng. His voice is very pleasant to the ear. | ❷ 我听不到你的声音。Wǒ tīng bu dào nǐ de shēngyīn. I cannot hear you. | ❸ 你说话的声音能不能大点儿? Nǐ shuōhuà de shēngyīn néng bù néng dà diǎnr? Can you speak a little bit louder? | ❹ 刚才电话一点儿声音也没有。Gāngcái diànhuà yìdiǎnr shēngyīn yě méiyǒu. The phone went dead just now. | ❺ 你能把电视的声音开大一点儿吗? Nǐ néng bǎ diànshì de shēngyīn kāi dà yìdiǎnr ma? Can you turn up the TV? | ❻ 这声音是从哪儿发出来的啊? Zhè shēngyīn shì cóng nǎr fā chūlai de a? Where did the sound come from?

199. 使 shǐ radical: 亻 strokes: 8

stroke order: 丿 亻 亻一 亻㇐ 亻冖 亻口 伊 使

<*v.*> ① use

❶ 他会使筷子吃饭了。Tā huì shǐ kuàizi chīfàn le. He can use chopsticks. | ❷ 他画画儿的时候，喜欢使铅笔。Tā huà huàr de shíhou, xǐhuan shǐ qiānbǐ. He likes drawing pictures using a pencil. | ❸ 这个空调我就使过一次。Zhège kōngtiáo wǒ jiù shǐguo yí cì. I used this air conditioner only once. | ❹ 我这台电脑使了十年了，一点儿问题也没有。Wǒ zhè tái diànnǎo shǐle shí nián le, yìdiǎnr wèntí yě méiyǒu. My computer has been used for ten years and it still works perfectly. |

❺ 你使过的东西别乱放，还放回原处。Nǐ shǐguo de dōngxi bié luàn fàng, hái fànghuí yuánchù. Don't leave things around after using them. Please put them back. | ❻ 这本词典我不使了，还给你吧。Zhè běn cídiǎn wǒ bù shǐ le, huángěi nǐ ba. I won't use this dictionary any more. I'll return it to you.

② make do

❶ 他们的服务使大家很满意。Tāmen de fúwù shǐ dàjiā hěn mǎnyì. Everyone was satisfied with their service. | ❷ 这件事真使人生气。Zhè jiàn shì zhēn shǐ rén shēngqì. It really made me mad.| ❸ 跳舞能使人感到快乐，所以我很喜欢。Tiàowǔ néng shǐ rén gǎndào kuàilè, suǒyǐ wǒ hěn xǐhuan. Dance makes me happy, so I like it. | ❹ 他的话使我很吃惊。Tā de huà shǐ wǒ hěn chījīng. What he said surprised me. | ❺ 她为我做的这些事，使我慢慢爱上了她。Tā wèi wǒ zuò de zhèxiē shì, shǐ wǒ mànmàn àishangle tā. What she did for me made me fall in love with her gradually.

200. 世界 shìjiè

<*n.*> world

❶ 他在全世界都很有名。Tā zài quán shìjiè dōu hěn yǒumíng. He is famous around the world. | ❷ 你知道世界上有多少个国家吗？ Nǐ zhīdào shìjièshang yǒu duōshao ge guójiā ma? Do you know how many countries there are in the world? | ❸ 我想去世界各国旅游。Wǒ xiǎng qù shìjiè gè guó lǚyóu. I want to travel around the world. | ❹ 他差不多走遍了全世界。Tā chābuduō zǒubiànle quán shìjiè. He almost traveled all over the world. | ❺ 世界太大了，不可能每个地方都去到。Shìjiè tài dà le, bù kěnéng měi ge dìfang dōu qùdào. The world is so big; you can't visit every corner of it. | ❻ 电脑让世界变得越来越小了。Diànnǎo ràng shìjiè biàn de yuè lái yuè xiǎo le. Computers have made the world smaller.

三级

201. 瘦 shòu radical: 疒 strokes: 14 stroke order: ` 亠 广 疒 疒 疒 疒 疒 疔 疒 疖 疖 瘦 瘦

<*adj.*> ① (*as opposed to* "*fat*") thin

❶ 他个子不高，有点儿瘦。Tā gèzi bù gāo, yǒudiǎnr shòu. He's short and a little bit thin. | ❷ 他长得又高又瘦，戴个眼镜。Tā zhǎng de yòu gāo yòu shòu, dài ge yǎnjìng. He's tall and thin, wearing a pair of glasses. | ❸ 你这么瘦，还减肥呀？Nǐ zhème shòu, hái jiǎnféi ya? You are so thin. Why do you still want to lose your weight? | ❹ 他最近生病了，瘦了很多。Tā zuìjìn shēngbìng le, shòule hěn duō. He has been sick recently and lost much weight. | ❺ 你瘦了，是不是减肥了？Nǐ shòu le, shì bú shì jiǎnféi le? You've got thinner. Are you on a diet? | ❻ 这匹马吃得很少，越来越瘦了。Zhè pǐ mǎ chī de hěn shǎo, yuè lái yuè shòu le. The horse eats little and is getting thinner and thinner.

② (*of clothes, shoes or socks, as opposed to* "*large*") small

❶ 这件衣服又瘦又短，你穿不合适。Zhè jiàn yīfu yòu shòu yòu duǎn, nǐ chuān bù héshì. This dress is too tight and short for you. | ❷ 这条裤子太瘦了，我穿不进去。Zhè tiáo kùzi tài shòu le, wǒ chuān bu jìnqù. This pair of pants is too tight for me. | ❸ 这双鞋有点儿瘦，有没有肥一点儿的？Zhè shuāng xié yǒudiǎnr shòu, yǒu méiyǒu féi yìdiǎnr de? This pair of shoes is a little tight. Do you have a looser one? | ❹ 你适合穿瘦一点儿的衣服。Nǐ shìhé chuān shòu yìdiǎnr de yīfu. A tighter dress suits you better. | ❺ 这件衬衫再瘦一点儿就好了。Zhè jiàn chènshān zài shòu yìdiǎnr jiù hǎo le. It would be better if the shirt is tighter.

202. 叔叔 shūshu

<*n.*> ① uncle

❶ 我叔叔比我爸爸小两岁。Wǒ shūshu bǐ wǒ bàba xiǎo liǎng suì. My uncle is two years younger than my dad. | ❷ 他是我三叔叔。Tā shì wǒ sānshūshu. He is my third uncle. | ❸ 我有两个叔叔。Wǒ yǒu liǎng ge shūshu. I have two uncles. | ❹ 我叔叔对我很关心，经常打电话来。Wǒ shūshu duì wǒ hěn guānxīn, jīngcháng dǎ diànhuà lái. My uncle cares about me very much and often calls me. | ❺ 我爸妈死得早，是叔叔一家把我养大的。Wǒ bà-mā sǐ de zǎo, shì shūshu yì jiā bǎ wǒ yǎngdà de. My parents died at an early age, and I was raised by my uncle.

② *a respectful form of address to a man of the same generation as one's father's but younger*

❶ 王叔叔帮我们修好了电视。Wáng shūshu bāng wǒmen xiūhǎole diànshì. Uncle Wang repaired the TV set for us. | ❷ 李叔叔，您好！ Lǐ shūshu, nín hǎo! Hello, Uncle Li! | ❸ 刘叔叔开车技术很好。Liú shūshu kāichē jìshù hěn hǎo. Uncle Liu is a good driver. | ❹ 小学生们说："工人叔叔们，你们辛苦了。" Xiǎoxuéshēngmen shuō: "Gōngrén shūshumen, nǐmen xīnkǔ le." The pupils said to the workers, "Thank you for your hard work, uncles!"

203. 舒服 shūfu

<*adj.*> comfortable

❶ 我身体不舒服，不能去上课了。Wǒ shēntǐ bù shūfu, bù néng qù shàngkè le. I don't feel well, so I can't go to class. | ❷ 你觉得哪儿不舒服？ Nǐ juéde nǎr bù shūfu? What seems to be the problem? | ❸ 你要是觉得不舒服，就去看医生。Nǐ yàoshi juéde bù shūfu, jiù qù kàn yīshēng. If you don't feel well, please go to see the doctor. | ❹ 吃过药以后，我觉得舒服多了。Chīguo yào yǐhòu, wǒ juéde shūfu duō le. I feel much better after taking the pills. | ❺ 他们这些年，日子过得很舒服。Tāmen zhèxiē nián, rìzi guò de hěn shūfu. They have had a great life these years. | ❻ 坐火车比坐汽车舒服多了。Zuò huǒche bǐ zuò qìche shūfu duō le. It is much more comfortable to take a train than to take a bus. | ❼ 我的大床睡觉舒服极了。Wǒ de dà chuáng shuìjiào shūfu jí le. I sleep very comfortably in my big bed. | ❽ 回家后，他舒舒服服地洗了个澡。Huí jiā hòu, tā shūshufūfū de xǐle ge zǎo. He had a good bath after he went home.

204. 树（樹）shù radical: 木 strokes: 9 stroke order: 一 十 才 木 杈 权 权 树 树

<*n.*> tree

❶ 我们学校里树很多，所以夏天不那么热。Wǒmen xuéxiào li shù hěn duō, suǒyǐ xiàtiān bú nàme rè. There are a lot of trees in our school, so it's not so hot in summer. | ❷ 这棵树有二百多年历史了。Zhè kē shù yǒu èrbǎi duō nián lìshǐ le. This tree is over 200 years old. | ❸ 这条马路两边都是大树。Zhè tiáo mǎlù liǎngbiān dōu shì dà shù. Big trees are planted on both sides of the road. | ❹ 每年我们都要去山上种树。Měi nián wǒmen dōu yào qù shān shang zhòng shù. We plant trees on the mountain every year. | ❺ 树上有很多小鸟。Shù shang yǒu hěn duō xiǎoniǎo. There are plenty of little birds on the tree. | ❻ 我的窗外是一棵大树。Wǒ de chuāng wài shì yì kē dà shù. There is a big tree outside my window.

205. 数学（數學）shùxué

<*n.*> mathematics

❶ 我不喜欢学数学。Wǒ bù xǐhuan xué shùxué. I don't like studying mathematics. | ❷ 生活中到处都要用到数学知识。Shēnghuó zhōng dàochù dōu yào yòngdào shùxué zhīshi. Mathematics is everywhere in our life. | ❸ 上高中的时候，我的数学成绩一直都很好。Shàng gāozhōng de shíhou, wǒ de shùxué chéngjì yìzhí dōu hěn hǎo. I was good at mathematics when I studied in a senior high school. | ❹ 我们国家有很多有名的数学家。Wǒmen guójiā yǒu hěn duō yǒumíng de shùxuéjiā. There are a lot of famous mathematicians in our country.

206. 刷牙 shuā yá

<*phr.*> brush one's teeth

❶ 我刚起床，还没刷牙呢。Wǒ gāng qǐchuáng, hái méi shuā yá ne. I just got up and haven't brushed my teeth yet. | ❷ 我一般晚上十点刷牙睡觉。Wǒ yìbān wǎnshang shí diǎn shuā yá shuìjiào. I usually brush my teeth and go to sleep at 10 p.m. | ❸ 早中晚都要刷牙，牙齿才能健康。Zǎo-zhōng-wǎn dōu yào shuā yá, yáchǐ cái néng jiànkāng. You should brush your teeth in the morning, at noon and in the evening to keep them in good condition. | ❹ 这孩子就是不喜欢洗脸刷牙。Zhè háizi jiù shì bù xǐhuan xǐ liǎn shuā yá. The kid doesn't like washing his face and brushing his teeth. | ❺ 你要学会使用正确的刷牙方法。Nǐ yào xuéhuì shǐyòng zhèngquè de shuā yá fāngfǎ. You should learn to brush your teeth in the right way. | ❻ 刷牙的时间不能太短，也不能太长。Shuā yá de shíjiān bù néng tài duǎn, yě bù néng tài cháng. You shouldn't brush your teeth for too short or too long time. | ❼ 你早上刷没刷牙啊？ Nǐ zǎoshang shuā méi shuā yá a? Did you brush your teeth this morning? | ❽ 我每天早上和晚上都要刷三分钟牙。Wǒ měi tiān zǎoshang hé wǎnshang dōu yào shuā sān fēnzhōng yá. I brush my teeth for three minutes every morning and night.

207. 双（雙）shuāng radical: 又 strokes: 4

stroke order: ㇇ 又 双 双

<*m.*> pair, double

三级

❶ 我买了一双鞋。Wǒ mǎile yì shuāng xié. I bought a pair of shoes. | ❷ 这双袜子多少钱？ Zhè shuāng wàzi duōshao qián? How much is this pair of socks? | ❸ 桌子上有两双筷子了，你再拿一双就够了。Zhuōzi shang yǒu liǎng shuāng kuàizi le, nǐ zài ná yì shuāng jiù gòu le. There are already two pairs of chopsticks on the table. Please just bring one more pair. | ❹ 她有一双巧手，什么都会做。Tā yǒu yì shuāng qiǎo shǒu, shénme dōu huì zuò. She has good handicraft skills and can do everything.

<*adj.*> ① (*as opposed to* "*odd-numbered*") even-numbered

❶ 你的座位号是双号，请从这边进。Nǐ de zuòwèihào shì shuāng hào, qǐng cóng zhèbian jìn. Your seat is even-numbered. Please come this way. | ❷ 今天是双号，我的车限行。Jīntiān shì shuāng hào, wǒ de chē xiàn xíng. It's an even-numbered date today. I can't drive my car according to the traffic restrictions. | ❸ 每到双数的日子，我上夜班。Měi dào shuāng shù de rìzi, wǒ shàng yèbān. I'm on the night shift on each even-numbered date. | ❹ 这两天是双休日，我们休息。Zhè liǎng tiān shì shuāngxiūrì, wǒmen xiūxi. We're off on the two-day weekend.

② (*as opposed to* "*single*") symmetrical or paired

❶ 他张开双臂拥抱我。Tā zhāngkāi shuāng bì yōngbào wǒ. He hugged me with both arms. | ❷ 他能双手同时写字。Tā néng shuāng shǒu tóngshí xiě zì. He can write using both hands at the same time. | ❸ 他俩是双胞胎，长得一样。Tā liǎ shì shuāngbāotāi, zhǎng de yíyàng. They are twins and look just the same. | ❹ 他双手都不能动了。Tā shuāng shǒu dōu bù néng dòng le. He can't move either of his hands. | ❺ 婚姻需要男女双方共同经营。Hūnyīn xūyào nán-nǚ shuāngfāng gòngtóng jīngyíng. Marriage needs efforts from both sides.

208. 水平 shuǐpíng

<*n.*> level, standard

❶ 他的汉语水平很高。Tā de Hànyǔ shuǐpíng hěn gāo. He is proficient in the Chinese language. | ❷ 我想参加汉语水平考试。Wǒ xiǎng cānjiā Hànyǔ Shuǐpíng Kǎoshì. I want to sit the Chinese proficiency test (HSK). | ❸ 人们的生活水平越来越高了。Rénmen de shēnghuó shuǐpíng yuè lái yuè gāo le. People's living standards are higher and higher. | ❹ 我们的航天技术已经达到了世界先进水平。Wǒmen de hángtiān jìshù yǐjīng dádàole shìjiè xiānjìn shuǐpíng. Our space technology has came up to the advanced international standards. | ❺ 他俩的文化水平差不多。Tā liǎ de wénhuà shuǐpíng chàbuduō. They are of about the same educational level. | ❻ 他考试的时候太紧张了，没有考出真实水平。Tā kǎoshì de shíhou tài jǐnzhāng le, méiyǒu kǎochū zhēnshí shuǐpíng. He was too nervous in the examination and didn't give full play to his proficiency.

209. 司机（司機）sījī

<*n.*> driver

❶ 北京的出租车司机都很热情。Běijīng de chūzūchē sījī dōu hěn rèqíng. All the taxi drivers in Beijing are very hospitable. | ❷ 他是个老司机，开车二十多年了。Tā shì ge lǎo sījī, kāichē èrshí duō nián le. He is a senior driver with over 20 years of experience. | ❸ 司机还没来，我们都在等他。Sījī hái méi lái, wǒmen dōu zài děng tā. The driver hasn't arrived. We are all waiting for him. | ❹ 司机刚刚开车走了。Sījī gānggāng kāichē zǒu le. The driver just drove away. | ❺ 他是一名火车司机。Tā shì yì míng huǒchē sījī. He is a train driver. | ❻ 这位司机不但会开车，还会修车。Zhè wèi sījī búdàn huì kāichē, hái huì xiū chē. This driver can not only drive, but also repair the car. | ❼ 我们不用清楚路线，司机知道怎么走就可以了。Wǒmen búyòng qīngchu lùxiàn, sījī zhīdào zěnme zǒu jiù kěyǐ le. We don't need to know the way. It will be OK as long as the driver knows how to get there.

210. 虽然（雖然）suīrán

三级

<*conj.*> (*showing concession*) although, though

❶ 虽然她不爱我，但我依然很爱她。Suīrán tā bú ài wǒ, dàn wǒ yīrán hěn ài tā. Although she doesn't love me, I still love her very much. | ❷ 虽然天不好，可是他要去跑步。Suīrán tiān bù hǎo, kěshì tā yào qù pǎobù. He will go jogging despite the terrible weather. | ❸ 虽然我们不认识，但他仍主动帮助了我。Suīrán wǒmen bú rènshi, dàn tā réng zhǔdòng bāngzhùle wǒ. He gave me a hand though we don't know each other. | ❹ 虽然这个工作很难，但我有信心。Suīrán zhège gōngzuò hěn nán, dàn wǒ yǒu xìnxīn. Although it is a difficult job, I'm very confident. | ❺ 虽然火车已经走远了，可他还站在那里远望着。Suīrán huǒchē yǐjīng zǒuyuǎn le, kě tā hái zhàn zài nàli yuǎnwàngzhe. He is still standing there looking into the distance though the train has long gone. | ❻ 虽然不能上网，但我可以打电话跟他联系。Suīrán bù néng shàngwǎng, dàn wǒ kěyǐ dǎ diànhuà gēn tā liánxì. I don't have access to the Internet, but I can make phone calls to contact him. | ❼ 她虽然很努力，但学习成绩一直不太好。Tā suīrán hěn nǔlì, dàn xuéxí chéngjì yìzhí bú tài hǎo. Although she studies hard, she didn't have a good academic record.

211. 太阳（太陽）tàiyáng

<*n.*> ① sun

❶ 雨停了，出太阳了。Yǔ tíng le, chū tàiyáng le. The rain stopped and the sun rose. | ❷ 夏天早上五点，太阳就升起来了。Xiàtiān zǎoshang wǔ diǎn, tàiyáng jiù shēng qǐlai le. The sun rises at 5 a.m. in summer morning. | ❸ 现在是中午，太阳应该在南面。Xiànzài shì zhōngwǔ, tàiyáng yīnggāi zài nánmiàn. It's noon. The sun must be in the south. | ❹ 阴天了，看不到太阳了。Yīntiān le, kàn bu dào tàiyáng le. It's cloudy. We cannot see the sun.

② sunshine

❶ 太阳太亮了，照得人睁不开眼睛。Tàiyáng tài liàng le, zhào de rén zhēng bu kāi yǎnjing. The sun shines so brightly that people cannot open their eyes. | ❷ 他喜欢在外面坐着晒太阳。Tā xǐhuan zài wàimiàn zuòzhe shài tàiyáng. He likes sitting outside, enjoying the sunshine. | ❸ 这间屋子朝北，见不到太阳。Zhè jiān wūzi cháo běi, jiàn bu dào tàiyáng. The room faces north, so people in it cannot see the sunshine. | ❹ 太阳晒不到这里，我们换个地方吧。Tàiyáng shài bu dào zhèli, wǒmen huàn ge dìfang ba. There's no sunshine here. Let's move to another place. | ❺ 太阳照在身上，一点儿也不觉得冷。Tàiyáng zhào zài shēnshang, yìdiǎnr yě bù juéde lěng. The sun is shining on us, so we don't feel cold.

212. 糖 táng radical: 米 strokes: 16 stroke order: 丶 丷 䒑 半 米 米 米 米 粁 粐 粐 粐 糖 糖 糖 糖

<*n.*> sugar, candy

❶ 你的咖啡里要放糖吗？ Nǐ de kāfēi li yào fàng táng ma? Would you like some sugar in your coffee? | ❷ 这包是白糖，那包是红糖。Zhè bāo shì báitáng, nà bāo shì hóngtáng. This is a pack of white sugar and that's a pack of brown sugar. | ❸ 炒这个菜要多放点儿糖才好吃。Chǎo zhège cài yào duō fàng diǎnr táng cái hǎochī. The dish would taste better if you put more sugar when cooking it. | ❹ 他每次喝牛奶都要加糖。Tā měi cì hē niúnǎi dōu yào jiā táng. He puts sugar into his milk whenever he drinks it. | ❺ 你不要吃太多的糖，这样对身体不好。Nǐ búyào chī tài duō de táng, zhèyàng duì shēntǐ bù hǎo. Don't eat too much sugar. It's not good for your health. | ❻ 妈妈给了孩子两块糖。Māma gěile háizi liǎng kuài táng. The mom gave her kid two pieces of candy.

213. 特别 tèbié

<*adv.*> ① very, especially

❶ 见到你，我特别高兴。Jiàndào nǐ, wǒ tèbié gāoxìng. I'm very happy to see you. | ❷ 她长得特别漂亮。Tā zhǎng de tèbié piàoliang. She is very beautiful. | ❸ 这种水果特别贵。Zhè zhǒng shuǐguǒ tèbié guì. This kind of fruit is very expensive. | ❹ 我觉得中国菜特别好吃。Wǒ juéde Zhōngguócài tèbié hǎochī. I found Chinese food very delicious. | ❺ 弟弟特别爱看电影。Dìdi tèbié ài kàn diànyǐng. My younger brother likes seeing movies very much. | ❻ 外面特别冷，你多穿点儿。Wàimiàn tèbié lěng, nǐ duō chuān diǎnr. It's extremely cold outside. You'd better wear more clothes.

② especially

❶ 他喜欢打球，特别喜欢打篮球。Tā xǐhuan dǎ qiú, tèbié xǐhuan dǎ lánqiú. He likes playing balls, especially basketball. | ❷ 我喜欢喝茶，特别是

绿茶。Wǒ xǐhuan hē chá, tèbié shì lǜchá. I like drinking tea, especially green tea. | ❸ 这几天很冷，特别是昨天。Zhè jǐ tiān hěn lěng, tèbié shì zuótiān. It's very cold these days, especially yesterday. | ❹ 他想上大学，特别是有名的大学。Tā xiǎng shàng dàxué, tèbié shì yǒumíng de dàxué. He wants to be admitted into a college, especially a famous one. | ❺ 我很想念家人，特别是我妈妈。Wǒ hěn xiǎngniàn jiārén, tèbié shì wǒ māma. I miss my family very much, especially my mom.

<*adj.*> special

❶ 他跟别人不一样，是个很特别的人。Tā gēn biéren bù yíyàng, shì ge hěn tèbié de rén. He's different from others. He is a very special person. | ❷ 他说话的声音很特别。Tā shuōhuà de shēngyīn hěn tèbié. He speaks in a unique voice. | ❸ 他给我的礼物很特别，你绝对想不到。Tā gěi wǒ de lǐwù hěn tèbié, nǐ juéduì xiǎng bu dào. He gave me a very special gift that you can't imagine what it is. | ❹ 我们要好好儿庆祝一下这个特别的日子。Wǒmen yào hǎohāor qìngzhù yíxià zhège tèbié de rìzi. We should celebrate this special day. | ❺ 这个景点没什么特别的，我们走吧。Zhège jǐngdiǎn méi shénme tèbié de, wǒmen zǒu ba. There is nothing special in this scenic spot. Let's go.

214. 疼 téng radical: 疒 strokes: 10

stroke order: 丶 亠 广 广 疒 疒 疔 疚 疼 疼

<*adj.*> aching, hurtful

❶ 我头疼，可能是感冒了。Wǒ tóu téng, kěnéng shì gǎnmào le. I have a headache. Maybe I've caught a cold. | ❷ 你哪儿疼？ Nǐ nǎr téng? In which part of the body do you have pain? | ❸ 我这两天肚子疼，不能吃凉的。Wǒ zhè liǎng tiān dùzi téng, bù néng chī liáng de. I've got a stomachache these days and cannot eat cold food. | ❹ 我腿疼得厉害，走不了路了。Wǒ tuǐ téng de lìhai, zǒu bu liǎo lù le. I have a terrible pain in the legs and cannot walk. | ❺ 大夫，疼

死我了，有什么办法吗？ Dàifu, téngsǐ wǒ le, yǒu shénme bànfǎ ma? Doctor, the pain is killing me. Can you help me? Please! | ❻ 他特别怕疼，不想打针。Tā tèbié pà téng, bù xiǎng dǎzhēn. He is a coward about pain that he can't stand the injection. | ❼ 他头疼得一夜没睡好觉。Tā tóu téng de yí yè méi shuìhǎo jiào. He has got a bad headache, which kept him awake the whole night.

215. 提高 tígāo

<*v.*> improve

❶ 学了三个月了，你们的汉语水平都提高了。Xuéle sān ge yuè le, nǐmen de Hànyǔ shuǐpíng dōu tígāo le. After studying for three months, all of you have improved your Chinese. | ❷ 我想提高我的数学成绩。Wǒ xiǎng tígāo wǒ de shùxué chéngjì. I want to improve my mathematics. | ❸ 这些年，他们的生活水平在不断提高。Zhèxiē nián, tāmen de shēnghuó shuǐpíng zài búduàn tígāo. Their living standards have been improving these years. | ❹ 今年我们公司的产品质量提高了不少。Jīnnián wǒmen gōngsī de chǎnpǐn zhìliàng tígāole bù shǎo. We have greatly improved the quality of our products this year. | ❺ 我们要努力提高各个部门的办事效率。Wǒmen yào nǔlì tígāo gègè bùmén de bànshì xiàolǜ. We'll make great efforts to improve the work efficiency of each department. | ❻ 工作半年以后，他的办事能力有了很大的提高。Gōngzuò bàn nián yǐhòu, tā de bànshì nénglì yǒule hěn dà de tígāo. After working for half a year, he has greatly improved his competence.

216. 体育（體育）tǐyù

<*n.*> physical education

❶ 我们每个星期有两节体育课。Wǒmen měi ge xīngqī yǒu liǎng jié tǐyùkè. We have two physical education classes every week. | ❷ 他经常参加各种体育锻炼。

Tā jīngcháng cānjiā gèzhǒng tǐyù duànliàn. He often does various physical exercise. | ❸ 我一直坚持体育运动，比如跑步、打篮球等。Wǒ yìzhí jiānchí tǐyù yùndòng, bǐrú pǎobù、dǎ lánqiú děng. I've always been doing sports, such as jogging and playing basketball, etc. | ❹ 你喜欢什么体育项目？ Nǐ xǐhuan shénme tǐyù xiàngmù? What sports do you like? | ❺ 我最爱看的是体育类节目。Wǒ zuì ài kàn de shì tǐyù lèi jiémù. I like watching sports programs most. | ❻ 今天晚上有体育比赛，我们去看吧。Jīntiān wǎnshang yǒu tǐyù bǐsài, wǒmen qù kàn ba. A sport game will be held tonight. Let's go to watch it. | ❼ 这个学校体育活动开展得很好。Zhège xuéxiào tǐyù huódòng kāizhǎn de hěn hǎo. Sports activities are well-organized in this school.

217. 甜 tián radical: 舌 strokes: 11 stroke order: ㇒ ㇒ 千 千 舌 舌 舌一 舌十 甜 甜 甜

<*adj.*> sweet

❶ 这个菜是甜的，挺好吃的。Zhège cài shì tián de, tǐng hǎochī de. This dish is sweet and tastes delicious. | ❷ 这些苹果又大又甜。Zhèxiē píngguǒ yòu dà yòu tián. These apples are big and sweet. | ❸ 咖啡里糖放多了，太甜了。Kāfēi li táng fàngduō le, tài tián le. I put too much sugar in my coffee, and it's too sweet. | ❹ 他现在不能吃太多甜的东西。Tā xiànzài bù néng chī tài duō tián de dōngxi. He can't eat too much sweet food now. | ❺ 我尝了一口，觉得有点儿甜。Wǒ chángle yì kǒu, juéde yǒudiǎnr tián. I took a sip and felt it a little bit sweet. | ❻ 这里的水甜甜的，很好喝。Zhèli de shuǐ tiántián de, hěn hǎohē. The water here tastes sweet and delicious. | ❼ 你尝尝这个西瓜甜不甜。Nǐ chángchang zhège xīguā tián bù tián. Please taste this watermelon and see if it's sweet.

218. 条（條）tiáo radical: 夂 strokes: 7

stroke order: ノ ク 夂 冬 夅 条 条

<*m.*> ① *referring to something long and thin*

❶ 我买了一条鱼。Wǒ mǎile yì tiáo yú. I bought a fish. | ❷ 我家门前有一条河。Wǒ jiā mén qián yǒu yì tiáo hé. There's a river in front of my house. | ❸ 这条裤子有点儿肥。Zhè tiáo kùzi yǒudiǎnr féi. This pair of pants are sort of loose. | ❹ 桌子有条腿儿坏了。Zhuōzi yǒu tiáo tuǐr huài le. One of the legs of the table is broken. | ❺ 你沿着这条路走不远，就能到银行。Nǐ yánzhe zhè tiáo lù zǒu bù yuǎn, jiù néng dào yínháng. Walk along this road, you'll get to the bank. | ❻ 你把那条毛巾递给我。Nǐ bǎ nà tiáo máojīn dìgěi wǒ. Please pass me the towel.

② *referring to items of law, regulation, news, experience, or comments, etc.*

❶ 这部法律一共有二百多条。Zhè bù fǎlǜ yígòng yǒu èrbǎi duō tiáo. This law includes over 200 articles. | ❷ 根据这部法律的第二十条，你应当向他道歉并且赔偿他的损失。Gēnjù zhè bù fǎlǜ de dì-èrshí tiáo, nǐ yīngdāng xiàng tā dàoqiàn bìngqiě péicháng tā de sǔnshī. According to Article 20 of the law, you should apologize to him and compensate him for the losses caused. | ❸ 刚才我收到了一条短信。Gāngcái wǒ shōudàole yì tiáo duǎnxìn. I just received a text message. | ❹ 这条新闻刚刚播出，就引起了很大的反响。Zhè tiáo xīnwén gānggāng bōchū, jiù yǐnqǐle hěn dà de fǎnxiǎng. This news caused a great impact once it was broadcast. | ❺ 他提的这条意见很好。Tā tí de zhè tiáo yìjiàn hěn hǎo. He put forward a very good suggestion. | ❻ 这个使用说明一共有十二条。Zhège shǐyòng shuōmíng yígòng yǒu shí'èr tiáo. The instructions on how to use it include 12 items.

三级

219. 同事 tóngshì

<*n.*> colleague

❶ 我们上学的时候是同学，工作后又成了同事。Wǒmen shàngxué de

shíhou shì tóngxué, gōngzuò hòu yòu chéngle tóngshì. We were classmates in the school and colleagues at work. | ❷ 这辆车是我向同事借的。Zhè liàng chē shì wǒ xiàng tóngshì jiè de. I borrowed the bicycle from my colleague. | ❸ 他跟同事们的关系都很好。Tā gēn tóngshìmen de guānxì dōu hěn hǎo. He has a good relationship with all his colleagues. | ❹ 我遇到困难的时候，同事们帮了我不少忙。Wǒ yùdào kùnnan de shíhou, tóngshìmen bāngle wǒ bù shǎo máng. My colleagues gave me a lot of help when I was in trouble. | ❺ 我们都是一个办公室的同事，不用太客气。Wǒmen dōu shì yí ge bàngōngshì de tóngshì, búyòng tài kèqi. We are colleagues in the same office. Please don't stand on ceremony. | ❻ 下班以后，我们几个同事经常在一起踢足球。Xiàbān yǐhòu, wǒmen jǐ ge tóngshì jīngcháng zài yìqǐ tī zúqiú. I often play soccer with my colleagues after work.

220. 同意 tóngyì

<*v.*> agree

❶ 我同意你的看法。Wǒ tóngyì nǐ de kànfǎ. I agree with you. | ❷ 他同意借给我两万块钱。Tā tóngyì jiègěi wǒ liǎng wàn kuài qián. He agreed to lend me 20000 *yuan*. | ❸ 我们的计划经理已经同意了。Wǒmen de jìhuà jīnglǐ yǐjīng tóngyì le. Our planning manager has agreed. | ❹ 这个要求领导会同意吗？Zhège yāoqiú lǐngdǎo huì tóngyì ma? Will our leader approve this request? | ❺ 我很同意你们的想法。Wǒ hěn tóngyì nǐmen de xiǎngfǎ. I quite agree with you. | ❻ 大家对这个意见都表示同意。Dàjiā duì zhège yìjiàn dōu biǎoshì tóngyì. Everyone agreed with this opinion. | ❼ 我不同意这样做，太危险了。Wǒ bù tóngyì zhèyàng zuò, tài wēixiǎn le. I don't agree to do so. It's too dangerous.

221. 头发（頭髮）tóufa

<*n.*> hair

❶ 他的头发又黑又亮。Tā de tóufa yòu hēi yòu liàng. His hair is black and shinny. | ❷ 我的头发长了，该理发了。Wǒ de tóufa cháng le, gāi lǐfà le. My hair is long and needs to be cut. | ❸ 他虽然六十多岁了，但没有白头发。Tā suīrán liùshí duō suì le, dàn méiyǒu bái tóufa. Although he's over 60, he doesn't have gray hair. | ❹ 他每天洗一次头发。Tā měi tiān xǐ yí cì tóufa. He washes his hair every day. | ❺ 她头发长长的，眼睛大大的，显得很漂亮。Tā tóufa chángcháng de, yǎnjing dàdà de, xiǎnde hěn piàoliang. She is a beautiful girl with long hair and big eyes. | ❻ 她黄头发、蓝眼睛，很漂亮。Tā huáng tóufa、lán yǎnjing, hěn piàoliang. She is a beautiful blonde.

222. 突然 tūrán

<*adj.*> sudden

❶ 他来得太突然了，我完全没有想到。Tā lái de tài tūrán le, wǒ wánquán méiyǒu xiǎngdào. He came so suddenly and unexpectedly. | ❷ 刚才还是晴天，怎么突然下起雨来了？ Gāngcái háishi qíngtiān, zěnme tūrán xiàqǐ yǔ lái le? It was sunny just now. How come it's raining suddenly? | ❸ 电话突然响了，吓了我一跳。Diànhuà tūrán xiǎng le, xiàle wǒ yí tiào. The phone rang suddenly and startled me. | ❹ 他突然提出了这个问题，我一时不知道怎么回答。Tā tūrán tíchūle zhège wèntí, wǒ yì shí bù zhīdào zěnme huídá. He suddenly asked me this question and I didn't know how to answer it. | ❻ 事情来得太突然了，大家都没了主意。Shìqing lái de tài tūrán le, dàjiā dōu méile zhǔyi. It happened too suddenly. No one knew what to do. | ❼ 我正在吃饭，突然停电了。Wǒ zhèngzài chīfàn, tūrán tíng diàn le. The power suddenly went out when I was having the meal. | ❽ 这次考试很突然，学生们事先都没准备。Zhè cì kǎoshì hěn tūrán, xuéshengmen shìxiān dōu méi zhǔnbèi. This exam came so suddenly that the students were not prepared for it.

223. 图书馆（圖書館）túshūguǎn

<*n.*> library

❶ 这座漂亮的大楼是国家图书馆。Zhè zuò piàoliang de dàlóu shì guójiā túshūguǎn. This beautiful building is the National Library. | ❷ 我在学校图书馆也没借到这本书。Wǒ zài xuéxiào túshūguǎn yě méi jièdào zhè běn shū. I didn't get this book from the school library, either. | ❸ 这些书都是从图书馆借的。Zhèxiē shū dōu shì cóng túshūguǎn jiè de. All these books are borrowed from the library. | ❹ 她每个周末都要去国家图书馆。Tā měige zhōumò dōu yào qù guójiā túshūguǎn. She goes to the National Library every weekend. | ❺ 这是北京最大的儿童图书馆。Zhè shì Běijīng zuì dà de értóng túshūguǎn. This is the largest children's library in Beijing. | ❻ 我下周该去图书馆还书了。Wǒ xià zhōu gāi qù túshūguǎn huán shū le. I'll have to return the books to the library next week.

224. 腿 tuǐ radical: 月 strokes: 13 stroke order: 丿 月 月 月 月⁷ 月⁷ 月ᄏ 月ᄐ 月ᄐ 月艮 月艮 腿 腿

<*n.*> leg

❶ 她腿很长，身材很好。Tā tuǐ hěn cháng, shēncái hěn hǎo. She has long legs and a good figure. | ❷ 我最近腿疼，走不了太多的路。Wǒ zuìjìn tuǐ téng, zǒu bu liǎo tài duō de lù. My leg hurts recently, so I can't walk for a long time. | ❸ 他踢足球的时候腿受伤了。Tā tī zúqiú de shíhou tuǐ shòushāng le. He hurt his leg when playing soccer. | ❹ 孩子喜欢坐在爸爸的腿上看电视。Háizi xǐhuan zuò zài bàba de tuǐ shang kàn diànshì. The kid likes watching TV sitting on his dad's legs. | ❺ 我腿站累了，想坐下休息一会儿。Wǒ tuǐ zhànlèi le, xiǎng zuòxia xiūxi yíhuìr. I felt tired from standing, so I wanted to sit down and have a rest. | ❻ 她的腿细，穿这条裤子没问题。Tā de tuǐ xì, chuān zhè tiáo kùzi méi wèntí. Her legs are slim and the pants will fit her well.

225. 完成 wán//chéng

<*v.*> finish, accomplish

❶ 今天的作业我都完成了。Jīntiān de zuòyè wǒ dōu wánchéng le. I've finished all my today's homework. | ❷ 我们已经提前完成了今年的工作计划。Wǒmen yǐjīng tíqián wánchéngle jīnnián de gōngzuò jìhuà. We've fulfilled the work plan for this year ahead of time. | ❸ 今年的任务还没有完成，大家继续努力吧。Jīnnián de rènwù hái méiyǒu wánchéng, dàjiā jìxù nǔlì ba. We haven't finished our task for this year. Keep working hard! | ❹ 你们工作完成得很好，值得表扬。Nǐmen gōngzuò wánchéng de hěn hǎo, zhídé biǎoyáng. You should be praised for the great job you did. | ❺ 请你放心，我们保证按时完成任务。Qǐng nǐ fàngxīn, wǒmen bǎozhèng ànshí wánchéng rènwù. Please rest assured. We promise we'll finish the task on time. | ❻ 这么多的工作你们完得成完不成？ Zhème duō de gōngzuò nǐmen wán de chéng wán bu chéng? Can you finish so much work?

226. 碗 wǎn radical: 石 strokes: 13 stroke order: 一 丆 丆 石 石 石 石` 石宀 矿 矽 砂 砂 碗

<*n.*> bowl

❶ 服务员，再拿两个碗来！ Fúwùyuán, zài ná liǎng ge wǎn lái! Waitress, bring two more bowls, please. | ❷ 碗里的米饭太多了，吃不了。Wǎn li de mǐfàn tài duō le, chī bu liǎo. There is too much rice in my bowl. I can't eat it up. | ❸ 这些碗都是中国生产的。Zhèxiē wǎn dōu shì Zhōngguó shēngchǎn de. All these bowls are made in China. | ❹ 我不小心把碗摔碎了。Wǒ bù xiǎoxīn bǎ wǎn shuāisuì le. I broke the bowl by accident. | ❺ 你负责做饭，我负责洗碗。Nǐ fùzé zuòfàn, wǒ fùzé xǐ wǎn. Please do the cooking and I'll wash the bowls.

<*m.*>a utensil to hold food

❶ 他吃了两碗饭。Tā chīle liǎng wǎn fàn. He ate two bowls of rice. | ❷ 我喝

了一大碗汤，差不多饱了。Wǒ hēle yí dà wǎn tāng, chàbuduō bǎo le. I had a big bowl of soup and am almost full. | ❸ 你别客气，再吃一碗吧。Nǐ bié kèqi, zài chī yì wǎn ba. Help yourself, and have one more bowl, please.

227. 万（萬）wàn radical: 一 strokes: 3 order stroke: 一 丆 万

<*num.*> ten thousand

❶ 这辆汽车二十多万。Zhè liàng qìchē èrshí duō wàn. This car costs more than 200000 *yuan*. | ❷ 我们学校有两万多学生。Wǒmen xuéxiào yǒu liǎng wàn duō xuésheng. There are over 20000 students in our school. | ❸ 这次运动会有上万人参加。Zhè cì yùndònghuì yǒu shàng wàn rén cānjiā. More than 10000 students participated in the sports meeting. | ❹ 那天有好几万人观看了足球比赛。Nàtiān yǒu hǎojǐ wàn rén guānkànle zúqiú bǐsài. Tens of thousands of people watched the soccer game that day. | ❺ 她每个月能挣两万三千多块钱。Tā měi ge yuè néng zhèng liǎngwàn sānqiān duō kuài qián. She earns over 23000 *kuai* every month.

228. 忘记（忘記）wàngjì

<*v.*> forget

❶ 十几年不联系，我已经忘记她的名字了。Shíjǐ nián bù liánxì, wǒ yǐjīng wàngjì tā de míngzi le. We have lost contact for more than ten years, so I have forgotten her name. | ❷ 他经常忘记妻子的生日。Tā jīngcháng wàngjì qīzi de shēngrì. He often forgets his wife's birthday. | ❸ 以前的事情你难道都忘记了吗？Yǐqián de shìqing nǐ nándào dōu wàngjì le ma? Have you forgotten what happened? | ❹ 他说过的话很快就忘记了。Tā shuōguo de huà hěn kuài jiù wàngjì le. He forgot what he said quickly. | ❺ 我们永远不会忘记你。Wǒmen yǒngyuǎn bú huì wàngjì nǐ. We'll never forget you. | ❻ 我忘记带那本书了。Wǒ wàngjì dài nà běn shū le. I forgot to bring that book. | ❼ 那些不高兴的事我忘记得很快。Nàxiē bù gāoxìng de shì wǒ wàngjì de hěn kuài. I forget those unhappy things very fast.

229. 为（為）wèi radical: 丶 strokes: 4 stroke order: 丶 丿 为 为

<prep.> ① (*introducing the object of an action*) for

❶ 你上大学了，大家都为你高兴。Nǐ shàng dàxué le, dàjiā dōu wèi nǐ gāoxìng. You are admitted into a college. Everyone is happy for you. | ❷ 你要多为父母想想，他们也不容易。Nǐ yào duō wèi fùmǔ xiǎngxiang, tāmen yě bù róngyì. You should be more considerate to your parents. It's not easy for them, either. | ❸ 我生病的时候，他每天为我做饭。Wǒ shēngbìng de shíhou, tā měi tiān wèi wǒ zuòfàn. When I was sick, he cooked for me every day. | ❹ 谢谢你为我们做了这么多菜。Xièxie nǐ wèi wǒmen zuòle zhème duō cài. Thank you for cooking so much food. | ❺ 他为我们带来了好消息。Tā wèi wǒmen dàiláile hǎo xiāoxi. He has brought us good news.

② (*introducing the purpose or reason of an action*) to, in order to

❶ 他为学习汉语来到中国。Tā wèi xuéxí Hànyǔ láidào Zhōngguó. He came to China to study Chinese. | ❷ 运动员们在为比赛做准备。Yùndòngyuánmen zài wèi bǐsài zuò zhǔnbèi. The athletes are preparing for the match. | ❸ 为快速提高学习成绩，他每天晚上学习到十二点。Wèi kuàisù tígāo xuéxí chéngjì, tā měi tiān wǎnshang xuéxí dào shí'èr diǎn. To get better academic performance, he studied until 12 p.m. every night. | ❹ 为买电脑，他三个月没买新衣服了。Wèi mǎi diànnǎo, tā sān ge yuè méi mǎi xīn yīfu le. To buy a computer, he hasn't bought a new garment in the past three months. | ❺ 他们都是为看比赛而来的。Tāmen dōu shì wèi kàn bǐsài ér lái de. They all came to watch the game.

230. 为了（為了）wèile

<prep.> (*introducing the purpose of an action*) for, to

❶ 为了你的安全，请你不要离开这里。Wèile nǐ de ānquán, qǐng nǐ búyào líkāi zhèli. For your own safety, please don't leave here. | ❷ 为了让大家满意，我辛苦点儿没什么。Wèile ràng dàjiā mǎnyì, wǒ xīnkǔ diǎnr méi shénme. I'm glad to work hard to keep everyone satisfied. | ❸ 我努力工作是为了买个大房子。Wǒ nǔlì gōngzuò shì wèile mǎi ge dà fángzi. I work hard to buy a big house. | ❹ 他为了能让妻子高兴，想出了各种办法。Tā wèile néng ràng qīzi gāoxìng, xiǎngchūle gè zhǒng bànfǎ. He tried every means to cheer up his wife. | ❺ 为了感谢老师，我们特意给老师写了一首歌儿。Wèile gǎnxiè lǎoshī, wǒmen tèyì gěi lǎoshī xiěle yì shǒu gēr. We wrote a song especially for my teacher to thank him. | ❻ 为了学好汉语，他住在了中国人的家里。Wèile xuéhǎo Hànyǔ, tā zhù zài le Zhōngguórén de jiāli. He lives with a Chinese family to study Chinese well.

231. 位 wèi radical: 亻 strokes: 7

stroke order: 丿 亻 亻' 亻亠 亻亣 位 位

<*m.*> *a measure word for persons (to show one's respect)*

❶ 您好，请进。请问您几位？Nín hǎo, qǐng jìn. Qǐngwèn nín jǐ wèi? Come in, please. How many of you? | ❷ 明天公司要来三位贵宾。Míngtiān gōngsī yào lái sān wèi guìbīn. Three distinguished guests will come to our company tomorrow. | ❸ 我现在走不开，家里来了几位重要的客人。Wǒ xiànzài zǒu bu kāi, jiāli láile jǐ wèi zhòngyào de kèrén. I cannot leave. Some distinguished guests came to my home. | ❹ 我来介绍一下，这位是王先生，这位是李小姐。Wǒ lái jièshào yíxià, zhè wèi shì Wáng xiānsheng, zhè wèi shì Lǐ xiǎojiě. Let me introduce you. This is Mr. Wang, and this is Miss Li.

232. 文化 wénhuà

<*n.*> ① culture

❶ 我对中国文化非常感兴趣。Wǒ duì Zhōngguó wénhuà fēicháng gǎn xìngqù. I'm very interested in Chinese culture. | ❷ 我想研究中国古代文化。Wǒ xiǎng yánjiū Zhōngguó gǔdài wénhuà. I want to study ancient Chinese culture. | ❸ 最近这两个国家加强了文化交流。Zuìjìn zhè liǎng ge guójiā jiāqiángle wénhuà jiāoliú. These two countries strengthened their cultural communication recently. | ❹ 每个国家都有自己的文化。Měi ge guójiā dōu yǒu zìjǐ de wénhuà. Every country has its own culture. | ❺ 我们公司的文化生活非常丰富。Wǒmen gōngsī de wénhuà shēnghuó fēicháng fēngfù. Our company pays much attention to enriching corporate culture. | ❻ 我们要继承优秀的传统文化。Wǒmen yào jìchéng yōuxiù de chuántǒng wénhuà. We should carry forward our outstanding traditional culture.

② education, culture, schooling, literacy

❶ 爷爷没上过学，没什么文化。Yéye méi shàngguo xué, méi shénme wénhuà. My grandpa never went to school and is illiterate. | ❷ 这些年，农民们都努力学文化、学技术，进步很大。Zhèxiē nián, nóngmínmen dōu nǔlì xué wénhuà、xué jìshù, jìnbù hěn dà. All the farmers are trying hard to acquire literacy and learn technologies and have made great progress these years. | ❸ 文化水平提高了，很多事情也就自然明白了。Wénhuà shuǐpíng tígāo le, hěn duō shìqing yě jiù zìrán míngbai le. Once a person gets a better education, he can understand many things naturally. | ❹ 他很有文化，听说是研究生毕业。Tā hěn yǒu wénhuà, tīngshuō shì yánjiūshēng bìyè. He is well-educated. It is said he graduated with a Master Degree. | ❺ 我没妻子文化程度高。Wǒ méi qīzi wénhuà chéngdù gāo. I am less educated than my wife.

233. 西 xī radical: 西 strokes: 6

stroke order: 一 丅 丙 丙 两 西

三级

<*n.*> west

❶ 一直往西走，就是15号楼。Yìzhí wǎng xī zǒu, jiù shì 15 hào lóu. Go straight west, you'll find Building 15. | ❷ 我分不清哪边是东，哪边是西。Wǒ fēn bu qīng nǎbian shì dōng, nǎbian shì xī. I cannot tell east from west. | ❸ 下午三点多了，太阳已经向西倾斜了。Xiàwǔ sān diǎn duō le, tàiyáng yǐjīng xiàng xī qīngxié le. It's past 3 p.m. The sun is shining westward. | ❹ 我的窗户朝西，下午能见到太阳。Wǒ de chuānghu cháo xī, xiàwǔ néng jiàndào tàiyáng.

My windows face west and I can see the sun in the afternoon. | ❺ 路西是商店，路东是邮局。Lù xī shì shāngdiàn, lù dōng shì yóujú. The store is on the west side of the road and the post office is on the east. | ❻ 这里常常刮西风。Zhèli chángcháng guā xīfēng. Wind often blows westward here.

234. 习惯（習慣）xíguàn

<*n.*> habit

❶ 他有早睡早起的习惯。Tā yǒu zǎo shuì zǎo qǐ de xíguàn. He keeps early hours. | ❷ 他有睡懒觉的习惯，每天早上十点多才起床。Tā yǒu shuì lǎnjiào de xíguàn, měi tiān zǎoshang shí diǎn duō cái qǐchuáng. He has the habit of oversleeping and gets up later than 10 a.m. every morning. | ❸ 早上起来先喝一杯水，这是他多年的习惯。Zǎoshang qǐlai xiān hē yì bēi shuǐ, zhè shì tā duō nián de xíguàn. For years, he drinks a glass of water as soon as he gets up in the morning. | ❹ 这是他多年养成的习惯，很难改了。Zhè shì tā duō nián yǎngchéng de xíguàn, hěn nán gǎi le. This has been his habit for years and is not easy to change. | ❺ 我吃饭的习惯是先喝汤，再吃饭。Wǒ chīfàn de xíguàn shì xiān hē tāng, zài chī fàn. Drinking soup before eating rice is my eating habit. | ❻ 你觉得什么是好习惯，什么是坏习惯？ Nǐ juéde shénme shì hǎo xíguàn, shénme shì huài xíguàn? What do you think is a good habit, and a bad one?

<*v.*> get/be used to

❶ 我还不习惯这里的生活。Wǒ hái bù xíguàn zhèli de shēnghuó. I am still not getting used to the life here. | ❷ 来中国后，我别的方面都习惯了，就是吃的方面还不习惯。Lái Zhōngguó hòu, wǒ bié de fāngmiàn dōu xíguàn le, jiù shì chī de fāngmiàn hái bù xíguàn. After I came to China, I'm used to everything else except the food. | ❸ 刚到美国的时候，他什么都不习惯。Gāng dào Měiguó de shíhou, tā shénme dōu bù xíguàn. He was not used to anything after he just arrived in the United States of America. | ❹ 我习惯了早睡早起。Wǒ xíguànle zǎo shuì zǎo qǐ. I'm used to keeping early hours. | ❺ 我习惯一边听音乐，一边写作业。Wǒ xíguàn yìbiān tīng yīnyuè, yìbiān xiě zuòyè. I'm used to listening to the music while doing my homework. | ❻ 我知道你不习惯吃西餐，所以特地准备了中餐。Wǒ zhīdào nǐ bù xíguàn chī xīcān, suǒyǐ tèdì zhǔnbèile zhōngcān. I know you are not used to eating Western food, so I prepared Chinese food specially for you.

235. 洗手间（洗手間）xǐshǒujiān

<*n.*> washroom, toilet

❶ 请问，洗手间在什么地方？Qǐngwèn, xǐshǒujiān zài shénme dìfang? Excuse me, where is the washroom? | ❷ 对不起，我去一下洗手间。Duìbuqǐ, wǒ qù yíxià xǐshǒujiān. Sorry, I'll use the bathroom. | ❸ 他上洗手间了，一会儿就回来。Tā shàng xǐshǒujiān le, yíhuìr jiù huílai. He's gone to the washroom and will be back soon. | ❹ 这儿的洗手间打扫得很干净。Zhèr de xǐshǒujiān dǎsǎo de hěn gānjìng. The washroom here is kept very clean. | ❺ 左边是男洗手间，右边是女洗手间。Zuǒbian shì nán xǐshǒujiān, yòubian shì nǚ xǐshǒujiān. The Men's Room is on the left, and the Women's Room is on the right. | ❻ 二楼的洗手间人很多，你去三楼吧。Èr lóu de xǐshǒujiān rén hěn duō, nǐ qù sān lóu ba. Many people are using the washrooms on the second floor. Please go to the ones on the third floor.

236. 洗澡 xǐ//zǎo

<*v.*> bathe

❶ 我刚才在洗澡，没听到来电话。Wǒ gāngcái zài xǐzǎo, méi tīngdào lái diànhuà. I was bathing, so I missed the call just now. | ❷ 他去洗澡了，你等一会儿吧。Tā qù xǐzǎo le, nǐ děng yíhuìr ba. He went bathing. Please wait a moment. |

❸ 你们这里能不能洗澡？ Nǐmen zhèli néng bù néng xǐzǎo? Can I take a bath here? | ❹ 我一天不洗澡就很难受。Wǒ yì tiān bù xǐzǎo jiù hěn nánshòu. I'll feel awful if I don't bathe for a single day. | ❺ 他习惯每天早上洗澡。Tā xíguàn měi tiān zǎoshang xǐzǎo. He is used to taking a bath every morning. | ❻ 我每天睡觉前都洗个澡，感觉很舒服。Wǒ měi tiān shuìjiào qián dōu xǐ ge zǎo, gǎnjué hěn shūfu. I take a bath before going to bed every night, which makes me feel great. | ❼ 我洗完澡以后再给你打电话吧。Wǒ xǐwán zǎo yǐhòu zài gěi nǐ dǎ diànhuà ba. I'll call you after I take a bath.

237. 夏 xià radical: 夂 strokes: 10

stroke order: 一 丆 丆 丙 丙 百 百 頁 夏 夏

<*n.*> summer

❶ 2011 年夏，我们结婚了。2011 nián xià, wǒmen jiéhūn le. We got married in the summer of 2011. | ❷ 五月初，这里的人们就都穿上了夏装。Wǔ yuè chū, zhèli de rénmen jiù dōu chuānshangle xiàzhuāng. All the people here wear summer clothes at the beginning of May. | ❸ 那年初夏，我们一起去了美国。Nànián chūxià, wǒmen yìqǐ qùle Měiguó. We went to the United States of America at the beginning of summer that year. | ❹ 这里一年四季春夏秋冬非常明显。Zhèli yì nián sì jì chūn-xià-qiū-dōng fēicháng míngxiǎn. The four seasons, namely, spring, summer, autumn and winter, are very distinct here. | ❺ 这里的夏季非常热，气温最高能达到 40 多度。Zhèli de xiàjì fēicháng rè, qìwēn zuì gāo néng dádào 40 duō dù. The summer is very hot here; the highest temperature reaches higher than 40℃. | ❻ 刚刚入夏，天气就热了起来。Gānggāng rù xià, tiānqì jiù rèle qǐlai. It's getting hot when summer just began.

238. 先 xiān radical: 儿 strokes: 6

stroke order: ノ 𠂉 𠂇 生 失 先

<*adv.*> first

❶ 你先坐一会儿，我马上就回来。Nǐ xiān zuò yíhuìr, wǒ mǎshàng jiù huílai. Sit a while, please. I'll be right back. | ❷ 你先喝杯水，我们慢慢谈。Nǐ xiān hē bēi shuǐ, wǒmen mànmàn tán. Please have a glass of water, and then we'll talk about the details. | ❸ 你等我一会儿，我先去一下洗手间。Nǐ děng wǒ yíhuìr, wǒ xiān qù yíxià xǐshǒujiān. Wait a moment. I'll use the bathroom first. | ❹ 你先别告诉我，让我想想。Nǐ xiān bié gàosu wǒ, ràng wǒ xiǎngxiang. Don't tell me now. Let me think it over. | ❺ 你先听我说完，你再发表你的意见。Nǐ xiān tīng wǒ shuōwán, nǐ zài fābiǎo nǐ de yìjiàn. Just listen to me first, and then tell me your opinion. | ❻ 你先想想这件事应该怎么做。Nǐ xiān xiǎngxiang zhè jiàn shì yīnggāi zěnme zuò. You should think twice before doing it. | ❼ 我发现很多中国人先喝酒，再吃饭。Wǒ fāxiàn hěn duō Zhōngguórén xiān hē jiǔ, zài chī fàn. I found many Chinese would drink before eating.

239. 相同 xiāngtóng

<*adj.*> same

❶ 我和他的爱好相同。Wǒ hé tā de àihào xiāngtóng. I have the same hobby as his. | ❷ 我们的想法完全相同。Wǒmen de xiǎngfǎ wánquán xiāngtóng. We have exactly the same idea. | ❸ 你能看出两张画儿有什么相同的地方吗？ Nǐ néng kànchū liǎng zhāng huàr yǒu shénme xiāngtóng de dìfang ma? Could you tell me the similarities between the two pictures? | ❹ 对于这部电影，我们有相同的看法。Duìyú zhè bù diànyǐng, wǒmen yǒu xiāngtóng de kànfǎ. We have the same opinion about this movie. | ❺ 相同的爱好和相似的经历使他们走到了一起。Xiāngtóng de àihào hé xiāngsì de jīnglì shǐ tāmen zǒudàole yìqǐ.

The same hobby and similar experience brought them together. | ❻ 她们虽然是姐妹，可性格一点儿也不相同。Tāmen suīrán shì jiěmèi, kě xìnggé yìdiǎnr yě bù xiāngtóng. Although they are sisters, they have totally different personalities.

240. 相信 xiāngxìn

<*v.*> believe

❶ 我们是老朋友了，我相信你。Wǒmen shì lǎo péngyou le, wǒ xiāngxìn nǐ. We are old friends. I trust you. | ❷ 我相信她说的话是真的。Wǒ xiāngxìn tā shuō de huà shì zhēn de. I believe what she said is right. | ❸ 他相信自己能够成功。Tā xiāngxìn zìjǐ nénggòu chénggōng. He believes he will succeed. | ❹ 我相信你们会学好汉语的。Wǒ xiāngxìn nǐmen huì xuéhǎo Hànyǔ de. I believe you'll learn Chinese language well. | ❺ 他的话你也相信？ Tā de huà nǐ yě xiāngxìn? Do you believe his words? | ❻ 相信我吧，我会让你幸福的。Xiāngxìn wǒ ba, wǒ huì ràng nǐ xìngfú de. Trust me! I'll make you happy. | ❼ 我相信科学，从不迷信。Wǒ xiāngxìn kēxué, cóng bù míxìn. I believe in science, not superstition.

241. 香蕉 xiāngjiāo

<*n.*> banana

❶ 我买了三斤香蕉。Wǒ mǎile sān jīn xiāngjiāo. I bought 1.5 kilograms of banana. | ❷ 这种香蕉很好吃。Zhè zhǒng xiāngjiāo hěn hǎochī. This kind of banana is delicious. | ❸ 他每次吃完饭以后，都要再吃一根香蕉。Tā měi cì chīwán fàn yǐhòu, dōu yào zài chī yì gēn xiāngjiāo. He also wants to eat a banana after each meal. | ❹ 我爱吃香蕉，不爱吃苹果。Wǒ ài chī xiāngjiāo, bú ài chī píngguǒ. I like bananas rather than apples. | ❺ 香蕉多少钱一斤？ Xiāngjiāo duōshao qián yì jīn? How much are the bananas half a kilogram? | ❻ 这些香蕉看起来很好，我们买几斤吧。Zhèxiē xiāngjiāo kàn qǐlai hěn hǎo, wǒmen mǎi jǐ jīn ba. These bananas look great. Let' buy some.

242. 像 xiàng radical: 亻 strokes: 13 stroke order: ノ 亻 亻 亻 亻 亻 亻 伊 伊 侈 傍 像 像

<v.> ① take after, be like, resemble

❶ 他俩长得很像。Tā liǎ zhǎng de hěn xiàng. They look exactly like each other. | ❷ 他的鼻子像爸爸，眼睛像妈妈。Tā de bízi xiàng bàba, yǎnjing xiàng māma. His nose resembles his father's and eyes resemble his mother's. | ❸ 这张照片不太像你。Zhè zhāng zhàopiàn bú tài xiàng nǐ. The person in this photo doesn't look like you. | ❹ 这个女孩儿像花儿一样漂亮。Zhège nǚháir xiàng huār yíyàng piàoliang. The girl is as pretty as a flower. | ❺ 男人像山，女人像水。Nánrén xiàng shān, nǚrén xiàng shuǐ. Men are like mountains and women are like water. | ❻ 他学老师说话，学得可像了。Tā xué lǎoshī shuōhuà, xué de kě xiàng le. His imitation of his teacher's way of speaking was so successful.

② such as

❶ 我很喜欢中国文化，像茶文化、酒文化等等。Wǒ hěn xǐhuan Zhōngguó wénhuà, xiàng cháwénhuà、jiǔwénhuà děngděng. I like Chinese culture very much, such as the tea culture and wine culture, etc. | ❷ 我们的老师说话都很有意思，像李老师、王老师等等。Wǒmen de lǎoshī shuōhuà dōu hěn yǒu yìsi, xiàng Lǐ lǎoshī、Wáng lǎoshī děngděng. All our teachers speak humorously, such as Mr. Li and Mr. Wang. | ❸ 我很喜欢体育运动，像打篮球、踢足球等等。Wǒ hěn xǐhuan tǐyù yùndòng, xiàng dǎ lánqiú、tī zúqiú děngděng. I like sports very much, such as playing basketball and football, etc. | ❹ 北京有很多有名的大学，像北京大学、清华大学等等。Běijīng yǒu hěn duō yǒumíng de dàxué, xiàng Běijīng Dàxué、Qīnghuá Dàxué děngděng. There are many famous universities in Beijing, such as Peking University and Tsinghua University.

<*n.*> picture

❶ 教学楼的墙上挂着很多科学家的画像。Jiàoxuélóu de qiáng shang guàzhe hěn duō kēxuéjiā de huàxiàng. There are many scientists' photos hanging on the wall of the classroom building. | ❷ 你给我画一张像吧。Nǐ gěi wǒ huà yì zhāng xiàng ba. Please draw a picture for me. | ❸ 你知道这张像是谁画的吗? Nǐ zhīdào zhè zhāng xiàng shì shéi huà de ma? Do you know who drew this picture? | ❹ 他桌子上摆着很多电影明星的像。Tā zhuōzi shang bǎizhe hěn duō diànyǐng míngxīng de xiàng. There are many movie stars' photos on his desk.

243. 小心 xiǎoxīn

<*v.*> be careful, mind

❶ 小心前面的汽车! Xiǎoxīn qiánmiàn de qìchē! Mind the car in front of you. | ❷ 小心刀子，别把手划破了。Xiǎoxīn dāozi, bié bǎ shǒu huápò le. Be careful about the knife. Don't get your fingers cut. | ❸ 小心脚下的台阶! Xiǎoxīn jiǎo xià de táijiē! Mind your steps! | ❹ 外边冷，小心别感冒了。Wàibian lěng, xiǎoxīn bié gǎnmào le. It's cold outside. Be careful not to catch a cold. | ❺ 这是开水，小心别烫着你。Zhè shì kāi shuǐ, xiǎoxīn bié tàngzháo nǐ. This is boiled water. Be careful not to get scalded.

<*adj.*> careful

❶ 我每次过马路都特别小心。Wǒ měi cì guò mǎlù dōu tèbié xiǎoxīn. I'm very careful each time I cross the road. | ❷ 他很小心地拿起了玻璃杯。Tā hěn xiǎoxīn de náqǐle bōlibēi. He took up the glass very carefully. | ❸ 他小心地把手表放了进去。Tā xiǎoxīn de bǎ shǒubiǎo fàngle jìnqu. He put in the watch carefully. | ❹ 骑车过马路的时候一定要小心一点儿。Qí chē guò mǎlù de shíhou yídìng yào xiǎoxīn yìdiǎnr. Be careful when you cross the road by bike. | ❺ 我不小心把杯子摔破了。Wǒ bù xiǎoxīn bǎ bēizi shuāipò le. I broke the cup by accident.

244. 校长（校長）xiàozhǎng

<n.> principal, schoolmaster, president

❶ 下面欢迎校长讲话。Xiàmiàn huānyíng xiàozhǎng jiǎnghuà. Now, let's welcome the schoolmaster to give us a speech. | ❷ 校长出席了我们的毕业典礼。Xiàozhǎng chūxíle wǒmen de bìyè diǎnlǐ. The schoolmaster attended our graduation ceremony. | ❸ 这个大学有五个副校长。Zhège dàxué yǒu wǔ ge fùxiàozhǎng. There are five vice presidents in this university. | ❹ 很多中学校长也参加了这次会议。Hěn duō zhōngxué xiàozhǎng yě cānjiāle zhè cì huìyì. Many middle school principals attended this conference, too. | ❺ 他退休以前是大学校长。Tā tuìxiū yǐqián shì dàxué xiàozhǎng. He was the president of a university before his retirement. | ❻ 校长、老师和学生一起参加了这次活动。Xiàozhǎng、lǎoshī hé xuésheng yìqǐ cānjiāle zhè cì huódòng. The schoolmaster and teachers joined the students' activity.

245. 鞋 xié radical: 革 strokes: 15 stroke order: 一 十 廾 廿 廿 芇 芇 苎 革 革一 革十 革土 鞋 鞋 鞋

<n.> shoe

❶ 这双鞋太旧了，我不穿。Zhè shuāng xié tài jiù le, wǒ bù chuān. This pair of shoes is too worn out to be used. | ❷ 你穿多大号的鞋？Nǐ chuān duō dà hào de xié? What's your shoe size? | ❸ 这双足球鞋是我两年前买的。Zhè shuāng zúqiúxié shì wǒ liǎng nián qián mǎi de. I bought this pair of soccer shoes two years ago. | ❹ 请问，这双鞋多少钱？Qǐngwèn, zhè shuāng xié duōshao qián? Excuse me, how much is this pair of shoes? | ❺ 我的鞋怎么只剩一只了？那只呢？Wǒ de xié zěnme zhǐ shèng yì zhī le? Nà zhī ne? How come there's only one of my shoes left? Where is the other one? | ❻ 这种运动鞋穿着很舒服。Zhè zhǒng yùndòngxié chuānzhe hěn shūfu. This kind of sneaker is very comfortable to wear. | ❼ 这儿的女鞋很多，男鞋少一些。Zhèr de nǚ xié hěn duō, nán xié shǎo yìxiē. There are many women's shoes and not so many men's shoes here.

246. 新闻（新聞）xīnwén

<*n.*> ① news

❶ 他每天都要看电视新闻。Tā měi tiān dōu yào kàn diànshì xīnwén. He watches TV news every day. | ❷ 今天的新闻没报道什么大事。Jīntiān de xīnwén méi bàodào shénme dà shì. There is no big news today. | ❸ 你看报纸上的新闻了吗？ Nǐ kàn bàozhǐ shang de xīnwén le ma? Did you read the news in the newspaper? | ❹ 这是电视新闻里说的，肯定是真的。Zhè shì diànshì xīnwén li shuō de, kěndìng shì zhēn de. I've heard it from the TV news. I'm sure it's true. | ❺ 今天最大的新闻是日本发生了地震。Jīntiān zuì dà de xīnwén shì Rìběn fāshēngle dìzhèn. The biggest news today is the earthquake in Japan. | ❻ 我现在都是在网上看新闻。Wǒ xiànzài dōu shì zài wǎng shang kàn xīnwén. I read news online now. | ❼ 他是新闻记者，工作很辛苦。Tā shì xīnwén jìzhě, gōngzuò hěn xīnkǔ. He is a hard-working journalist.

② something new, rumor

❶ 最近，学校里的新闻很多。Zuìjìn, xuéxiào li de xīnwén hěn duō. There is a lot of news at school recently. | ❷ 你又有什么新闻要告诉我们啊？ Nǐ yòu yǒu shénme xīnwén yào gàosu wǒmen a? What's the news you want to tell us? | ❸ 这不算新闻，我们早就知道了。Zhè bú suàn xīnwén, wǒmen zǎo jiù zhīdào le. That's no news to us. We've known it for a long time. | ❹ 他离婚的事，成了单位今天的新闻。Tā líhūn de shì, chéngle dānwèi jīntiān de xīnwén. His divorce has been today's news around his company.

247. 新鲜 xīnxiān

<adj.> ① fresh

❶ 这些黄瓜都是新鲜的，今天刚摘的。Zhèxiē huángguā dōu shì xīnxiān de, jīntiān gāng zhāi de. All these cucumbers are fresh and were just picked today. | ❷ 多吃新鲜水果，对健康有好处。Duō chī xīnxiān shuǐguǒ, duì jiànkāng yǒu hǎochù. Eating more fresh fruits is good for your health. | ❸ 这肉很新鲜，你放心买吧。Zhè ròu hěn xīnxiān, nǐ fàngxīn mǎi ba. The meat is very fresh; you can rest assured to buy it. | ❹ 苹果放在冰箱里，能保持新鲜。Píngguǒ fàng zài bīngxiāng li, néng bǎochí xīnxiān. Apples can be kept fresh if they are kept in the refrigerator. | ❺ 这花儿不怎么新鲜了，便宜点儿吧。Zhè huār bù zěnme xīnxiān le, piányi diǎnr ba. The flower is not so fresh. Can you lower the price? | ❻ 这些葡萄看起来更新鲜一些。Zhèxiē pútao kàn qǐlai gèng xīnxiān yìxiē. These grapes look fresher.

② fresh (air), containing no impurities

❶ 早上公园里的空气非常新鲜。Zǎoshang gōngyuán li de kōngqì fēicháng xīnxiān. The air in the park is very fresh in the morning. | ❷ 刚下了一场雨，空气新鲜多了。Gāng xiàle yì cháng yǔ, kōngqì xīnxiān duō le. The air gets fresher after the rain. | ❸ 屋子里的空气不新鲜了，打开窗户吧。Wūzi li de kōngqì bù xīnxiān le, dǎkāi chuānghu ba. The air in the room is stale. Let's open the window. | ❹ 我们出去呼吸一下新鲜空气吧。Wǒmen chūqu hūxī yíxià xīnxiān kōngqì ba. Let's go out for some fresh air.

③ new, rare, novel

❶ 二十年前手机还很新鲜，现在几乎人人都有了。Èrshí nián qián shǒujī hái hěn xīnxiān, xiànzài jīhū rénrén dōu yǒu le. Cellphones were something new twenty years ago, but now almost everybody has one. | ❷ 他每天总有一些新鲜事儿告诉大家。Tā měi tiān zǒng yǒu yìxiē xīnxiān shìr gàosu dàjiā. Every day he has something new to tell us. | ❸ 这种玩具挺新鲜的，我从来没见过。Zhè zhǒng wánjù tǐng xīnxiān de, wǒ cónglái méi jiànguo. This is a novel toy.

I haven't seen it before. | ❹ 他刚来中国的时候，觉得什么都新鲜。Tā gāng lái Zhōngguó de shíhou, juéde shénme dōu xīnxiān. When he just came to China, everything was new to him. | ❺ 你这办法没什么新鲜的，我早就用过。Nǐ zhè bànfǎ méi shénme xīnxiān de, wǒ zǎo jiù yòngguo. There is nothing new in your method. I have tried it a long time ago.

248. 信 xìn radical: 亻 strokes: 9

stroke order: ノ 亻 亻' 亻' 亻' 亻' 亻' 信 信

<*v.*> believe, trust

❶ 他说的话，你都信？ Tā shuō de huà, nǐ dōu xìn? Can you believe what he said? | ❷ 他俩要结婚了，你信不信？ Tā liǎ yào jiéhūn le, nǐ xìn bú xìn? Can you believe they are going to get married? | ❸ 我不信他回国了。Wǒ bú xìn tā huí guó le. I don't believe he has gone back to his country. | ❹ 我以后再也不信他的话了。Wǒ yǐhòu zài yě bú xìn tā de huà le. I'll never believe what he says later. | ❺ 我要怎么说你才信呢？ Wǒ yào zěnme shuō nǐ cái xìn ne? What shall I say to make you believe me? | ❻ 你是我最好的朋友，我信得过你。Nǐ shì wǒ zuì hǎo de péngyou, wǒ xìn de guò nǐ. You are my best friend. I trust you.

<*n.*> letter, message

❶ 这封信寄到美国要多少钱？ Zhè fēng xìn jìdào Měiguó yào duōshao qián? How much does it cost to send this letter to the United States of America? | ❷ 我现在很少给家里写信了。Wǒ xiànzài hěn shǎo gěi jiāli xiě xìn le. I seldom write letters to my family now. | ❸ 我给他发过短信了，他还没回。Wǒ gěi tā fāguo duǎnxìn le, tā hái méi huí. I sent him a text message and he hasn't replied to it. | ❹ 她收到了妈妈从非洲寄来的信，非常高兴。Tā shōudàole māma cóng Fēizhōu jìlai de xìn, fēicháng gāoxìng. She is very glad to receive her mother's letter from Africa. | ❺ 爸爸在信中说他很想我。Bàba zài xìn zhōng shuō tā hěn xiǎng wǒ. Dad said in his letter he missed me very much. | ❻ 我昨天忘了给他们写回信。Wǒ zuótiān wàngle gěi tāmen xiě huíxìn. I forgot to reply their letter yesterday.

249. 行李箱 xínglixiāng

<*n.*> suitcase

❶ 这个行李箱太大了，不可以随身带上飞机。Zhège xínglixiāng tài dà le, bù kěyǐ suíshēn dàishang fēijī. This suitcase is too big to take with you on the plane. | ❷ 对不起，请打开您的行李箱好吗？ Duìbuqǐ, qǐng dǎkāi nín de xínglixiāng hǎo ma? Excuse me, would you please open your suitcase? | ❸ 这个行李箱太重，我们两个人抬吧。Zhège xínglixiāng tài zhòng, wǒmen liǎng ge rén tái ba. This suitcase is too heavy. Let's carry it together. | ❹ 我的行李箱里就几件衣服，没什么别的。Wǒ de xínglixiāng li jiù jǐ jiàn yīfu, méi shénme bié de. There is nothing but some clothes in my suitcase. | ❺ 我的行李箱找不到了，您能帮助我吗？ Wǒ de xínglixiāng zhǎo bu dào le, nín néng bāngzhù wǒ ma? I can't find my suitcase. Could you help me? | ❻ 这个小姑娘提着一个非常大的行李箱。Zhège xiǎogūniang tízhe yí ge fēicháng dà de xínglixiāng. This little girl is carrying a very big suitcase.

250. 兴趣（興趣）xìngqù

<*n.*> interest

❶ 我对中国文化很感兴趣。Wǒ duì Zhōngguó wénhuà hěn gǎn xìngqù. I'm very interested in Chinese culture. | ❷ 我的兴趣和爱好很多，比如游泳、打篮球等。Wǒ de xìngqù hé àihào hěn duō, bǐrú yóuyǒng、dǎ lánqiú děng. I have a variety of interests and hobbies, such as swimming, playing basketball, etc. | ❸ 最近，他对中国历史产生了很大的兴趣。Zuìjìn, tā duì Zhōngguó lìshǐ chǎnshēngle hěn dà de xìngqù. He has great interest in Chinese history recently. | ❹ 我们踢足球怎么样？你感不感兴趣？ Wǒmen tī zúqiú zěnmeyàng? Nǐ gǎn bù gǎn xìngqù? How about playing soccer? Are you interested in it? | ❺ 兴趣是可以培养的。Xìngqù shì kěyǐ péiyǎng de. Interests can be developed. | ❻ 我们俩是好朋友，有共同的兴趣和爱好。Wǒmen liǎ shì hǎo péngyou, yǒu gòngtóng de xìngqù hé àihào. We are good friends and have common interests and hobbies. | ❼ 没什么东西能引起他的兴趣。Méi shénme dōngxi néng yǐnqǐ tā de xìngqù. Nothing can arouse his interest.

251. 熊猫 xióngmāo

<*n.*> panda

❶ 熊猫的样子非常可爱。Xióngmāo de yàngzi fēicháng kě'ài. The panda looks very cute. | ❷ 我特别爱去动物园看熊猫。Wǒ tèbié ài qù dòngwùyuán kàn xióngmāo. I like seeing pandas in the zoo very much. | ❸ 大熊猫为什么爱吃竹子？Dàxióngmāo wèi shénme ài chī zhúzi? Why do giant pandas like eating bamboo leaves? | ❹ 中国送给了美国两只大熊猫。Zhōngguó sònggěile Měiguó liǎng zhī dàxióngmāo. China gave two giant pandas to the United States of America. | ❺ 熊猫是世界上最珍贵的动物之一。Xióngmāo shì shìjièshang zuì zhēnguì de dòngwù zhī yī. Panda is one of the most precious animals in the world.

252. 需要 xūyào

<*v.*> ① need

❶ 你需要什么就告诉我。Nǐ xūyào shénme jiù gàosu wǒ. Please tell me what you need. | ❷ 我现在需要一台电脑。Wǒ xiànzài xūyào yì tái diànnǎo. I need a computer now. | ❸ 我特别需要一本英汉词典。Wǒ tèbié xūyào yì běn Yīng-Hàn cídiǎn. I am in urgent need of an English-Chinese dictionary. | ❹ 这个时候他最需要你的支持。Zhège shíhou tā zuì xūyào nǐ de zhīchí. He needs your support most at this time. | ❺ 我们需要的是科学技术方面的人才。Wǒmen xūyào de shì kēxué jìshù fāngmiàn de réncái. We need talents in science and technology. | ❻ 汽车、房子我都不需要，我就需要你在身边。Qìchē、fángzi wǒ dōu bù xūyào, wǒ jiù xūyào nǐ zài shēnbiān. I don't need a car or a house. I just need you to be here with me.

② should, must

❶ 你这病需要到大医院去看了。Nǐ zhè bìng xūyào dào dà yīyuàn qù kàn le. You need to see a doctor in a big hospital. | ❷ 我们需要马上解决这些问题。Wǒmen xūyào mǎshàng jiějué zhèxiē wèntí. We should solve these problems right now. | ❸ 我需要认真考虑才能做出决定。Wǒ xūyào rènzhēn kǎolǜ cái néng zuòchū juédìng. I should think it over to make the decision. | ❹ 这个问题我们需要讨论一下。Zhège wèntí wǒmen xūyào tǎolùn yíxià. We should discuss this issue. | ❺ 我们需要买这本词典吗？Wǒmen xūyào mǎi zhè běn cídiǎn ma? Do we need to buy this dictionary?

<*n.*> requirement

❶ 吃饭、穿衣是人们最基本的生活需要。Chīfàn、chuānyī shì rénmen zuì jīběn de shēnghuó xūyào. Food and clothing are the basic necessities of life. | ❷ 因为工作的需要，他经常出差。Yīnwèi gōngzuò de xūyào, tā jīngcháng chūchāi. He often goes on business errands. | ❸ 你有什么需要，就请告诉我。Nǐ yǒu shénme xūyào, jiù qǐng gàosu wǒ. If there is anything you need, please let me know. | ❹ 我们生产什么，主要看市场的需要。Wǒmen shēngchǎn shénme, zhǔyào kàn shìchǎng de xūyào. What we produce is mainly based on what the market needs.

253. 选择（選擇）xuǎnzé

<*v.*> choose, select

三级

❶ 他选择了一份自己喜欢的工作。Tā xuǎnzéle yí fèn zìjǐ xǐhuan de gōngzuò. He has chosen a job he likes. | ❷ 我选择汉语作为我的第一外语。Wǒ xuǎnzé Hànyǔ zuòwéi wǒ de dì-yī wàiyǔ. I chose Chinese as my first foreign language. | ❸ 请选择一个正确答案。Qǐng xuǎnzé yí ge zhèngquè dá'àn. Please choose a correct answer. | ❹ 这次旅行路线我们一定要好好儿选择一下。Zhè cì lǚxíng lùxiàn wǒmen yídìng yào hǎohāor xuǎnzé yíxià. We must choose the travel route carefully this time. | ❺ 经过认真选择，他决定还是

去北京留学。Jīngguò rènzhēn xuǎnzé, tā juédìng háishi qù Běijīng liúxué. After careful consideration, he still decided to go to Beijing to study. | ❻ 教师的工作是我自己选择的，我不后悔。Jiàoshī de gōngzuò shì wǒ zìjǐ xuǎnzé de, wǒ bú hòuhuǐ. Being a teacher is my own choice. I won't regret it.

<*n.*> choice

❶ 事实证明，我的选择是对的。Shìshí zhèngmíng, wǒ de xuǎnzé shì duì de. Fact has proved that I've made the right choice. | ❷ 学习汉语是我自己的选择。Xuéxí Hànyǔ shì wǒ zìjǐ de xuǎnzé. It's my own choice to study Chinese. | ❸ 在婚姻问题上，父母应该尊重孩子的选择。Zài hūnyīn wèntí shang, fùmǔ yīnggāi zūnzhòng háizi de xuǎnzé. Parents should respect their children's choices about marriage. | ❹ 我们俩的选择完全一样。Wǒmen liǎ de xuǎnzé wánquán yíyàng. We both have exactly the same choice. | ❺ 在这个问题上，你只能有一种选择。Zài zhège wèntí shang, nǐ zhǐ néng yǒu yì zhǒng xuǎnzé. You only have one choice on this issue.

254. 眼镜（眼鏡）yǎnjìng

<*n.*> glasses

❶ 他很小就近视了，戴上了眼镜。Tā hěn xiǎo jiù jìnshì le, dàishangle yǎnjìng. He became near-sighted and wore glasses when he was a little boy. | ❷ 你别压坏了我的眼镜。Nǐ bié yāhuàile wǒ de yǎnjìng. Don't crush my glasses. | ❸ 她眼睛不大，戴着一副眼镜。Tā yǎnjing bú dà, dàizhe yí fù yǎnjìng. She has small eyes and wears a pair of glasses. | ❹ 他摘了眼镜什么都看不清楚。Tā zhāile yǎnjìng shénme dōu kàn bu qīngchu. He cannot see anything clearly without glasses. | ❺ 我这副眼镜是 500 度的。Wǒ zhè fù yǎnjìng shì 500 dù de. The strength of my glasses is 500 degrees.

255. 要求 yāoqiú

<*v.*> ask

❶ 他要求换到水平高一点儿的班。Tā yāoqiú huàndào shuǐpíng gāo yìdiǎnr de bān. He requested to switch to a class of higher level. | ❷ 他总是要求别人这样那样，自己却做不到。Tā zǒngshì yāoqiú biéren zhèyàng nàyàng, zìjǐ què zuò bu dào. He always tells others to do this and that, but he can't do it himself. | ❸ 我要求参加学校的足球队。Wǒ yāoqiú cānjiā xuéxiào de zúqiúduì. I applied to join the school soccer team. | ❹ 他主动要求承担更多的工作。Tā zhǔdòng yāoqiú chéngdān gèng duō de gōngzuò. He voluntarily asked to take on more job responsibilities. | ❺ 我一再要求留下来，他们才同意了。Wǒ yízài yāoqiú liú xiàlai, tāmen cái tóngyì le. I repeatedly asked to stay and finally they agreed. | ❻ 这个公司要求的条件太高，没有人符合。Zhège gōngsī yāoqiú de tiáojiàn tài gāo, méiyǒu rén fúhé. The qualifications the company requires are too high and no one can meet them.

<*n.*> demand, requirement

❶ 去外地参观前，老师向我们提了很多要求。Qù wàidì cānguān qián, lǎoshī xiàng wǒmen tíle hěn duō yāoqiú. The teacher put forward a number of requirements to us before visiting other places. | ❷ 这是合理的要求，应该得到满足。Zhè shì hélǐ de yāoqiú, yīnggāi dédào mǎnzú. This is a reasonable requirement and should be met. | ❸ 这项工作的具体要求由老王告诉你们。Zhè xiàng gōngzuò de jùtǐ yāoqiú yóu Lǎo Wáng gàosu nǐmen. Lao Wang will tell you the details of the job requirements. | ❹ 他终于答应我们的要求了。Tā zhōngyú dāying wǒmen de yāoqiú le. He finally granted our request. | ❺ 对不起，我不能答应你的要求。Duìbuqǐ, wǒ bù néng dāying nǐ de yāoqiú. Sorry, I can't grant your request.

256. 爷爷（爺爺）yéye

<*n.*> ① grandpa, grandfather

❶ 爷爷今年八十岁了。Yéye jīnnián bāshí suì le. My grandpa is 80 this year. | ❷ 我小时候跟爷爷生活在一起。Wǒ xiǎoshíhou gēn yéye shēnghuó zài yìqǐ. I lived with my grandpa when I was young. | ❸ 爷爷的身体还很好。Yéye de shēntǐ hái hěn hǎo. My grandpa is still very healthy. | ❹ 爷爷，我很想您。Yéye, wǒ hěn xiǎng nín. Grandpa, I miss you very much. | ❺ 我爷爷很早就去世了。Wǒ yéye hěn zǎo jiù qùshì le. My grandpa passed away long ago.

② *used to refer to a man in the same age or the same generation of one's grandfather*

❶ 邻居李爷爷买东西去了。Línjū Lǐ yéye mǎi dōngxi qù le. Grandpa Li in the neighborhood has gone shopping. | ❷ 早上，很多老爷爷、老奶奶在公园里锻炼身体。Zǎoshang, hěn duō lǎoyéye、lǎonǎinai zài gōngyuán li duànliàn shēntǐ. In the morning, many elders do exercise in the park. | ❸ 他帮着老爷爷过了马路。Tā bāngzhe lǎoyéye guòle mǎlù. He helped an old man cross the street.

257. 一定 yídìng

<*adv.*> must, certainly

❶ 你明天一定要来啊。Nǐ míngtiān yídìng yào lái a. You must come here tomorrow. | ❷ 我相信你一定能成功。Wǒ xiāngxìn nǐ yídìng néng chénggōng. I'm sure you'll succeed. | ❸ 这件事你一定要答应我。Zhè jiàn shì nǐ yídìng yào dāying wǒ. You must promise me this. | ❹ 他到现在还没来，一定是忘了。Tā dào xiànzài hái méi lái, yídìng shì wàng le. He hasn't come yet. He must have forgotten. | ❺ 我受伤的事，你一定不要让我父母知道。Wǒ shòushāng de shì, nǐ yídìng búyào ràng wǒ fùmǔ zhīdào. You must not tell my parents that I've got injured. | ❻ 我不一定去上海，也可能去广州。Wǒ bù yídìng qù Shànghǎi, yě kěnéng qù Guǎngzhōu. I may go to Guangzhou instead of Shanghai.

<*adj.*> some, proper, fair

❶ 他的汉语水平有了一定的提高。Tā de Hànyǔ shuǐpíng yǒule yídìng de tígāo. He has improved his Chinese. | ❷ 这件事产生了一定的影响。Zhè jiàn shì chǎnshēngle yídìng de yǐngxiǎng. This issue has some impact. | ❸ 这里的卫生条件有了一定的改善。Zhèli de wèishēng tiáojiàn yǒule yídìng de gǎishàn. The sanitary condition has been improved here. | ❹ 他的工作取得了一定的成绩。Tā de gōngzuò qǔdéle yídìng de chéngjì. He has made some progress in his work.

258. 一共 yígòng

<*adv.*> altogether

❶ 这些东西一共三百五十块。Zhèxiē dōngxi yígòng sānbǎi wǔshí kuài. The total price for all the stuff here is 350 *kuai*. | ❷ 他一共去过二十一个国家。Tā yígòng qùguo èrshíyī ge guójiā. He's been to 21 countries altogether. | ❸ 我们大学一共有两万名学生。Wǒmen dàxué yígòng yǒu liǎng wàn míng xuésheng. There are 20000 students altogether in our university. | ❹ 看比赛的观众一共有三万多人。Kàn bǐsài de guānzhòng yígòng yǒu sānwàn duō rén. A total of over 30000 persons watched the game. | ❺ 这三个行李箱一共是三十公斤。Zhè sān ge xínglixiāng yígòng shì sānshí gōngjīn. The three suitcases weighed 30 kilograms altogether. | ❻ 这个宾馆一共有二百多个房间。Zhège bīnguǎn yígòng yǒu èrbǎi duō ge fángjiān. In total, there are over 200 rooms in this hotel.

259. 一会儿（一會兒）yíhuìr

<*adv.*> in a moment

❶ 你稍等一下，他一会儿就回来。Nǐ shāo děng yíxià, tā yíhuìr jiù huílai. Hold on, please. He will be right back. | ❷ 我现在很忙，你一会儿再给我打电话吧。

Wǒ xiànzài hěn máng, nǐ yíhuìr zài gěi wǒ dǎ diànhuà ba. I'm very busy now. Would you please call me again later? | ❸ 三瓶啤酒，他一会儿就喝完了。Sān píng píjiǔ, tā yíhuìr jiù hēwán le. He drunk up three bottles of beer in no time. | ❹ 他越喝越高兴，一会儿就喝醉了。Tā yuè hē yuè gāoxìng, yíhuìr jiù hēzuì le. The more he drank, the happier he became. He got drunk in a moment. | ❺ 这里的天气很奇怪，一会儿下雨，一会儿下雪。Zhèli de tiānqì hěn qíguài, yíhuìr xià yǔ, yíhuìr xià xuě. The weather here is so weird. It sometimes rains and sometimes snows.

<*n.*> a little while

❶ 你要是累了，就休息一会儿。Nǐ yàoshi lèi le, jiù xiūxi yíhuìr. Please rest a while if you are tired. | ❷ 一会儿的时间，他们就吃完了两大盘菜。Yíhuìr de shíjiān, tāmen jiù chīwánle liǎng dà pán cài. They ate up two big dishes in a short time. | ❸ 他快回来了，你们等一会儿吧。Tā kuài huílai le, nǐmen děng yíhuìr ba. He will come back soon. Please wait a while. | ❹ 他在这儿坐了一会儿就走了。Tā zài zhèr zuòle yíhuìr jiù zǒu le. He sat here for a while, and then left. | ❺ 电视没什么意思，我看了一会儿就去睡觉了。Diànshì méi shénme yìsi, wǒ kànle yíhuìr jiù qù shuìjiào le. The TV programs were boring. I watched it for a while and then went to bed.

260. 一样（一樣）yíyàng

<*adj.*> ① same

❶ 我们俩的年龄一样。Wǒmen liǎ de niánlíng yíyàng. We two are of the same age. | ❷ 他们两个人打扮得完全一样。Tāmen liǎng ge rén dǎban de wánquán yíyàng. They two are dressed exactly the same. | ❸ 妹妹和姐姐一样漂亮。Mèimei hé jiějie yíyàng piàoliang. The younger sister is as beautiful as her elder sister. | ❹ 学校东门和南门离我这儿一样远，你离哪个门近，我就去哪个门接你。Xuéxiào dōngmén hé nánmén lí wǒ zhèr yíyàng yuǎn, nǐ lí nǎ ge mén jìn, wǒ jiù qù nǎ ge mén jiē nǐ. Both the eastern and southern gates of the school are of the same distance to me. Please choose the one closer to you and I'll pick you up there. | ❺ 这两个国家的情况不太一样。Zhè liǎng ge guójiā de qíngkuàng bú tài yíyàng. The situations in the two countries are not the same.

② *used after a noun or verb, meaning"similar"*

❶ 老师像妈妈一样关心我。Lǎoshī xiàng māma yíyàng guānxīn wǒ. The teacher cares about me as much as my mom does. | ❷ 她的脸红得像苹果一样。Tā de liǎn hóng de xiàng píngguǒ yíyàng. Her face turned as red as an apple. | ❸ 这个姑娘像花儿一样美丽。Zhège gūniang xiàng huār yíyàng měilì. The girl is as beautiful as a flower. | ❹ 放学了，孩子们像飞一样地离开了教室。Fàngxué le, háizimen xiàng fēi yíyàng de líkāile jiàoshì. Class is over. The kids left the classroom swiftly.

261. 以后（以後）yǐhòu

<*n.*> after, later, future

❶ 大学毕业以后，他去了美国。Dàxué bìyè yǐhòu, tā qùle Měiguó. He went to the United States of America after he graduated from college. | ❷ 自从2008年以后，我再也没见过他。Zìcóng 2008 nián yǐhòu, wǒ zài yě méi jiànguo tā. I've never seen him since 2008. | ❸ 这个问题我们以后再讨论吧。Zhège wèntí wǒmen yǐhòu zài tǎolùn ba. Let's discuss this issue later. | ❹ 下课以后，你到我办公室来一下。Xiàkè yǐhòu, nǐ dào wǒ bàngōngshì lái yíxià. Please come to my office after class. | ❺ 考完试以后，我想去西安旅行。Kǎowán shì yǐhòu, wǒ xiǎng qù Xī'ān lǚxíng. I want to visit Xi'an after the exam. | ❻ 我们以后还会再见面的。Wǒmen yǐhòu hái huì zài jiànmiàn de. We will meet again in future. | ❼ 从今以后，我们就是朋友了。Cóng jīn yǐhòu, wǒmen jiù shì péngyou le. We are friends from now on. | ❽ 我想听听你以后的打算。Wǒ xiǎng tīngting nǐ yǐhòu de dǎsuàn. I'd like to know your plan for the future.

262. 以前 yǐqián

<*n.*> before

❶ 2009年以前，我没出过国。2009 nián yǐqián, wǒ méi chūguo guó. I had never gone abroad before 2009. | ❷ 我九点钟以前到，可以吗？ Wǒ jiǔ diǎnzhōng yǐqián dào, kěyǐ ma? Can I come here before 9 o'clock? | ❸ 我们以前就认识。Wǒmen yǐqián jiù rènshi. We knew each other. | ❹ 我们第一次见面，是十年以前的事了。Wǒmen dì-yī cì jiànmiàn, shì shí nián yǐqián de shì le. It was ten years ago when we first met. | ❺ 他现在的汉语水平比以前高多了。Tā xiànzài de Hànyǔ shuǐpíng bǐ yǐqián gāo duō le. He has greatly improved his Chinese. | ❻ 这个地方我以前来过。Zhège dìfang wǒ yǐqián láiguo. I've been here before.

263. 以为（以為）yǐwéi

<*v.*> think, suppose

❶ 我以为他是中国人，原来是日本人啊。Wǒ yǐwéi tā shì Zhōngguórén, yuánlái shì Rìběnrén a. I had thought he's Chinese, but he's Japanese. | ❷ 我以为你走了，你怎么还在这儿？ Wǒ yǐwéi nǐ zǒu le, nǐ zěnme hái zài zhèr? I had thought you were gone, but how come you are still here? | ❸ 我以为会下雨，所以带了把伞。Wǒ yǐwéi huì xià yǔ, suǒyǐ dàile bǎ sǎn. I thought it would rain, so I took an umbrella with me. | ❹ 我以为他有四十岁了，其实他才二十多。Wǒ yǐwéi tā yǒu sìshí suì le, qíshí tā cái èrshí duō. I thought he was over 40, but he was just in his 20s. | ❺ 我以为你不来了，所以就睡觉了。Wǒ yǐwéi nǐ bù lái le, suǒyǐ jiù shuìjiào le. I had thought you wouldn't come, so I went to sleep. | ❻ 你以为别人都是这么想的吗？ Nǐ yǐwéi biéren dōu shì zhème xiǎng de ma? Do you think others would all think this way? | ❼ 他原以为自己来得很早，结果他是最后到的。Tā yuán yǐwéi zìjǐ lái de hěn zǎo, jiéguǒ tā shì zuìhòu dào de. He had thought he would be an early comer, but he was actually the last one to come.

264. 一般 yìbān

<*adj.*> ① ordinary, general

❶ 我和他只是一般的朋友。Wǒ hé tā zhǐ shì yìbān de péngyou. He and I are just ordinary friends. | ❷ 我们的关系一般，说不上好。Wǒmen de guānxì yìbān, shuō bu shàng hǎo. Our relationship is ordinary, not very close. | ❸ 他的汉语不是太好，一般吧。Tā de Hànyǔ bú shì tài hǎo, yìbān ba. His Chinese is not so good, just average. | ❹ 一般情况下，他都是五点下班。Yìbān qíngkuàng xià, tā dōu shì wǔ diǎn xiàbān. Generally, he gets off from work at 5 p.m. | ❺ 这里的冬天一般很少下雪。Zhèli de dōngtiān yìbān hěn shǎo xià xuě. It seldom snows here in winter. | ❻ 他一般不会生气，不知道这次怎么了。Tā yìbān bú huì shēngqì, bù zhīdào zhè cì zěnme le. Normally he doesn't get angry easily. I don't know what happened to him this time.

② the same as

❶ 我们俩一般大。Wǒmen liǎ yìbān dà. We are of the same age. | ❷ 学生对她像对自己的妈妈一般。Xuésheng duì tā xiàng duì zìjǐ de māma yìbān. The students treat her as their own mom. | ❸ 这些姑娘如花儿一般美丽。Zhèxiē gūniang rú huār yìbān měilì. These girls are as beautiful as flowers. | ❹ 他飞一般地跑回了家。Tā fēi yìbān de pǎohuíle jiā. He ran back home swiftly.

265. 一边（一邊）yìbiān

<*adv.*> at the same time

三级

❶ 他慢慢走着，一边听着音乐。Tā mànmàn zǒuzhe, yìbiān tīngzhe yīnyuè. He listened to the music as he walked slowly. | ❷ 他一边吃饭，一边看电视。Tā yìbiān chīfàn, yìbiān kàn diànshì. He watched TV while eating his meal. | ❸ 我的同事一边说，一边做动作。Wǒ de tóngshì yìbiān shuō, yìbiān zuò dòngzuò. My colleague gestured while speaking. | ❹ 他一边开车，一边打电话。Tā yìbiān kāichē, yìbiān dǎ diànhuà. He was making a call while he was driving.

<*n.*> ① one side, side

❶ 这张桌子一边高一边低。Zhè zhāng zhuōzi yìbiān gāo yìbiān dī. This table is higher on one side and lower on the other. | ❷ 我家住在河的这一边，她家住在河的那一边。Wǒ jiā zhù zài hé de zhè yìbiān, tā jiā zhù zài hé de nà yìbiān. My family lives on this side of the river and her family on the other side. | ❸ 这张纸一边是红色，一边是蓝色。Zhè zhāng zhǐ yìbiān shì hóngsè, yìbiān shì lánsè. The paper is red on one side and blue on the other. | ❹ 你们只能看到这一边，看不到那一边。Nǐmen zhǐ néng kàndào zhè yìbiān, kàn bu dào nà yìbiān. You can just see this side and can't see the other.

② beside

❶ 这条马路的对面是个商店，商店的一边是酒吧。Zhè tiáo mǎlù de duìmiàn shì ge shāngdiàn, shāngdiàn de yìbiān shì jiǔba. There is a store on the opposite side of the road, and a bar beside the store. | ❷ 他把汽车开到一边，休息了一会儿。Tā bǎ qìchē kāidào yìbiān, xiūxile yíhuìr. He pulled over the car and took a rest. | ❸ 我们在看电视的时候，她在一边看书。Wǒmen zài kàn diànshì de shíhou, tā zài yìbiān kàn shū. She was reading when we were watching TV. | ❹ 孩子们在踢足球，妈妈在一边看着。Háizimen zài tī zúqiú, māma zài yìbiān kànzhe. When the kids were playing football, their mothers were watching them.

266. 一直 yìzhí

三级

<*adv.*> ① straight

❶ 你一直往前走，走五分钟就能看到银行。Nǐ yìzhí wǎng qián zǒu, zǒu wǔ fēnzhōng jiù néng kàndào yínháng. Go straight forward for five minutes, and then you'll see the bank. | ❷ 地铁站就在前面，你就一直走，不要拐弯儿，大约十五分钟就到了。Dìtiězhàn jiù zài qiánmiàn, nǐ jiù yìzhí zǒu, búyào guǎiwānr, dàyuē shíwǔ fēnzhōng jiù dào le. The MRT station is just ahead. Walk straight ahead for fifteen minutes, and then you'll be there. | ❸ 顺着这条路一直往前走，就能到我家。Shùnzhe zhè tiáo lù yìzhí wǎng qián zǒu, jiù néng dào wǒ jiā. Go straight along this road, and then you can reach my home. | ❹ 这条路一直通到市中心。Zhè tiáo lù yìzhí tōngdào shì zhōngxīn. The road goes straight to the city center. | ❺ 沿着这条路一直开下去，就能到海边。Yánzhe zhè tiáo lù yìzhí kāi xiàqu, jiù néng dào hǎibiān. Drive straight along the road, and then you'll get to the seaside.

② *indicating an uninterrupted action or a constant state*

❶ 这两天一直在下雨。Zhè liǎng tiān yìzhí zài xià yǔ. It has always been raining these days. | ❷ 他一直坐在那里，一上午也没动。Tā yìzhí zuò zài nàli, yí shàngwǔ yě méi dòng. He has been sitting still there the whole morning without moving at all. | ❸ 他一直喜欢上网玩儿游戏。Tā yìzhí xǐhuan shàngwǎng wánr yóuxì. He always likes playing games online. | ❹ 昨天，我一直工作到凌晨一点多。Zuótiān, wǒ yìzhí gōngzuò dào língchén yī diǎn duō. I had been working till 1 a.m. in the early morning today. | ❺ 我一直不知道他已经结婚了。Wǒ yìzhí bù zhīdào tā yǐjīng jiéhūn le. I didn't know he had been married. | ❻ 从小到大，我一直没离开过父母。Cóng xiǎo dào dà, wǒ yìzhí méi líkāiguo fùmǔ. I have never left my parents since childhood. | ❼ 我一直到老都会爱你的。Wǒ yìzhí dào lǎo dōu huì ài nǐ de. I will always love you even when I get old.

267. 音乐（音樂）yīnyuè

三级

<*n.*> music

❶ 我很喜欢中国音乐。Wǒ hěn xǐhuan Zhōngguó yīnyuè. I like Chinese music very much. | ❷ 他一边走路，一边听音乐。Tā yìbiān zǒulù, yìbiān tīng yīnyuè. He was listening to the music while walking. | ❸ 我想让孩子学习音乐。Wǒ xiǎng ràng háizi xuéxí yīnyuè. I want my kid to study music. | ❹ 他一谈到音乐就非常兴奋。Tā yì tándào yīnyuè jiù fēicháng xīngfèn. He gets excited whenever he talks about music. | ❺ 西方音乐在我们国家很受欢迎。Xīfāng yīnyuè zài wǒmen guójiā hěn shòu huānyíng. Western music is very popular in our country. | ❻ 我有两张音乐会门票，一起去听吧。Wǒ yǒu liǎng zhāng yīnyuèhuì ménpiào, yìqǐ qù tīng ba. I have two tickets for the concert. Please go with me. | ❼ 你喜欢古典音乐还是现代音乐？ Nǐ xǐhuan gǔdiǎn yīnyuè háishi xiàndài yīnyuè? Do you like classical music or modern music?

268. 银行（銀行）yínháng

<*n.*> bank

❶ 请问，附近有没有银行？ Qǐngwèn, fùjìn yǒu méiyǒu yínháng? Excuse me, is there a bank around? | ❷ 学校里就有银行，存钱、取钱都很方便。Xuéxiào li jiù yǒu yínháng, cúnqián、qǔqián dōu hěn fāngbiàn. There is a bank in the school and it's very convenient to deposit or withdraw cash. | ❸ 下午我要去银行换钱。Xiàwǔ wǒ yào qù yínháng huàn qián. I'll go to exchange some money in the bank this afternoon. | ❹ 我哥哥在一家银行工作。Wǒ gēge zài yì jiā yínháng gōngzuò. My elder brother works in a bank. | ❺ 这条街上有很多家银行。Zhè tiáo jiē shang yǒu hěn duō jiā yínháng. There are many banks on this street. | ❻ 银行几点开门？ Yínháng jǐ diǎn kāimén? When will the bank open? | ❼ 我忘了我的银行卡密码了，怎么办？ Wǒ wàngle wǒ de yínhángkǎ mìmǎ le, zěnme bàn? I forgot the PIN number of my bank card. What shall I do?

269. 应该（應該）yīnggāi

<*aux.*> ① should

❶ 这些事都是我应该做的，不用谢。Zhèxiē shì dōu shì wǒ yīnggāi zuò de, búyòng xiè. You are welcome. | ❷ 你身体不好，应该每天坚持锻炼。Nǐ shēntǐ bù hǎo, yīnggāi měi tiān jiānchí duànliàn. You are not in good health, so you'd better do exercise every day. | ❸ 天气太冷，你应该多穿点儿。Tiānqì tài lěng, nǐ yīnggāi duō chuān diǎnr. It's freezing. Please put on more clothes to keep warm. | ❹ 我们应该多关心他，帮助他。Wǒmen yīnggāi duō guānxīn tā, bāngzhù tā.

We should show more concern and provide more help for him. | ❺ 我做错了，老师批评我是应该的。Wǒ zuòcuò le, lǎoshī pīpíng wǒ shì yīnggāi de. I was wrong and deserve the teacher's criticism. | ❻ 你不应该说假话。Nǐ bù yīnggāi shuō jiǎ huà. You shouldn't lie.

② *used to show estimation*

❶ 都快九点了，他应该来了。Dōu kuài jiǔ diǎn le, tā yīnggāi lái le. It's almost 9 o'clock. He should have arrived. | ❷ 他现在应该到家了。Tā xiànzài yīnggāi dào jiā le. He must have arrived at home by now. | ❸ 你学了四年英语，应该能看懂这篇文章。Nǐ xuéle sì nián Yīngyǔ, yīnggāi néng kàndǒng zhè piān wénzhāng. Since you have learned English for four years, you should understand this article. | ❹ 他今年应该是大学四年级了。Tā jīnnián yīnggāi shì dàxué sì niánjí le. He must be a senior college student this year. | ❺ 他应该不会相信这件事情吧？Tā yīnggāi bú huì xiāngxìn zhè jiàn shìqing ba? He can't believe it, can he?

270. 影响（影響）yǐngxiǎng

<*v.*> affect

❶ 他常常生病，影响了学习。Tā chángcháng shēngbìng, yǐngxiǎngle xuéxí. He often gets sick, which affects his school performance. | ❷ 抽烟会影响健康。Chōu yān huì yǐngxiǎng jiànkāng. Smoking affects your health. | ❸ 别说话了，以免影响别人休息。Bié shuōhuà le, yǐmiǎn yǐngxiǎng biéren xiūxi. Excuse me, but could you stop talking so as not to disturb those who are resting? | ❹ 她没有因为家里的事情影响工作。Tā méiyǒu yīnwèi jiāli de shìqing yǐngxiǎng gōngzuò. She didn't let the family affairs affect her work. | ❺ 我觉得谈恋爱不会影响学习。Wǒ juéde tán liàn'ài bú huì yǐngxiǎng xuéxí. I don't think having a boyfriend/girlfriend will interfere with our academic performance. | ❻ 父母应该用自己的言行去影响教育孩子。Fùmǔ yīnggāi yòng zìjǐ de yánxíng qù yǐngxiǎng jiàoyù háizi. Parents should influence and bring up their children with their words and deeds.

<*n.*> influence, impact

❶ 父母的言行对孩子的影响是很大的。Fùmǔ de yánxíng duì háizi de yǐngxiǎng shì hěn dà de. What parents say and do has a great influence on their children. | ❷ 我学汉语是受了哥哥的影响。Wǒ xué Hànyǔ shì shòule gēge de yǐngxiǎng. I studied Chinese under my elder brother's influence. | ❸ 这件事情对学校的影响很大。Zhè jiàn shìqing duì xuéxiào de yǐngxiǎng hěn dà. This issue has a great impact in the school. | ❹ 在他父亲的影响下，他成了一名画家。Zài tā fùqīn de yǐngxiǎng xià, tā chéngle yì míng huàjiā. He became a painter under his dad's influence. | ❺ 他是一位很有影响的电影演员。Tā shì yí wèi hěn yǒu yǐngxiǎng de diànyǐng yǎnyuán. He is an influential movie star. | ❻ 这件事产生了不好的影响。Zhè jiàn shì chǎnshēngle bù hǎo de yǐngxiǎng. It has brought a bad influence. | ❼ 你是领导，说话、做事要注意影响。Nǐ shì lǐngdǎo, shuōhuà、zuòshì yào zhùyì yǐngxiǎng. As a leader, please speak and act cautiously.

271. 用 yòng radical: 冂 strokes: 5 stroke order: 丿 冂 月 月 用

<*v.*> ① use

❶ 你用我的词典吧，我现在不用。Nǐ yòng wǒ de cídiǎn ba, wǒ xiànzài bú yòng. You can use my dictionary. I'm not using it now. | ❷ 我能用一下你的自行车吗？Wǒ néng yòng yíxià nǐ de zìxíngchē ma? Can I borrow your bicycle? | ❸ 这台电脑我用了很多年了，一点儿问题也没有。Zhè tái diànnǎo wǒ yòngle hěn duō nián le. yìdiǎnr wèntí yě méiyǒu. This computer has been used for years and still works perfectly. | ❹ 我们每次都是用电话联系，很少写信。Wǒmen měi cì dōu shì yòng diànhuà liánxì, hěn shǎo xiě xìn. We contact each other by phone and seldom write letters. | ❺ 这台电冰箱没用多长时间就坏了。Zhè tái diànbīngxiāng méi yòng duō cháng shíjiān jiù huài le. This refrigerator has not been used for very long before it broke down. | ❻ 这些东西我不用了，你拿走吧。Zhèxiē dōngxi wǒ bú yòng le, nǐ názǒu ba. I won't use these stuff.

三级

Please take it away. | ❼ 我写文章喜欢用电脑打字，不喜欢用手写。Wǒ xiě wénzhāng xǐhuan yòng diànnǎo dǎ zì, bù xǐhuan yòng shǒu xiě. I'd like to type articles into a computer rather than writing them by hand.

② need

❶ 用我帮忙吗？ Yòng wǒ bāngmáng ma? Can I help you? | ❷ 不用说了，我都知道了。Búyòng shuō le, wǒ dōu zhīdào le. No need to mention it. I already knew it. | ❸ 不用谢，这是我应该做的。Búyòng xiè, zhè shì wǒ yīnggāi zuò de. You're welcome. It's my pleasure. | ❹ 我们是朋友，不用那么客气。Wǒmen shì péngyou, búyòng nàme kèqi. We're friends, so please make yourself at home. | ❺ 你不用着急，我们还有时间。Nǐ búyòng zháojí, wǒmen hái yǒu shíjiān. Don't worry. We still have time. | ❻ 现在用不了这么多人，你们先回去吧。Xiànzài yòng bu liǎo zhème duō rén, nǐmen xiān huíqu ba. There is no need to have so many people here. You can go home first.

272. 游戏（游戲）yóuxì

<*n.*> game

❶ 我们上课的时候经常做一些小游戏来学习汉语。Wǒmen shàngkè de shíhou jīngcháng zuò yìxiē xiǎoyóuxì lái xuéxí Hànyǔ. We often play games in class to learn Chinese. | ❷ 他们玩儿起了小时候的游戏。Tāmen wánrqǐle xiǎoshíhou de yóuxì. They are playing childhood games. | ❸ 游戏开始了，每个人都很兴奋。Yóuxì kāishǐ le, měi ge rén dōu hěn xīngfèn. The game began and everyone became excited. | ❹ 你们这里有什么好玩儿的游戏？ Nǐmen zhèli yǒu shénme hǎowánr de yóuxì? What fun games do you have here? | ❺ 他很喜欢上网玩儿各种游戏。Tā hěn xǐhuan shàngwǎng wánr gè zhǒng yóuxì. He likes playing various games online. | ❻ 别让孩子玩儿太多的网络游戏。Bié ràng háizi wánr tài duō de wǎngluò yóuxì. Don't make your kid indulge too much in online games.

273. 有名 yǒumíng

<*adj.*> famous, well-known

❶ 她是一位很有名的电影演员。Tā shì yí wèi hěn yǒumíng de diànyǐng yǎnyuán. She is a very famous movie actress. | ❷ 我们的历史学教授在中国很有名。Wǒmen de lìshǐxué jiàoshòu zài Zhōngguó hěn yǒumíng. Our history professor is very famous in China. | ❸ 这本书很有名，你不知道吗？Zhè běn shū hěn yǒumíng, nǐ bù zhīdào ma? This is a very famous book. Don't you know it? | ❹ 我们大学在美国很有名，没有人不知道。Wǒmen dàxué zài Měiguó hěn yǒumíng, méiyǒu rén bù zhīdào. The university I am studying at is renowned in the United States of America. Everybody knows about it. | ❺ 他越来越有名了。Tā yuè lái yuè yǒumíng le. He is getting more and more famous. | ❻ 这是个有名的电脑公司。Zhè shì ge yǒumíng de diànnǎo gōngsī. This is a famous computer company.

274. 又 yòu radical: 又 strokes: 2 stroke order: ㇇ 又

<*adv.*> ① again

❶ 他去年买了一台电脑，今年又买了一台。Tā qùnián mǎile yì tái diànnǎo, jīnnián yòu mǎile yì tái. He bought a computer last year, and bought another one this year. | ❷ 昨天下雨了，今天怎么又下雨了？Zuótiān xià yǔ le, jīntiān zěnme yòu xià yǔ le? It rained yesterday. Why is it raining again today? | ❸ 又要期中考试了。Yòu yào qīzhōng kǎoshì le. The mid-term examination will come again. | ❹ 他经常生病，前两天又感冒了。Tā jīngcháng shēngbìng, qián liǎng tiān yòu gǎnmào le. He often gets sick and caught a cold again two days ago. | ❺ 他上午一直在找你，刚才又来电话了。Tā shàngwǔ yìzhí zài zhǎo nǐ, gāngcái yòu lái diànhuà le. He has been looking for you the whole morning and called you just now. | ❻ 老师又讲了一遍，我才明白。Lǎoshī yòu jiǎngle yí biàn, wǒ cái míngbai. I couldn't get it until my teacher explained it twice. | ❼ 他想了又想，还是想不出来。Tā xiǎngle yòu xiǎng, háishi xiǎng bu chūlái. He thought about it again and again, but he still couldn't figure it out.

② also, after

❶ 他吃完饭，又吃了一个苹果。Tā chīwán fàn, yòu chīle yí ge píngguǒ. He ate an apple after the meal. | ❷ 他是我的老师，又是我的朋友。Tā shì wǒ de lǎoshī, yòu shì wǒ de péngyou. He is my teacher as well as my friend. | ❸ 我们班有三个美国人，昨天又来了几个。Wǒmen bān yǒu sān ge Měiguórén, zuótiān yòu láile jǐ ge. There are three Americans in our class. Several more Americans came here yesterday. | ❹ 我从商店出来以后，又去了银行。Wǒ cóng shāngdiàn chūlai yǐhòu, yòu qùle yínháng. I went to the bank after I got out of the store. | ❺ 他洗完衣服，又开始收拾房间。Tā xǐwán yīfu, yòu kāishǐ shōushi fángjiān. He began to clean the room after he finished the laundry. | ❻ 他觉得冷，出门前，又穿了一件大衣。Tā juéde lěng, chūmén qián, yòu chuānle yí jiàn dàyī. He felt cold, so he put on an overcoat before going out.

③ and, too

❶ 她又漂亮又聪明。Tā yòu piàoliang yòu cōngming. She is beautiful and smart. | ❷ 他的汉字写得又快又好。Tā de Hànzì xiě de yòu kuài yòu hǎo. He writes Chinese characters fast and well. | ❸ 他站起来又坐下，坐下又站起来，不知道究竟要干什么。Tā zhàn qǐlai yòu zuòxia, zuòxia yòu zhàn qǐlai, bù zhīdào jiūjìng yào gàn shénme. He stood up, then sat down, and then stood up again, feeling restless, not knowing what to do. | ❹ 她又想说又不想说，真让人着急。Tā yòu xiǎng shuō yòu bù xiǎng shuō, zhēn ràng rén zháojí. She wanted to tell something, but held it back on the second thought, which really worried me. | ❺ 他又黑又瘦，看起来不太健康。Tā yòu hēi yòu shòu, kàn qǐlai bú tài jiànkāng. He is black and thin and doesn't look very healthy.

275. 遇到 yùdào

<*phr.*> meet, encounter

❶ 刚才在街上我遇到了一位老朋友。Gāngcái zài jiē shang wǒ yùdàole yí wèi lǎo péngyou. I met an old friend on the street just now. | ❷ 没想到会在这儿遇到你。Méi xiǎngdào huì zài zhèr yùdào nǐ. I didn't expect to meet you here. | ❸ 当你遇到危险的时候，首先不要惊慌。Dāng nǐ yùdào wēixiǎn de shíhou, shǒuxiān búyào jīnghuāng. Firstly, don't panic when you are in danger. | ❹ 我们可能遇到麻烦了。Wǒmen kěnéng yùdào máfan le. Maybe we are in trouble. | ❺ 这次出国，我们遇到了很多困难。Zhè cì chū guó, wǒmen yùdàole hěn duō kùnnan. We encountered many troubles when we went abroad this time. | ❻ 我以前从来没遇到过这种情况。Wǒ yǐqián cónglái méi yùdàoguo zhè zhǒng qíngkuàng. I have never had such an experience. | ❼ 你要是能遇到他，就告诉他这件事；要是遇不到，就算了。Nǐ yàoshi néng yùdào tā, jiù gàosu tā zhè jiàn shì; yàoshi yù bu dào, jiù suàn le. Please tell him about it if you meet him, or just let it go if you don't.

276. 愿意（願意）yuànyì

<*aux.*> hope, wish, want (*something to happen*)

❶ 我们都愿意去中国学习汉语。Wǒmen dōu yuànyì qù Zhōngguó xuéxí Hànyǔ. We all want to study Chinese in China. | ❷ 你愿意听我说完吗？ Nǐ yuànyì tīng wǒ shuōwán ma? Will you hear me out? | ❸ 如果你愿意，我们就这么做。Rúguǒ nǐ yuànyì, wǒmen jiù zhème zuò. Let's do it this way if you like. | ❹ 大家都愿意帮助这些老人和孩子。Dàjiā dōu yuànyì bāngzhù zhèxiē lǎorén hé háizi. Everyone is willing to help these seniors and kids. | ❺ 你愿意说就说，不愿意说就不说。Nǐ yuànyì shuō jiù shuō, bú yuànyì shuō jiù bù shuō. Say it if you are willing to, or don't if you are not. | ❻A：你愿意嫁给他吗？ B：我愿意。A: Nǐ yuànyì jiàgěi tā ma? B: Wǒ yuànyì. A: Do you want to marry him? B: Yes, I do.

277. 月亮 yuèliang

<*n.*> moon

❶ 今晚的月亮又圆又亮。Jīnwǎn de yuèliang yòu yuán yòu liàng. The moon tonight is round and bright. | ❷ 天还没黑，月亮就出来了。Tiān hái méi hēi, yuèliang jiù chūlai le. It's not dark yet and the moon has already come out. | ❸ 今天晚上阴天，看不到月亮。Jīntiān wǎnshang yīntiān, kàn bu dào yuèliang. It's cloudy tonight, so we cannot see the moon. | ❹ 我们现在只能看到一半的月亮。Wǒmen xiànzài zhǐ néng kàndào yíbàn de yuèliang. We can just see half of the moon. | ❺ 你看，今晚的月亮多大啊！Nǐ kàn, jīnwǎn de yuèliang duō dà a! See, how big the moon looks tonight!

278. 越 yuè radical: 走 strokes: 12 stroke order: 一 十 土 丰 丰 丰 走 走 赱 越 越 越

<*adv.*> *used to express the deepening of degree, same as "the more... the more"*

❶ 汉语越学越有兴趣。Hànyǔ yuè xué yuè yǒu xìngqù. The more you study Chinese, the more you will become interested in it. | ❷ 我越来越喜欢中国了。Wǒ yuè lái yuè xǐhuan Zhōngguó le. I like China more and more. | ❸ 天气越来越热了。Tiānqì yuè lái yuè rè le. It's getting hotter and hotter. | ❹ 他越说我越听不明白。Tā yuè shuō wǒ yuè tīng bu míngbai. The more he said, the more confused I became. | ❺ 付出的努力越多，得到的回报就越大。Fùchū de nǔlì yuè duō, dédào de huíbào jiù yuè dà. The more you give, the more you get.

三级

279. 云（雲）yún radical: 一 strokes: 4 stroke order: 一 二 亍 云

<*n.*> cloud

❶ 今天云不多，应该不会下雨。Jīntiān yún bù duō, yīnggāi bú huì xià yǔ. There is not so much cloud, so it shouldn't rain today. | ❷ 天上的云层很厚，看起来要下雨。Tiānshang de yúncéng hěn hòu, kàn qǐlai yào xià yǔ. The sky is covered with thick cloud. It seems that it will rain. | ❸ 阳光很足，天上几乎没有什么云。Yángguāng hěn zú, tiānshang jīhū méiyǒu shénme yún. It's a sunny day with almost no cloud in the sky. | ❹ 今天是个多云的天气。Jīntiān shì ge duōyún de tiānqì. It's cloudy today. | ❺ 天上的云一会儿就被风吹跑了。Tiānshang de yún yíhuìr jiù bèi fēng chuīpǎo le. All the cloud in the sky was soon blown away by the wind. | ❻ 我很喜欢这蓝天白云的天气。Wǒ hěn xǐhuan zhè lántiān báiyún de tiānqì. I like the blue sky and white cloud very much.

280. 站 zhàn radical: 立 strokes: 10

stroke order: ` 亠 亠 亣 立 立丨 立卜 立卜 站 站

<*n.*> stop, station

❶ 从学校到你家，公共汽车要经过几站？Cóng xuéxiào dào nǐ jiā, gōnggòng qìchē yào jīngguò jǐ zhàn? How many bus stops will you go through from your school to your home? | ❷ 火车马上就要出站了。Huǒchē mǎshàng jiùyào chū zhàn le. The train will soon draw out of the station. | ❸ 新建的火车站非常美丽、壮观。Xīn jiàn de huǒchēzhàn fēicháng měilì、zhuàngguān. The newly-built railway station is very beautiful and spectacular. | ❹ 我现在在汽车站等车。Wǒ xiànzài zài qìchēzhàn děng chē. I'm now waiting at the bus stop. | ❺ 我们下一站下车。Wǒmen xià yí zhàn xià chē. We will get off at the next stop.

<*v.*> stand

❶ 车上没有座位了，我只能站着。Chē shang méiyǒu zuòwèi le, wǒ zhǐ néng zhànzhe. There were no seats available on the bus, so I had to stand. | ❷ 我们老师从来都是站着讲课。Wǒmen lǎoshī cónglái dōu shì zhànzhe jiǎngkè. Our teachers always stand to give lectures. | ❸ 你站累了吧？坐下休息一会儿吧。Nǐ zhànlèi le ba? Zuòxia xiūxi yíhuìr ba. Did you get tired from standing? Please sit down and have a rest. | ❹ 王老师讲课时喜欢站着，不喜欢坐着。Wáng lǎoshī jiǎngkè shí xǐhuan zhànzhe, bù xǐhuan zuòzhe. Mr. Wang prefers standing to sitting when he gives lectures. | ❺ 只有站得高才能看得远。Zhǐyǒu zhàn de gāo cái néng kàn de yuǎn. You'll enjoy a further sight by climbing to a greater height. | ❻ 你站在这儿就看见了。Nǐ zhàn zài zhèr jiù kànjiàn le. If you stand here, you'll see it.

281. 长（長）zhǎng radical: 长 strokes: 4

stroke order: ノ 一 ⺧ 长

<v.> ① grow, produce

❶ 孩子长牙了，还是两颗。Háizi zhǎng yá le, hái shì liǎng kē. The baby has two teeth that have erupted. | ❷ 大米放的时间长了，容易长虫子。Dàmǐ fàng de shíjiān cháng le, róngyì zhǎng chóngzi. Rice will easily get worms if it is kept for a long period of time. | ❸ 树下长满了草，一片绿色。Shù xià zhǎngmǎnle cǎo, yípiàn lǜsè. Covered with grass, the ground under the tree is green.

② grow

❶ 青少年正是长身体的时候，应该多吃点儿。Qīngshàonián zhèng shì zhǎng shēntǐ de shíhou, yīnggāi duō chī diǎnr. Youngsters should eat more food as they are just growing up. | ❷ 孩子的身高在一天一天地长。Háizi de shēngāo zài yì tiān yì tiān de zhǎng. The kid is growing taller and taller with each passing day. | ❸ 这个小孩儿长得真胖，都快四十公斤了。Zhège xiǎoháir zhǎng de zhēn pàng, dōu kuài sìshí gōngjīn le. What a chubby kid! His weight almost reaches 40 kilograms.

③ increase, improve

❶ 学生就该多学知识，多长本领。Xuésheng jiù gāi duō xué zhīshi, duō zhǎng běnlǐng. Students should gain more knowledge and wisdom. | ❷ 孩子，多吃饭才会长力气。Háizi, duō chīfàn cái huì zhǎng lìqi. Kid, you should eat more food to get stronger. | ❸ 经过这些年的锻炼，他长了不少智慧。Jīngguò zhèxiē nián de duànliàn, tā zhǎngle bù shǎo zhìhuì. He has gained much wisdom after all these years. | ❹ 去国外学习了一年，他大大长了见识。Qù guówài xuéxíle yì nián, tā dàdà zhǎngle jiànshi. After studying abroad for a year, he has gained much knowledge and experience.

<suf.> used to form a noun, meaning "leader" or "head"

❶ 他是我们班班长。Tā shì wǒmen bān bānzhǎng. He is the monitor of our class. | ❷ 我们很喜欢这个校长。Wǒmen hěn xǐhuan zhège xiàozhǎng. We like the schoolmaster very much. | ❸ 这个问题我们向市长反映了。Zhège wèntí wǒmen xiàng shìzhǎng fǎnyìng le. We have posed this problem to the mayor. | ❹ 这个省长是新来的。Zhège shěngzhǎng shì xīn lái de. The governor of the province is a newcomer. | ❺ 他们刚刚选出了厂长。Tāmen gānggāng xuǎnchūle chǎngzhǎng. They just elected the head of their factory.

[Note] It is also pronounced as "cháng". See Level 2 on page 98.

282. 着急 zháo//jí

<*adj.*> upset, anxious

❶ 孩子生病了，妈妈非常着急。Háizi shēngbìng le, māma fēicháng zháojí. The child was sick, which worried his mother a lot. | ❷ 他的钱包被人偷了，他正在那里着急呢。Tā de qiánbāo bèi rén tōu le, tā zhèngzài nàli zháojí ne. His wallet was stolen, which worried him very much. | ❸ 可能赶不上火车了，这让他着急得很。Kěnéng gǎn bu shàng huǒchē le, zhè ràng tā zháojí de hěn. He will probably miss the train, which made him worried. | ❹ 别着急，慢慢说，到底出什么事了？ Bié zháojí, mànmàn shuō, dàodǐ chū shénme shì le? Don't worry. Slow down. Can you tell me what happened? | ❺ 我们有充足的时间，不用着急。Wǒmen yǒu chōngzú de shíjiān, búyòng zháojí. We have enough time. Don't worry. | ❻ 时间还早呢，你着什么急啊？ Shíjiān hái zǎo ne, nǐ zháo shénme jí a? Don't worry. It's still early.

283. 照顾（照顧）zhàogù

<v.> ① take care of, care

❶ 她没有工作，只在家照顾孩子。Tā méiyǒu gōngzuò, zhǐ zài jiā zhàogù háizi. She is unemployed and takes care of the kids at home. | ❷ 我生病的时候，她照顾了我一个星期。Wǒ shēngbìng de shíhou, tā zhàogùle wǒ yí ge xīngqī. She took care of me for a week when I was sick. | ❸ 父母工作都很忙，所以请了个保姆来照顾奶奶。Fùmǔ gōngzuò dōu hěn máng, suǒyǐ qǐngle ge bǎomǔ lái zhàogù nǎinai. Both my parents are busy at work, so they've hired a maid to take care of my grandma. | ❹ 这些行李，麻烦你帮我照顾一下。Zhèxiē xíngli, máfan nǐ bāng wǒ zhàogù yíxià. Would you please take care of the luggage for me? | ❺ 这些老人在这里得到了很好的照顾。Zhèxiē lǎorén zài zhèli dédàole hěn hǎo de zhàogù. These seniors are taken good care of here. | ❻ 我们学校很照顾留学生的生活。Wǒmen xuéxiào hěn zhàogù liúxuésheng de shēnghuó. Our school cares a lot about the foreign students' lives. | ❼ 给你这台新电脑是领导对你的照顾，希望你好好儿努力。Gěi nǐ zhè tái xīn diànnǎo shì lǐngdǎo duì nǐ de zhàogù, xīwàng nǐ hǎohāor nǔlì. The leader gave you this new computer to show their care for you. They hope you'll work hard.

② take... into consideration

❶ 请客人吃饭时要照顾到他们的习惯。Qǐng kèrén chīfàn shí yào zhàogù dào tāmen de xíguàn. If you invite somebody to dinner, you should take their eating habits into consideration. | ❷ 我们在制定管理办法时，尽量照顾到了不同的情况。Wǒmen zài zhìdìng guǎnlǐ bànfǎ shí, jǐnliàng zhàogù dào le bù tóng de qíngkuàng. We tried our best to take various circumstances into consideration when making the regulations. | ❸ 每个部门都要照顾到全局，不能只想自己的利益。Měi ge bùmén dōu yào zhàogù dào quánjú, bù néng zhǐ xiǎng zìjǐ de lìyì. Every department should consider the overall situation, but not only its own benefit. | ❹ 汉语课堂上，教师要尽量照顾到不同水平的学生。Hànyǔ kètáng shang, jiàoshī yào jǐnliàng zhàogù dào bù tóng shuǐpíng de xuésheng. In Chinese class, teachers should try to take students of different levels into consideration.

284. 照片 zhàopiàn

<*n.*> photo

❶ 你能帮我拍张照片吗？ Nǐ néng bāng wǒ pāi zhāng zhàopiàn ma? Could you take a photo for me? | ❷ 我们一起出去拍些照片吧。 Wǒmen yìqǐ chūqu pāi xiē zhàopiàn ba. Let's go out and take some photos together. | ❸ 大家过来拍照，照片我会在晚上传给大家。 Dàjiā guòlai pāizhào, zhàopiàn wǒ huì zài wǎnshang chuángěi dàjiā. Come on, let's take a group photo. I'll send it to everyone in the evening. | ❹ 这张照片是我两年前照的。 Zhè zhāng zhàopiàn shì wǒ liǎng nián qián zhào de. The photo of mine was taken two years ago. | ❺ 这是我们全家在一起的照片。 Zhè shì wǒmen quán jiā zài yìqǐ de zhàopiàn. This is my family portrait. | ❻ 这张大的彩色照片是他结婚时候拍的。 Zhè zhāng dà de cǎisè zhàopiàn shì tā jiéhūn shíhou pāi de. The big color photo was taken when he got married.

285. 照相机（照相機）zhàoxiàngjī

<*n.*> camera

❶ 我这台照相机用了四年了。 Wǒ zhè tái zhàoxiàngjī yòngle sì nián le. I have used this camera for four years. | ❷ 我想买个数码照相机。 Wǒ xiǎng mǎi ge shùmǎ zhàoxiàngjī. I want to buy a digital camera. | ❸ 我的手机同时也是照相机。 Wǒ de shǒujī tóngshí yě shì zhàoxiàngjī. My cellphone can also be used as a camera. | ❹ 这台照相机照出来的照片色彩很好。 Zhè tái zhàoxiàngjī zhào chūlai de zhàopiàn sècǎi hěn hǎo. Photos taken using this camera have beautiful colors. | ❺ 我的照相机没电了。 Wǒ de zhàoxiàngjī méi diàn le. The batteries of my camera went out. | ❻ 我不会用这种照相机。 Wǒ bú huì yòng zhè zhǒng zhàoxiàngjī. I don't know how to use this type of camera. | ❼ 这个照相机的开关在哪儿？ Zhège zhàoxiàngjī de kāiguān zài nǎr? Where is the switch of this camera?

286. 只 zhǐ radical: 口 strokes: 5 stroke order: 丨 ㄇ 口 尸 只

<*adv.*> ① only

❶ 中国我只去过北京和上海，没去过别的地方。Zhōngguó wǒ zhǐ qùguo Běijīng hé Shànghǎi, méi qùguo bié de dìfang. I haven't been to any other places in China except Beijing and Shanghai. | ❷ 他只会说汉语，不会说其他语言。Tā zhǐ huì shuō Hànyǔ, bú huì shuō qítā yǔyán. He can't speak any other languages except Chinese. | ❸ 我只喜欢打乒乓球，不喜欢其他运动。Wǒ zhǐ xǐhuan dǎ pīngpāngqiú, bù xǐhuan qítā yùndòng. I don't like playing any other sports except table tennis. | ❹ 在这儿我只认识你一个人。Zài zhèr wǒ zhǐ rènshi nǐ yí ge rén. You are the only person I know here. | ❺ 我只喜欢看书，没什么别的爱好。Wǒ zhǐ xǐhuan kàn shū, méi shénme bié de àihào. I have no other hobbies except reading.

② sole

❶ 现在教室里只剩下两名学生了。Xiànzài jiàoshì li zhǐ shèngxia liǎng míng xuésheng le. There are only two students left in the classroom. | ❷ 只听见有人说话，没看见人。Zhǐ tīngjiàn yǒu rén shuōhuà, méi kànjiàn rén. I can only hear someone speaking, but I didn't see the person. | ❸ 你们都回去吧，这儿只留一个人就行了。Nǐmen dōu huíqu ba, zhèr zhǐ liú yí ge rén jiù xíng le. Just leave one person here. Others can go home.

287. 中间（中間）zhōngjiān

<*n.*> ① among, middle

❶ 校长来到学生们中间了解情况。Xiàozhǎng láidào xuéshengmen zhōngjiān

liǎojiě qíngkuàng. The principal came to the students to get the information. | ❷ 他们中间有两位学过汉语。Tāmen zhōngjiān yǒu liǎng wèi xuéguo Hànyǔ. Two of them have learned Chinese before. | ❸ 那些苹果中间还有几个梨。Nàxiē píngguǒ zhōngjiān hái yǒu jǐ ge lí. There are some pears among the apples.

② center

❶ 广场中间摆了很多鲜花。Guǎngchǎng zhōngjiān bǎile hěn duō xiānhuā. There are a lot of flowers in the center of the square. | ❷ 他们已经游到了河中间。Tāmen yǐjīng yóudàole hé zhōngjiān. They have swum to the middle of the river. | ❸ 中间的座位是留给客人坐的。Zhōngjiān de zuòwèi shì liúgěi kèrén zuò de. The middle seats are reserved for the guests.

③ between

❶ 从北京到上海，中间要经过很多城市。Cóng Běijīng dào Shànghǎi, zhōngjiān yào jīngguò hěn duō chéngshì. There are a lot of cities between Beijing and Shanghai. | ❷ 每天下午四点到五点中间，我都要去操场上锻炼。Měi tiān xiàwǔ sì diǎn dào wǔ diǎn zhōngjiān, wǒ dōu yào qù cāochǎng shang duànliàn. I always do exercise on the play ground between 4 p.m. and 5 p.m. every day. | ❸ 把这幅画儿挂到那两幅画儿中间吧。Bǎ zhè fú huàr guàdào nà liǎng fú huàr zhōngjiān ba. Please hang this painting between those two paintings.

288. 终于（終于）zhōngyú

<*adv.*> finally

❶ 我们等了他很长时间，他终于来了。Wǒmen děngle tā hěn cháng shíjiān, tā zhōngyú lái le. We have been waiting for him for a long time and finally he came. | ❷ 经过一年的努力，他终于考上了大学。Jīngguò yì nián de nǔlì, tā zhōngyú kǎoshangle dàxué. He finally got accepted into a university after one year's effort. | ❸ 下了三天的雨，天终于晴了。Xiàle sān tiān de yǔ, tiān zhōngyú qíng le. After raining for three days, it has finally cleared up. | ❹ 我解释了半天，

他终于明白了。Wǒ jiěshìle bàntiān, tā zhōngyú míngbai le. I explained for quite a while and finally he understood. | ⑤ 她终于忍不住了，大声地哭了起来。Tā zhōngyú rěn bu zhù le, dà shēng de kūle qǐlai. At last, she couldn't help bursting into tears. | ⑥ 他们爬了两个小时，终于爬到了山顶。Tāmen pále liǎng ge xiǎoshí, zhōngyú pádàole shāndǐng. After two hours, they finally reached the top of the mountain.

289. 种（種）zhǒng

radical: 禾 strokes: 9 stroke order: 丿 二 千 未 禾 禾 和 和 种

<*m.*> (*used in a group of items with common characteristics*) kind

① 这种花儿一年开一回。Zhè zhǒng huār yì nián kāi yì huí. This kind of flower blossoms once a year. | ② 那种苹果很好吃。Nà zhǒng píngguǒ hěn hǎochī. That kind of apple is very delicious. | ③ 我买了好几种水果。Wǒ mǎile hǎojǐ zhǒng shuǐguǒ. I bought several kinds of fruits. | ④ 我觉得这两种酒一种好喝，一种不太好喝。Wǒ juéde zhè liǎng zhǒng jiǔ yì zhǒng hǎohē, yì zhǒng bú tài hǎohē. I think one of the two wines tastes good, while the other doesn't. | ⑤ 关于这件事，他们一人一种看法。Guānyú zhè jiàn shì, tāmen yì rén yì zhǒng kànfǎ. Each of them has his / her own view on this issue. | ⑥ 这种手表很贵。Zhè zhǒng shǒubiǎo hěn guì. This kind of watch is very expensive.

<*n.*> race

① 东方人多数是黄种人。Dōngfāngrén duō shù shì huángzhǒngrén. Most oriental people are of the yellow race. | ② 他是白种人。Tā shì báizhǒngrén. He is Caucasian. | ③ 非洲很多是黑种人。Fēizhōu hěn duō shì hēizhǒngrén. Many Africans are of the black race. | ④ 白人、黑人、黄色人种，不管哪种人，互相都是平等的。Báirén、hēirén、huángsè rénzhǒng, bùguǎn nǎ zhǒng rén, hùxiāng dōu shì píngděng de. No matter what races they are, white, black or yellow, all people are born equal.

290. 重要 zhòngyào

<*adj.*> important

❶ 明天的会很重要，你一定要来。Míngtiān de huì hěn zhòngyào, nǐ yídìng yào lái. Tomorrow's meeting is very important. You must come. | ❷ 老李有重要的事，所以来不了了。Lǎo Lǐ yǒu zhòngyào de shì, suǒyǐ lái bu liǎo le. Mr. Li can't come here because he has something important to take care of. | ❸ 这次考试对他来说重要极了，可以说是一次决定命运的考试。Zhè cì kǎoshì duì tā láishuō zhòngyào jí le, kěyǐ shuō shì yí cì juédìng mìngyùn de kǎoshì. The exam is so important to him that it can even decide his future. | ❹ 环境保护问题变得越来越重要，各级政府都非常重视。Huánjìng bǎohù wèntí biàn de yuè lái yuè zhòngyào, gè jí zhèngfǔ dōu fēicháng zhòngshì. Environment protection has become more and more important and governments at every level attach great importance to it. | ❺ 到中国留学，这是我同家人共同做出的重要决定。Dào Zhōngguó liúxué, zhè shì wǒ tóng jiārén gòngtóng zuòchū de zhòngyào juédìng. Studying in China is an important decision I made with my family.

291. 周末 zhōumò

<*n.*> weekend

❶ 这个周末是我生日，你们来我家吃蛋糕吧。Zhège zhōumò shì wǒ shēngrì, nǐmen lái wǒ jiā chī dàngāo ba. My birthday falls on this weekend. Please come to my home to eat the cake. | ❷ 每到周末，我们就聚在一起唱歌。Měi dào zhōumò, wǒmen jiù jù zài yìqǐ chàng gē. We sing together on every weekend. | ❸ 这是一个愉快的周末，大家玩儿得都很开心。Zhè shì yí ge yúkuài de zhōumò, dàjiā wánr de dōu hěn kāixīn. This was a happy weekend. Everyone enjoyed himselves. | ❹ 她的周末生活安排得很丰富。Tā de zhōumò shēnghuó ānpái de hěn fēngfù. Her weekends are scheduled with colorful activities. | ❺ 我上周末去了长城。Wǒ shàng zhōumò qùle Chángchéng. Last weekend I went to the Great Wall.

292. 主要 zhǔyào

<adj.> (*as opposed to* "*minor*") main, chief

❶ 这件事情主要责任在我。Zhè jiàn shìqing zhǔyào zérèn zài wǒ. I'll be responsible for this mainly. | ❷ 你把事情的经过挑主要的讲一讲。Nǐ bǎ shìqing de jīngguò tiāo zhǔyào de jiǎng yì jiǎng. Please briefly tell us what happened. | ❸ 他们的同事在促成他们的婚姻中起了主要作用。Tāmen de tóngshì zài cùchéng tāmen de hūnyīn zhōng qǐle zhǔyào zuòyòng. Their colleague was their matchmaker. | ❹ 司机酒后开车是这次交通事故的主要原因。Sījī jiǔ hòu kāichē shì zhè cì jiāotōng shìgù de zhǔyào yuányīn. Drunk driving is the main reason for this traffic accident. | ❺ 我主要谈两个方面的问题。Wǒ zhǔyào tán liǎng ge fāngmiàn de wèntí. I will mainly discuss two issues. | ❻ 电影发布会上，主要演员都到场了。Diànyǐng fābùhuì shang, zhǔyào yǎnyuán dōu dàochǎng le. All the principal cast of the movie showed up at the press conference. | ❼ 我了解这部书的主要内容。Wǒ liǎojiě zhè bù shū de zhǔyào nèiróng. I knew the main content of this book.

293. 注意 zhù//yì

三级

<v.> pay attention to

❶ 您不要太累，要注意自己的身体。Nín búyào tài lèi, yào zhùyì zìjǐ de shēntǐ. Don't work too much. Take care of yourself. | ❷ 她一向很注意自己的穿衣打扮。Tā yíxiàng hěn zhùyì zìjǐ de chuānyī dǎban. She always cares about the way she dresses. | ❸ 请注意一下他最近的情绪，有问题及时告诉我。Qǐng zhùyì yíxià tā zuìjìn de qíngxù, yǒu wèntí jíshí gàosu wǒ. Please pay attention to his mood fluctuations and if anything happens, please let me know as soon as possible. | ❹ 他的

精神状况已经引起了朋友们的注意。Tā de jīngshén zhuàngkuàng yǐjīng yǐnqǐle péngyoumen de zhùyì. His mental state has aroused his friends' attention. | ❺ 你工作中还有很多需要注意的地方。Nǐ gōngzuò zhōng hái yǒu hěn duō xūyào zhùyì de dìfang. There is still something you should pay special attention to in your work. | ❻ 你身体不好，健康状况要多注点儿意。Nǐ shēntǐ bù hǎo, jiànkāng zhuàngkuàng yào duō zhù diǎnr yì. You are in poor health. Take care of your health condition.

294. 祝 zhù radical: 礻 strokes: 9

stroke order: 丶 ㇇ 礻 礻 礻 礽 祀 祝 祝

<*v.*> wish

❶ 祝大家新年快乐！ Zhù dàjiā xīnnián kuàilè! I wish everyone a happy new year! | ❷ 爸、妈，祝你们身体健康！ Bà, mā, zhù nǐmen shēntǐ jiànkāng! Mom and Dad, I wish you good health! | ❸ 祝你生日快乐！ Zhù nǐ shēngrì kuàilè! Happy birthday to you! | ❹ 我真诚地祝你们婚姻幸福！ Wǒ zhēnchéng de zhù nǐmen hūnyīn xìngfú! I sincerely wish you a happy marriage.

295. 自己 zìjǐ

<*pron.*> ① self

❶ 你去忙吧，我自己收拾就可以。Nǐ qù máng ba, wǒ zìjǐ shōushi jiù kěyǐ. Please go to take care of your own business. I can tidy it up by myself. | ❷ 我也说不清楚，你自己去看吧。Wǒ yě shuō bu qīngchu, nǐ zìjǐ qù kàn ba. I can't make it clear. You may go to see it yourself. | ❸ 这些苹果都是自己从树上掉下来的。Zhèxiē píngguǒ dōu shì zìjǐ cóng shù shang diào xiàlai de. All these apples fell down from the tree themselves. | ❹ 新来的老师先向大家介绍了一下自己。Xīn lái de lǎoshī xiān xiàng dàjiā jièshàole yíxià zìjǐ. The new teacher firstly introduced himself to the class.

② *referring to oneself, excluding the subject in the sentence*

❶ 自己做错了事，不能怪别人。Zìjǐ zuòcuòle shì, bù néng guài biéren. He who did something wrong should not blame someone else. | ❷ 自己的事情要自己解决。Zìjǐ de shìqing yào zìjǐ jiějué. One should solve his/her own problems. | ❸ 每个人都要注意把握自己的命运。Měi ge rén dōu yào zhùyì bǎwò zìjǐ de mìngyùn. Everyone should have control over their own destiny. | ❹ 无论遇到什么困难，都要相信自己。Wúlùn yùdào shénme kùnnan, dōu yào xiāngxìn zìjǐ. One should always trust himself no matter what difficulty he meets.

③ *used before a noun, meaning belonging to oneself*

❶ 不用客气，都是自己人。Búyòng kèqi, dōu shì zìjǐ rén. Don't stand on ceremony, we are friends. | ❷ 他觉得还是在自己家里最舒服。Tā juéde háishi zài zìjǐ jiāli zuì shūfu. He feels the most comfortable at his own home. | ❸ 请大家打扫一下自己的办公室。Qǐng dàjiā dǎsǎo yíxià zìjǐ de bàngōngshì. Please clean your own office, everyone. | ❹ 他们每个人都在想自己的事情。Tāmen měi ge rén dōu zài xiǎng zìjǐ de shìqing. Everyone is thinking about his/her own business.

296. 字典 zìdiǎn

<*n.*> dictionary

❶ 这本字典对我学习汉语帮助很大。Zhè běn zìdiǎn duì wǒ xuéxí Hànyǔ bāngzhù hěn dà. This dictionary is very helpful for me to learn Chinese. | ❷ 这是一部汉英字典，很实用。Zhè shì yí bù Hàn-Yīng zìdiǎn, hěn shíyòng. This is a very practical Chinese-English dictionary. | ❸ 遇到不认识的字，你就查字典。Yùdào bú rènshi de zì, nǐ jiù chá zìdiǎn. You should consult the dictionary whenever you encounter a new word. | ❹ 他学习汉语，离不开这本厚字典。Tā xuéxí Hànyǔ, lí bu kāi zhè běn hòu zìdiǎn. He can't do without this thick dictionary when studying Chinese. | ❺ 我能用一下你的字典吗？ Wǒ néng yòng yíxià nǐ de zìdiǎn ma? Can I use your dictionary? | ❻ 这是我经常要用的几本字典。Zhè shì wǒ jīngcháng yào yòng de jǐ běn zìdiǎn. These are the dictionaries I often use.

297. 总是（總是）zǒngshì

<*adv.*> always

❶ 他总是早晨六点就起床，先锻炼，然后再吃早餐。Tā zǒngshì zǎochen liù diǎn jiù qǐchuáng, xiān duànliàn, ránhòu zài chī zǎocān. He always gets up at 6 a.m., does exercise, and then has his breakfast. | ❷ 王老师总是站着讲课，从来不坐。Wáng lǎoshī zǒngshì zhànzhe jiǎngkè, cónglái bú zuò. Mr. Wang always teaches the class standing rather than sitting there. | ❸ 他很勤奋，每天早上总是第一个到办公室。Tā hěn qínfèn, měi tiān zǎoshang zǒngshì dì-yī ge dào bàngōngshì. He is very studious and is always the first one to come to the office in the morning. | ❹ 她喜欢黑色，总是穿一身黑色的衣服。Tā xǐhuan hēisè, zǒngshì chuān yìshēn hēisè de yīfu. She likes black and always dresses in black. | ❺ 他总是为别人着想，不多为自己着想。Tā zǒngshì wèi biéren zhuóxiǎng, bù duō wèi zìjǐ zhuóxiǎng. He always thinks more of others than of himself.

298. 最近 zuìjìn

<*n.*> recently

❶ 你最近忙不忙？Nǐ zuìjìn máng bù máng? Are you busy recently? | ❷ 你最近身体好吗？Nǐ zuìjìn shēntǐ hǎo ma? How are you recently? | ❸ 最近我忙着写书呢。Zuìjìn wǒ mángzhe xiě shū ne. I've been busy writing a book recently. | ❹ 最近又要考试了，我们都忙着复习呢。Zuìjìn yòu yào kǎoshì le, wǒmen dōu mángzhe fùxí ne. An examination will come lately. We are busy preparing for it. | ❺ 最近，他的心情不太好。Zuìjìn, tā de xīnqíng bú tài hǎo. He has been in a bad mood lately. | ❻ 他最近去了一次云南。Tā zuìjìn qùle yí cì Yúnnán. He went to Yunnan recently.

299. 作业（作業）zuòyè

<*n.*> homework

❶ 这些天作业不多，孩子们很轻松。Zhèxiē tiān zuòyè bù duō, háizimen hěn qīngsōng. Children don't have much homework to do these days, which make them relaxed. | ❷ 老师明天要检查作业，我还没写完呢。Lǎoshī míngtiān yào jiǎnchá zuòyè, wǒ hái méi xiěwán ne. My teacher will check my homework tomorrow, but I haven't finished it. | ❸ 明天是圣诞节，我们不留作业了。Míngtiān shì Shèngdàn Jié, wǒmen bù liú zuòyè le. Tomorrow is Christmas. We won't have homework to do. | ❹ 她正在认真地做家庭作业。Tā zhèngzài rènzhēn de zuò jiātíng zuòyè. She is carefully doing her homework. | ❺ 他每次都按时交作业。Tā měi cì dōu ànshí jiāo zuòyè. He always submits his homework on time.

300. 作用 zuòyòng

<*n.*> role, effect

❶ 这次比赛，他起了很重要的作用。Zhè cì bǐsài, tā qǐle hěn zhòngyào de zuòyòng. He played a very important role in this game. | ❷ 吃饭和穿衣在人们生活中起着最基本的作用。Chīfàn hé chuānyī zài rénmen shēnghuó zhōng qǐzhe zuì jīběn de zuòyòng. Food and clothing are the basic necessities of people's life. | ❸ 他烧已经退了，看来药已经产生作用了。Tā shāo yǐjīng tuì le, kànlái yào yǐjīng chǎnshēng zuòyòng le. His fever has gone. It seems the medicine has worked. | ❹ 在信息交流中，语言起着重要的沟通作用。Zài xìnxī jiāoliú zhōng, yǔyán qǐzhe zhòngyào de gōutōng zuòyòng. Language plays an important role in communication. | ❺ 他的话对孩子根本不起任何作用。Tā de huà duì háizi gēnběn bù qǐ rènhé zuòyòng. The kid turned deaf ears to his words.

一～三级 600 词音序检索总表

Phonetic Index of the Entries of Levels 1, 2 & 3

gěi	给	二	112
gēnjù	根据	三	241
gēn	跟	三	242
gèng	更	三	243
gōngzuò	工作	一	22
gōnggòng qìchē	公共汽车	二	113
gōngjīn	公斤	二	113
gōngsī	公司	二	114
gōngyuán	公园	三	244
gǒu	狗	一	23
gùshi	故事	三	244
guā//fēng	刮风	三	245
guān	关	三	245
guānxì	关系	三	246
guānxīn	关心	三	248
guānyú	关于	三	248
guì	贵	二	114
guójiā	国家	三	249
guǒzhī	果汁	三	249
guòqu / guòqù	过去	三	250
guo	过	二	115

H

hái	还	二	115
háishi	还是	三	251
háizi	孩子	二	117
hàipà	害怕	三	252
Hànyǔ	汉语	一	23
hǎo	好	一	24
hǎochī	好吃	二	117
hào	号	二	117
hē	喝	一	25
hé	和	一	25
hé	河	三	253
hēi	黑	二	118
hēibǎn	黑板	三	253
hěn	很	一	26
hóng	红	二	119
hòumiàn	后面	一	27
hùzhào	护照	三	254
huā	花	三	254
huāyuán	花园	三	255
huà	画	三	256
huài	坏	三	257
huānyíng	欢迎	二	120
huán	还	三	258
huánjìng	环境	三	258
huàn	换	三	259
huáng	黄	三	260
huí	回	一	27
huídá	回答	二	120
huì	会	一	28
huìyì	会议	三	261